뉴그린 자동차 실기

엔진편

GoldenBell
www.gbbook.co.kr

머리말
Preface

어려웠던 코로나를 이기고 여기까지 오기를 고생하셨습니다. 이젠 걱정이 물러가고, 시련이 물러가고, 두려움이 물러가고, 코로나(COVID-19)가 다 물러가게 하여 주시고, 경제가 회복되고, 건강이 회복되고, 일상이 회복되게 하여 주시길 기원해 봅니다.

살면서 가장 행복한 사람은? 사랑을 다 주고도 더 주지 못해서 늘 안타까운 마음을 가진 사람이며, 가장 축복받는 사람은? 베풂을 미덕으로 여기며, 순간의 손해가 올지라도 감수할 줄 아는 사람이랍니다. 이젠 행복하고 축복받은 사람으로 살아가려고 노력하여 봅니다.

그동안의 자동차 엔진은 단순하면서도 기계적인 자동차에서 첨단 기술로 만들어진 현재의 자동차, 또한 미래의 자동차를 정비하여야 하는 기술인들은 고도의 고장 진단 방법과 점검 능력, 그리고 분석력과 정비 능력이 필요합니다. 따라서 정비기술도 체계화되고 진단기를 통하여 눈으로 보면서 정비해야 하는 시각적 정비시대가 왔습니다. 이와 더불어 자동차 정비 국가기술자격시험 문제로 단순한 정비 공구를 이용한 기계정비에서 진단기, 정비기기, 디지털 장비를 활용한 데이터 정비로 변화하고 있습니다. 난이도도 어려워지고 광범위한 문제가 출제되고 있습니다.

그래서 자격증을 취득하기 위한 수험서도 데이터 정비, 진단기 점검 정비, 시각적 정비에 맞춰서 자격증 취득의 지름길을 알려 주어야 함은 물론 현장에서 바로 적용할 수 있는 지도서가 필요함을 절실히 느끼면서 다음과 같은 주안점을 두고 집필하였습니다.

1. 일반 실습장에서 보유하고 있고 시험장에서 나오는 **아반떼 XD**와 **NF 쏘나타**를 기준으로 저술하였다.
2. **항목별로 진단, 점검, 교환, 수리 방법 동영상**을 QR 코드에 담아 직접 시험장에서 시험을 보는 것 같은 생동감을 주었다.
3. 산업기사 실기 시험 문제를 선정하여 조성하였으며, 관련 지식을 첨부하여 **일반 현장에서 실무에 적용**할 수 있도록 구성하였다.
4. 모든 그림은 컬러로 하여 입체감을 증대하고 시각적 피로감을 줄였으며, **생생한 현장 사진**을 첨부하였다.
5. 모든 항목은 아반떼 XD와 NF 쏘나타의 **데이터 값을 탑재**하여 수월하게 실습할 수 있도록 하였다.

끝으로 이 책으로 이론시험을 대비하는 수험생들에게 영광스러운 합격이 있기를 바라며 곳곳에 미흡한 점이 많이 있으리라 생각되며 차후에 계속 보완하여 나갈 것이며 이 책을 만들기까지 물심양면으로 도와주신 (주)골든벨 김길현 대표님과 직원 여러분에게 진심으로 감사드린다.

2023.10

저자일동

차 례
Contents

Chapter 1 자동차 정비 일반

01. 자동차 정비의 목적 ········ 8
02. 자동차 정비의 종류 ········ 8
03. 엔진 정비 작업 시 주의사항 ········ 12
04. 엔진 실습장에서의 주의사항 ········ 15
05. 자동차 정비용 일반 공구 및 기기 ········ 15

Chapter 2 엔진 분해 조립

01. 자동차 엔진(아반떼) 분해 조립 ········ QR 41
02. 자동차 엔진(NF 쏘나타) 분해 조립 ········ 48
03. 타이밍 벨트의 교환 ········ QR 55
04. 캠축의 분해 조립 ········ QR 65
05. 크랭크 축의 분해 조립 ········ QR 71
06. 실린더 헤드의 분해 조립 ········ QR 75
07. 피스톤의 분해 조립 ········ QR 79
08. 오일 펌프의 분해 조립 ········ QR 84
09. 시동장치(시동 전동기)의 탈·부착 ········ QR 88
10. 점화장치(점화 코일)의 탈·부착 ········ QR 92
11. 연료장치(연료 펌프)의 탈·부착 ········ QR 96

Chapter 3 엔진 본체의 정비

01. 실린더 헤드의 변형상태 점검 ········ 103
02. 실린더 블록의 평면도 점검 ········ 107
03. 실린더 보어 마모량 점검 ········ 110
04. 실린더 간극 점검 ········ 116
05. 피스톤 링 엔드 갭 점검 ········ 121
06. 캠축 휨 점검 ········ 124
07. 캠 양정 점검 ········ 126
08. 크랭크축 축 방향 유격의 점검 ········ 130
09. 크랭크축 메인저널 마모량 점검 ········ 136
10. 크랭크축 메인저널 오일 간극의 점검 ········ 140
11. 크랭크축 핀저널 오일 간극의 점검 ········ 145
12. 오일펌프 사이드 간극의 점검 ········ 148

Chapter 4 엔진의 차상 점검 & 정비

01. 시동회로의 점검 & 시동 ········ 153
02. 점화회로의 점검 & 시동 ········ 160
03. 연료 장치 회로의 점검 & 시동 ········ 166
04. 가솔린 엔진 배기가스 점검 ········ 173
05. 디젤 엔진 매연 점검 ········ 190
06. 연료 압력의 측정 ········ 201
07. 퍼지 컨트롤 솔레노이드 밸브의 점검 ········ 205

Chapter 5 파형의 분석

01. 인젝터 파형의 분석 ········ 209
02. 점화 1차 파형의 분석 ········ 219
03. 맵 센서 파형의 분석 ········ 231
04. 산소 센서 파형의 분석 ········ 242
05. 공기 유량 센서 파형(MAFS)의 분석 ········ 251
06. 스텝 모터 & ISCA 파형의 분석 ········ 257
07. TDC & 캠각 센서 파형의 분석 ········ 266

Chapter 6 디젤 엔진

01. 실습장에 많이 보유중인 현대 디젤 엔진의 종류 ········ 275
02. 인젝터의 탈·부착 ········ 283
03. 연료 압력 센서(RPS)의 탈·부착 ········ 294
04. 연료 압력 조절 밸브(DRV)의 탈·부착 ········ 301
05. 연료 압력(고압) 점검 ········ 305
06. 연료 리턴량 측정 ········ 308
07. 공전 속도 점검 ········ 312

Engine
엔진

Chapter1 자동차 정비 일반
Chapter2 엔진 분해 조립
Chapter3 엔진 본체의 정비
Chapter4 엔진의 차상 점검&정비
Chapter5 파형의 분석
Chapter6 디젤 엔진

Chapter 1

자동차 정비 일반

01 자동차 정비의 목적

자동차의 점검, 정비, 검사를 통하여 자동차의 성능 및 안전을 확보함으로써 공공의 복리를 증진함을 목적으로 한다.

1. 고장 및 성능저하 방지와 안전성 유지

자동차는 수많은 부품과 작동부분으로 형성되어 있어 점검과 정비를 소홀히 하면 고장을 일으킬 수 있으므로 항상 고장을 미연에 방지할 수 있도록 점검・정비를 철저히 하여 운행 차량의 안전성 확보, 교통사고 감소로 자동차를 경제적으로 유지 관리하며 인간의 생명을 보호하여야 한다.

2. 대기 환경 오염 방지

자동차에서 배출되는 유해 물질인 일산화탄소(CO), 탄화수소(HC), 질소산화물(NOx) 등의 유해가스가 인체에 유입되면 중독 현상, 호흡기 계통의 장애를 일으키며 환경을 오염시키므로 점검과 정비를 하여 유해 물질의 배출을 감소시켜 대기 환경 오염을 방지하여야 한다.

3. 경제적인 운전

사용기간이 길어지면 각 부분에 마멸 및 손상을 일으켜 성능의 저하를 초래한다. 따라서 자동차 예방 정비, 일상 점검 정비, 정기 점검 정비 및 분해 수리 정비를 하여 자동차를 안전하고 경제적인 운전을 도모하기 위함이다.

02 자동차 정비의 종류

1. 예방 정비

예방 정비란 자동차 사용자가 고장을 미연에 방지하기 위한 것으로 예방 정비에는 일상 점검 정비와 정기 점검 정비가 있으며 다음과 같이 실시한다. 사실 1인이 운전하는 차량의 경우는 매일 엔진 룸 등을 열고 점검하기는 어려움이 있으므로 운전석에서 시동을 걸면 계기판의 경고등으로 점검이 가능한 것이 대부분이다.

점검은 반드시 경사가 없는 평탄한 장소에서 실시하며, 시동을 「OFF」 또는 「ACC」 로 한 후 수동변속기 장착 차량은 「1단」 (엔진 시동 상태에서 점검이 필요할 때는 「N」 (중립)), 자동변속기 장착 차량은 「P」 (주차)에 위치시킨 후 주차 브레이크를 작동시켜 놓고 실시한다. 엔진 시동 상태에서 점검을 해야 할 때가 아니면 반드시 엔진 시동을 끄고, 점검 정비는 환기가 잘 되는 장소에서 실시하여야 한다.

1) 일상 점검 정비

자동차를 운행하기 전에 운전자가 자동차의 각부 구조, 기능이 안전한 상태에 있는지 여부를 확인하기 위하여 점검하지만 크게 나누면 엔진 룸을 열고 점검하는 사항, 운전석에 앉아서 점검하는 사항, 외관을 점검하는 사항 등으로 나눌 수 있다.

점검 항목		점검 내용
이상 유무 확인		· 전일 운전시 이상이 있던 부분은 정상인가?
엔진 룸을 열고	엔진	· 시동이 용이하고 연료, 엔진오일, 냉각수가 충분한가? · 누수, 누유는 없는가? · 구동 벨트의 장력은 적당하고 손상된 곳은 없는가?
	변속기	· 누유는 없는가?
	기타	· 브레이크 액, 파워 스티어링 오일, 클러치 액, 와셔 액 등은 충분하고 누유는 없는가?
차의 외관에서	엔진	· 배기가스의 색깔은 깨끗하고 유독가스 매연의 배출이 없는가?
	완충 스프링	· 스프링의 연결부위에 손상, 균열이 없는가?
	바퀴	· 타이어의 공기압은 적당한가? · 타이어의 이상마모 또는 손상은 없는가? · 휠 너트(또는 볼트)의 조임은 충분하고 손상은 없는가?
	램프	· 점등 및 점멸이 확실하고 파손되지 않았는가?
	등록번호표	· 번호표가 파손되지 않았는가?
운전석에 앉아서	엔진	· 연료는 충분하고 시동은 용이한가?
	스티어링 휠	· 흔들림, 유동이 없는가? · 조작이 용이한가?
	브레이크	· 페달의 유격과 잔류 간극이 적당한가? · 브레이크의 작동이 양호한가? · 주차 브레이크의 작동량은 적당한가(핸드타입)
	클러치 / 변속기	· 클러치의 유격은 적당한가? · 변속레버의 조작이 용이한가? 심한 진동은 없는가?
	실외 미러 / 실내 미러	· 비침 상태가 양호한가?
	경음기	· 작동이 양호한가?
	와이퍼	· 작동이 양호하고 와셔 액은 충분한가?
	각종 계기 및 스위치	· 작동이 양호한가?

① 엔진 룸을 열고 점검하는 사항

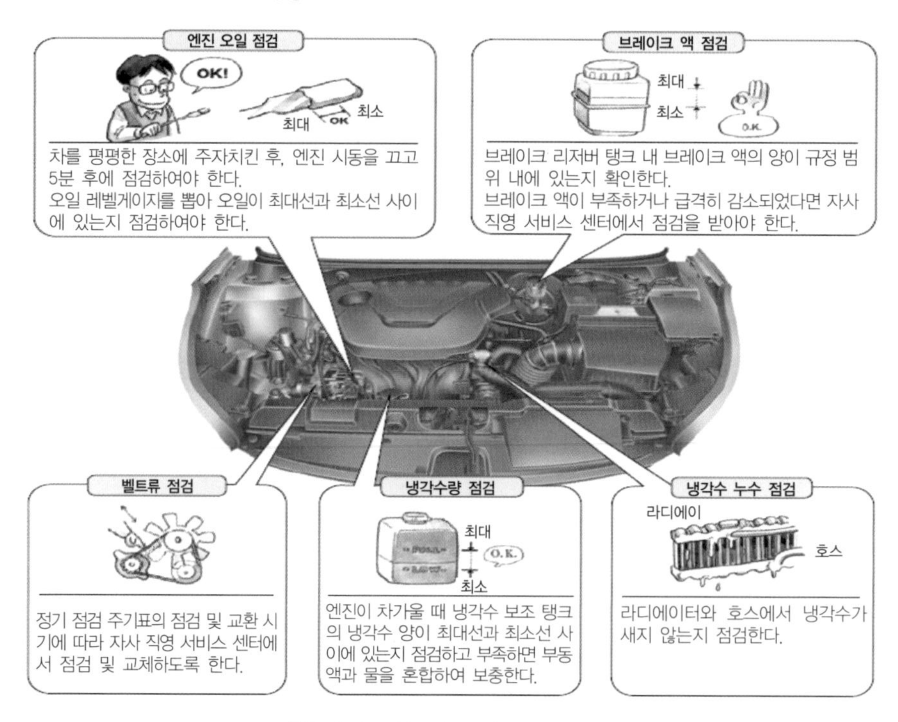

엔진 룸을 열고 점검하는 사항

② 운전석에 앉아서 점검하는 사항

운전석에 앉아서 점검하는 사항

2) 정기 점검 정비

자동차의 고장유무와 관계없이 일정한 시기를 정해두고 각부의 손상, 마멸, 작동 상태 등을 검사하여 불량한 부분을 정비하는 것을 정기 점검 정비라 한다.

① 일반 점검 항목

● : 교환, ○ : 점검, 조정, 보충, 청소 또는 필요시 교환

주행거리 / 점검 항목	일일 점검	매 10,000km	매 20,000km	매 30,000km	매 40,000km	매 60,000km	매 80,000km	매 100,000km	매 120,000km	매 160,000km
냉각수량 점검 및 교환	○	최초 교환 : 20km 또는 10년, 최초 교환 후 : 매 4만km 또는 매 2년마다 교환								
각종 오일 누유, 냉각장치의 누수 여부	○									
배터리 상태	○									
각종 전기장치 점검				○						
수동변속기 오일*						○				
자동변속기 오일* - 가솔린 엔진		무점검 / 무교환								
자동변속기 오일* - LPI 엔진						○				
브레이크 / 클러치* 액	○				●					
파워 스티어링 오일 및 호수	○		○							
타이어 공기압, 마모상태	○									
타이어 위치 교환		●								
브레이크 호스 및 라인의 누유, 파손 여부			○							
브레이크 패드 및 디스크		○								
조향계통 각 연결부, 기어박스, 부트 손상 여부		○								
드라이브 샤프트와 부트		○								
휠 너트의 조임 상태		○								
배기 파이프(머플러) 청소 및 조임 상태		○								
브레이크 페달 유격	상태에 따라 수시 점검 및 수정									
현가장치 점검 (볼트 및 너트 조임 토크)		○								
로어 암 볼 조인트 청소				○						
주차 브레이크 행정		○								
도어 체커, 각 잠금장치, 각 힌지부 점검 주유		○								
앞바퀴 정렬 상태	상태에 따라 수시 점검 및 수정									
공조 장치용 에어 필터*	매 15,000km 마다 교환									
에어컨 냉매 점검	매 12개월 마다 점검									
에어컨 작동 상태 점검	매 12개월 마다 점검									

② 가혹한 조건에서 사용할 때 점검하는 항목

● : 교환, ○ : 점검, 조정, 보충, 청소 또는 필요시 교환

점검 항목	점검 방법	점검 주기	운행 조건
엔진 오일 및 오일 필터	●	매 7,500km 또는 6개월	1, 2, 3, 4, 5, 6, 7, 9, 10
에어클리너 필터	●	상태에 따라 수시 점검 또는 필요시 교환	2, 5
점화 플러그	○	상태에 따라 수시 점검	3
브레이크 디스크 및 패드	○	상태에 따라 수시 점검	2, 4, 5, 6, 7, 8
로어 암 볼 조인트 청소	○	상태에 따라 수시 점검	2, 4
드라이브 샤프트와 부트	○	상태에 따라 수시 점검	2, 4, 5, 6, 7, 8,
공조 장치용 에어 필터*	●	상태에 따라 수시 점검 또는 필요시 교환	2
수동변속기 오일*	●	매 120,000km 교환	1, 4, 5, 6, 7, 8
자동변속기 오일*	●	매 120,000km 교환	1, 4, 5, 6, 7, 8

※ 다음과 같은 가혹한 조건하에서 차량을 사용했을 경우에는 정기 점검 주기를 좀 더 앞당겨 자주 점검, 교환하여야 한다.

1. 짧은 거리를 반복해서 주행했을 때
2. 모래, 먼지가 많은 지역을 주행했을 때
3. 계속 공회전을 과다하게 시켰을 때
4. 32℃ 이상의 온도에서 교통체증이 심한 곳을 50% 이상 주행했을 때
5. 험한 길(모래자갈 길, 눈길, 비포장 길) 등의 주행빈도가 높은 경우
6. 산길, 오르막 길, 내리막 길 등의 주행빈도가 높은 경우
7. 경찰차, 택시, 상용차, 견인차 등으로 사용하는 경우
8. 고속 주행(170km/h)의 빈도가 높은 경우
9. 잦은 정지와 출발을 반복적으로 주행할 경우
10. 소금, 부식 물질 또는 한랭지역을 운행하는 경우

2. 분해 정비

장기간 사용하여 출력이 저하되었거나 고장이 발생하였을 경우에 실시하는 정비를 말한다. 엔진의 분해 정비 시기는 다음과 같다.

① **압축 압력** : 규정 압축 압력의 70%이하로 저하되었을 때 또는 각 실린더의 차이가 10%이상이거나 규정 압축 압력의 10%이상을 초과할 때

② **연료 소비율** : 표준 연료 소비율의 60%이상 증가하였을 때

③ **윤활유 소비율** : 표준 윤활유 소비율의 50%이상 증가하였을 때

03 엔진 정비 작업 시 주의사항

1. 탈거, 분해

① 정비 작업 전에 펜더(fender), 시트 및 플로어 등이 손상되지 않도록 반드시 커버를 씌워야 한다.

② 결함이 있는 부분에 대하여 확인과 동시에 고장 원인을 규명하여야 하고 탈거 또는 분해할

필요가 있는지 파악한 후 정비 지침서의 순서에 의해 작업한다.

③ 조립 작업의 용이화 및 오조립의 방지를 위해 기능상, 외관상 나쁜 영향이 없는 부분에 펀치 마크 또는 일치 마크를 한다.

④ 유사 부품 및 부품의 수가 많은 부분 등을 분해할 경우 조립 시에 혼돈되지 않도록 잘 정리한다.

⑤ 탈거한 부품은 순서대로 잘 정리하고 교환 부품과 재사용 부품을 구분한다.

⑥ 볼트 및 너트를 교환할 경우에는 필히 지정 규격을 사용하여야 한다.

펜더 커버 설치하고 작업

분해 부품을 부품대에 정리

2. 교환 부품

다음 부품은 탈거한 경우 필히 신품으로 교환하여야 한다.

① 오일 실, 개스킷, 패킹, O-링

② 로크 와셔, 분할 핀

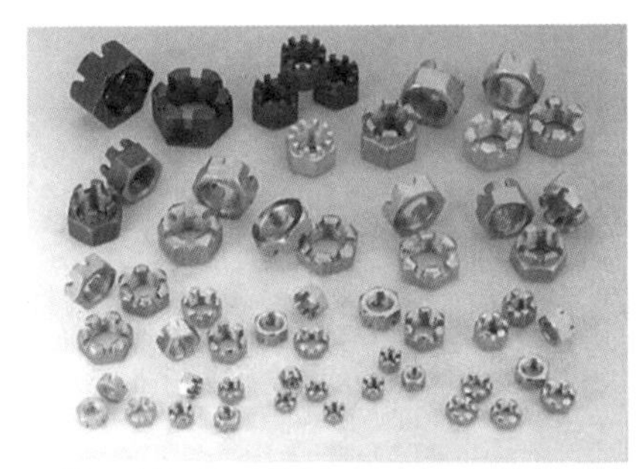

▲ Slotted Nut/Castle Nuts (M8~M14)

슬롯티드(캐슬) 너트

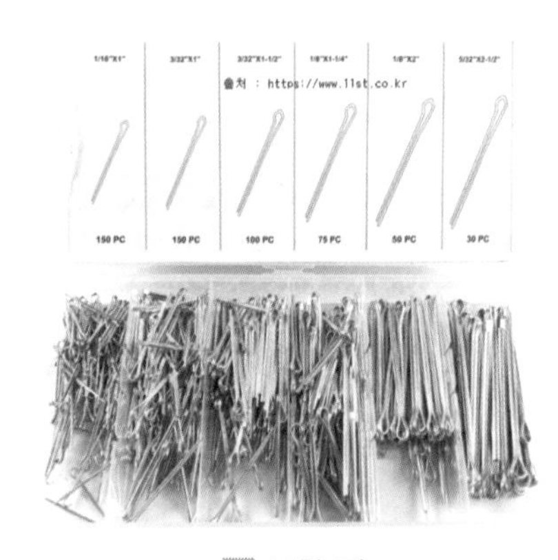

분할 핀

3. 작업자의 안전사항

① **작업복과 안전화를 반드시 착용한다** : 단정하지 못한 옷차림이나 넥타이, 긴 머리, 반지, 풀어진 옷차림 등은 정비 작업 시 회전하는 장비나 부품에 말려들어 사고를 당하기 쉽다. 또 작업화를 착용하여 미끄러지거나 강철 스크랩 등에 의해 발을 다치는 일이 없도록 한다.

② **필요에 따라 방호복을 착용한다** : 배터리를 다룰 때는 고무장갑과 앞치마, 마스크 등을 착용

한다. 그 외에 헬멧, 용접 마스크, 용접 장갑, 귀마개, 보안경 등을 착용하여 안전사고를 방지 한다.

③ **손과 공구에 기름이 묻으면 바로 깨끗이 닦는다** : 작업 중에 미끄러지면서 다칠 수 있으므로 바로 걸레로 닦고 작업 하도록 한다.

④ **에어 건을 이용하여 옷이나 몸을 청소하지 않는다** : 입고 있는 옷의 먼지를 압축 공기로 불어 내면 피부에 오염된 먼지 등이 묻어서 질병에 감염될 수 있고, 고막에 손상을 줄 수 있다.

⑤ **에어 건으로 부품 청소할 때는 선별하여 청소한다** : 브레이크 장치나 클러치 장치 등은 라이닝에서 마멸된 발암 물질 등이 호흡기를 통하여 몸으로 들어올 수 있으므로 에어로 청소를 하지 않는다.

⑥ **끝이 뾰족한 공구를 작업복 주머니에 넣고 작업하지 않는다** : 스크루 드라이버, 펀치 등과 같은 날카로운 물건은 작업 중에 부상이 발생하기 쉬우므로 반드시 공구 통에 넣고 작업을 한다.

⑦ **거칠고 난폭한 행동, 장난을 하지 않는다** : 몸에 중심을 잃어 넘어질 경우 공장 주위에는 모두 몸에 위해를 줄 수 있는 물건이므로 장난을 삼간다.

⑧ **정비 지침서에 나와 있는 작업 방법을 준수한다** : 적절하지 않은 공구를 사용하거나 사용방법이 잘못된 경우에는 사고가 발생하기 쉽다.

⑨ **자동차를 리프팅하고 작업할 때는 안전장치를 하고 작업한다** : 급하게 작업을 한다거나, 귀찮다고 그냥 작업할 경우에는 사고의 위험이 있으므로 안전장치를 반드시 한다. 또한 자동차 밑에서 작업할 때 리프트를 작동시키지 않는다.

⑩ **환기가 되지 않는 곳에서 오랫동안 시동을 걸어 놓지 않는다** : 배출가스에 의해 질식이나 건강을 해칠 수 있다.

⑪ **작업장은 항상 깨끗이 청소한다** : 정리 정돈과 청소가 되지 않은 작업장에서는 안전사고가 많이 발생한다. 근무가 끝나면 반드시 청소하여 깨끗한 환경을 만들도록 한다.

⑫ **중량물은 손으로 들지 않도록 한다** : 중량물은 반드시 장비를 이용하여 들어 올리고 이동할 경우에는 지면에서 높이 올리지 않고 이동할 수 있는 상태까지만 들어 올린다.

⑬ **기타** : 작업 중에는 음식물을 섭취하지 않도록 하고, 흡연을 하지 않는다. 또한 아무리 바쁘더라도 뛰지 않도록 한다.

잘 정리된 공구 모습

엔진의 이동 방법

04 엔진 실습장에서의 주의사항

① 실습장에서는 잡담이나 장난을 하지 않는다.
② 실습장에서는 음식물을 섭취하지 않는다.
③ 실습시간을 엄수하고 실습 장소를 이탈하지 않는다.
④ 주어진 과제물 이외의 기재는 만지지 않는다.
⑤ 반드시 작업복을 착용하고 단추는 모두 채운다.
⑥ 신발은 실습하기 수월하고 안전한 것을 신는다.
⑦ 함부로 실습 기재에 손을 대지 않는다.
⑧ 실습 재료는 아껴 쓰도록 한다.
⑨ 실습장에서 명찰을 패용하고 뛰지 않는다.
⑩ 실습 기자재에 앉거나 발을 올려놓지 않는다.
⑪ 실습복을 변형시키지 말고 낙서를 하지 않는다.
⑫ 히터, 에어컨을 담당자 이외는 손을 대지 않는다.
⑬ 사고 발생 시에는 지도교사에게 즉시 보고한다.

정리된 실습장 모습

실습 준비가 된 실습장

05 자동차 정비용 일반 공구 및 기기

1. 정비용 공구

1) 일반 정비용 공구

① **오픈 엔드 렌치(Open end wrench)** : 구경의 치수가 서로 다른 크고 작은 것을 조합하나 6개를 한 세트로 하는 것이 많이 사용된다. 오픈 엔드 렌치는 양구 스패너라고도 하며, 주로 공구강, 크롬강, 니켈- 크롬강 등으로 만든다.

② **소켓 렌치(Socket wrench)** : 소켓을 볼트 너트에 끼워서 핸들로 풀거나 죌 때 사용하는 렌치이다.

③ **옵셋 복스 렌치(Offset box wrench)** : 오픈 엔드 렌치보다 큰 토크를 걸 수 있도록 볼트나 너트를 둥글게 감싸서 풀고 조이며, 오프셋 각도는 15°의 것이 가장 많이 쓰이고 있으며 여러 종류가 있다.

(a) 오픈 엔드 렌치 (b) 소켓 렌치 세트 (c) 오프셋 복스 렌치

▩ 일반 공구

④ **점화 플러그 렌치(Spark plug wrench)** : 점화 플러그를 풀 때나 죌 때 사용하는 렌치이다.

⑤ **T형 렌치, L형 렌치(T Type wrench, L Type wrench)** : 소켓 렌치와 같은 구조이나 핸들이 T형 또는 L형으로 되어 있다.

⑥ **조정 렌치(Adjustable wrench)** : 렌치 구경의 가동 조(jaw)를 슬라이딩시켜 조정할 수 있는 구조로 되어 있어 볼트와 너트의 크기에 따라 조정하여 사용한다.

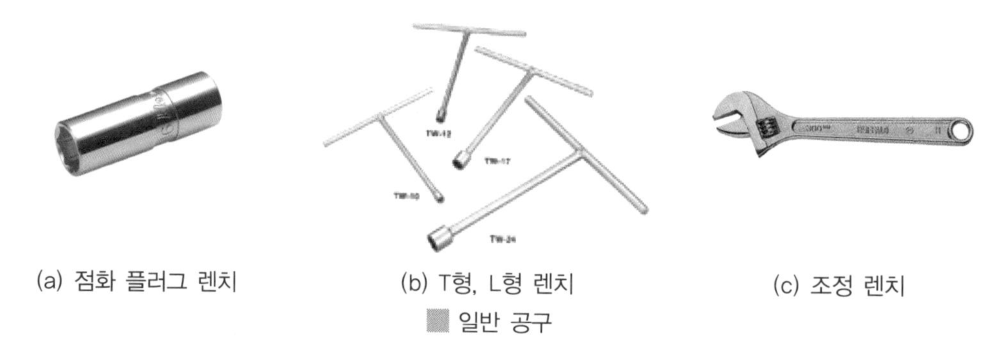

(a) 점화 플러그 렌치 (b) T형, L형 렌치 (c) 조정 렌치

▩ 일반 공구

⑦ **토크 렌치(Torque wrench)** : 볼트, 너트 등을 죌 때 걸리는 토크를 측정할 수 있는 공구로서 여러 개의 볼트나 너트를 균일하게 조일 때 사용한다. 종류로는 라운드 빔, 다이얼 , 프리세트, 디지털 형식이 있다.

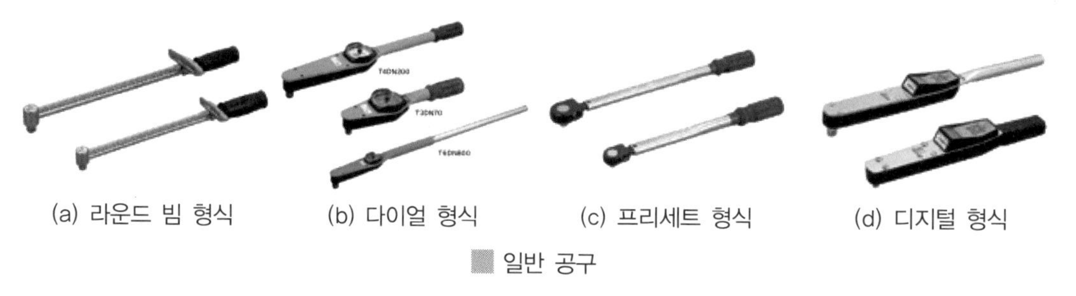

(a) 라운드 빔 형식 (b) 다이얼 형식 (c) 프리세트 형식 (d) 디지털 형식

▩ 일반 공구

⑧ **콤비네이션 렌치(Combination Open end Box Wrench)** : 작업의 효율성을 높이기 위해 한쪽에는 오픈 엔드 렌치, 반대편에는 복스 렌치를 조합하여 만들어져 있다. 구경의 치수가 같으며 6개를 한 세트로 하는 것이 많이 사용된다.

⑨ **롱 노즈 플라이어(Long nose plier)** : 끝이 가늘고 길게 되어 있어서 특히 좁은 곳이나 전장품 정비 작업에 편리하다.

⑩ **컷팅 플라이어 (Cutting plier)** : 전선의 절연 피복을 벗기거나, 절단할 때 사용한다.

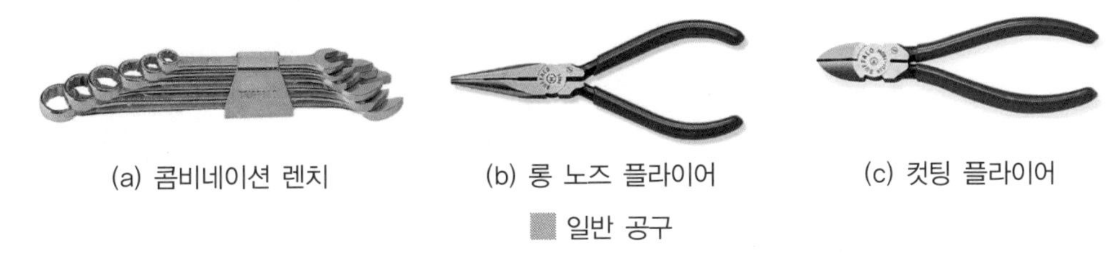

(a) 콤비네이션 렌치　(b) 롱 노즈 플라이어　(c) 컷팅 플라이어

▒ 일반 공구

⑪ **볼핀 해머(Ball-pin hammer)** : 공작물에 타격을 가할 때 사용하며 한쪽에는 평편하고 반대편은 구형으로 만들어진 것으로 크기는 머리의 무게로 나타낸다.

⑫ **고무 해머(Rubber hammer)** : 부품에 타격을 가할 때 부품에 손상을 주지 않기 위해 연질재료인 고무로 만들어져 있다.

⑬ **플라스틱 해머(Plastic hammer)** : 부품에 타격을 가할 때 부품에 손상을 주지 않기 위해 연질 재료인 플라스틱으로 만들어져 있다.

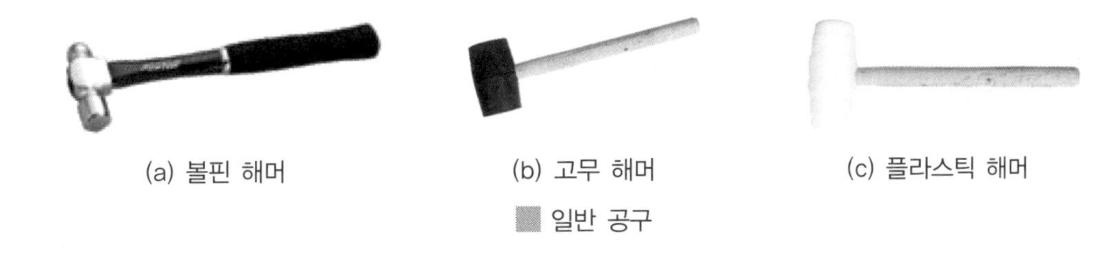

(a) 볼핀 해머　(b) 고무 해머　(c) 플라스틱 해머

▒ 일반 공구

⑭ **우레탄 해머(Urethane hammer)** : 부품에 타격을 가할 때 부품에 손상을 주지 않기 위해 연질 재료인 우레탄으로 만들어져 있다.

⑮ **구리 해머(Copper hammer)** : 연질 해머보다는 단단하여 타격이 가해지는 부품에는 조금 더 큰 충격을 주지만 부품에는 손상이 가지 않도록 연질 재료인 구리로 만들어진 것이다.

⑯ **테스트 해머(Test hammer)** : 시험용 망치로서 가볍게 두드리면서 그때 울리는 소리에 의해 균열 또는 느슨해짐 여부를 점검하는데 사용한다.

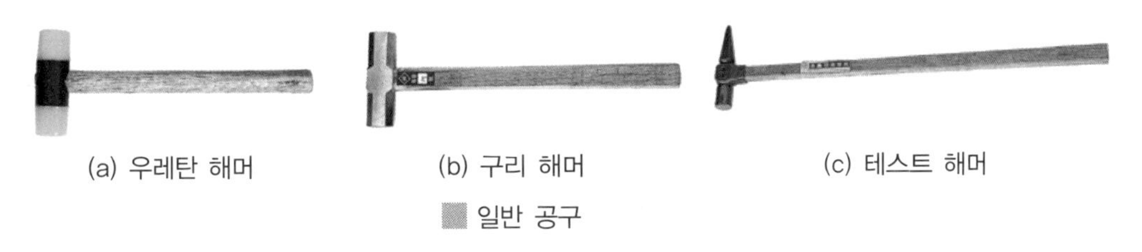

(a) 우레탄 해머　(b) 구리 해머　(c) 테스트 해머

▒ 일반 공구

⑰ **드라이버(Screw, Phillips screw driver)** : 머리가 ⊕, ⊖ 모양으로 되어 나사를 풀거나 조일 때 사용한다.

⑱ **주먹용 드라이버(Stubby driver)** : 좁은 공간에서의 작업을 위해 길이가 짧은 드라이버를 말한다.

⑲ **정 드라이버(Chisel driver)** : 손잡이 뒷부분에 해머로 때릴 수 있도록 만들어진 드라이버다.

(a) 드라이버 (b) 주먹용 드라이버 (c) 정 드라이버

▩ 일반 공구

⑳ **겸용 드라이버(2 in 1 Screw Driver)** : 한 개의 몸체를 사용하면서 봉의 한쪽에는 ⊕, 다른 쪽에는 ⊖를 사용할 수 있도록 만들어진 것.

㉑ **내측용 스냅 링 플라이어 (Inside snap plier)** : 스냅 링을 분리하거나 끼울 때 사용하는 것으로 손잡이를 잡으면 스냅 링이 오므라든다.

㉒ **외측용 스냅 링 플라이어 (Outside snap plier)** : 스냅 링을 분리하거나 끼울 때 사용하는 것으로 손잡이를 잡으면 스냅링이 벌려진다.

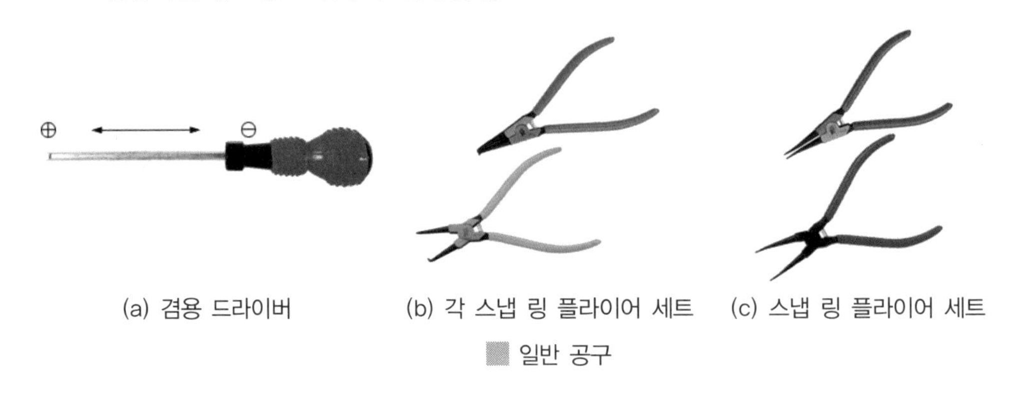

(a) 겸용 드라이버 (b) 각 스냅 링 플라이어 세트 (c) 스냅 링 플라이어 세트

▩ 일반 공구

㉓ **핀치(Pench)** : 뻰치라고도 하며, 물건을 잡고, 구부리고 할 때 사용하는 기능과 전선이나 철사의 절단하는 기능을 겸비한 공구로 조우에는 세레이션이 있어 미끄러지지 않도록 하였다.

㉔ **조합 플라이어(Combination Piller)** : 물건을 잡고, 구부리고 할 때 사용하며 지지점이 2개의 구멍이 나있어 작은 것과 큰 것을 편리하게 잡을 수 있으며 조우에는 세레이션이 있어 미끄러지지 않도록 하였다.

㉕ **실린더 헤드 볼트 렌치(Cylinder head bolt wrench)** : 실린더 헤드를 조립하거나 분해할 때 실린더 헤드 볼트를 조이거나 풀 경우에 사용하는 6각으로 된 육각 렌치이다.

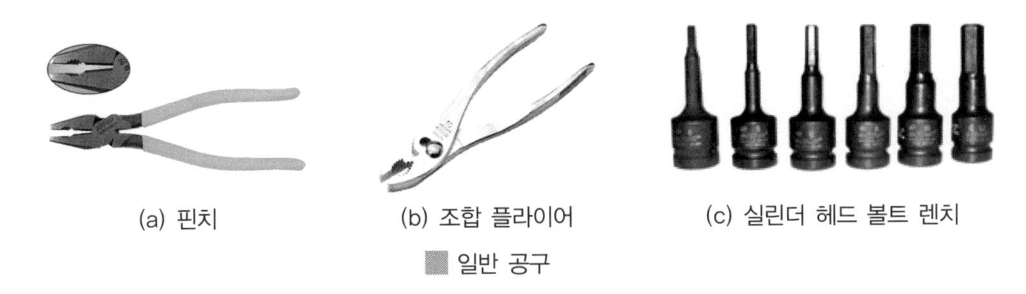

(a) 핀치 (b) 조합 플라이어 (c) 실린더 헤드 볼트 렌치

일반 공구

㉖ **파이프 렌치(Pipe wrench)** : 파이프 또는 둥근 물체를 잡고 돌리는데 사용하며 한쪽방향으로만 작용한다.

㉗ **알렌 렌치(Allen wrench)** : 일명 6각 렌치, L-렌치라고도 하며 볼트 머리 속이 6각으로 된 볼트를 조이거나 풀 때 사용하며 크기에 따라 세트로 되어 있다.

㉘ **롱 소켓 렌치(Long socket wrench)** : 소켓 렌치와 같으나 길이가 길어서 깊은 쪽의 볼트와 너트를 풀고 조인다.

(a) 파이프 렌치 (b) 알렌 렌치 (c) 롱 소켓 렌치

일반 공구

㉙ **임팩트 렌치(Impact wrench)** : 압축 공기의 압력을 이용하여 볼트나 너트에 충격을 가하여 풀고 조이는 렌치를 말한다.

㉚ **와이어 스트리퍼(Wire stripper)** : 전선의 피복을 벗기는데 사용하며 피복의 절단부분에는 전선의 크기에 따라 규격에 맞는 홈을 이용한다.

㉛ **익스텐션 바(Extension bar)** : 깊은 곳에 있는 볼트나 너트를 풀고 조일 때 힌지, 스피드, 래칫 핸들 등에 소켓 렌치를 결합하여 사용한다.

(a) 임팩트 렌치 (b) 와이어 스트리퍼 (c) 익스텐션 바

일반 공구

㉜ **오일 건**(Oil gun) : 오일을 주유할 때 사용하며 손잡이를 당기면 오일이 분출하여 주유를 할 수 있다.

㉝ **힌지 핸들**(Hinge handle) : 소켓 렌치를 결합하여 볼트나 너트를 풀 때 큰 회전력을 필요로 하는 곳에서 사용한다.

㉞ **T형 슬라이딩 핸들**(T – type sliding handle) : 힌지 핸들과 같은 기능이나 바를 좌우로 움직일 수 있다.

(a) 오일 건 (b) 힌지 핸들 (c) T형 슬라이딩 핸들

■ 일반 공구

㉟ **플렉시블 조인트**(Flexible joint) : 연결대와 같은 기능에 각도를 두고 설치되어 있는 볼트나 너트를 풀 때, 즉 일직선상으로 공구를 사용할 수 없을 때 사용하는 공구다.

㊱ **스피드 핸들**(Speed handle) : 소켓 렌치를 결합하여 볼트나 너트를 바른 속도로 풀고 조일 때 사용하는 공구다.

㊲ **래칫 핸들**(Ratchet handle) : 볼트나 너트를 풀고 조일 때 방향을 변경하는 기구가 설치되어 필요한 한쪽 방향으로만 회전시킬 수 있는 공구로서 소켓 렌치를 결합하여 사용한다.

(a) 플렉시블 조인트 (b) 스피드 핸들 (c) 래칫 핸들

■ 일반 공구

㊳ **피스톤 링 컴프레서** (Piston ring compressor) : 피스톤 링이 조립된 피스톤을 실린더에 조립할 때 피스톤 링을 압축하는 공구로 얇은 원형의 철판을 육각 렌치로 돌려서 직경을 좁게 하여 피스톤 링을 링 홈으로 밀어 넣어준다.

㊴ **에어 호스 릴** (Air hose reel) : 에어 호스를 감는 일종의 얼레로 압축 공기를 작업 장소까지 보내기 위한 기구이다.

㊵ **체인 블록**(Chain block) : 작은 힘으로 무거운 부품을 달아 올리고 내리는데 사용하는 기구로 여러 개의 기어, 도르래, 체인을 조합시켜 만들었다.

(a) 피스톤 링 컴프레서　　(b) 에어 호스 릴　　(c) 체인 블록

▩ 일반 공구

㊶ **에어 래칫 핸들(Air Ratchet handle)** : 래칫 핸들에 압축 공기를 사용하여 볼트나 너트를 풀고 조일 때 편리하게 사용하는 공구이다.

㊷ **공구 박스(Tool box)** : 공구를 넣어 보관 할 수 있는 플라스틱 통이다.

㊸ **그리스 건(Grease gun)** : 윤활부에 그리스를 주입 할 때 사용하는 펌프로서 그리스에 압력을 가하여 주입한다.

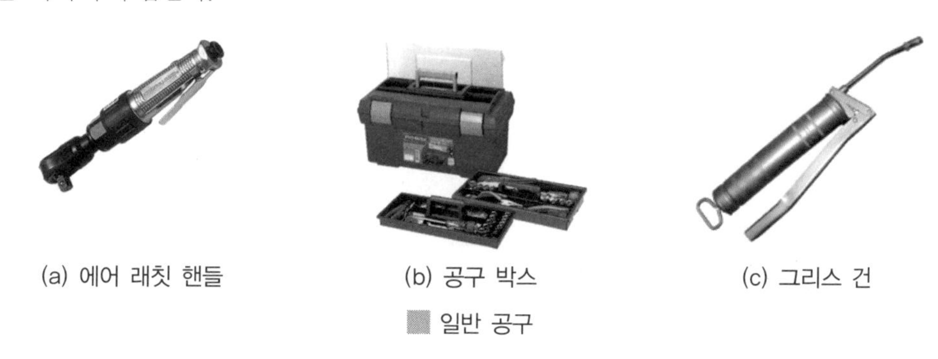

(a) 에어 래칫 핸들　　(b) 공구 박스　　(c) 그리스 건

▩ 일반 공구

㊹ **전기식 납땜인두(Soldering iron, Soldering gun)** : 납땜을 하기 위해 전기의 열에너지를 이용하는 가열기이다.

㊺ **피스톤 바이스(Piston vise)** : 피스톤 핀을 끼울 때 피스톤이 찌그러지지 않게 잡는 공구다. 아래 그림은 볼반 바이스이나 조오 부분에 더 크게나 있는 "V"홈이 있어서 피스톤을 잡기가 편하다.

㊻ **브레이크 스프링 플라이어(Brake spring plier)** : 드럼 브레이크의 리턴 스프링을 탈착하거나 장착할 때 사용하는 공구이다.

(a) 전기식 납땜인두　　(b) 피스톤 바이스　　(c) 브레이크 스프링 플라이어

▩ 일반 공구

㊼ **바이스 그립 플라이어(Vise grip plier)** : 부품이나 재료 등을 잡은 상태로 고정할 수 있는 구조의 플라이어로, 바이스 작업에 상당하는 기능을 갖는다.

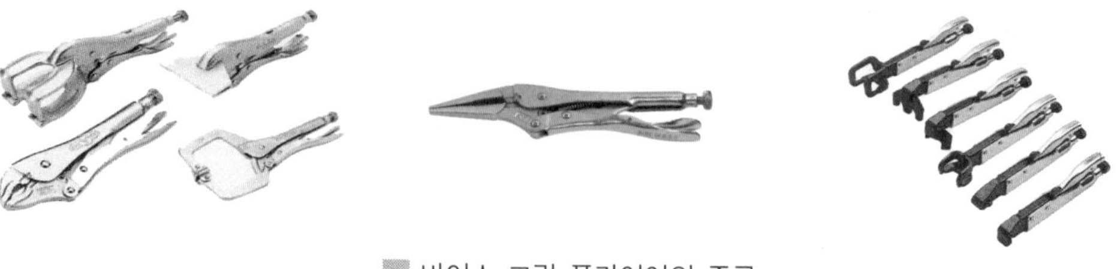

바이스 그립 플라이어의 종류

2) 손 다듬질 작업용 공구

① **핀 펀치(Pin punch)** : 스프링 핀이나 테이퍼 핀을 빼내고자 할 때 핀을 두드려서 밀어내는 공구로 직경의 크기에 맞추어 사용하며 5~9개가 한조로 되어 있다.

② **줄(File)** : 주로 금속의 손 다듬질에 사용하는 공구로, 줄 눈의 종류에 따라 거친 눈, 중간 눈, 가는 눈 등이 있다. 줄의 단면 모양에 따라 평형, 원형, 반원형, 각형, 삼각형 등이 있다.

③ **정(Chisel)** : 공구강으로 만들어 금속 및 철판 등을 절단하거나 절삭할 때 사용하는 것으로 평정, 포인트 정, 케이프 정, 둥근 정이 있으며 날 끝의 각은 60도다.

(a) 핀 펀치 (b) 줄 (c) 정

손 다듬질 작업용 공구

④ **앤빌(Anvil)** : 자유 단조할 때 금속을 타격하거나 가공 변형시키는데 사용하는 받침대이다.

⑤ **이형 공구대(Swage block)** : 단조용 공구의 하나로 측면과 안쪽에 여러 가지 홈이 파여 있다.

⑥ **드릴 바이스(Drill Vise)** : 드릴 작업을 할 때 공작물을 고정하는 공구로 일반 바이스보다 높이가 낮고 바닥이 평편하여 테이블 위에서 이동을 쉽게 만들었다.

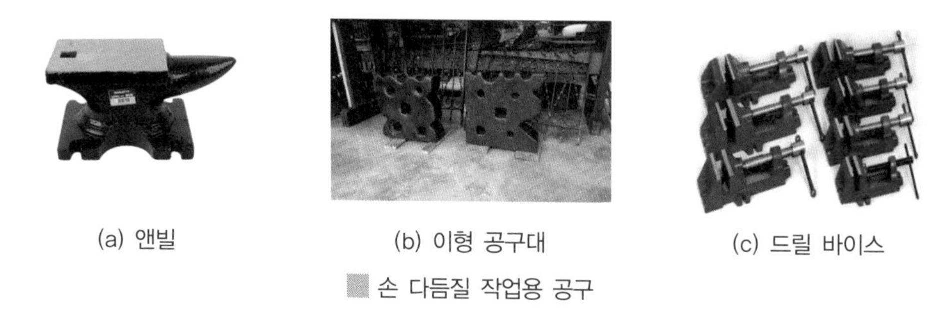

(a) 앤빌 (b) 이형 공구대 (c) 드릴 바이스

손 다듬질 작업용 공구

⑦ **연삭기(Grinder)** : 숫돌바퀴를 고속 회전시켜 일반 공작물, 절삭 공구, 드릴 날, 밀링 커터 등을 정밀 다듬질 하는데 사용한다.

⑧ **다이스(Dies)** : 원형의 봉에 볼트의 나사산을 만드는 공구로 볼트의 크기 별로 있다.

⑨ **다이스 핸들(Dies handle)** : 다이스를 고정시키고 회전력을 얻기 위한 공구이다.

(a) 연삭기 (b) 다이스 (c) 다이스 핸들

손 다듬질 작업용 공구

⑩ **탭 (Tap)** : 암나사를 가공하는 공구로 너트의 크기에 따라 있으며 3개가 한조로 되어있다.

⑪ **탭 핸들 (Tap handle)** : 탭 작업을 할 때 탭을 고정하고 회전력을 얻기 위한 공구다.

⑫ **리이머 (Reamer)** : 드릴로 뚫어놓은 구멍을 정확한 치수의 지름으로 넓히거나 내면을 깨끗하게 다듬질 하는데 사용하는 공구다.

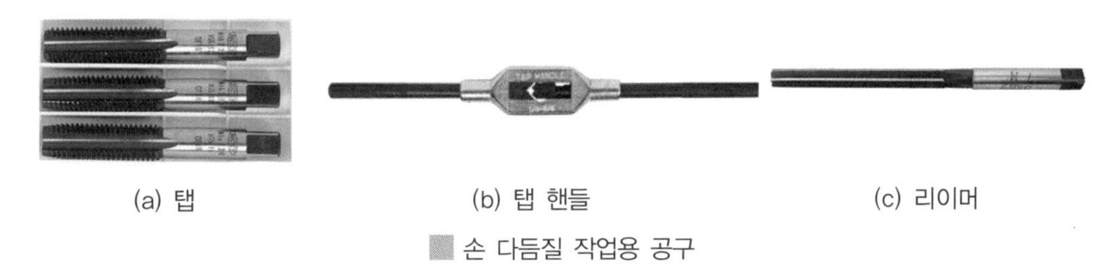

(a) 탭 (b) 탭 핸들 (c) 리이머

손 다듬질 작업용 공구

⑬ **바이스 (Vise)** : 공작물을 자를 때나, 구멍을 뚫을 때 등 공작물을 고정시키데 사용하며 벤치 바이스, 벤치 파이프 바이스, 테이블 바이스, 피스톤 바이스 등이 있다.

⑭ **쇠톱 (Hack saw)** : 금속재료를 자를 때 사용되는 것으로서 프레임과 톱날로 구성되어 있다. 톱날의 길이는 설치 구멍의 중심거리로 나타내며 밀 때 절단된다.

⑮ **와이어 브러시 (Wire brush)** : 털 대신에 가느다란 강철선으로 만든 솔로서 자동차의 녹, 페인트, 먼지 등을 제거 하는데 사용한다.

(a) 바이스 (b) 쇠톱 (c) 와이어 브러시

손 다듬질 작업용 공구

⑯ **보안경(Safety Glasses)** : 산소 용접이나 차량의 아래에서 작업할 때 눈을 보호하기 위하여 사용한다.
⑰ **스크레이퍼 (Scraper)** : 가스켓이나 도장 부분을 긁어 낼 때 등 불순물을 떼어낼 때 사용한다.
⑱ **반대 탭(Screw Extractor Set)** : 볼트가 부러졌을 때 빼내기 위한 공구이다.

(a) 보안경

(b) 스크레이퍼

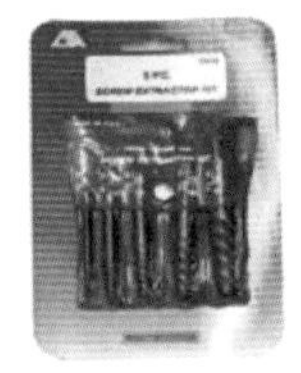
(c) 반대 탭

■ 손 다듬질 작업용 공구

⑲ **센터 펀치(Center Punch)** : 드릴 작업을 할 때 중심을 잡아주기 위하여 사용하는 공구이다.
⑳ **조줄 세트(Needle File Set)** : 금속을 깎아내는 수공구로 일반 줄보다 정밀한 다듬질을 할 때 사용하며 여러 모양으로 만들어서 작업면의 모양에 따라 사용 또는 조줄의 모양으로 만들고자 할 때 사용한다.
㉑ **드릴 게이지(Drill gauge)** : 드릴의 지름을 측정할 때 사용한다.

(a) 센터 펀치　(b) 조줄 세트　(c) 드릴 게이지

■ 손 다듬질 작업용 공구

2.정비용 기기

① **공구 스탠드(Tool stand)** : 정비 공구나 부품 등의 정리대로, 이동식과 고정식이 있다.
② **드릴링 머신 (Drilling machine)** : 공작물 또는 정비할 재료에 구멍을 뚫을 때 사용하는 기계이다.
③ **핸드 드릴(Hand drill)** : 휴대용 전기 드릴링 머신으로서, 구멍을 뚫을 때 사용한다.

(a) 공구 스탠드

(b) 드릴링 머신

(c) 핸드 드릴

■ 정비용 기기

④ **호이스트**(Hoist) : 전동식으로 중량물을 들어 올리는 장치이다.

⑤ **폴리셔**(Polisher) : 자동차의 도장 면에 광택을 낼 때 사용되며 패드의 재질에 따라 용도가 다르고 전기 또는 압축 공기로 구동한다.

⑥ **스프레이 건**(Spray gun) : 공기 압력을 이용하여 페인트를 무화시켜 분무하는 기기이다.

(a) 호이스트 (b) 폴리셔 (c) 스프레이건

■ 정비용 기기

⑦ **에어 건**(Air gun) : 압축공기를 분출시켜 부품을 세척할 때 사용한다.

⑧ **등받이 작업대**(Back work bench) : 자동차 아래에 들어가서 작업할 때 사용하는 작업대로서, 정비에 필요한 위치로 자유로이 이동할 수 있도록 아래에는 캐스터 롤러가 부착되어 있다.

⑨ **전기 용접기** (Arc welder) : 전기의 불꽃 방전에 의하여 발생하는 열을 이용한 용접기이다.

(a) 에어 건 (b) 등받이 작업대 (c) 전기 용접기

■ 정비용 기기

⑩ **드릴 날**(Drill bit) : 드릴링 머신에 끼워 공작물의 구멍을 뚫는데 사용하는 공구로 트위스트 드릴, 직선 홈 드릴, 오일 홀 드릴, 센터 드릴 등이 있다.

⑪ **산소-아세틸렌 용접기 세트**(Oxy-Acetylene welding set) : 산소와 아세틸렌을 혼합하여 연소시킬 때 발생하는 고열로 금속을 용접하거나, 절단하는데 쓰이며 산소 통, 아세틸렌 통, 밀차로 구성되어 있다.

⑫ **산소 용접 토치**(Torch) : 산소와 아세틸렌을 적당하게 혼합하여 필요한 불꽃을 얻는 기구다.

(a) 드릴 날 (b) 산소 아세틸렌 용접기 (c) 산소 용접 토치

■ 정비용 기기

⑬ **절단 토치(Cutting torch)** : 산소용 토치에 산소를 불어 넣는 구멍이 하나 더 있어 가열된 금속에 산소를 불어 넣어 금속을 절단한다.

⑭ **산소 압력 조정기(Oxygen pressure regulator)** : 산소 압력 용기에서 나오는 높은 산소 가스의 압력을 필요한 압력으로 조정하여 산소 가스를 공급하는 기구이다.

⑮ **아세틸렌 압력 조정기(Acetylene pressure regulator)** : 아세틸렌 압력 용기에서 나오는 높은 아세틸렌 가스의 압력을 필요한 압력으로 조정하여 아세틸렌 가스를 공급하는 기구이다.

⑯ **풀리 플러(Pulley Puller)** : 축에서 풀리를 탈착하고자 할 때 사용한다.

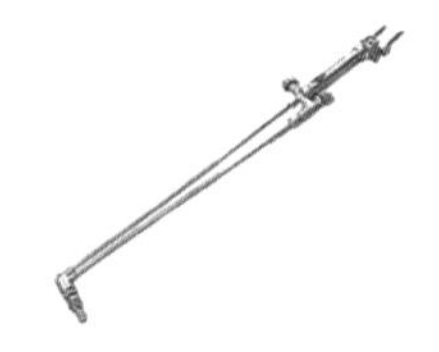
(a) 절단 토치

(b) 산소 압력 조정기

(c) 아세틸렌 압력 조정기

(d) 풀리 플러

정비용 기기

⑰ **기관 지지대(Engine stand)** : 차체에서 탈착한 엔진을 설치하여 분해 조립에 편리 하도록 만들어진 지지대를 말한다.

⑱ **공기 압축기(Air compressure)** : 전기 모터를 회전시켜 압축 공기를 만드는 기계로 모터의 마력수로 크기를 나타낸다.

⑲ **유압식 잭(Oil jack)** : 차량을 들어 올리는 비교적 작은 용량의 잭으로 대부분 승합차량의 응급용으로 사용되고 있으며 유압유로 작동을 하고 있다.

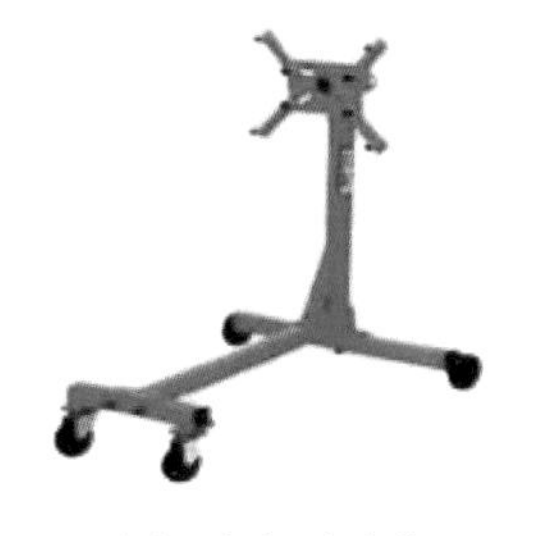
(b) 기관 지지대

(c) 공기 압축기

(d) 유압 잭

정비용 기기

⑳ **튜브 플레어링 툴 세트(Tube flaring tool set)** : 파이프의 끝을 접시모양으로 퍼지게 만드는 공구며 커터의 기능도 한다.

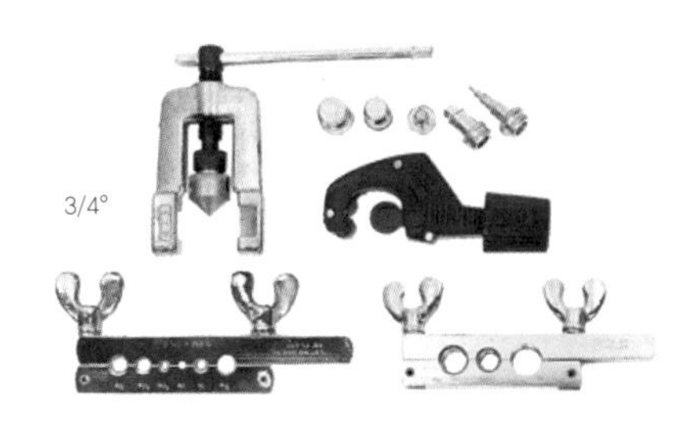

튜브 플레어링 툴 세트

㉑ **스탠드(Stand)** : 차량을 들어 올려 작업을 하고자 할 때 차체를 받쳐서 고정시키는 받침대이다.

㉒ **나사 잭(Screw jack)** : 차량을 들어 올리는 비교적 작은 용량의 잭으로 승용차량의 응급용으로 사용되고 있으며 나사를 돌리면 올라가고, 내려가고 한다.

㉓ **브레이크 공구 세트(Brake tool set)** : 브레이크 장치를 분해 조립할 때 편리하게 작업을 할 수 있는 공구들이 하나의 박스에 들어 있다.

(a) 스탠드　(b) 나사식 잭　(c) 브레이크 공구 세트

정비용 기기

㉔ **유압 프레스(Hydrolic Press)** : 오일의 압력을 이용하여 작은 조작력으로 큰 힘을 얻어 베어링, 부싱, 핀 등의 부속을 탈·부착할 때 이용된다.

㉕ **코일 스프링 압축기(Coil spring compressure)** : 맥퍼슨 타입의 현가 스프링(코일 스프링) 등을 탈·부착할 때 스프링을 압축시키는 작업 공구이다.

㉖ **미션 잭(Mission jack)** : 오일 잭과 같은 구조이나 변속기를 올리고 내릴 때 사용한다.

㉗ **오일 교환기(Oil drain changer)** : 엔진, 변속기, 종감속 기어 장치의 오일을 교환할 때 압축 공기를 이용하여 편리하게 사용하도록 만들어진 기기이다.

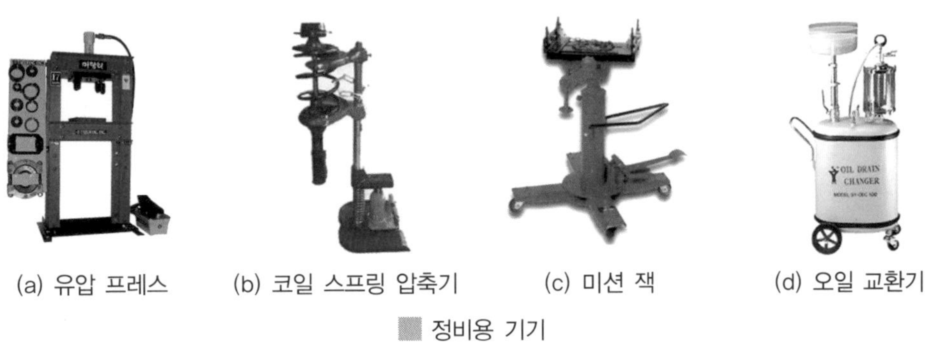

(a) 유압 프레스　(b) 코일 스프링 압축기　(c) 미션 잭　(d) 오일 교환기

정비용 기기

㉘ **2주식 리프트(2-Post lift)** : 자동차를 들어 올리고 내리는 기계이며 자동차 정비의 필수장비로 좁은 공간에 기둥이 2개가 배치되어 있고 받침대를 자동차 프레임에 대고 올린다.

㉙ **4주식 리프트(4-Post lift)** : 자동차를 들어 올리고 내리는 기계이며 기둥이 4개가 배치되어 있고 가운데에는 보조 리프트가 배치되어 있는 구조이다.

㉚ **X-타입 리프트(X-type lift)** : 자동차를 들어 올리고 내리는 기계이며 X자형으로 만들어져서 붙여진 이름이다. 포스트가 없어서 작업공간이 넓고 차량의 도어 개폐가 용이하여 정비 작업

이 편리하다.

(a) 2주식 리프트 (b) 4주식 리프트 (c) X- 타입 리프트

정비용 기기

㉛ **매립형 시저스 리프터**(Buried Scissor Lift) : 설치 면적을 최소화 할 수 있으며 매립 형은 바닥 면과 리프트의 높이가 일정하여 차량의 진입과 후퇴에 편리하다.

㉜ **매니폴드 게이지**(Manifold gauge) : 에어컨 시스템의 압력을 점검 및 냉매 가스를 보충 할 때 사용하는 것으로 고압 게이지와 저압 게이지가 하나의 세트로 되어있다.

㉝ **냉매 회수 주입기** (Air-con gas changer) : 에어컨 시스템의 냉매 가스를 점검, 회수, 충전하기 위한 기계로 냉매 가스를 대기 중에 방출하지 않을 뿐 아니라 작업성도 매니폴드 게이지에 비해 매우 좋다.

(a) 매립식 시저스 리프터 (b) 매니폴드 게이지 (c) 에어컨 냉매 회수 주입기

정비용 기기

㉞ **휠 돌리**(Wheel dolly) : 대형 차량의 바퀴를 탈착하고 조립할 때 타이어를 받치는 받침대이다.

㉟ **복렬 릴**(Spring rewind hose reel set) : 에어건, 전원 릴, 엔진 오일 주입기, 변속기 오일 주입기 등을 한 곳에 모아서 설치하여 작업에 편리하도록 하기 위한 기계이다.

㊱ **에어 잭**(Air hydraulic jack) : 차량을 들어 올리는 잭으로 20ton 정도의 무게를 들어 올리는 대형 차량의 정비에 이용되고 있다.

(a) 휠 돌리 (b) 복렬 릴 (c) 에어 잭

정비용 기기

㊲ **오일 깔대기(Oil funnel)** : 엔진 오일, 변속기 오일 등을 주입할 때 흘리지 않고 주입할 수 있는 주입기이다.

㊳ **납 플라이어(Wheel balance weight piler)** : 타이어의 휠 밸런스를 조정하기 위하여 림에 밸런스 납을 설치하거나 탈거할 때 사용하는 공구이며 절단하는 기능도 있다.

㊴ **흡입기(Solder sucker)** : 납땜 용접을 한 부속품을 떼어낼 때 전기인두로 녹인 납을 진공을 이용하여 흡입하는 공구이다.

㊵ **브레이크 패드 교환기(Brake lining pad Changer)** : 디스크 브레이크 패드를 교환할 때 마모된 패드에 대고 캘리퍼 피스톤을 최초의 위치로 보내기 위한 공구다.

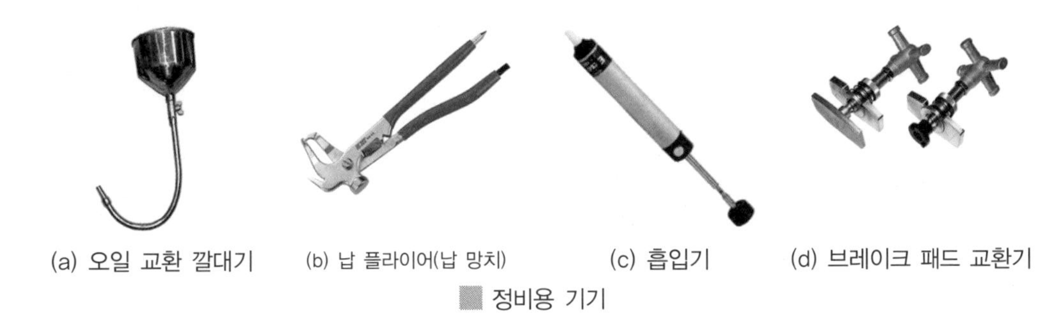

(a) 오일 교환 깔대기 (b) 납 플라이어(납 망치) (c) 흡입기 (d) 브레이크 패드 교환기

▩ 정비용 기기

㊶ **타이어 탈착기(Tire spreader)** : 타이어를 휠에서 분리시키기 위한 기계이며 압축 공기와 전원을 동력으로 이용하고 있으며 소형 타이어용과 대형 타이어용으로 나뉜다.

㊷ **토치(Torch)** : 가솔린이나 석유를 플라이밍 펌프로 압축시킨 다음 니들 밸브를 열면 무화 되면서 분출될 때 연소시켜 도장 부분의 벗기기, 금속의 가열작업, 금속의 납접에 이용하고 있으며 근래에는 가스를 이용한 버너가 주류를 이루고 있다.

㊸ **산소 용접 팁 세트(Grease gun)** : 산소 용접은 철판의 두께에 따라 분출되는 가스의 양을 가감하여 작업을 하게 되는 데 팁을 교환하며 사용한다. 이때 팁을 분해 조립하는 기능과 보관의 기능을 하는 것이다.

㊹ **음진기(Sound scope)** : 회전하는 부품에 이상 음을 찾아내는 청진기로서 파열음을 찾아내고 부품의 이상 유무를 점검한다.

(a) 타이어 탈착기 (b) 토치 (c) 산소 용접 팁 세트 (d) 음진기

▩ 정비용 기기

㊺ **래칫 복스 렌치(Rachet Box wrench)** : 옵셋 복스 렌치의 기능과 래칫 렌치의 기능을 하나로 묶어 놓은 공구로 작업에 편리성이 있어 한 가지 작업을 하는데 많이 사용되고 있다.

㊻ **배선 테스터(Circuit Tester)** : 전기장치의 배선이나 전장품의 단선, 단락의 여부를 점검하기 위한 공구이다.

㊼ **밸브 스프링 컴프레서(Valve spring compressure)** : 밸브를 탈착하거나 부착할 때 밸브 스프링을 압축하기 위한 공구이다.

㊽ **밸브 잭(Valve jack)** : 밸브 가이드 고무를 탈·부착할 때 밸브 스프링을 압축하기 위한 공구이다. 밸브 스프링 컴프레서는 실린더 헤드를 분리한 상태에서 작업이지만, 밸브 잭은 실린더 헤드가 조립된 상태에서 작업이 가능하다.

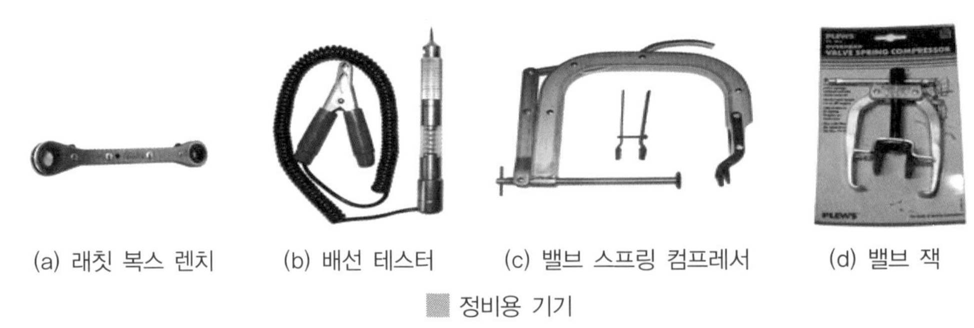

(a) 래칫 복스 렌치　(b) 배선 테스터　(c) 밸브 스프링 컴프레서　(d) 밸브 잭

■ 정비용 기기

㊾ **벨트 샌더(Belt sander)** : 구석진 부분의 연마에 적합하며 일반 샌더나 사람의 손이 잘 닿지 않는 부분의 연마가 가능하다.

㊿ **볼 조인트 풀러(Ball joint puller)** : 타이로드 앤드, 로어 암 볼 조인트를 분해 조립할 때 사용하는 공구이다.

(51) **부동액 교환기(Coolant exchanger filler)** : 부동액을 재생, 교환하는 기기이다.

(a) 벨트 샌더　(b) 볼 조인트 풀러　(c) 부동액 재생기

■ 정비용 기기

(52) **부품 보관대(Parts storage rack)** : 볼트나 너트, 전기 부품 등 자동차 부속을 보관하기 위여 여러 개의 부품 박스를 설치하여 놓은 것으로 부품 박스를 탈·부착할 수 있도록 되어 있다.

(53) **투명 부품함(Plastic assembly box)** : 전자 제품 등 작은 물품을 담아놓기 위한 것으로 전구, 퓨즈, 릴레이, 커넥터 핀 등을 깨끗하게 정리 할 수 있다.

㊵ **부품함(Parts box)** : 부품 보관대에 설치하여 부품을 보관하기도 하지만 부품함끼리 올려놓아도 부품을 넣고 꺼내고 하기가 편리하도록 전면 부분이 터져 있다.

(a) 부품 보관대 (b) 투명 부품함 (c) 부품함

정비용 기기

㊶ **원형 에어 샌더(Round air sender)** : 도장된 표면 부분을 갈아내기 위하여 사용하는 공구로서 압축 공기로 샌더를 돌리고 흡진기로 빨아들일 수 있도록 샌더 면에 구멍이 뚫려있다.

㊷ **수동 4각 스트롱 폴(Four angle strong pole)** : 찌그러진 자동차를 펴기 위하여 클램프 등을 고정시키고 당길 수 있도록 만들어진 지지대이다.

㊸ **수평계(Level)** : 작업 부분의 수평을 잡아주기 계측기이다.

(a) 원형 에어 샌더 (b) 수동 4각 스트롱 폴 (c) 수평계

정비용 기기

㊹ **스트레이트 그라인더(Straight grinder)** : 좁은 공간의 녹이 슨 부분 등을 갈아내기 위한 공구이다.

㊺ **스팀 세척기(Steam washer)** : 자동차를 스팀으로 세차하기 위한 장비이다.

㊻ **스파크 플러그 부트 플라이어(Spark plug boot plier)** : 스파크 플러그 배선을 플러그에서 뺄 때 부트를 잡고 당기기 위한 공구이다.

㊼ **스폿 용접기(Sport welder)** : 패널을 겹쳐 붙이고 찌그러진 부분을 당기기 위한 장비로 순간적으로 고 전류를 흐르게 하여 이때 발생된 열로 접합 및 용접을 한다.

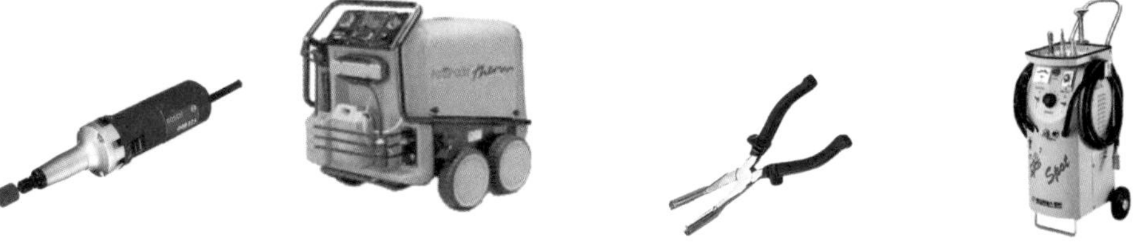

(a) 스트레이트 그라인더 (b) 스팀 세척기 (c) 스파크 플러그 부트 플라이어 (d) 스폿 용접기

정비용 기기

(62) **에어 가위**(Air shears) : 얇은 판재를 자르고자 할 때 에어의 힘을 이용하여 작업하므로 작업 능율을 올릴 수 있다.

(63) **에어 스폿 드릴** (Air sport drill) : 자동차의 스폿 부분을 깎아 내어 부품을 떼어내기 위한 공구로 일반 드릴과 달리 끝이 평편한 모양으로 되어 있다.

(64) **에어 정**(Air chisel) : 일반적인 정의 기능을 압축 공기를 이용하여 찌그러진 부분을 절단, 절삭하는데 사용한다.

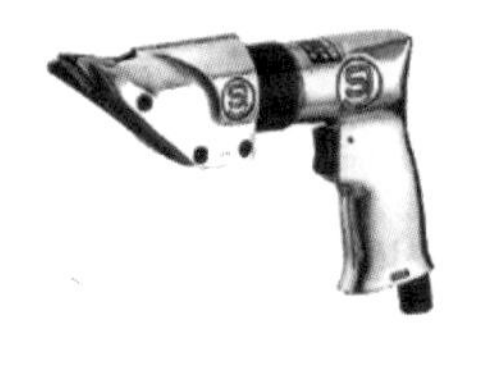

(a) 에어 가위

(b) 에어 스폿 드릴

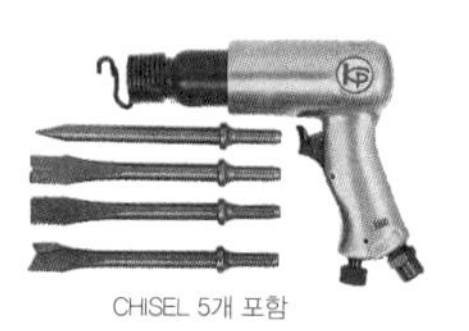

(c) 에어 정

■ 정비용 기기

(65) **에어 톱**(Air hack saw) : 압축 공기를 이용하여 철판 등을 절단할 때 쓰인다.

(66) **에어 펀칭기**(Air punching) : 압축 공기를 이용하여 철판에 구멍을 뚫는 천공기를 말한다.

(67) **코일 에어 호스**(Coil air hose) : 에어 호스를 길게 연결하여 사용하고자 할 때 이용하는 연결용 호스이다.

(a) 에어 톱

(b) 에어 펀칭기

(c) 코일 에어 호스

■ 정비용 기기

(68) **에어 흡착기**(Air suction lifters) : 찌그러진 부분을 잡고 끌어내기 위한 공구로 압축 공기를 이용하여 컵 부분을 진공상태로 만들어서 잡는다.

(69) **엔진 지지대**(Engine support) : 차체에서 엔진을 들어 올려서 지지하고자 할 때 받침대를 엔진 룸을 가로질러 펜더 연결부분에 올려놓고 작업을 한다.

(70) **열풍기**(heater) : 자동차 도장 부분을 빨리 건조시키고자 할 때 열을 가하는 난로로 등유 등을 연료로 사용한다.

(a) 에어 흡착기

(b) 엔진 지지대

(c) 열풍기

■ 정비용 기기

⑦1 **오일 주입기**(Oil injector) : 변속기, 차동기어 장치 등 아래 부분에서 위로 오일을 보충하기 위한 공구이다.

⑦2 **유리 흡착기**(Glass adsorber) : 차체에 유리창을 떼어내거나 부착할 때 잡기위한 공구로서 컵 부분에 진공으로 만들어 그 흡인력으로 평편한 유리를 잡는다.

(a) 오일 주입기 (b) 유리 흡착기

정비용 기기

⑦3 **오일 필터 렌치**(Oil filter wrench) : 오일 필터를 탈·부착하기 위한 공구로 종류로는 체인식, 벨트식, 플라이어식, 컵식 등이 있다.

(a) 체인식 (b) 벨트식 (c) 플라이어식

(d) 컵 식 (e) 수갑식 (f) 링식

오일 필터 렌치 종류

⑦4 **유압식 기어 풀러**(Hydraulic gear puller) : 일반적인 기어 풀러를 유압을 이용하여 작업할 수 있도록 만든 작업 공구이다.

⑦5 **용접 차광면**(Darking welding helmet) : 전기 용접을 할 때 용접 광선으로부터 눈을 보호하기 위한 보호면이다.

⑦6 **자동변속기 분해 조립 공구 세트**(Automatic transmission tool set) : 자동변속기를 분해 조립하기 위해서는 여러 가지 특수 공구가 필요하다. 이런 특수 공구를 조합하여 만들어진 공구세트이다.

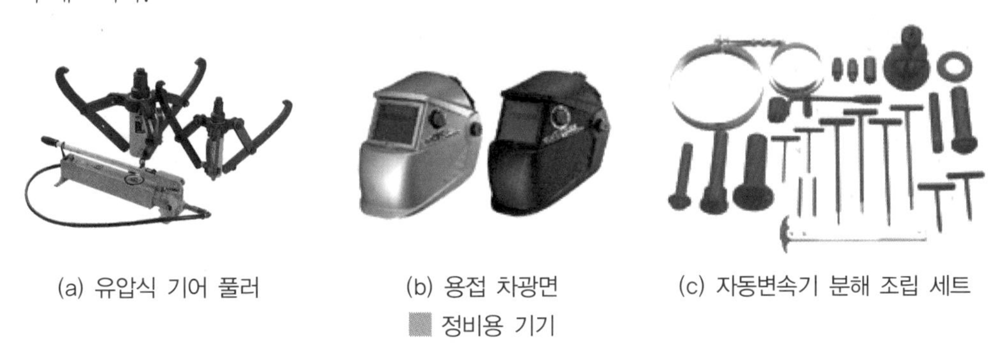

(a) 유압식 기어 풀러 (b) 용접 차광면 (c) 자동변속기 분해 조립 세트

정비용 기기

⑰ **자동변속기 오일 교환기**(Auto transmission oil changer) : 자동변속기 오일을 자동으로 교환하기 위한 기기이다.

⑱ **작업등**(Working lamp) : 어두운 곳에서 작업할 때 밝혀주기 위한 전기등이다.

⑲ **적외선 건조기**(Infrared dryer) : 도장 부분을 빨리 건조시키기 위하여 전기 열을 이용하는 기기이다.

⑳ **자석 접시**(Magnetic dish) : 부품의 분해 조립할 때 볼트나 너트 등 작은 부품을 붙여서 분실되지 않도록 사용하는 기구이다.

(a) 자동변속기 오일 교환기

(b) 작업등

(c) 적외선 건조기

(d) 자석 접시

■ 정비용 기기

㉑ **전선 릴**(Cable reel) : 전원이 들어오지 않는 곳에서 전기 작업을 할 때 전원을 공급하기 위한 연결선이다.

㉒ **전기 용접 장갑**(Welding gloves) : 전기 용접을 할 때 불꽃 등에 의해 손에 화상을 입는 것을 방지하기 위해 착용한다.

㉓ **절단기**(Cutting machine) : 강 봉이나 각 봉 등을 절단할 때 절단 숫돌을 전기 모터로 돌려서 자르도록 만들어진 전동 공구이다.

㉔ **점프선**(Jump cable) : 배터리가 방전되었을 때 시동을 걸때나 충전할 때 등 큰 전류가 필요로 할 때 사용하는 굵은 전선이다.

㉕ **흡진기**(Reducer) : 샌더와 연결하여 도장 면을 제거한 먼지, 이물질 등을 흡입하는 진공 흡입기이다.

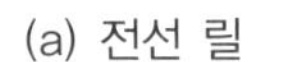

(a) 전선 릴

(b) 전기 용접 장갑

(c) 절단기

(d) 점프선

(e) 흡진기

■ 정비용 기기

⑧⑥ **판금 가위(Sheet metal shears)** : 철판을 자를 때 사용하는 것으로 곡선용과 직선용을 따로 구분하여 사용한다.
⑧⑦ **판금 잭(Sheet metal jack)** : 찌그러진 부분에 넣고 벌려서 작업 공간을 만들고, 펴는 기능을 한다.
⑧⑧ **숫자/영문 펀치(Letter punch)** : 금속면에 숫자나 글자를 새겨 넣기 위하여 만들어진 타각용 펀치이다.

(a) 판금 가위 (b) 판금 잭 (c) 숫자/영문 펀치

■ 정비용 기기

⑧⑨ **펑크 수리용 송곳과 바늘(Tire repair kit)** : 튜브리스 타이어의 펑크를 수리하는 공구다.
⑨⓪ **페인팅 부스(Painting booth)** : 자동차를 실내에 놓고 도장을 하기 위한 공간으로 바람에 의한 날림이나 먼지 등의 이물질 부착을 방지하고 열처리하기 위하여 사용하는 장비이나 환경 오염 방지를 위하여 반드시 설치하여야 하는 법정 장비이다.
⑨① **프라즈마 절단기(Plasma cutting machine)** : 금속판 등을 절단하는 장비이다.

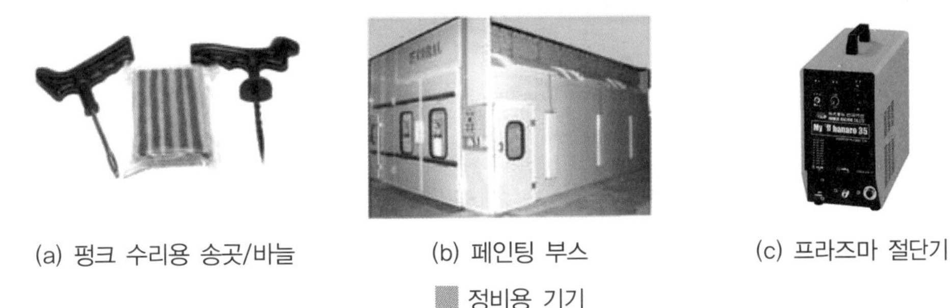

(a) 펑크 수리용 송곳/바늘 (b) 페인팅 부스 (c) 프라즈마 절단기

■ 정비용 기기

3. 일반 측정기기

① **버니어 캘리퍼스(Vernier calipers)** : 자와 캘리퍼스를 일체로 한 것으로 길이, 외경, 내경, 깊이 등을 측정할 수 있으며, 보통 버니어 캘리퍼스, 다이얼식, 디지매틱 등이 있다.

(a) 보통 버니어 캘리퍼스 (b) 다이얼식 캘리퍼스 (c) 디지매틱 캘리퍼스

■ 일반 측정기기

② **마이크로미터(Micrometer)** : 나사를 이용한 정밀 측정기로 측정물을 앤빌과 스핀들 사이에 넣고 일정한 압력을 가하여 측정한다. 외측용과 내측용이 있으며 크기에 따라 보통 6개가 한 조로 되어 있다.

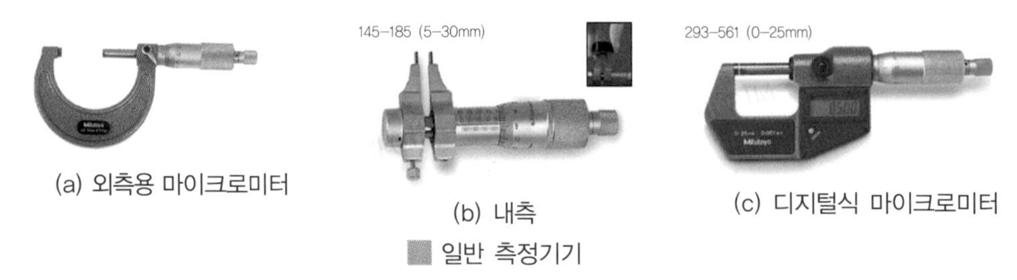

(a) 외측용 마이크로미터 (b) 내측 (c) 디지털식 마이크로미터

일반 측정기기

③ **다이얼 게이지(Dial gauge)** : 기어의 백래시, 축의 휨, 축 방향 움직임, 런 아웃 등을 측정하기 위한 측정기로 스핀들에 설치된 래크의 움직임을 지침에 연결되어 있는 피니언을 회전시켜 측정값을 나타낸다.

④ **마그네틱 베이스(Magnetic base)** : 일반 측정기의 보조 기구로서 다이얼 게이지를 설치하고 자석의 힘으로 게이지와 마그네틱 베이스를 측정 위치에 강력하게 고정시킨다.

⑤ **시크니스 게이지(Thickness gauge)** : 물체 사이의 작은 간극을 측정하는데 사용하는 것으로 서로 다른 두께의 강판을 9~26매를 묶어서 제작하였으며 강편에는 두께가 표시되어 있다.

(a) 다이얼 게이지 (b) 마그네틱 베이스 (c) 시크니스 게이지

일반 측정기기

⑥ **피치 게이지(Pitch gauge)** : 나사의 피치를 측정하기 위한 측정기로서 각종 피치에 알맞은 요철을 가진 강편의 묶음으로 되어 있다.

⑦ **텔레스코핑 게이지(Telescoping gauge)** : 내측 마이크로미터로 측정할 수 없는 작은 내경이나 깊은 홈을 측정하기 위한 보조 측정기로 눈금이 없다.

⑧ **각 게이지(Radius gauge)** : 공작물의 라운딩 부분의 각을 측정하기 위한 게이지이다.

(a) 피치 게이지 (b) 텔레스코핑 게이지 (c) 각 게이지

일반 측정기기

⑨ **정반(Surface plate)** : 표면이 정밀하게 다듬질되어 있는 평편하고 두꺼운 판으로 평면 가공, 금 긋기 가공, 다듬질용으로 쓰인다. 재질로는 주철이나 석재로 만들어졌다.

⑩ **서피스 게이지(Surface gauge)** : 정반 위에서 금 긋기, 중심내기, 굽힘 측정 등에 사용된다.

⑪ **V 블록(V - Block)** : 원형 가공된 부품 등을 지지하며 2개가 한조로 되어 있다. 크랭크축, 캠축 등의 휨, 타원 마모 등을 점검한다.

(a) 정반　(b) 서피스 게이지　(c) V 블록

■ 일반 측정기기

⑫ **직각자(Square)** : 공작물의 외면, 내면 등의 직각 상태를 검사할 때 사용하며 금 긋기를 할 때 사용한다.

⑬ **강철자(Steel ruler)** : 일반적으로 길이를 측정하는 것으로 1mm 단위로 눈금이 있으나 0.5mm의 것도 있다.

⑭ **높이 게이지(Hight gauge)** : 물체의 높이를 측정하는 게이지이며 베이스에 수직으로 세워진 주척과 부척에 의해 높이를 측정하며 정반위에서 높이를 정해 금 긋기 작업도 한다. 종류로는 일바형, 다이얼 카운터형, 확대경 부착형, 디지털형 등이 있다.

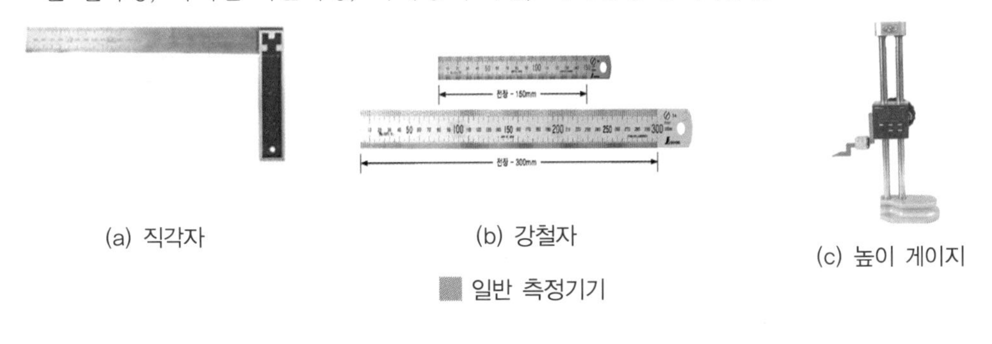

(a) 직각자　(b) 강철자　(c) 높이 게이지

■ 일반 측정기기

⑮ **와이어 게이지(Wire gauge)** : 원형의 강판 둘레에 작은 치수에서부터 큰 치수까지의 구멍이 있어 철선의 굵기를 측정하는 게이지이다.

⑯ **훅 스프링 저울 (Hook spring balance)** : 훅의 법칙을 이용하여 물체의 중량을 측정하는 게이지이다.

(a) 와이어 게이지　(b) 훅 스프링 저울

■ 일반 측정기기

4. 엔진 시험용 및 측정용 기기

1) 엔진 시험용 기기

① **압축 압력계** (Compression pressure gauge) : 엔진 실린더 내의 압축 압력을 측정하는데 사용하는 게이지로 가솔린 엔진용과 디젤 엔진용이 있다.

② **진공 게이지**(Vacuum gauge) : 자동차 엔진의 상태를 측정하기 위한 게이지로 흡기 다기관의 진공도를 측정한다.

③ **밸브 스프링 테스터**(Valve spring tester) : 밸브 스프링의 장력, 직각도, 자유 높이 등을 측정하는 게이지이다.

■ 압축 압력계 ■ 진공 게이지 ■ 밸브 스프링 테스터

④ **벨트 장력계**(Belt tension gauge) : V-벨트 등의 장력과 처짐량을 측정하기 위한 측정기이다.

⑤ **점화 플러그 게이지**(Spork plug gauge) : 점화 플러그의 중심 전극과 접지 전극의 간극을 측정하는 게이지로 와이어식과 원판식이 있다.

⑥ **실린더 보어 게이지**(Cylinder bore gauge) : 실린더의 내경, 마멸량, 테이퍼를 측정하는 게이지로 아메형과 칼마형이 있다.

■ 벨트 장력계 ■ 점화 플러그 게이지 ■ 실린더 보어 게이지

⑦ **라디에이터 캡 테스터** (Radiator cap tester) : 라디에이터 캡 압력 밸브의 양부, 냉각 계통의 누설 유무를 점검하는 측정기를 말한다.

⑧ **노즐 테스터** (Nozzle tester) : 디젤 엔진에서 사용하는 분사 노즐의 연료 분사 개시 압력, 분사 각도, 후적의 유무, 분무상태를 점검하는 측정기이다.

⑨ **커넥팅 로드 얼라이너**(Connecting rod aligner) : 커넥팅 로드의 휨이나 비틀림을 측정하는 측정기기이다.

■ 라디에이터 캡 테스터 ■ 노즐 테스터 ■ 커넥팅 로드 얼라이너

⑩ **진공 펌프 (Vacuum pump)** : 진공을 만들기 위한 펌프로서 각종 진공장치 부품을 점검한다.

⑪ **연료 압력계 (Fuel pressure gauge)** : 연료 펌프의 성능이나 연료 라인의 막힘 등을 검사하기 위한 측정기기이다.

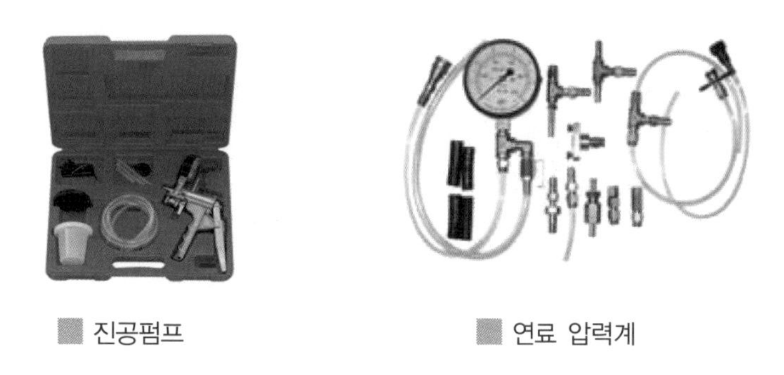

■ 진공펌프 ■ 연료 압력계

⑫ **타이밍 라이트(Timing light)** : 엔진의 점화시기를 측정하는 기기를 말하며 가솔린 엔진용과 디젤 엔진용이 따로 있다.

■ 가솔린 엔진용 타이밍 라이트의 종류

⑬ **스캐너(Scanner)** : 전자제어 엔진의 각종 센서 및 액추에이터의 고장을 진단하기 위한 측정 기기이다.

하이스캔 프로 / G 스캔 2 / Hi-DS 스캐너

⑭ **엔진 튠업 테스터(Engine tun-up tester)** : 전자제어 엔진의 상태를 종합적으로 측정하기 위한 종합 진단 장비이다.

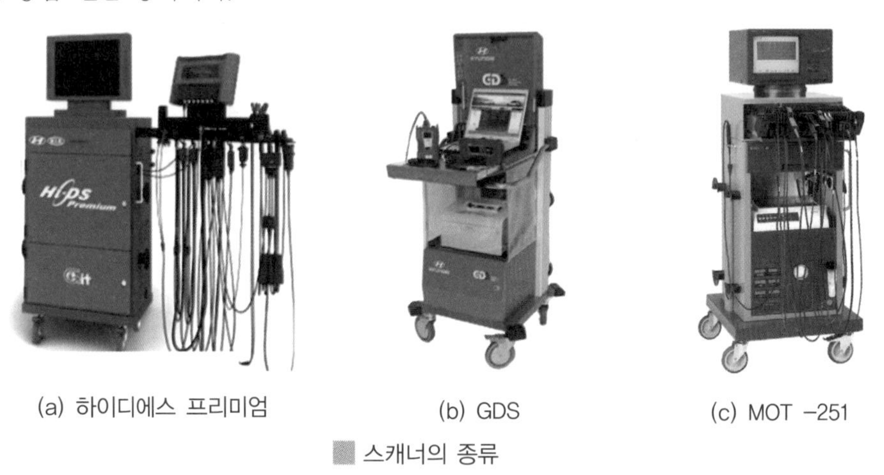

(a) 하이디에스 프리미엄 (b) GDS (c) MOT -251

스캐너의 종류

⑮ **디젤 분사펌프 시험기(Diesel injection pump tester)** : 디젤 엔진 분사 펌프의 분사량, 분사시기, 조속기 등의 상태를 점검하는 테스터기이다.

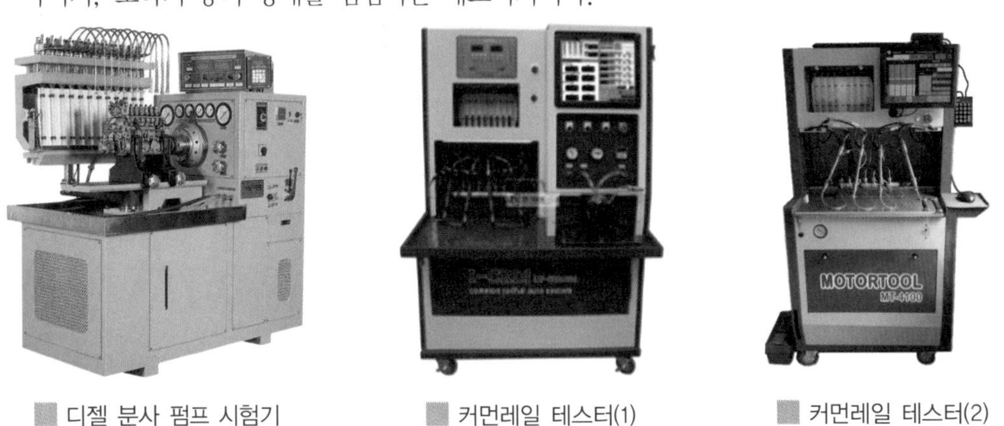

디젤 분사 펌프 시험기 / 커먼레일 테스터(1) / 커먼레일 테스터(2)

Chapter 2 엔진 분해 조립

01 자동차 엔진(아반떼) 분해 조립

자동차 엔진 분해 조립에서 차량의 종류가 많지만 현재 시험장에서 가장 많이 사용하고 있는 아반떼(AVANTE XD) 1.5와 NF 쏘나타(SONATA) 2.0 차량의 분해 조립 방법을 설명한다.

1. 아반떼(AVANTE) 엔진의 발달과정과 제원

1) 아반떼 엔진의 발달과정과 엔진 형식

차종		엔진 형식	생산년도											
			00	01	02	03	04	05	06	07	08	09	10	11
아반떼 XD (3세대)	G 1.5 DOHC	2000~2004(G4EC)												
	G 2.0 DOHC	2000~2006(G4GC)												
	D 1.6 TCI-U	2005~2006(G4FA)												
아반떼 HD (4세대)	G 1.6 DOHC	2006~2010(M5CF1)												
	G 2.0 DOHC	2006~2010(M5CF2)												
	D 1.6 TCI-U	2006~2010(M5CF3)												

차종		엔진 형식	생산년도											
			11	12	13	14	15	16	17	18	19	20	21	22
아반떼 MD (5세대)	G 1.6 GDI	2011~2016(M6CF1)												
	L 1.6 LPI	2011~2016(M6CF1)												
	D 1.6 TCI-U2	2014~2016(M6CF3-1)												
아반떼 AD (6세대)	G 1.6 GDI	2016~2018(M6CF1)												
	G 1.6 MPI	2019(M6CF1)												
	D 1.6 TCI-U2	2014~2016(M6CF3-1)												
	L 1.6 LPI	수동 없음												
	G 2.0 MPI													
아반떼 CN7 (7세대)	G 1.6 GDI	2016~2018(M6CF1)												
	G 1.6 MPI	2019(M6CF1)												
	D 1.6 TCI-U2	2014~2016(M6CF3-1)												
	L 1.6 LPI	수동 없음												
	G 2.0 MPI													

2) 아반떼 엔진의 제원

항목 \ 엔진	알파 엔진 1.5 DOHC	항목 \ 엔진	알파 엔진 1.5 DOHC
적용차종	아반떼 1,2,3 세대, 베르나LC	공전속도(rpm)	750±100
내경×행정(mm)	75.5×83.5	연비(km/l) 자동	12.0
총배기량(cc)	1,475	연료 탱크 용량(L)	55
압축비	10	스파크 플러그 사양	BKR5ES-11
최대 출력(HP)/rpm	102/5,800	냉각수 용량(L)	6.2
최대 토크(kgf·m/rpm)	13.8/4,500	배터리 형식	MF44Ah
압축압력(kgf/cm²)	–	엔진오일 용량(L)	3.3
점화시기(공전)	BTDC 9±5°	점화순서	1-3-4-2

2. 아반떼 엔진의 분해순서 (분해 조립용 기준)

1) 배기 다기관(Exhaust Manifold)을 분해한다.

① 히트 프로텍터(Heat Protector)를 탈거한다.

② 배기 매니폴드 설치 너트를 외측부터 좌우로 분리하고 탈거한다.

③ 배기 매니폴드 개스킷을 탈거하고 조립 시에는 새것으로 교체하여 조립한다.

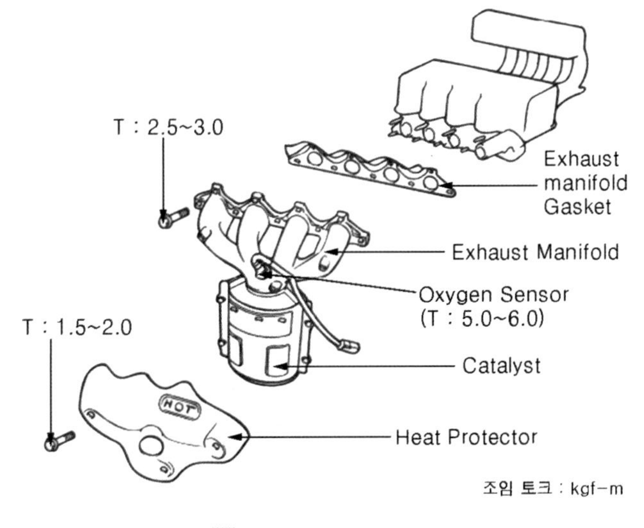

■ 배기 다기관 분해도

2) 흡기 다기관(Intake Manifold)을 분해한다.

① 맵 센서(Map Sensor), 아이들 스피드 액추에이터(Idle Speed Actuator), 스로틀 포지션 센서(Throttle Position Sensor) 등의 커넥터를 분리한다.

② 스로틀 보디(Throttle Body)에 연결되어있는 에어 호스(Air Hose)를 분리한다.

③ 액셀러레이터 케이블(Accelerator Cable)을 탈거한다.

④ PCV 밸브 호스와 브레이크 부스터 호스(Brake Booster Hose)를 탈거한다.

⑤ 진공 호스류(Vacuum Hose)를 분리한다.

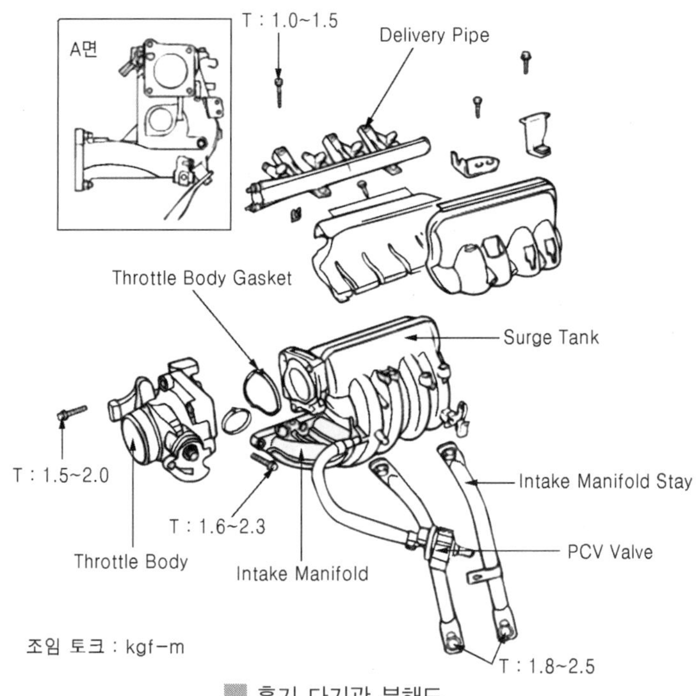

흡기 다기관 분해도

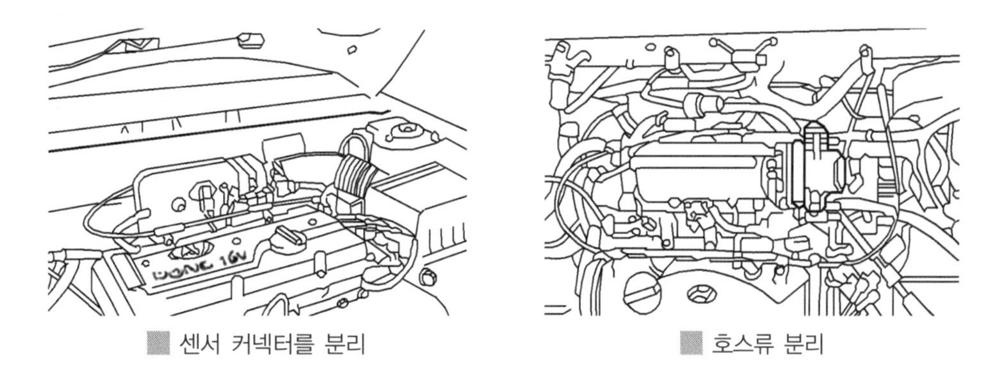

센서 커넥터를 분리 호스류 분리

⑥ 인젝터 커넥터와 와이어 하니스를 분리한다.

⑦ 인젝터가 부착된 상태로 딜리버리 파이프(Delivery Pipe)를 탈거한다.

⑧ 흡기 매니폴드 스테이를 탈거하고 매니폴드를 탈거한다.

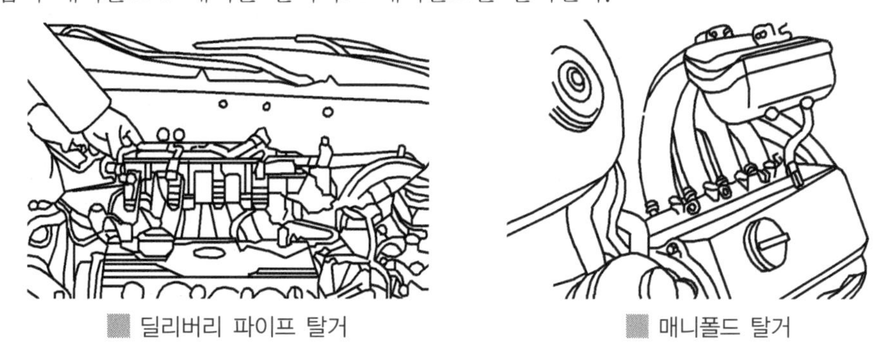

딜리버리 파이프 탈거 매니폴드 탈거

3) 타이밍 벨트(Timing Belt)를 탈거한다.

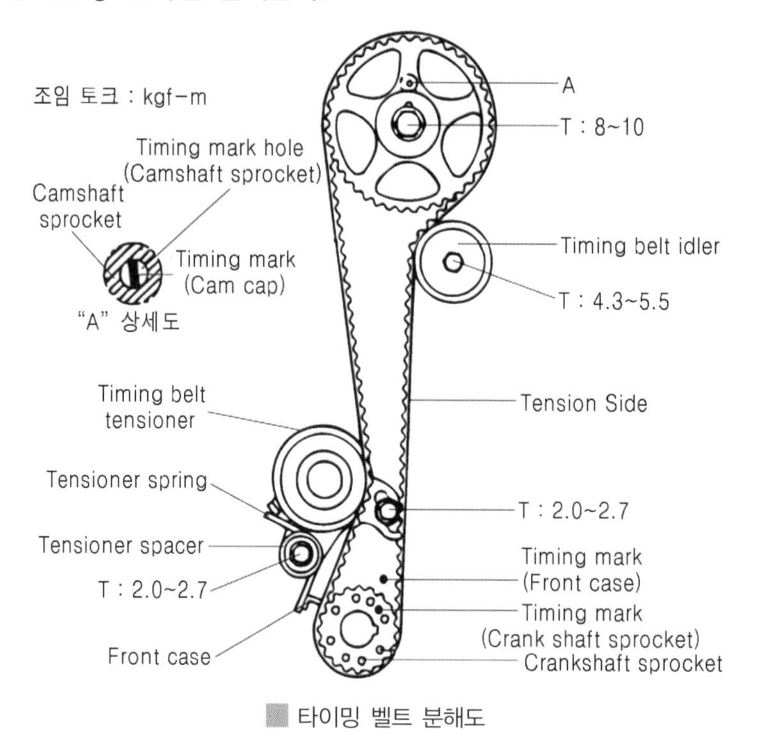

타이밍 벨트 분해도

① 센터 커버(Center Cover)를 탈거한다.
② 점화 플러그 케이블(Ignition Plug Cable)과 점화 코일을 탈거한다.
③ 타이밍 벨트 상부 커버와 실린더 헤드 커버(Cylinder Head Cover)를 탈거한다.
④ 워터 펌프 풀리(Water Pump Pulley)를 탈거한다.
⑤ 발전기(Alternator) 설치 볼트를 푼다.
⑥ 크랭크축 풀리를 탈거한다.
⑦ 타이밍 벨트 커버(Center Cover)를 탈거한다.
⑧ 타이밍 벨트 텐셔너 풀리(Timing Belt Tensioner Pulley)를 워터 펌프 반대쪽으로 이동시켜 임시로 고정시킨다.
⑨ 느슨해진 타이밍 벨트를 탈거한다.

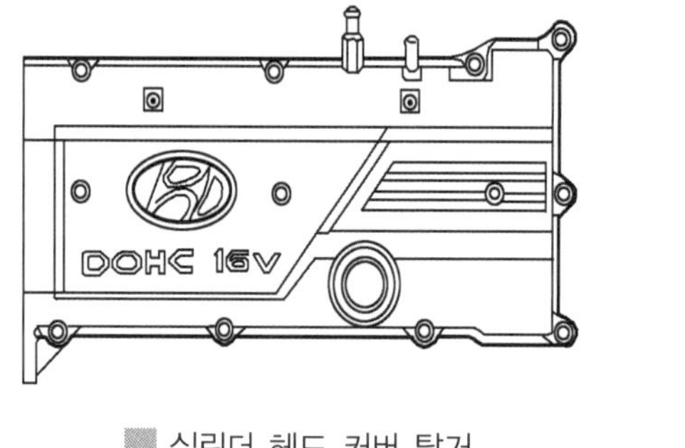

실린더 헤드 커버 탈거

텐셔너 임시고정

4) 캠축(Cam Shaft)을 탈거한다.

① 흡&배기 캠축지지 베어링 캡을 분리하고 타이밍 체인과 함께 캠축을 탈거한다.

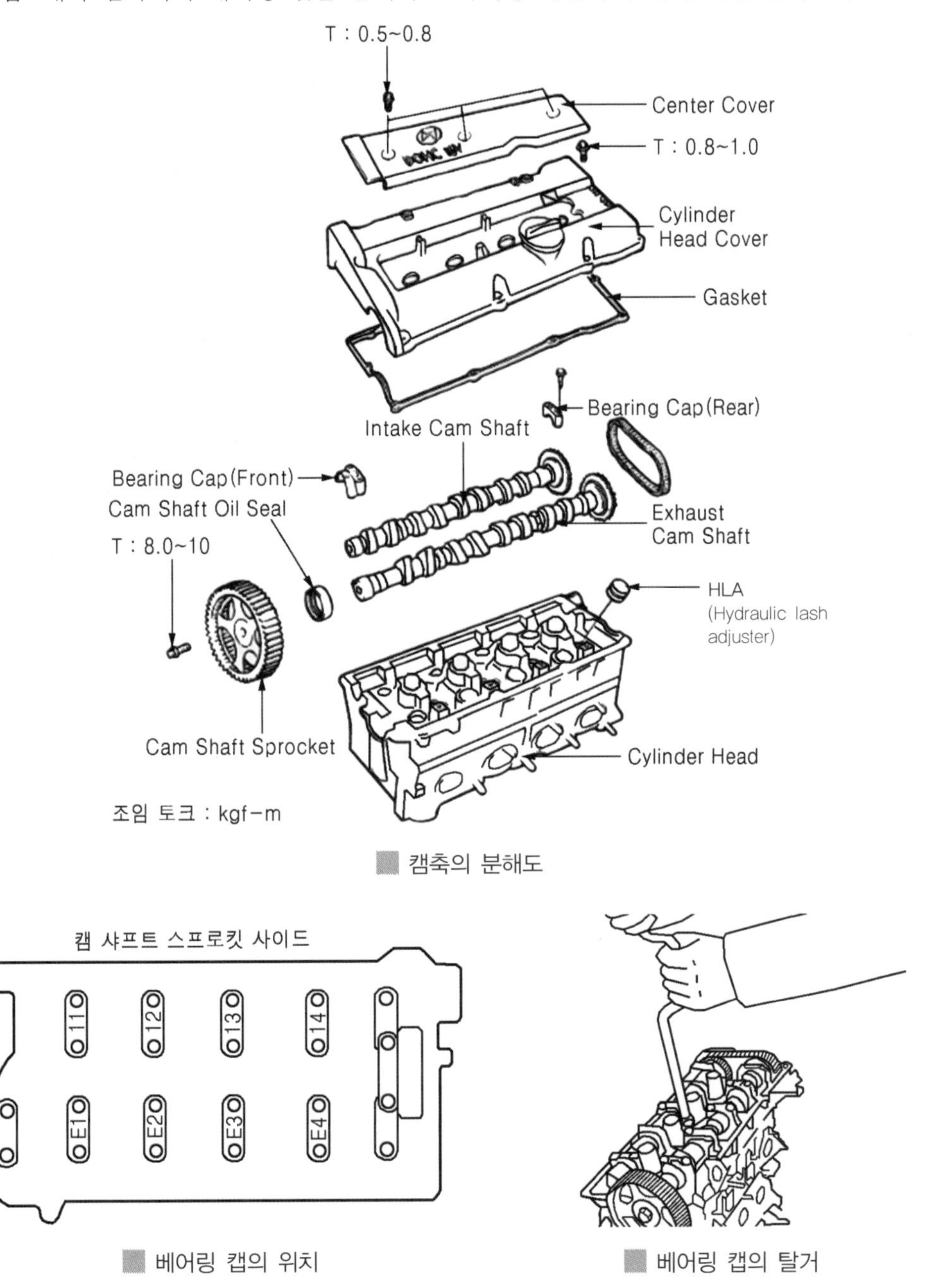

캠축의 분해도

베어링 캡의 위치

베어링 캡의 탈거

5) 실린더 헤드(Cylinder Head)를 탈거한다.

① 실린더 헤드 볼트 렌치(Cylinder Head Bolt Wrench)를 사용하여 헤드 볼트를 바깥쪽에서부터 대각선 방향으로 푼다.

② 볼트의 풀림은 스피드 핸들을 꾹 눌러서 반시계 방향으로 돌리면서 "똑" "똑" 소리가 나면 다 풀린 것이다.

③ 헤드 볼트가 설치된 상태로 들어내어 분리하고 헤드 개스킷을 탈거한다.

■ 헤드 볼트의 분해

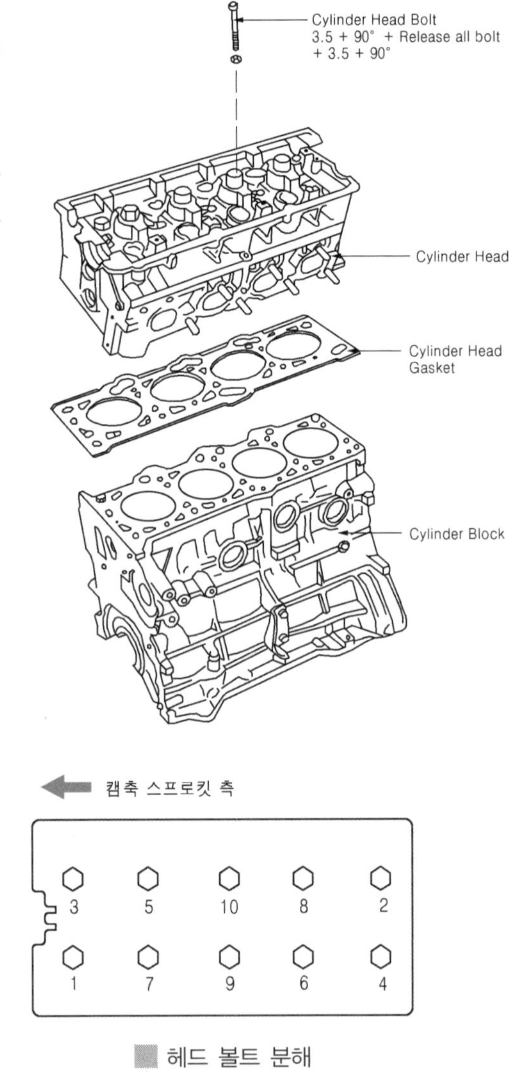

■ 헤드 볼트 분해

6) 오일 팬(Oil Pan)을 탈거한다.

① 엔진을 뒤집어서 오일 팬 조임 볼트를 풀고 고무 해머로 오일 팬의 한쪽을 두드려 실린더 블록과 분리시킨 후 오일 팬을 탈거한다.

② 오일펌프 스트레이너와 개스킷을 탈거한다.

7) 피스톤 어셈블리(Piston Assembly) 탈거

① 실린더 블록을 옆으로 뉘어서 커넥팅 로드 캡 고정 너트를 푼 다음 베어링과 베어링 캡을 탈거한다. 이때 베어링 캡이 잘 빠지지 않으면 고무 해머로 가볍게 두드린 후 떼어내도록 한다.
② 각 피스톤 커넥팅 로드 어셈블리를 실린더 위쪽으로 밀어 올려 빼낸다.
③ 올바른 조립을 위하여 실린더 번호에 따라 해당 커넥팅 로드를 순서대로 정리한다.

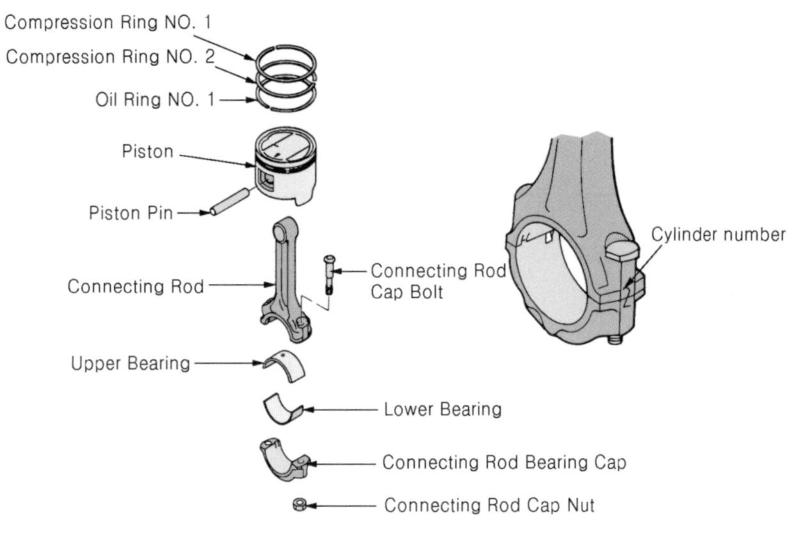

피스톤 어셈블리의 구성부품

8) 크랭크축(Crank Shaft) 탈거

① 플라이휠 고정 볼트를 풀고, 플라이휠을 탈거한 후 리어 플레이트와 오일 실 케이스를 탈거한다.
② 크랭크축 타이밍 벨트 스프로킷(Sprocket)을 탈거하고 프런트 케이스를 탈거한다.
③ 메인 베어링 캡 볼트를 풀고 베어링과 베어링 캡을 탈거하여 캡을 번호순서로 정리해 둔다. (캡 볼트는 12각 15mm임)
④ 메인 베어링 캡에 표시를 하여 조립 시 원래 위치와 방향을 참고한다.
⑤ 크랭크축을 수평으로 해서 탈거한다.

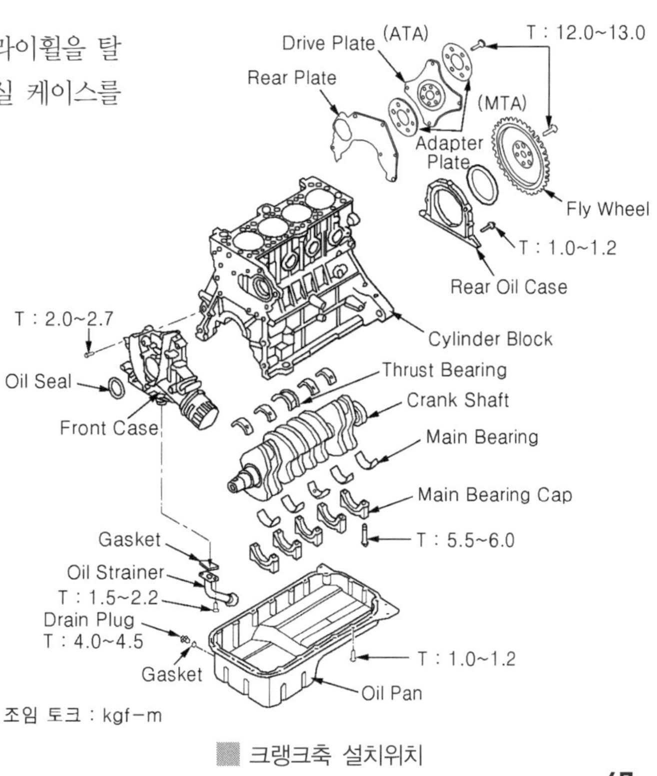

크랭크축 설치위치

02 자동차 엔진(NF 쏘나타) 분해 조립

자동차 엔진 분해 조립에서 차량의 종류가 너무 많기 때문에 어느 것을 기준으로 할까 고민하다가 현재 시험장에서 가장 많이 사용하고 있는 아반떼(AVANTE XD) 1.5와 NF 쏘나타(SONATA) 2.0 차량의 분해 조립 방법을 설명한다.

1. NF 쏘나타(NF SONATA) 엔진의 생산과정 및 제원

1) NF 쏘나타 엔진의 발달과정과 엔진 형식

차종		엔진 형식	생산년도											
			04	05	06	07	08	09	10	11	12	13	14	15
SONATA NF	G 2.0 DOHC	2004~2007/2009~2010												
	G 2.0 DOHC	2008(θ-엔진)												
	G 2.0 DOHC	2008(θ II-엔진)												
	G 2.4 DOHC	2004~2007/2009`2010												
	G 2.4 DOHC	2008(θ-엔진)												
	G 2.4 DOHC	2008(θ II-엔진)												
	L 2.0 DOHC	2005~2010												
	G 3.3 DOHC	2005~2008												
	D 2.0 TCI-D	2005~2010												

2) NF 쏘나타 엔진의 제원

엔진 / 항목	쎄타 1 엔진 2.0 DOHC(G4KA)	엔진 / 항목	쎄타 1 엔진 2.0 DOHC(G4KA)
적용 차종	NF쏘나타, 로체, 뉴카렌스	공전속도(rpm)	750±100
내경×행정(mm)	86.0×86.0	연비(km/l) 자동	10.7
총배기량(cc)	1,998	연료 탱크 용량(L)	70
압축비	10.5:1	스파크 플러그 사양	FK16HQR11
최대 출력(HP)/rpm	144/6,000	냉각수 용량(L)	7.2
최대 토크(kgf·m/rpm)	19.1/4,250	배터리 형식	12V-80AH
압축압력(kgf/cm²)	13.0	엔진오일 용량(L)	4.5
점화시기(공전)	BTDC 9±5°	점화순서	1-3-4-2

2. NF 쏘나타 엔진의 분해 조립

1) 서지탱크 및 흡기다기관 분해

① OCV 커넥터와 OTS 커넥터를 분리한다.

② 인젝터 커넥터를 분리한다.

③ ISA 커넥터, TPS 커넥터, CMP 커넥터, 노크 센서 커넥터를 분리한다.

④ 액셀러레이터 케이블과 딜리버리 파이프를 탈거한다.

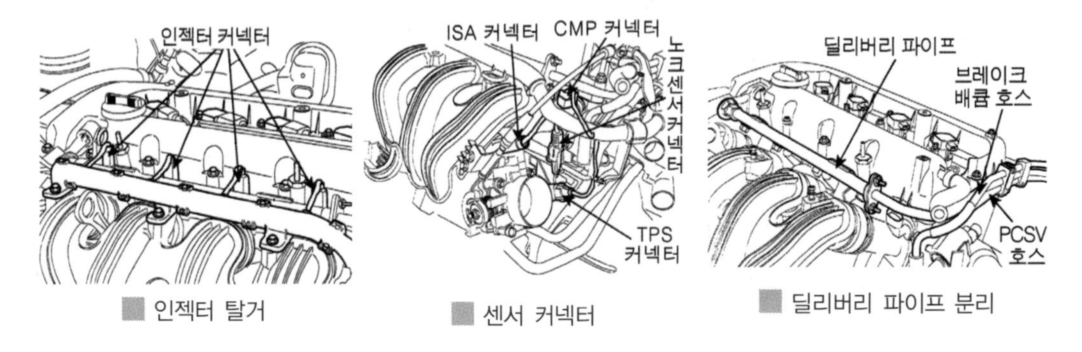

인젝터 탈거 / 센서 커넥터 / 딜리버리 파이프 분리

⑤ 스로틀 바디의 냉각수 라인과 오일 압력 스위치 커넥터를 분리한다.

⑥ 노크 센서 커넥터를 브래킷에서 탈거하고 PCSV 진공호스와 브레이크 진공호스를 탈거한다.

⑦ PCV 호스와 흡기 매니폴드 스테이를 탈거한다.

⑧ 흡기 매니폴드와 개스킷을 탈거한다.

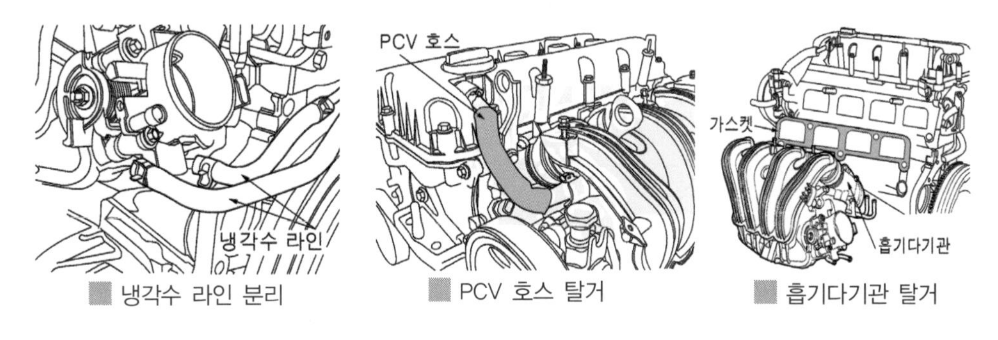

냉각수 라인 분리 / PCV 호스 탈거 / 흡기다기관 탈거

2) 배기다기관 분해

① 산소 센서 커넥터를 분리한다.

② 프런트 머플러를 탈거한다.

③ 히트 프로텍터와 스테이를 탈거한다.

④ 배기다기관과 개스킷을 탈거한다.

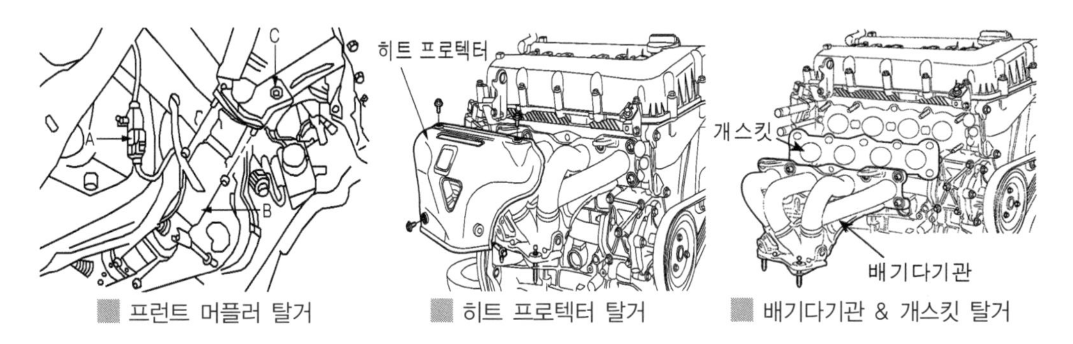

프런트 머플러 탈거 / 히트 프로텍터 탈거 / 배기다기관 & 개스킷 탈거

3) 타이밍 체인 탈착

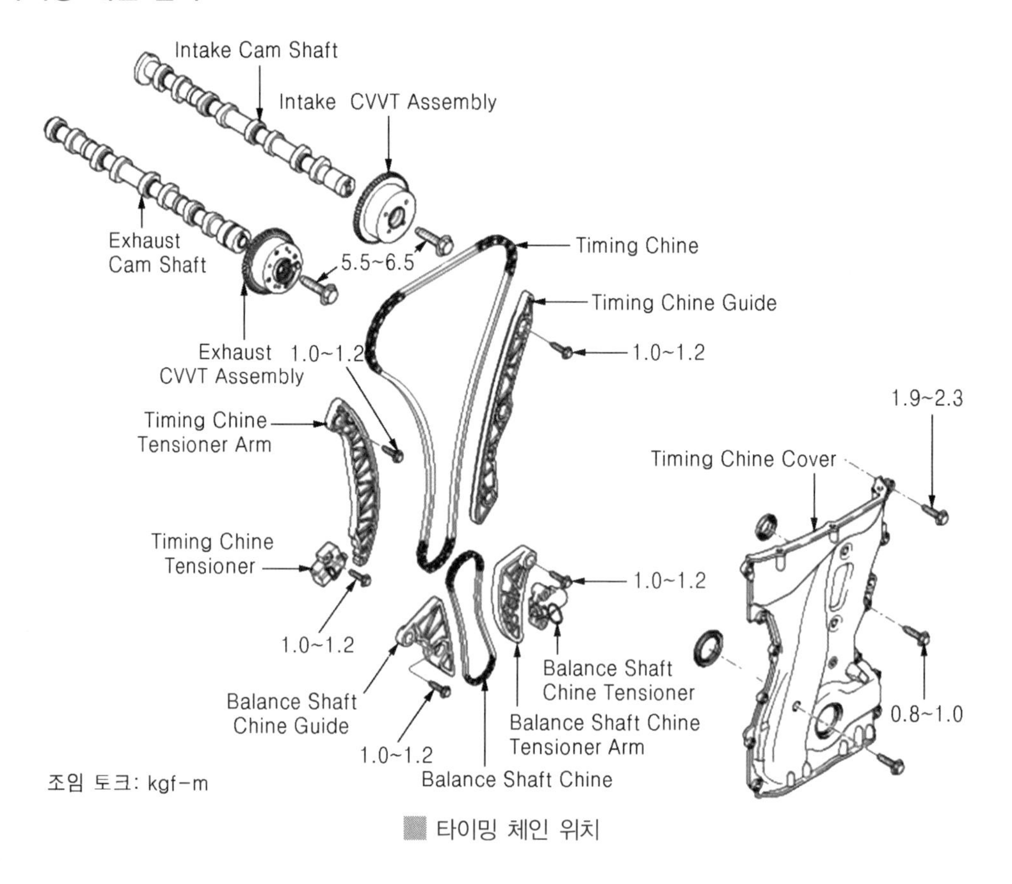

▒ 타이밍 체인 위치

① 타이밍 마크를 정렬한 후 드라이브 벨트를 탈거한다.
② 아이들 풀리와 드라이브 벨트 텐셔너를 탈거한다.

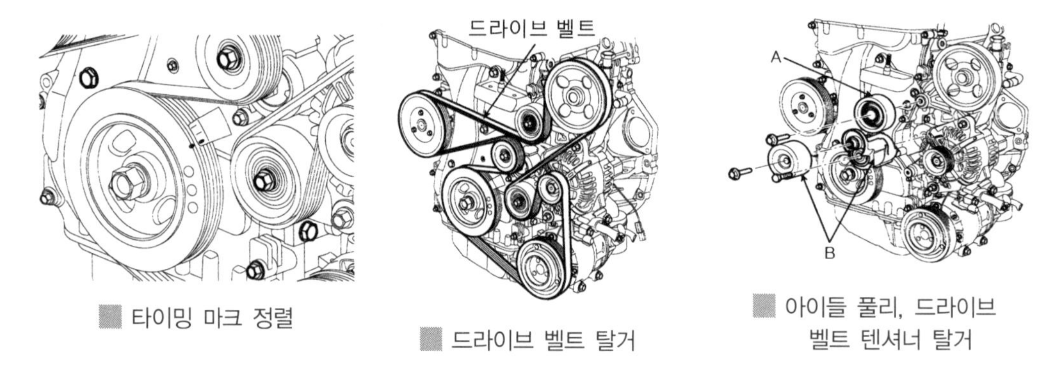

▒ 타이밍 마크 정렬

▒ 드라이브 벨트 탈거

▒ 아이들 풀리, 드라이브 벨트 텐셔너 탈거

③ 물 펌프 풀리와 크랭크축 풀리를 탈거한다.
④ 엔진 오일을 배출시킨 후 오일 팬을 탈거한다.
⑤ 타이밍 체인 커버를 탈거한다.

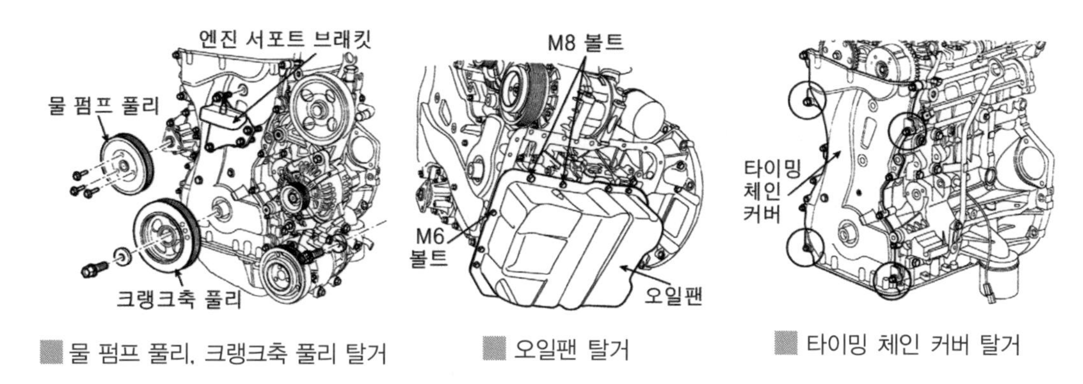

물 펌프 풀리, 크랭크축 풀리 탈거 | 오일팬 탈거 | 타이밍 체인 커버 탈거

⑥ 타이밍 체인 텐셔너의 래칫 홀에 드라이버를 이용하여 래칫을 해제시킨 상태에서 피스톤을 뒤로 밀고 고정용 핀으로 고정한다.

⑦ 타이밍 텐셔너와 암을 탈거한다.

⑧ 타이밍 체인과 가이드를 탈거한다.

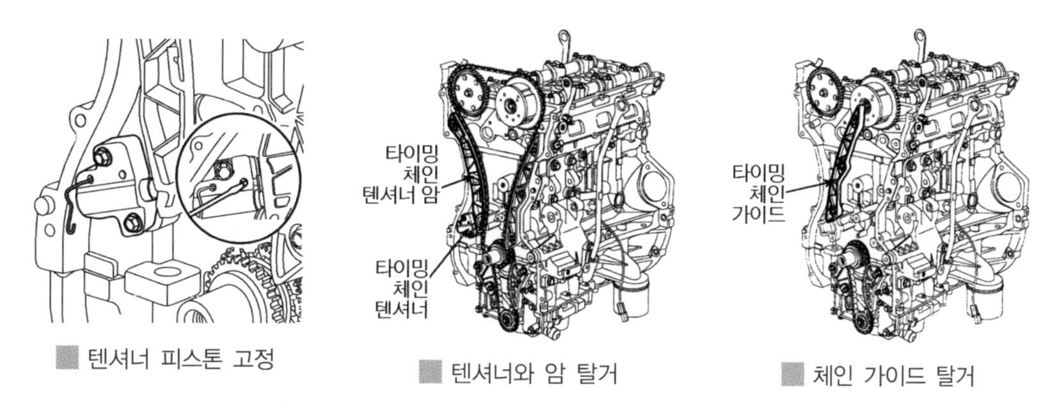

텐셔너 피스톤 고정 | 텐셔너와 암 탈거 | 체인 가이드 탈거

⑨ 타이밍 체인 오일 제트와 크랭크축 스프로킷을 탈거한다.

⑩ 밸런스 축 체인을 탈거한다.

- 밸런스 축 체인 텐셔너를 압축하여 고정용 핀을 장착한 후 탈거한다.
- 체인 텐셔너 암과 가이드, 체인을 탈거한다.(밸런스 샤프트 모듈은 분해하지 않는다)

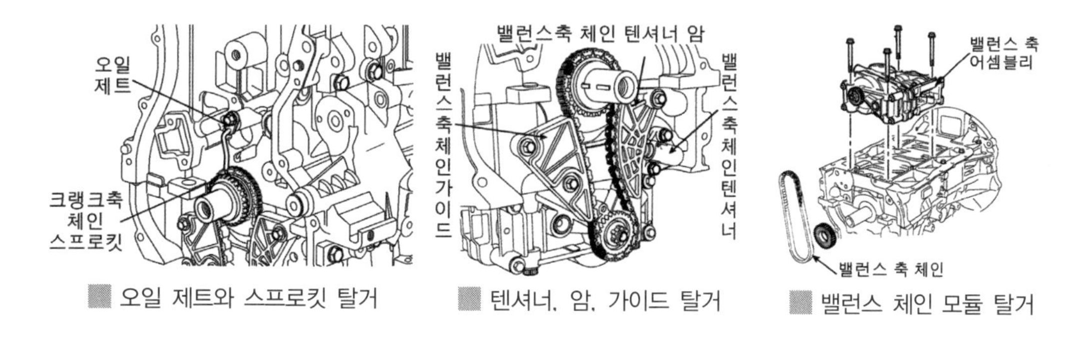

오일 제트와 스프로킷 탈거 | 텐셔너, 암, 가이드 탈거 | 밸런스 체인 모듈 탈거

4) 로커암 축 어셈블리와 캠축 분해

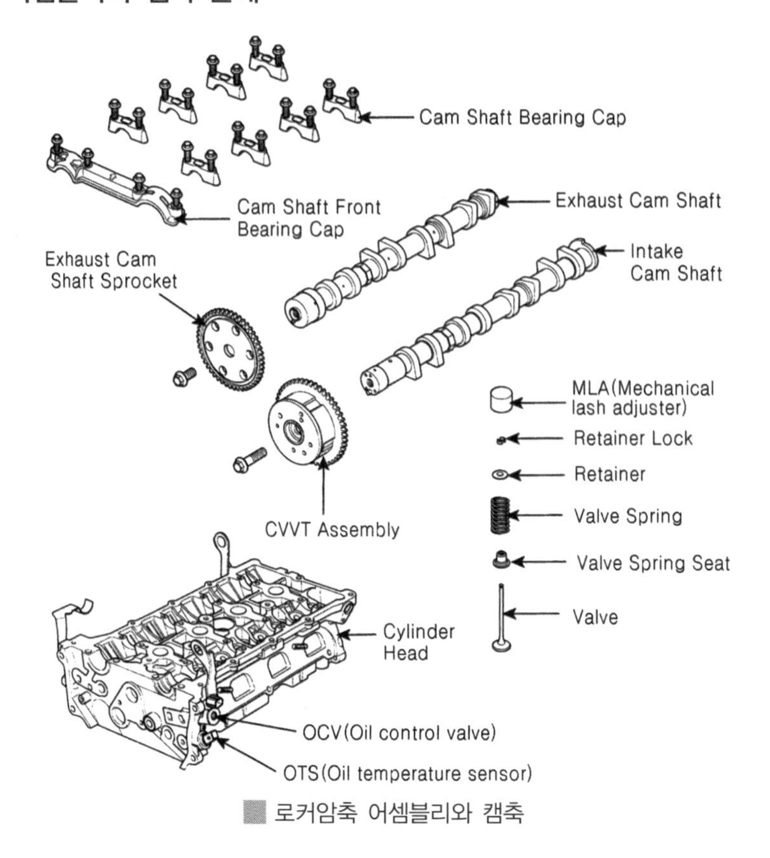

로커암축 어셈블리와 캠축

① CVVT와 캠 샤프트 스프로킷을 탈거한다.

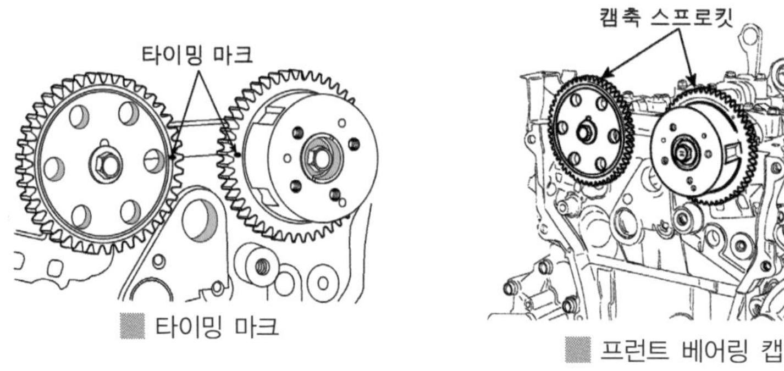

타이밍 마크

프런트 베어링 캡

② 캠 샤프트를 탈거한다.

- 프런트 샤프트 베어링 캡을 탈거한다.
- 캠 샤프트 베어링 캡을 순서에 따라 탈거한다.
- 캠 샤프트를 탈거한다.

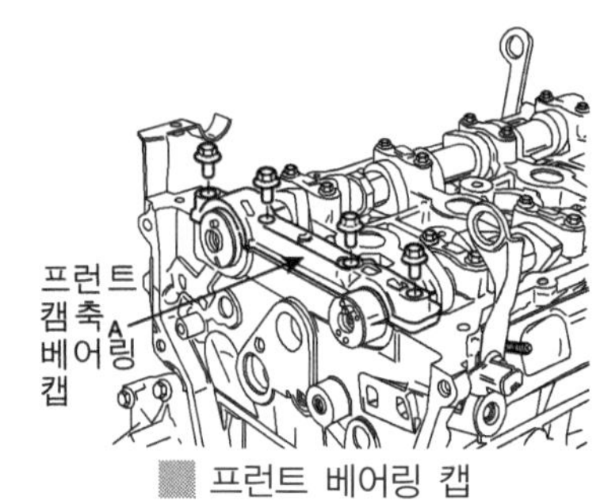

프런트 베어링 캡

③ OCV와 OTS를 탈거한다.

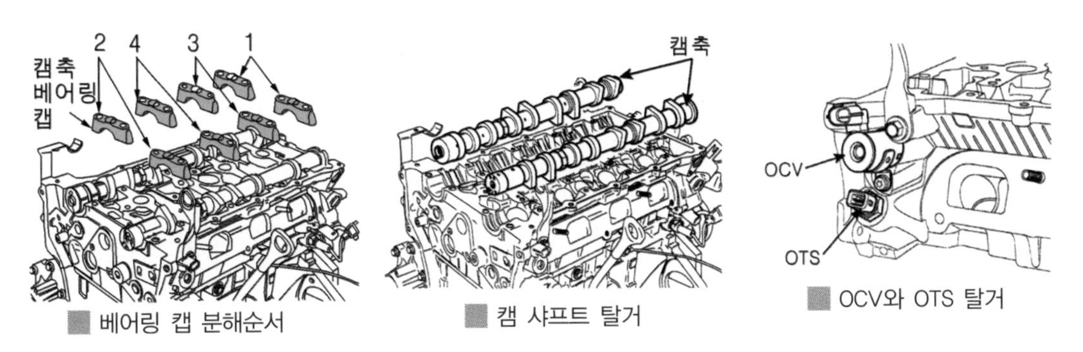

베어링 캡 분해순서

캠 샤프트 탈거

OCV와 OTS 탈거

5) 실린더 헤드 탈착

별 렌치를 사용하여 아래 그림과 같은 순서로 헤드 볼트를 푼다.

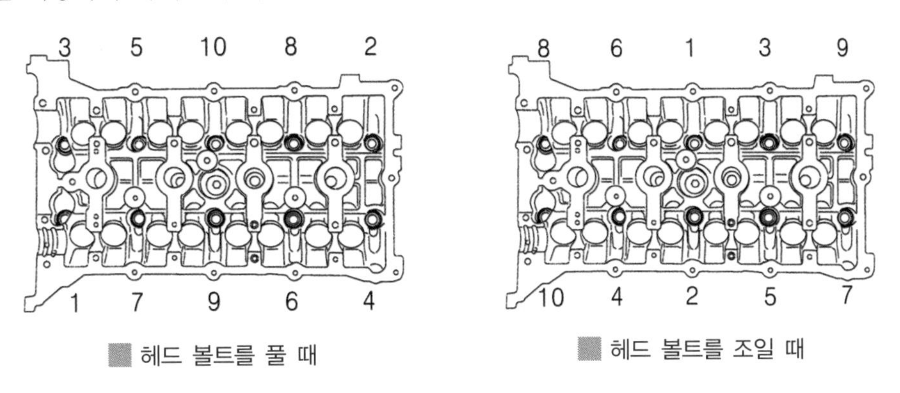

헤드 볼트를 풀 때

헤드 볼트를 조일 때

6) 피스톤 커넥팅 로드 어셈블리 탈착

① 커넥팅 로드 캡 고정 너트를 푼 다음 베어링과 베어링 캡을 떼어낸다. 이때 베어링 캡이 잘 빠지지 않으면 고무 해머로 가볍게 두드린 후 탈거하도록 한다.

② 각 피스톤 커넥팅 로드 어셈블리를 실린더 위쪽으로 밀어 올려 빼낸다.

③ 올바른 조립을 위하여 실린더 번호에 따라 해당 커넥팅 로드를 순서대로 정리한다.

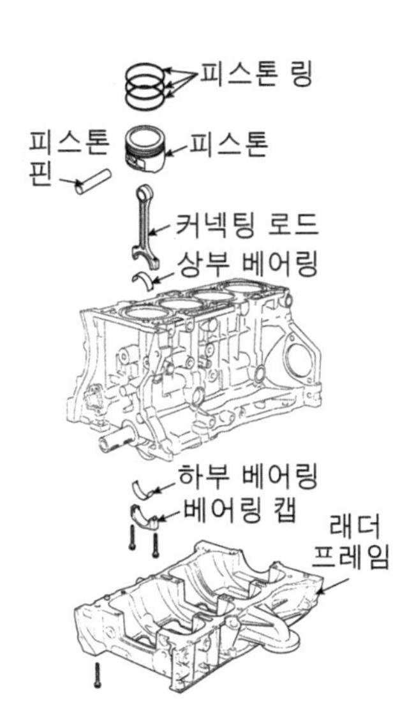

7) 크랭크 축 탈착

① 플라이 휠 고정 볼트를 풀고 플라이 휠을 탈거한 후 리어 플레이트와 오일 실 케이스를 탈거한다.

② 메인 베어링 캡 볼트를 풀고 베어링과 베어링 캡을 빼내어 캡 번호순서로 정리해 둔다.

③ 메인 베어링 캡에 표시를 하여 조립 시 원래 위치와 방향을 참고한다.

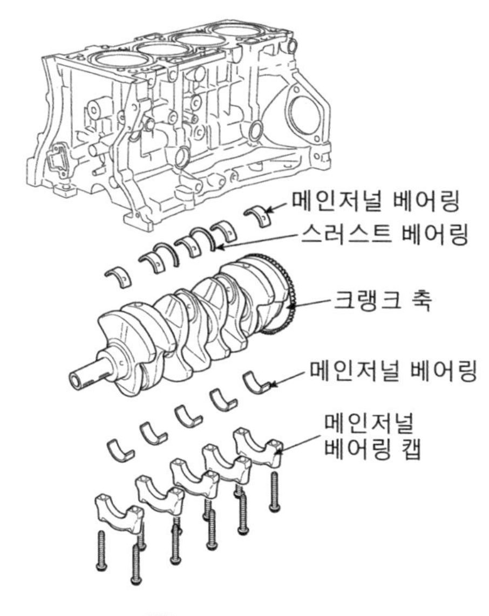

■ 크랭크 축 탈착

8) 엔진 본체 조립 작업

① 피스톤을 조립할 때는 방향을 잘 보고 조립하도록 한다. 글씨가 앞쪽으로 마크가 앞쪽을 향하도록 한다.

② 캠축 베어링을 조립할 때는 가운데부터 원을 그려가면서 볼트를 조이도록 한다.

③ CVVT 엔진에서 타이밍 체인을 마크에 맞추어 조립한다.

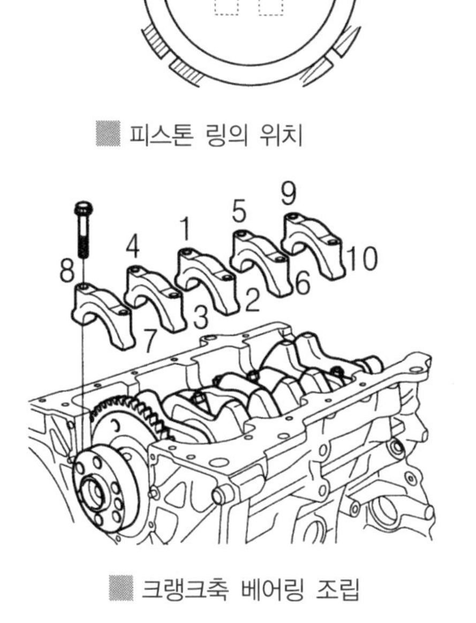

■ 피스톤 링의 위치

■ 크랭크축 베어링 조립

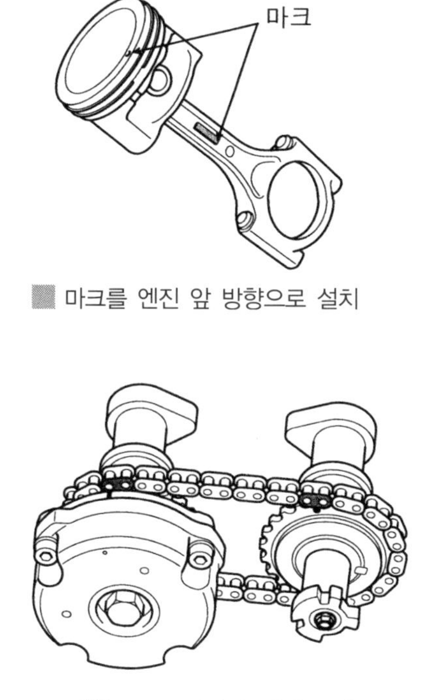

■ 마크를 엔진 앞 방향으로 설치

■ CVVT 타이밍 체인 조립

03 타이밍 벨트(Timing Belt)의 교환

타이밍 벨트(Timing Belt)의 교환은 초기 점화시기와 밸브 타이밍을 맞출 수 있는가를 알아보기 위한 작업이다. 타이밍 벨트의 교환은 좀 어려움이 있는 항목이다. 시험장에 있는 분해 조립용 엔진에서 타이밍 벨트의 장력을 조절하는 텐셔너를 고정하는 볼트가 망가져 있는 데가 대부분이다.

텐셔너 스프링의 장력이 크며 고정 볼트가 알루미늄 프런트 케이스에 장착되는 곳이 재질상 약한 편이다. 그래서 쉽게 나사산이 뭉그러진다. 일부 시험장이기는 하나 고정 볼트를 풀지 못하게 볼트 머리를 갈아서 풀지 못하도록 한 곳도 있다.

역시 분해 조립에서 차량의 종류가 너무 많기 때문에 어느 것을 기준으로 할까 고민하다가 현재 시험장에서 가장 많이 사용하고 있는 아반떼(AVANTE XD) 1.5와 NF 쏘나타(SONATA) 2.0 차량의 타이밍 벨트 교환 방법을 설명한다.

1. 아반떼(AVANTE) 엔진의 타이밍 벨트(Timing Belt) 교환

1) 아반떼 엔진의 타이밍 벨트의 구조

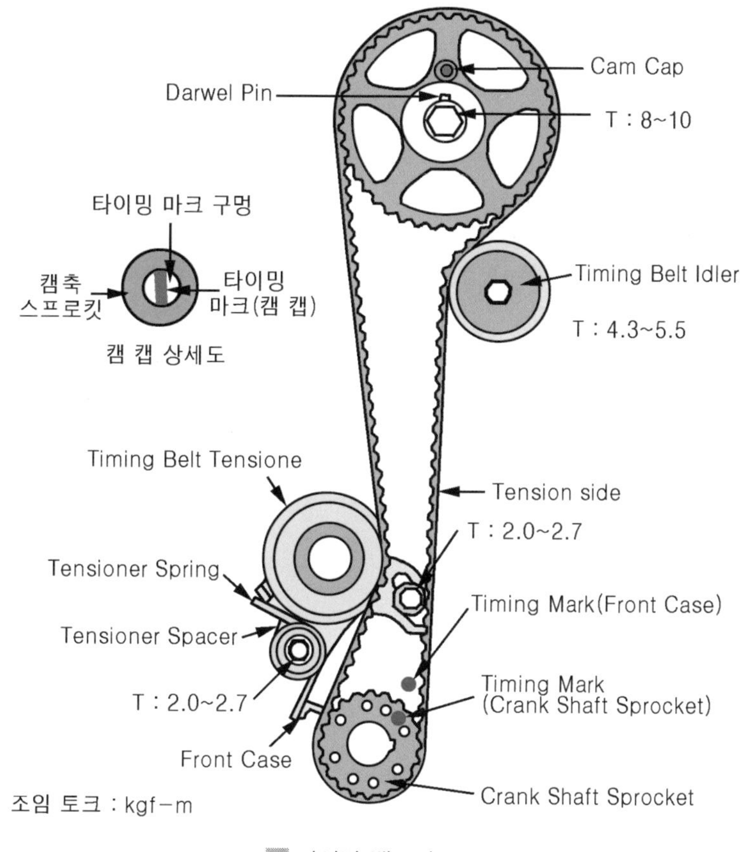

타이밍 벨트의 구조

2) 아반떼 엔진의 타이밍 벨트의 분해 방법

① 점화 코일로부터 고압 케이블을 분리한 후 크랭크 각 센서(CAS : Crank Angle Sensor))와 캠 샤프트 포지션 센서(1번 TDC 센서, No1 센서) 및 점화 코일(Ignition Coil)의 연결 커넥터를 분리시킨다. 이때 점화 코일의 접지 위치를 필히 확인하여야 한다.

② 크랭크축 풀리(Crank Shaft Pulley)를 회전시켜 크랭크축 스프로킷의 마크를 일치시킨다. 타이밍 벨트 로어 커버가 설치된 경우에는 T위치에, 타이밍 벨트 로어 커버가 분리된 경우에는 프런트 케이스의 노치부와 크랭크축 스프로킷의 마크를 일치시킨다. 이때 캠축 스프로킷의 타이밍 마크도 반드시 일치(흡기 타이밍 체인 스프로킷 마크와 배기 타이밍 벨트 스프로킷 마크도 일치상태)되어야 한다.

참고사항

① **크랭크축 스프로킷 마크 일치의 의미** : 점화 순서가 1-3-4-2인 경우 1번 피스톤이 압축 상사점(폭발할 수 있는) 상태를 의미한다.

② **캠축 스프로킷 마크 일치의 의미** : 폭발하고자 하는 1번 실린더의 흡기, 배기 밸브가 모두 닫혀있는 압축상태, 4번 실린더의 흡기, 배기 밸브는 오버랩 상태를 의미한다.

③ 팬벨트를 분리하고 워터펌프 풀리를 탈거한다.

④ 크랭크축 풀리와 타이밍 벨트 커버를 탈거한다.

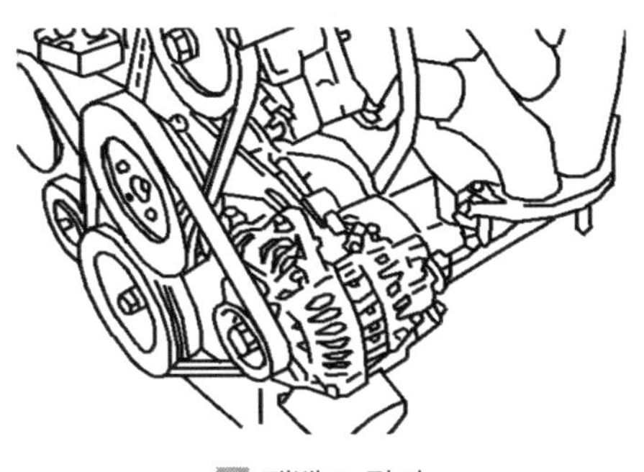

팬벨트 탈거

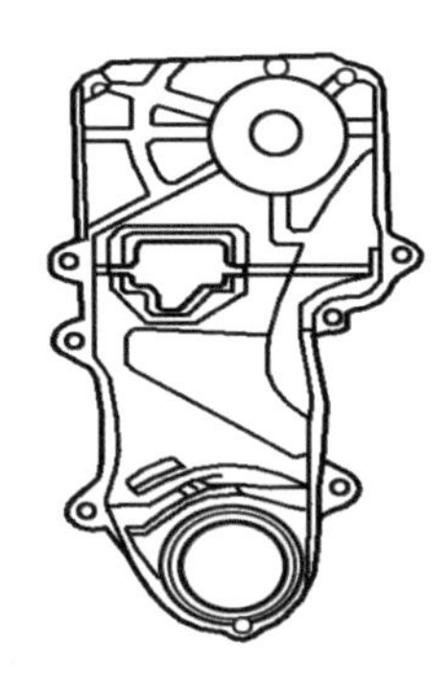

타이밍 벨트 커버 분리

⑤ 타이밍 벨트 텐셔너 풀리를 워터 펌프 반대쪽으로 이동시켜 임시로 고정하면 타이밍 벨트가 느슨해진다.

⑥ 타이밍 벨트 표면에 회전 방향을 화살 표시로 한 후 캠 샤프트 스프로킷에서부터 분리하여 탈거한다.

참고사항

① 타이밍 벨트를 재사용하고자 할 때는 회전 방향에 화살표로 표시하여 재장착 시에 본래의 장착 방향과 동일하게 장착할 수 있도록 한다.

조정 볼트를 밀어서 임시 고정

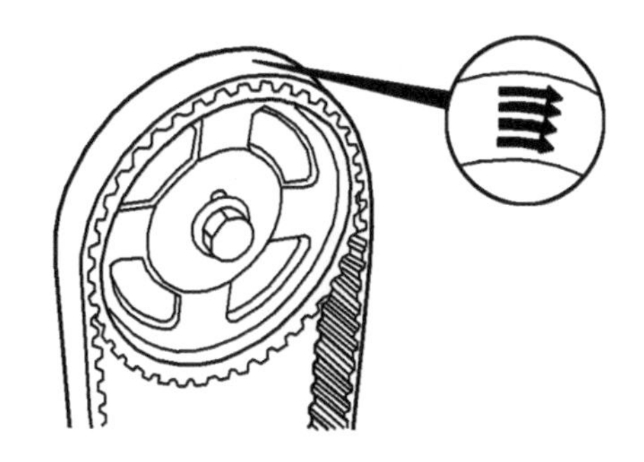

타이밍 벨트 화살표 표시

3) 아반떼 엔진의 타이밍 벨트의 조립 방법

① 1번 실린더의 피스톤을 압축 상사점에 놓기 위해서 크랭크축 타이밍 마크(크랭크축 스프로킷 마크와 타이밍 벨트 커버의 마크를 맞춤)와 캠축 타이밍 마크(캠축 스프로킷 캠 캡의 구멍에 헤드의 빨간색 타이밍 마크를 중앙에 맞춤)를 맞춘다.

② 타이밍 벨트를 크랭크축에 먼저 걸어서 캠축 스프로킷에 걸고 텐셔너 풀리에 걸어 놓는다.

③ 텐셔너를 임시 고정하였던 볼트를 풀면 텐셔너 스프링에 의해 벨트가 팽팽해진다.

④ 벨트의 장력은 텐셔너 축을 밀었을 때 타이밍 벨트의 이빨 끝이 볼트 중앙에서 직경의 1/4만큼 위치하면 된다. 장력을 맞추고 텐셔너 조정 볼트와 고정 볼트를 규정 토크로 조인다.

주의사항

① 1번 피스톤이 TDC에 있을 때, 캠샤프트 스프로킷 마크가 헤드의 마크와 이빨 2이상 어긋나면 피스톤과 밸브가 간섭되므로 타이밍을 정렬하는데 세심한 주의가 필요하다.

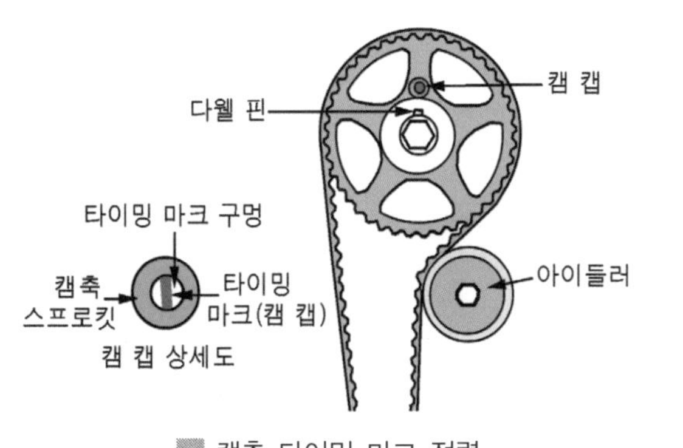

캠축 타이밍 마크 정렬

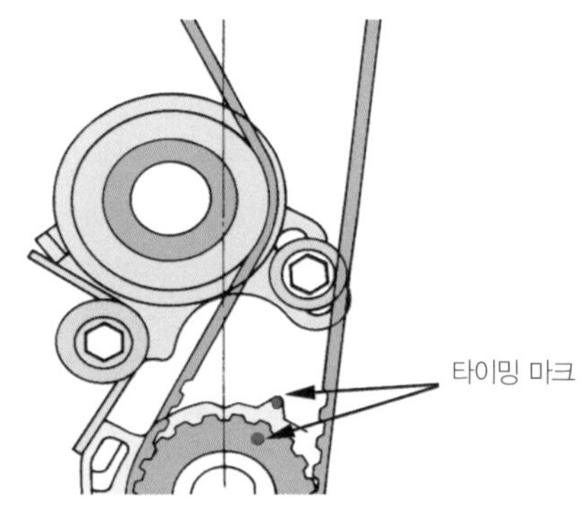

크랭크축 타이밍 마크 정렬

2. NF 쏘나타(NF SONATA) 엔진의 타이밍 벨트 교환

1) NF 쏘나타 엔진 타이밍 벨트의 구조

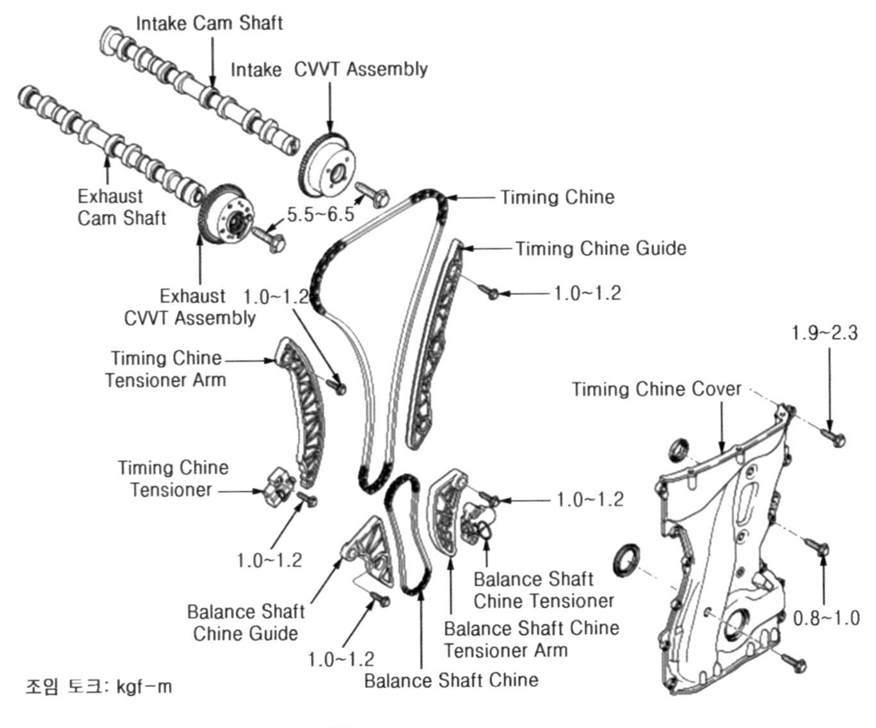

타이밍 벨트의 구조

2) NF 쏘나타 엔진 타이밍 벨트의 탈거

① 배터리 (-) 케이블을 분리한다.

② 엔진 커버를 탈거한다.

③ 우측 앞바퀴를 탈거하고, 우측 사이드 커버를 탈거한다.

④ 타이밍 마크를 정렬한다.

⑤ 엔진 오일을 배출시킨 후 오일 팬에 잭을 설치한다.

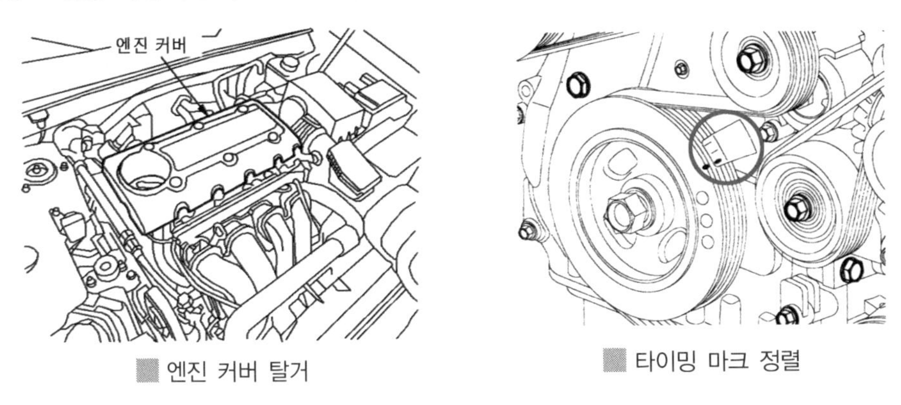

엔진 커버 탈거

타이밍 마크 정렬

⑥ 엔진 마운팅 브래킷을 탈거한다.

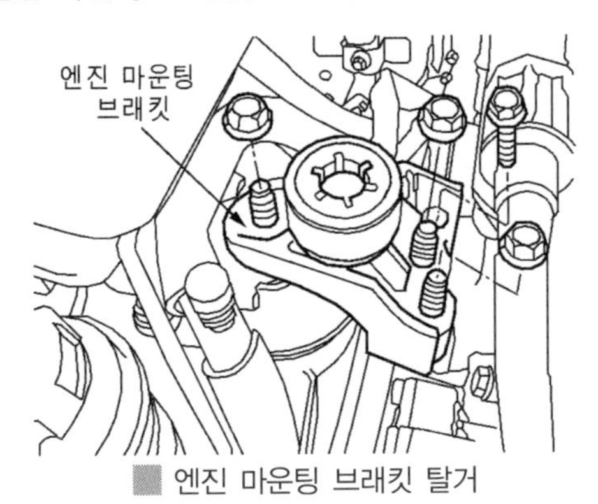

엔진 마운팅 브래킷 탈거

⑦ 드라이브 벨트를 탈거한다.

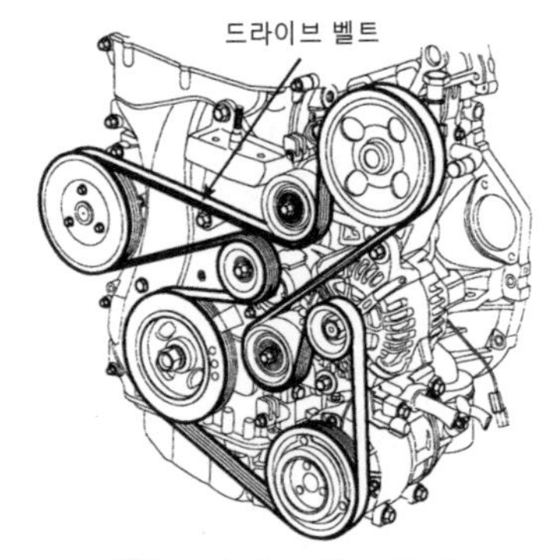

드라이브 벨트 탈거

⑧ 아이들러(A)와 드라이브 벨트 텐셔너(B)를 탈거한다.(텐셔너 풀리는 왼나사이다)

⑨ 워터펌프 풀리(C)와 크랭크 샤프트 풀리(D), 엔진 서포트 브라켓트(E)를 탈거한다.

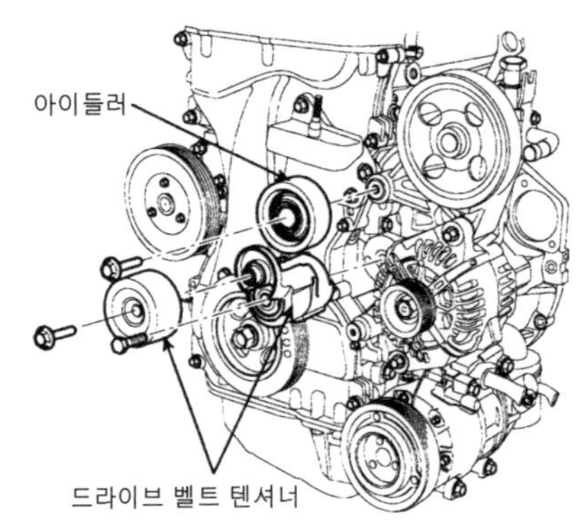

아이들 풀리, 드라이브 벨트 텐셔너 탈거

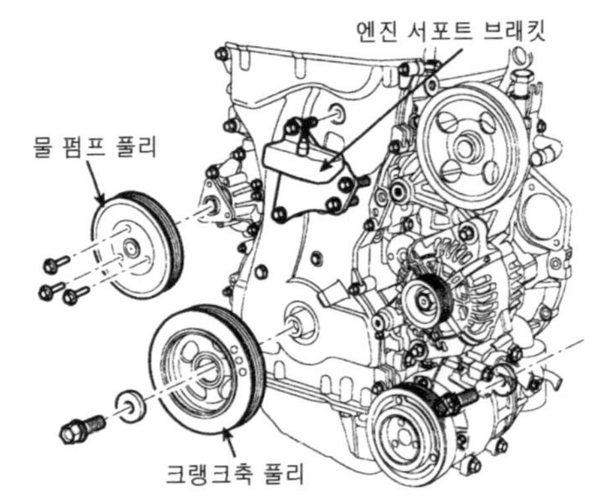

물 펌프 풀리, 크랭크축 풀리 탈거

참고사항

크랭크축 풀리 탈거방법-2가지

1) 변속기가 분리된 상태에서 크랭크축 고정방법(스타터 탈거하고 링기어 고정)

① 스타터(기동 전동기)를 탈거하고 특수공구를 사용하여 링기어를 고정한다.

특수공구 사용 링 기어 교환

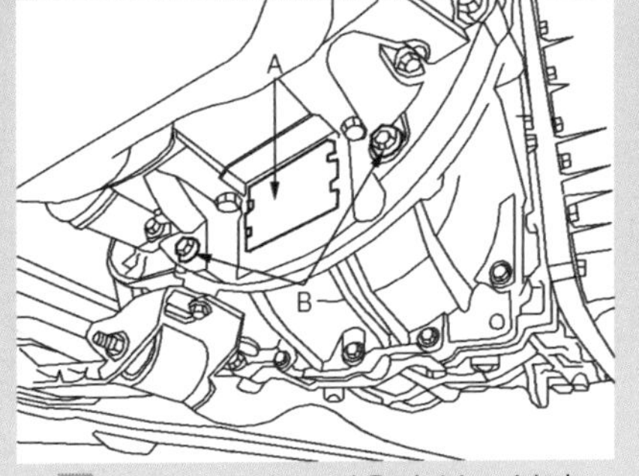

더스트 커버 & 마운팅 볼트 분리

2) 변속기 설치상태에서 크랭크축 고정방법(더스트 커버 탈거 후 링기어 고정)

① 더스트 커버(A)를 탈거하고 트랜스 액슬 마운팅 볼트(B) 2개를 분리한다.

② 특수공구 홀더의 너트(A)로 길이를 조정하여 홀더(B)와 링기어(C) 치형을 맞춰 장착한다.

③ 암(D)의 각도를 조절하여 트랜스액슬 마운팅 볼트 장착홈에 트랜스액슬 마운팅 볼트를 장착한다. 스타터(기동 전동기)를 탈거하고 특수공구를 사용하여 링기어를 고정한다.

④ 특수공구를 완전히 체결한다.

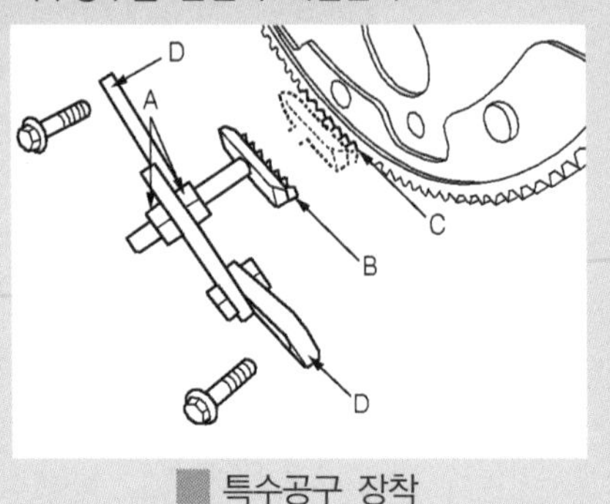

■ 특수공구 장착

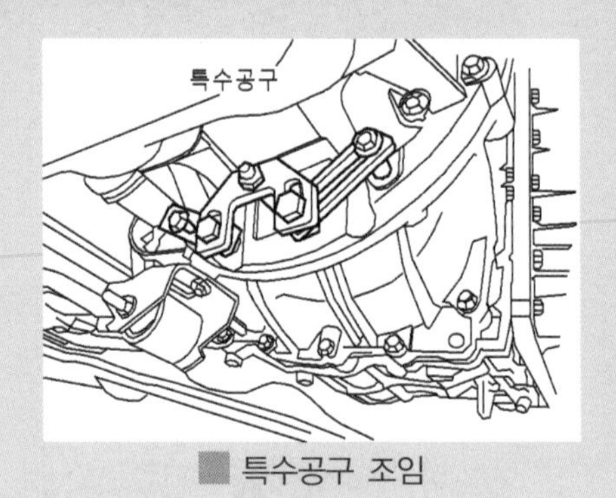

■ 특수공구 조임

⑩ 파워스티어링 오일 압력 스위치 커넥터(A)와 배기 OCV커넥터(B)를 분리한다.

⑪ 브리더 호스(C)를 분리한다.

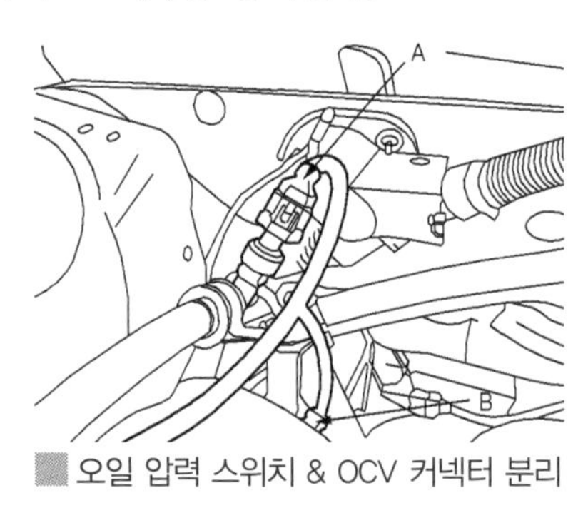

■ 오일 압력 스위치 & OCV 커넥터 분리

■ 브리더 호스 분리

⑫ PCV 호스(A)를 분리한다.

⑬ 점화코일 커넥터(A)를 분리하고 점화코일(B)을 탈거한다.

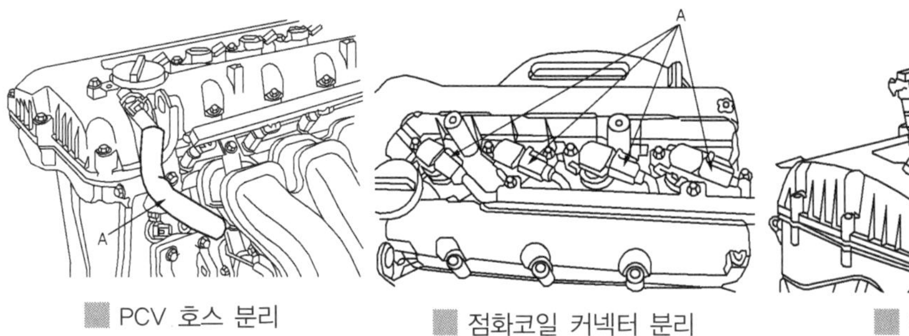

■ PCV 호스 분리

■ 점화코일 커넥터 분리

B

■ 점화코일 탈거

⑭ 실린더 헤드 커버(A)를 탈거하고 에어컨 컴프레서 아래쪽 고정볼트 2개를 분리한다.

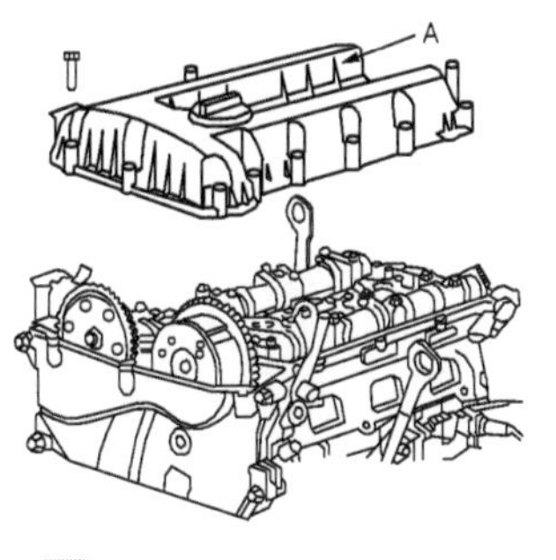

실린더 헤드 커버 탈거

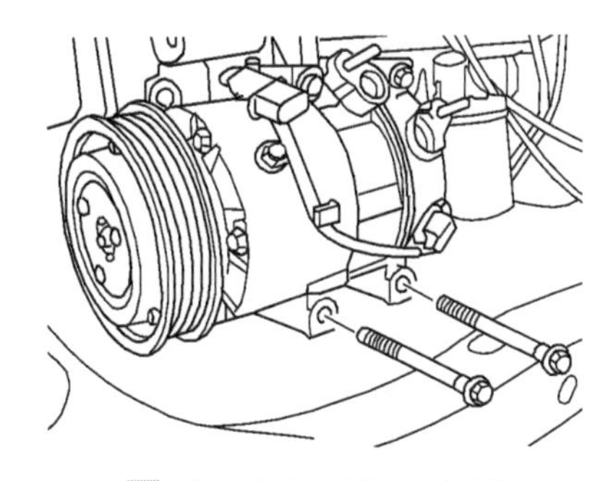

컴프레서 고정볼트 분리

⑮ 에어컨 컴프레서 장착 브라켓트(A)를 탈거한다.

⑯ 엔진오일을 배출 시키고 오일팬(B)을 탈거한다.

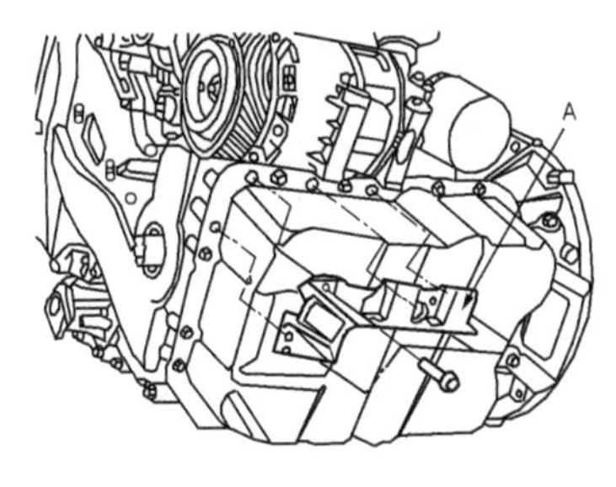

장착 브라켓트를 탈거

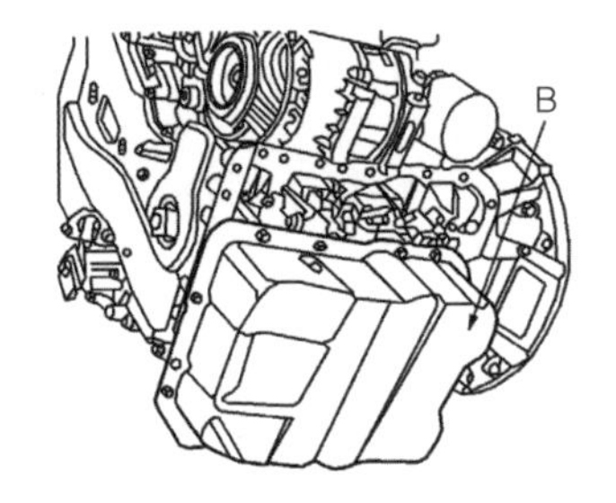

오일팬 탈거

⑰ 타이밍 체인 커버(A)를 설치 볼트를 분리하고 드라이버를 이용하여 탈거한다.

⑱ 크랭크축을 시계방향으로 회전시켜 크랭크축 키와 메인 베어링 캡의 장착면이 일직선이 되게 하고 실린더 헤드의 캠 스프로켓 타이밍 마크가 실린더 헤드 상면과 일직선이 되게 회전시켜 1번 실린더가 압축 상사점에 오게 한다.

⑲ 타이밍 체인 텐셔너의 라첫홈에 드라이버를 이용하여 라쳇을 해제시킨 상태에서 피스톤을 뒤로 밀어 고정용 핀을 고정한다.

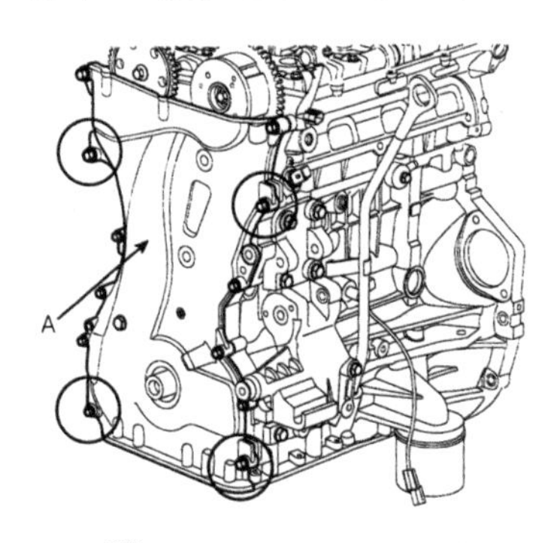

타이밍 체인커버 탈거

텐셔너 작동 피스톤 고정

주의사항

① 타이밍 체인 커버 탈거 시 실린더 블록, 실린더 헤드, 레더 프레임의 접촉면이 손상되지 않도록 주의하여 작업한다.

② 타이밍 탈거 전에 크랭크 스프로켓과 캠 스프로켓에 타이밍 마크와 일치하는 부분에 불멸잉크로 표시한다.

⑧ 타이밍 체인 텐셔너와 암을 탈거한다.

⑨ 타이밍 체인을 탈거한 후 체인 가이드를 탈거한다.

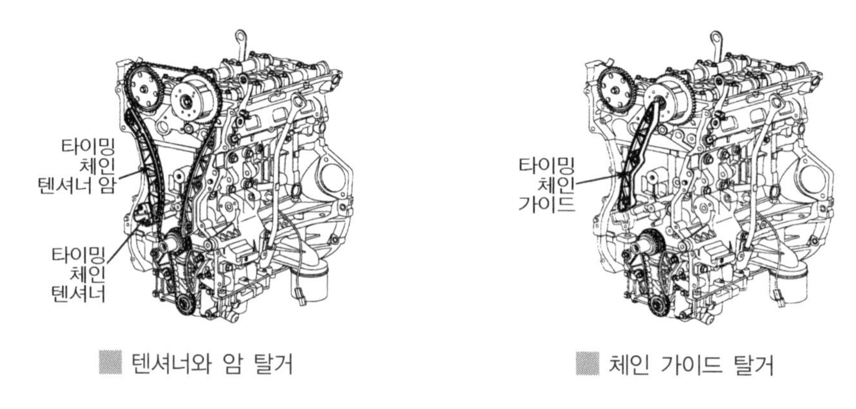

■ 텐셔너와 암 탈거 ■ 체인 가이드 탈거

3) NF 쏘나타 엔진 타이밍 벨트의 장착

① 크랭크축 고정키와 메인 베어링캡 장착면이 일직선이 되게 하고, 흡・배기 스프로켓 전면에 표시되어 있는 TDC 마크와 실린더 헤드 상면이 일치되도록 한다. 타이밍 체인 가이드를 장착한다.

② 타이밍 체인을 크랭크축 스프로켓에 걸고 이어서 흡기와 배기 CVVT 스프로켓에 걸어서 장착한다. 타이밍 마크가 일치되도록 주의한다.

③ 타이밍 체인 암(B)을 장착하고 체인을 설치한다.

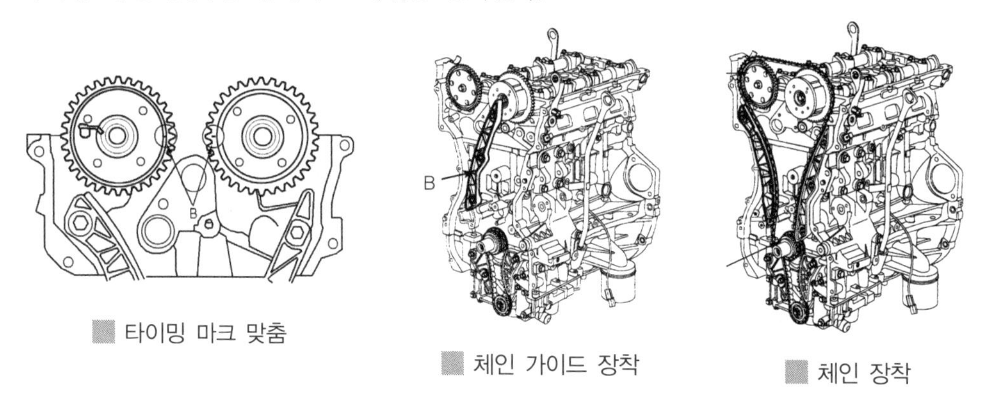

■ 타이밍 마크 맞춤 ■ 체인 가이드 장착 ■ 체인 장착

④ 유압식 오토텐셔너(C)를 장착하고 고정용 핀을 뽑는다.
⑤ 크랭크축을 시계방향으로 2회전 시킨 후 타이밍 마크를 재확인한다.
⑥ 타이밍 체인 커버를 장착한다. 이때 실린더 헤드와 실린더 블록 경계면에 실린트를 도포한다.
⑦ 오일팬과 에어컨 컴프레서, 팬벨트를 장착한다.

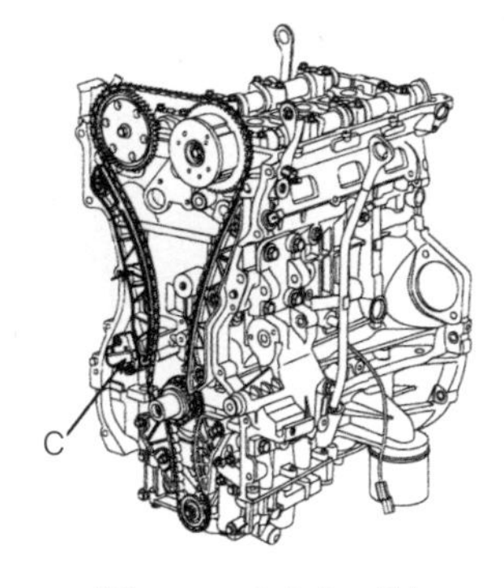

■ 오토 텐셔너 장착

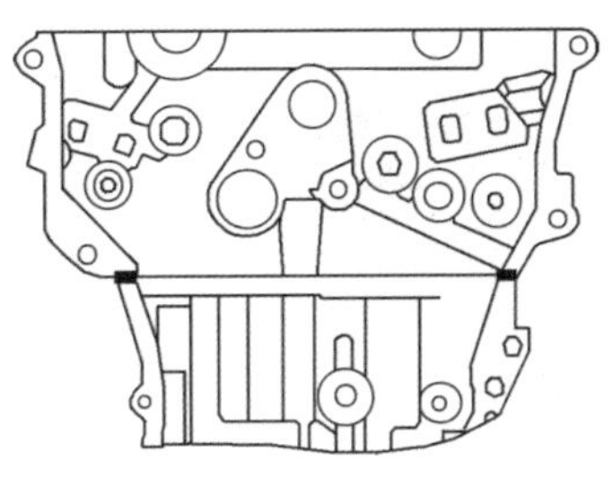

■ 실린트 도포

3. 타이밍 벨트의 교환 시험장 사진

단발 시동용 엔진으로 스탠드에 설치되어 있다. 시험장마다 다를 수 있다.	제일 먼저 크랭크축과 캠축의 타이밍 마크를 맞추고 텐셔너 조정 볼트를 약 1회전 푼다.	텐셔너 브래킷과 아이들러 사이에 ⊖드라이버를 넣고 아래로 누르면 벨트가 느슨해진다.

타이밍 벨트를 텐셔너 아이들 풀리, 캠축과 크랭크축 스프로킷 순으로 분리한다.	새로운 타이밍 벨트로 조립하기 전에 캠축과 크랭크축 타이밍 마크를 맞춘다.	벨트를 크랭크축 스프로킷에서 걸치면서 아이들 풀리, 캠축, 텐셔너 순으로 장착한다.

벨트를 장착할 때 크랭크축을 약간 돌려 긴장측(화살표)이 팽팽해야 쉽게 장착할 수 있다.	타이밍 벨트를 조립하고 장력을 조정한 후 타이밍 마크를 확인한다.	캠축 스프로킷과 크랭크축에서 타이밍 마크를 이곳에서 확인한다.

04 캠축(Cam Shaft)의 분해 조립

캠축(Cam Shaft)의 분해 조립은 밸브의 타이밍을 잘 맞추고 있는가를 알아보기 위한 작업이다. 전면에서 보면 다른 DOHC와 다르게 캠축이(배기) 하나만 보이지만 뒤쪽에 체인으로 흡기쪽 캠축을 구동하기 위한 타이밍 체인이 설치되어 있으며, 이 체인에도 타이밍 마크가 있으므로 잘 맞추어서 조립하여야 한다.

이 타이밍 마크가 맞지 않을 경우 밸브의 열림시기가 달라져 시동 불능은 물론 밸브가 열리면서 피스톤과 부딪혀 피스톤이나 밸브가 부러지는 경우도 있다. 역시 분해 조립에서 차량의 종류가 너무 많기 때문에 어느 것을 기준으로 할까 고민하다가 현재 시험장에서 가장 많이 사용하고 있는 아반떼(AVANTE XD) 1.5와 NF 쏘나타(SONATA) 2.0 차량의 분해조립 방법을 설명한다.

1. 아반떼(AVANTE) 엔진의 캠축(Cam Shaft) 교환

1) 캠축의 구조

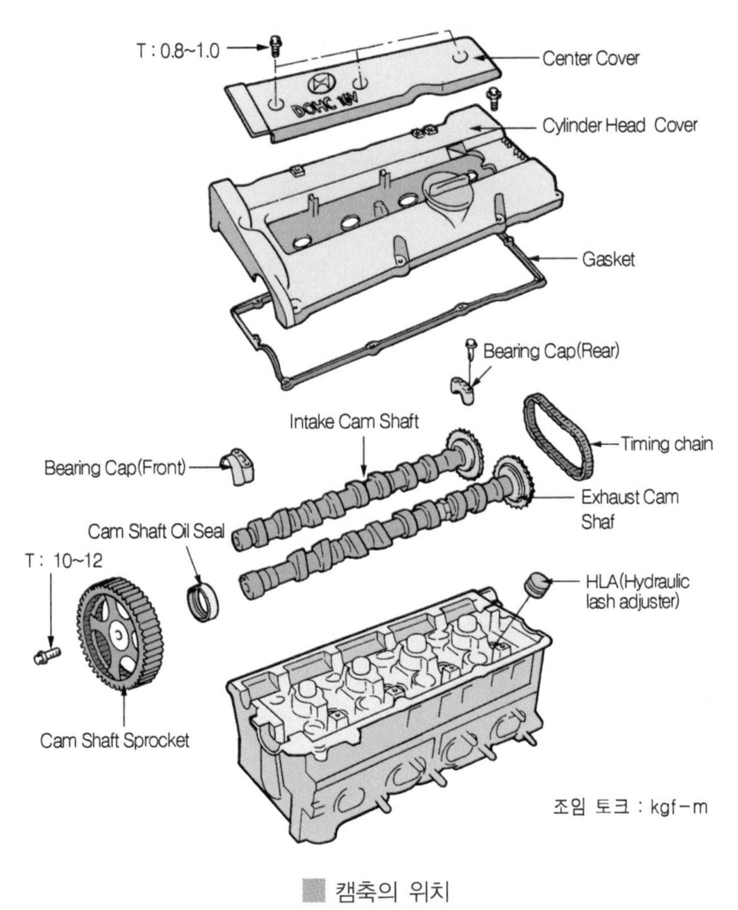

캠축의 위치

■ 캠축의 제원

항목 \ 엔진		아반떼 XD(1.6)	NF 쏘나타 2.0(쎄타 1 엔진)
밸브 개폐 시기	흡기	열림 ATDC 8°	열림 ATDC 7°~38°
		닫힘 ABDC 56°	닫힘 ABDC 67°~22°
	배기	열림 BBDC 46°	열림 BBDC 44°~4°
		닫힘 ATDC 10°	닫힘 ATDC 0°~40°
캠 높이	흡기	43.85(한계 43.35)mm	44.20mm
	배기	44.25(한계 43.75)mm	45.00mm
저널 외경		Φ 27mm	NO 1 : Φ 30mm(흡기), Φ 36mm(배기) NO 2,3,4,5 : Φ 24mm(흡기, 배기)
베어링 오일 간극		0.035~0.072mm	NO 1 : 0.022~0.057mm(흡기)-한계(0.09) NO 1 : 0~0.032mm(배기)-한계(0.09) NO 2,3,4,5 : 0.045~0.082mm(흡기, 배기)-한계(0.12)
엔드 플레이		0.1~0.2mm	0.04~0.16mm-한계(0.20mm)
밸브 간극 (20℃)	흡기	-	0.17~0.23mm-한계(0.10~0.30)
	배기	-	0.27~0.33mm-한계(0.20~0.40)

2) 캠축(Cam Shaft) 분해 방법

① 점화 코일로부터 고압 케이블을 분리한 후 실린더 헤드 커버를 탈거한다.

② 베어링 캡 볼트를 풀고 분리한 후 배기 캠축과 흡기 캠축을 함께 탈거한다.

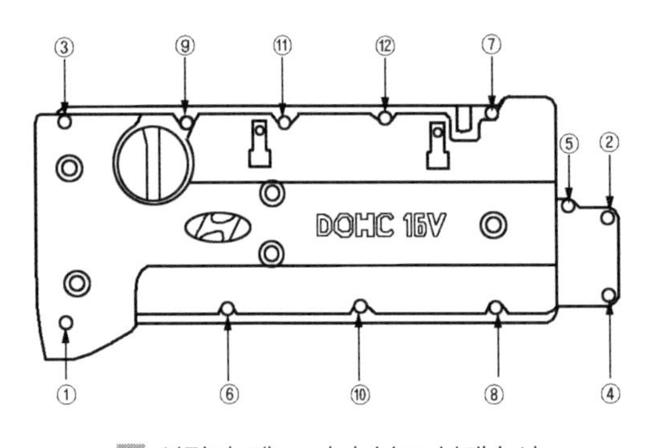

■ 실린더 헤드 커버 볼트 분해순서

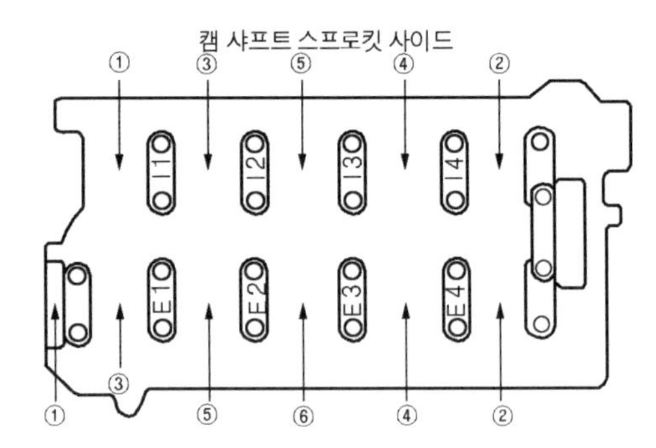

■ 캠축 베어링 캡 분해순서

3) 캠축(Cam Shaft) 조립 방법

① 캠축 베어링을 깨끗하게 닦고 오일을 바른다.

② 흡기 캠축과 배기 캠축을 깨끗이 닦고 스프로킷에 타이밍 체인의 마크를 맞추고 헤드에 올려 놓는다.(타이밍 체인 링크에 "•"이 있는 곳을 흡기쪽, 링크와 링크 사이에 "•"이 있는 곳을 배기쪽에 맞춘다)

③ 흡기 캠축의 뒤쪽에는 TDC sensor를 설치하기 위한 감지용 핀이 있으며, 배기 캠축 앞에는 다웰 핀이 배치되어 있다.

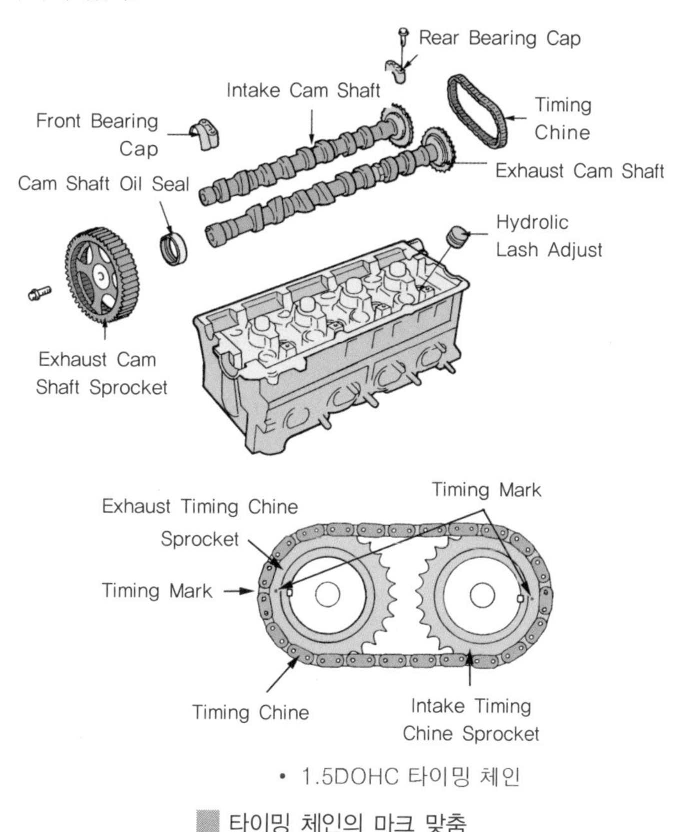

• 1.5DOHC 타이밍 체인

■ 타이밍 체인의 마크 맞춤

④ 베어링 부분에 오일을 바르고 베어링 캡을 순서에 맞춰 올려놓고 순서에 맞춰서 규정의 토크가 되도록 조인다.(화살표가 앞으로 가고, I(흡기:Intake), E(배기:Exhaust)를 뜻한다)

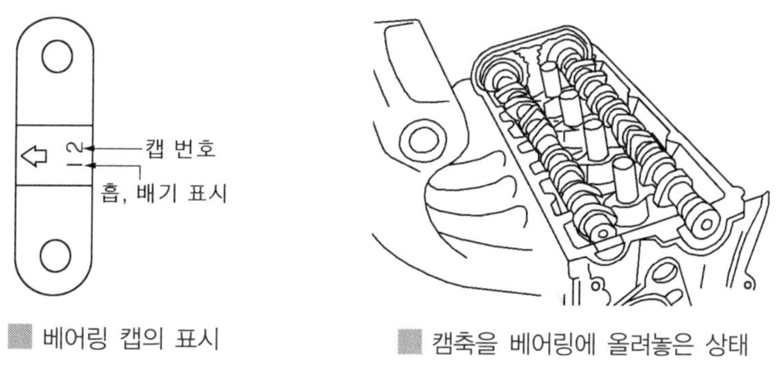

■ 베어링 캡의 표시

■ 캠축을 베어링에 올려놓은 상태

2. NF 쏘나타(NF SONATA) 엔진의 캠축 분해 방법

1) 캠축의 구조

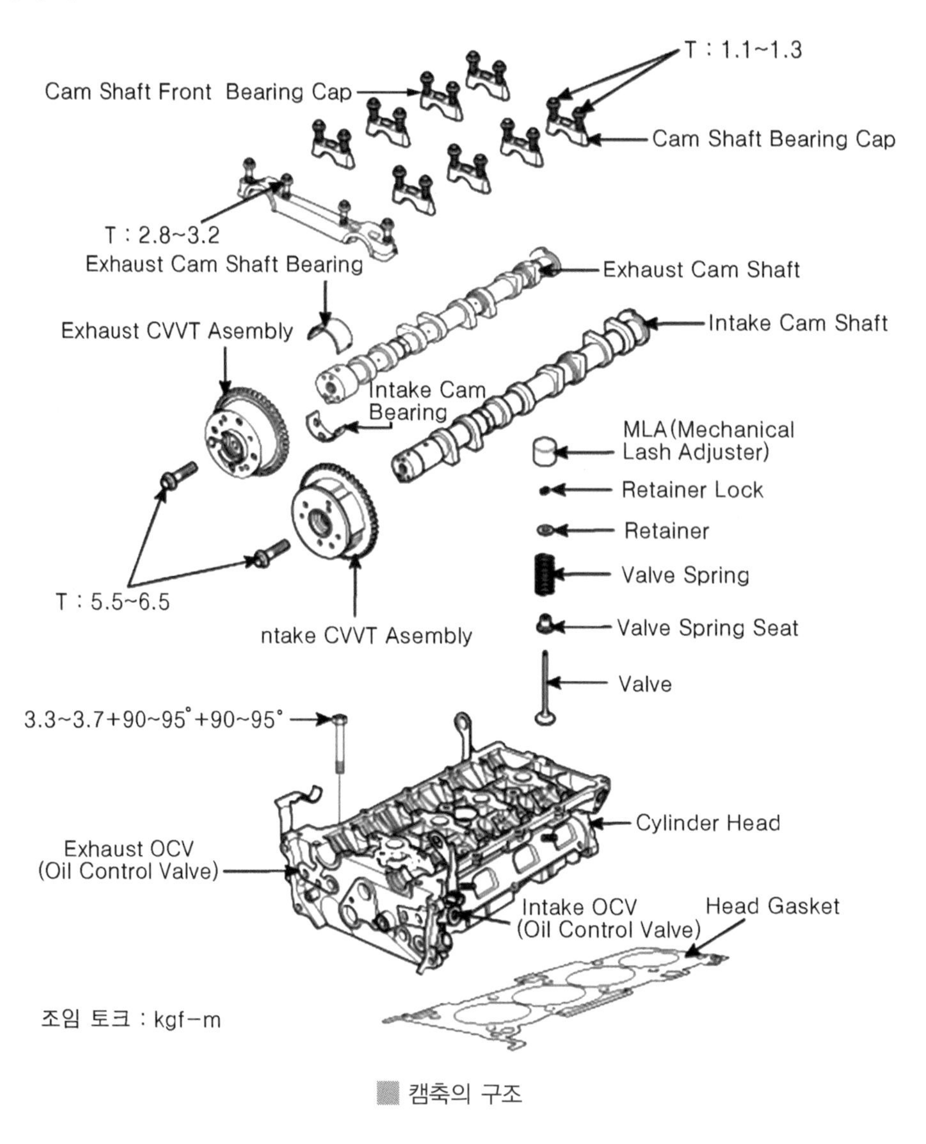

캠축의 구조

2) 캠축의 탈거

① 엔진 커버(A)를 탈거한다.

② 타이밍 체인을 탈거한다(타이밍 체인 교환 참조)

③ 캠 샤프트 프런트 베어링 캡(B)과 베어링(C)을 탈거한다.

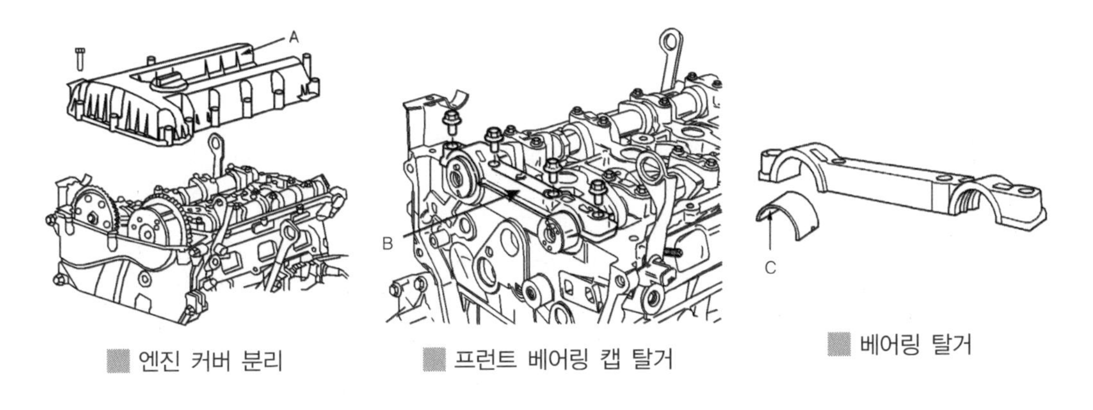

■ 엔진 커버 분리　■ 프런트 베어링 캡 탈거　■ 베어링 탈거

④ 캠 샤프트 베어링 캡을 분리하고 캠축을 탈거한다.(이때 CVVT는 분리하지 않는다)

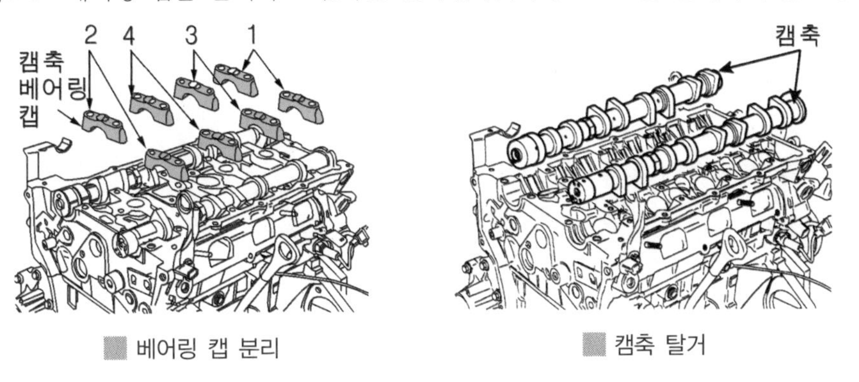

■ 베어링 캡 분리　■ 캠축 탈거

3) 캠축의 조립

① 캠축 베어링을 깨끗이 닦고 오일을 바른 후 캠축을 깨끗이 닦아 베어링에 올려놓고 오일을 바른다.

② 캠 샤프트 베어링 캡을 A → B → C 순서에 따라 장착한다.

③ 타이밍 체인을 장착한다(타이밍 체인 교환 참조).

④ 실린더 헤드 커버를 장착한다.

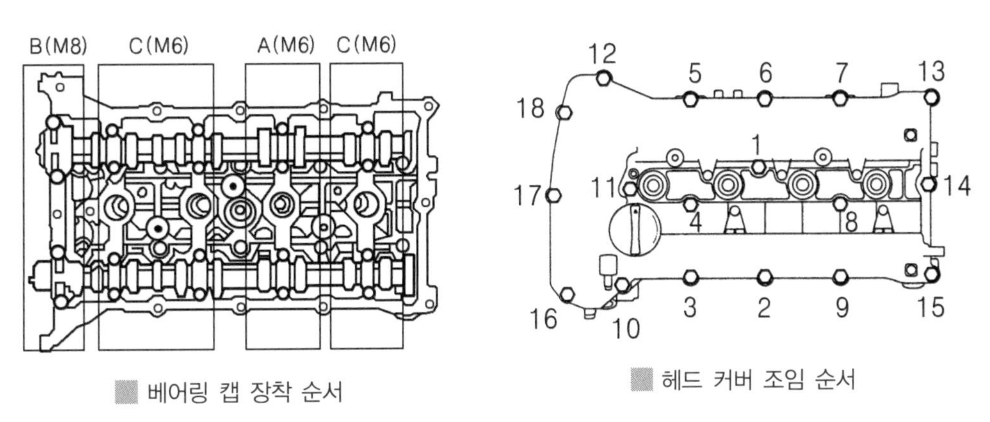

■ 베어링 캡 장착 순서　■ 헤드 커버 조임 순서

3. 캠축(Cam Shaft) 교환의 시험장 사진

시험장에 준비된 엔진은 많은 분해 조립으로 볼트가 망가진 경우가 많다.	맨 앞쪽 배기 베어링 캡에는 E1이라고 기록되어 있고 화살표가 앞쪽으로 향하도록 하여야 한다.	맨 뒤쪽 베어링 캡에는 R(오른쪽)과 L(왼쪽)로 표시되어 있다.
		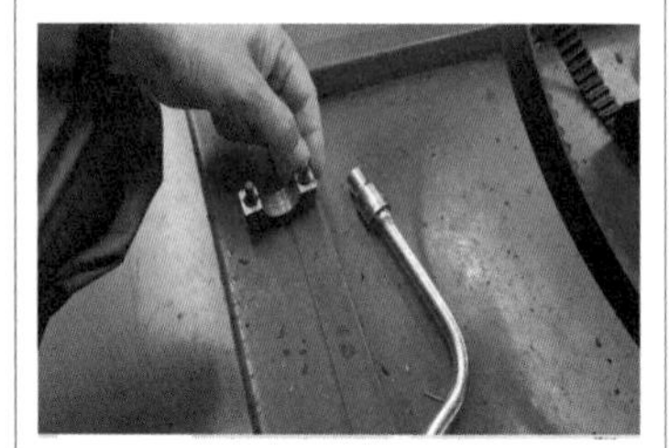
맨 앞쪽 흡기 베어링 캡에는 I1이라고 기록되어 있고 화살표가 앞쪽으로 향하도록 하여야 한다.	베어링 캡을 잡을 때는 설치 볼트를 위로 올려서 볼트와 볼트를 잡으면 편하다.	베어링 캡을 분해해서 부품대에 놓을 때는 접촉면에 먼지가 달라붙지 않도록 뒤집어서 놓는다.
	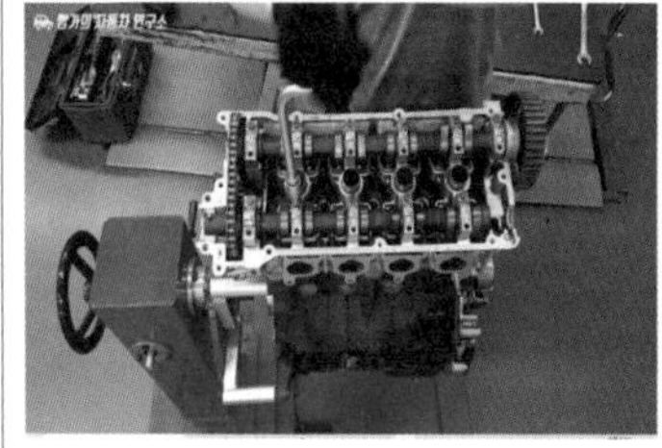	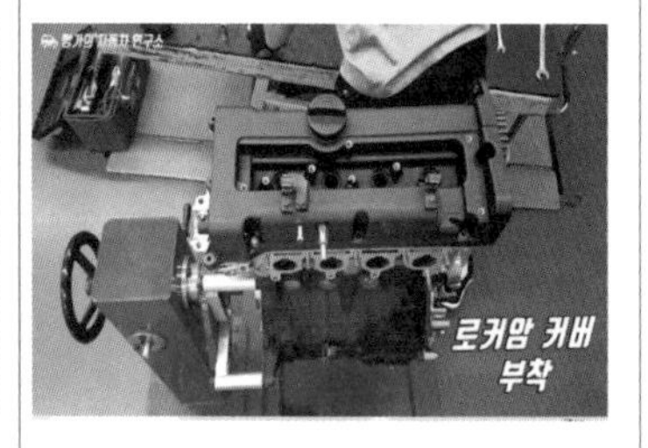
캠축을 실린더 헤드에 올릴 때 타이밍 마크를 맞추어 캠축을 조립하여야 한다.	베어링 캡을 조일 때는 안쪽에서부터 달팽이 주름같이 조이고 토크 렌치로 조인다.	헤드 커버를 조립한다. 하나의 몸체로 되어 있으므로 안쪽에서부터 대각선 방향으로 조인다.

05 크랭크 축(Crank Shaft)의 분해 조립

크랭크 축(Crank Shaft)의 분해 조립은 크랭크 축의 분해 조립 순서와 공구 사용법, 안전 사항을 수행할 수 있는가를 알아보기 위한 작업이다. 대부분이 엔진 스탠드에 설치되어 있어서 분해 조립하기가 쉽지만 때에 따라서는 작업대에 올려져 있는 경우도 있다.

공구 사용법 및 자세가 바르지 않으면 분해 조립이 어려울 수 있다. 공구 통에서 필요한 공구만을 부품대에 올려놓고 작업해야 하고 실린더 블록 옆면으로 서서 작업을 한다. 역시 분해 조립에서 차량의 종류가 너무 많기 때문에 어느 것을 기준으로 할까 고민하다가 현재 시험장에서 가장 많이 사용하고 있는 아반떼(AVANTE XD) 1.5와 NF 쏘나타(SONATA) 2.0 차량의 분해 조립 방법을 설명한다.

1. 크랭크 축(Crank Shaft)의 분해조립

1) 크랭크 축의 구조

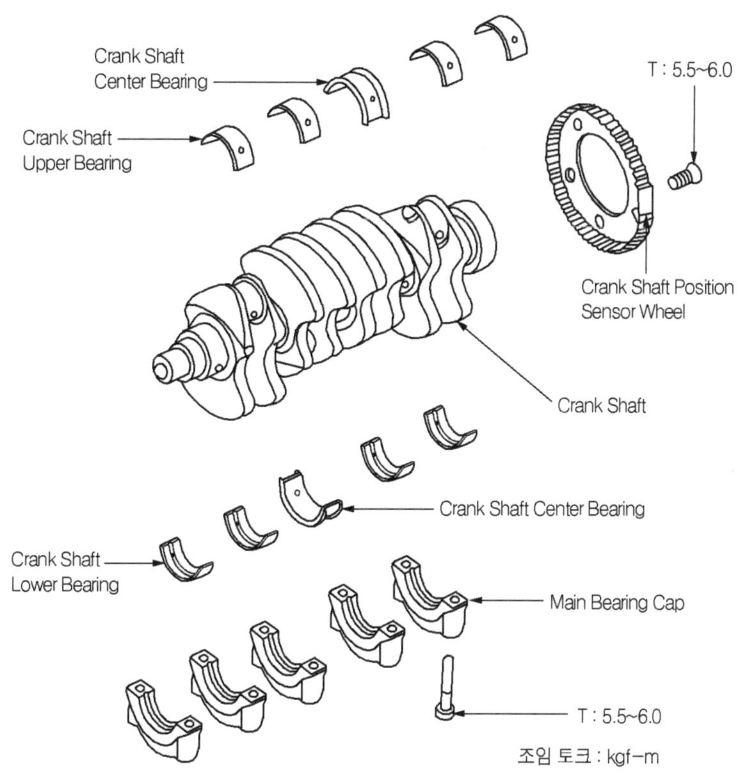

크랭크 축의 구조

■ 크랭크 축의 제원

항목 \ 엔진	아반떼 XD(1.6)	NF 쏘나타 2.0(쎄타 1 엔진)
핀 저널 외경	45mm	(1) 47.966~47.972mm
		(2) 47.960~47.966mm
		(3) 47.954~47.960mm
메인저널 외경	50mm	(1) 51.954~51.960mm
		(2) 51.948~51.954mm
		(3) 51.942~51.948mm
휨	0.03mm 이내	–
메인 저널 베어링 오일 간극	NO 1, 2, 4, 5–0.022~0.040mm NO 3–0.028~0.046mm	0.020~0.038mm–한계(0.1)
핀 저널 베어링 오일 간극	0.018~0.036	0.025~0.043mm
핀 저널 사이드 간극	0.1~0.25mm–한계	0.1~0.25mm–한계(0.35)
핀과 메인저널의 원통도	0.005mm 이내	–
엔드 플레이	0.05~0.175mm	0.07~0.25mm–한계(0.3)
핀 저널 언더사이즈	0.25mm–한계(44.725~44.740)	(1) 47.966~47.972mm
	0.50mm–한계(44.475~44.490)	(2) 47.960~47.966mm
	0.75mm–한계(44.225~44.240)	(3) 47.942~47.960mm
메인 저널 언더사이즈	0.25mm–한계(49.727~49.742)	(1) 51.954~51.960mm
	0.50mm–한계(49.477~49.492)	(2) 51.948~51.954mm
	0.75mm–한계(49.227~49.242)	(3) 51.942~51.948mm
베어링 두께		AA(청색)–2.026~2.029mm A(흑색)–2.023~2.026mm B(무색)–2.020~2.023mm C(녹색)–2.017~2.020mm D(황색)–2.014~2.017mm

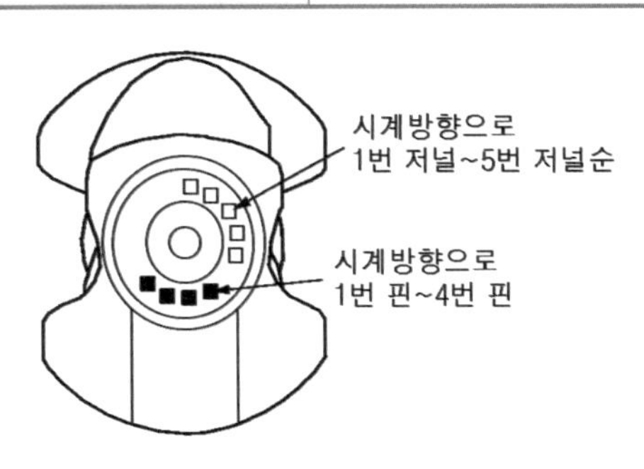

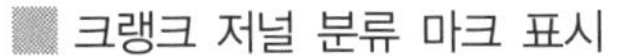
크랭크 저널 분류 마크 표시

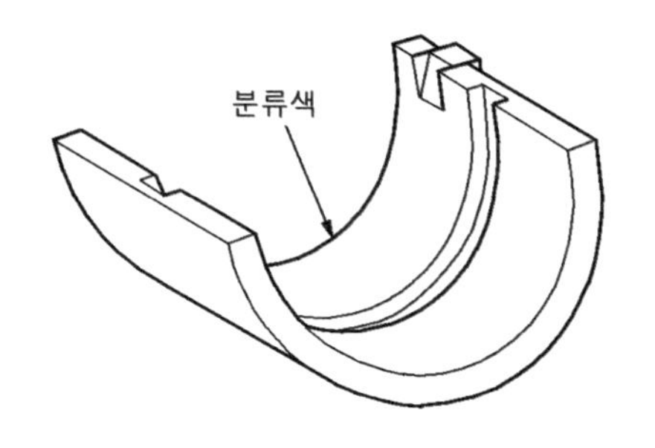

베어링 분류 마크 위치

2) 크랭크 축(Crank Shaft)의 분해 방법

① 플라이 휠 고정 볼트를 풀고 플라이 휠을 탈착한 후 리어 플레이트와 오일 실 케이스를 탈착한다.(이때 크랭크축이 회전하므로 크랭크 암과 실린더 블록 사이에 나무토막을 넣어서 고정한다)

② 메인 베어링 캡 볼트를 ①→⑤→②→④→③ 순서로 풀고 베어링과 베어링 캡을 탈착한 후 캡 번호 순서로 정리해 둔다. 부품대에 놓을 때는 뒤집어서 놓는다.

③ 메인 베어링 캡에 표시가 없는 경우는 표시를 하여 조립 시 원래의 위치와 방향을 참고한다.

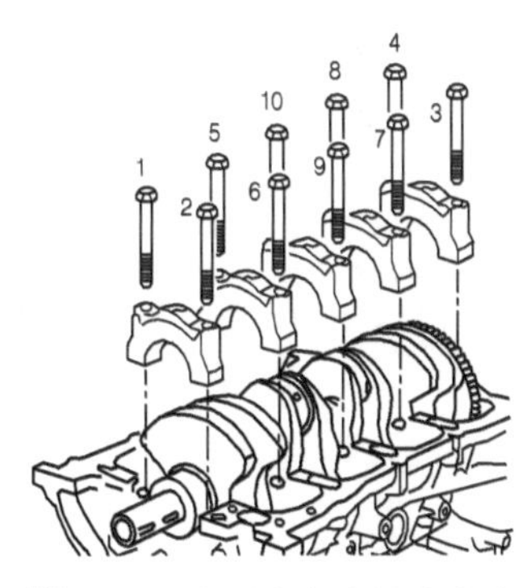

■ 메인 저널 베어링 캡 분해 순서

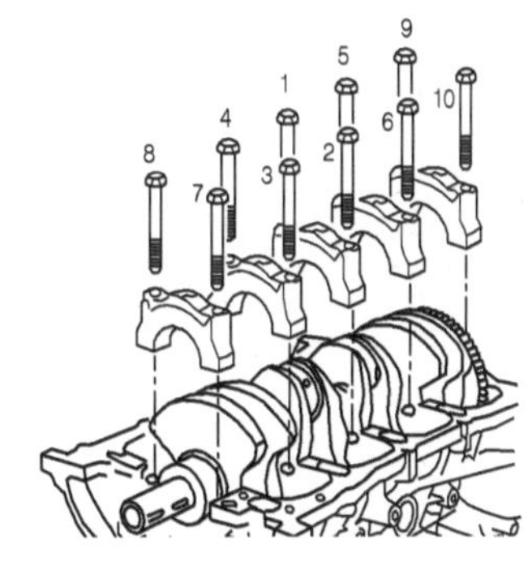

■ 메인 저널 베어링 캡 조립 순서

3) 크랭크 축(Crank Shaft)의 조립 방법

① 실린더 블록의 하부가 위쪽으로 오도록 180° 뒤집어 놓고 깨끗이 닦은 후 오일 홈이 있는 메인 베어링을 실린더 블록에, 홈이 없는 메인 베어링을 베어링 캡에 설치한다. 중앙의 3번 메인 베어링은 상·하 모두 홈이 없다. 베어링에 오일을 바른다.

② 크랭크 축을 깨끗이 닦은 후 실린더 블록에 설치하고 엔진 오일을 각 크랭크축 저널과 크랭크 핀에 바른다.

③ 화살표가 엔진 앞쪽을 향하도록 캡을 설치한 후 캡 번호를 확인한 다음 캡 볼트를 ③→②→④→①→⑤번 캡 순으로 3~4회 나눠서 조이고 규정 토크에 맞추어 조인다.

2. 크랭크 축 교환의 실습현장 사진

	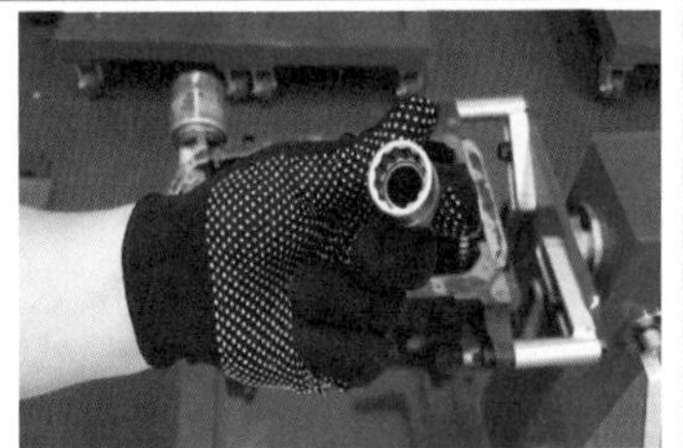	
시험장에 크랭크 축만 조립되어있는 상태로 되어있는 경우가 많다.	베어링 캡 볼트는 15mm 12각 소켓 렌치를 준비해야 하지만 시험장에서 준비해 논 곳도 있다.	볼트를 풀 때는 힌지 핸들 손잡이를 왼손으로 잡고 자기 몸 쪽으로 당겨야 한다.

1번 캡에서는 내 몸과 수직으로 놓고 가슴에 바짝 붙이고 밀어서 푼다.	볼트가 다 풀려야 하는데 스피드 핸들을 누르면서 돌리면 딱딱 소리가 나면 풀린 것이다.	베어링 캡을 분리할 때는 캡 볼트를 들어 올려 잡고 좌우로 돌려서 분리한다.

3번 캡은 스러스트 베어링이 설치되어 있어서 고무 해머로 두들겨 떼어낸다.

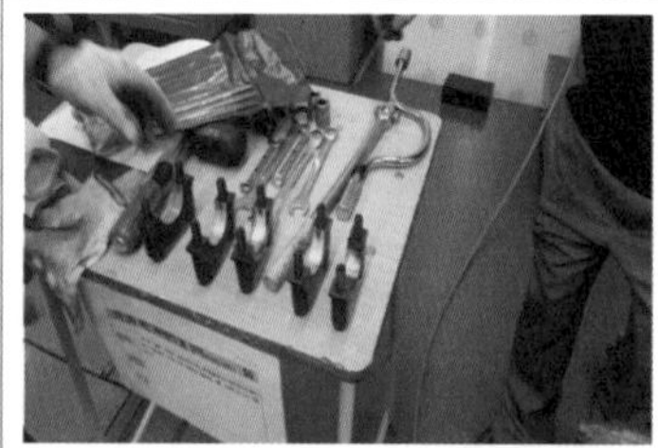

분리한 베어링 캡은 바닥에 놓을 때 뒤집어서 놓는다. 안전사항도 채점됨을 기억하자.

크랭크축을 들어 낼 때는 수평으로 들어서 분리해야 한다. 경사지면 끼어서 빠지지 않는다.

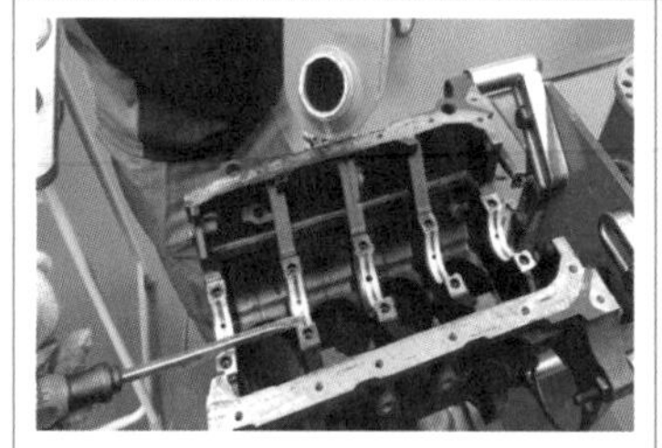

조립할 때 베어링 부분을 걸레로 깨끗이 닦고 오일 홀에 오일의 주입과 베어링 면에 발라준다.

크랭크 축 메인저널 베어링도 걸레로 깨끗이 닦는다. 걸레는 본인이 준비하는 것이 좋다.

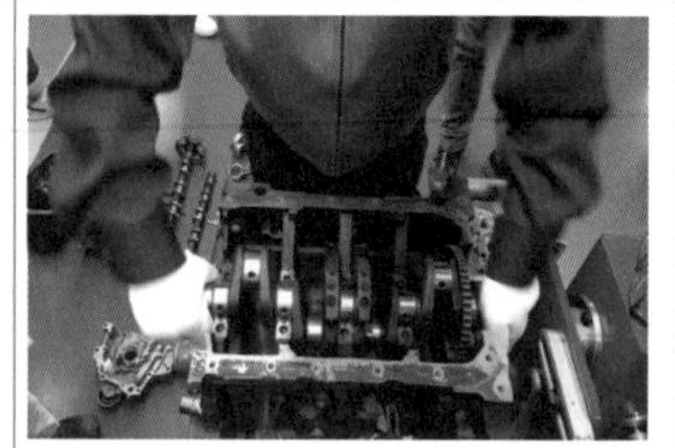

크랭크 축을 조립하기 위해 베어링 위에 올려놓고 한두 바퀴 돌려서 놓는다.

크랭크 축 메인저널에도 오일을 발라준다. 시험장에 준비가 안 되었다면 달라고 한다.

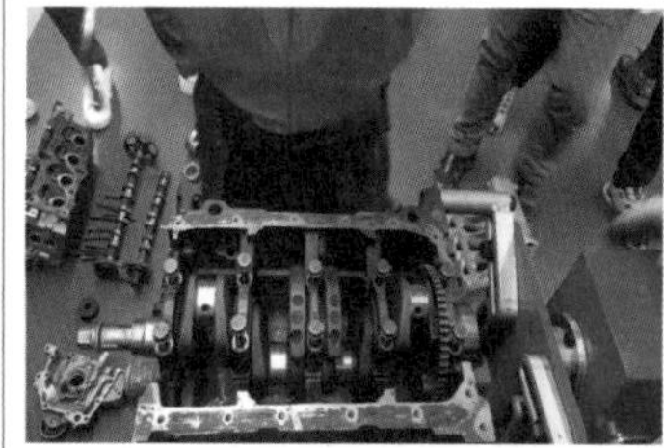

베어링 캡을 메인저널에 올려놓고 번호와 화살표 방향이 앞쪽으로 향하도록 조립한다.

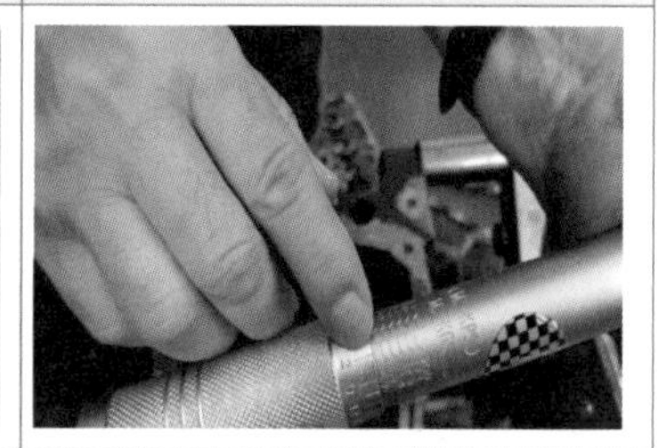

토크 렌치를 사용하여 조인다. 토크의 규정에 맞게 손잡이를 돌려서 맞춘다.

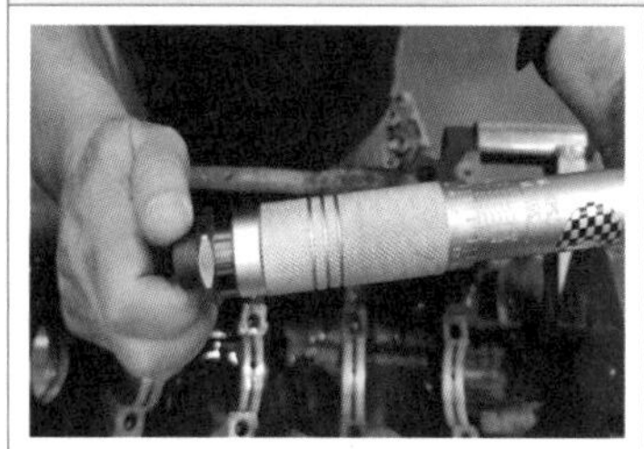

토크 렌치를 세팅 후 손잡이 뒤에 있는 고정나사로 고정해야 손잡이가 돌아가지 않는다.

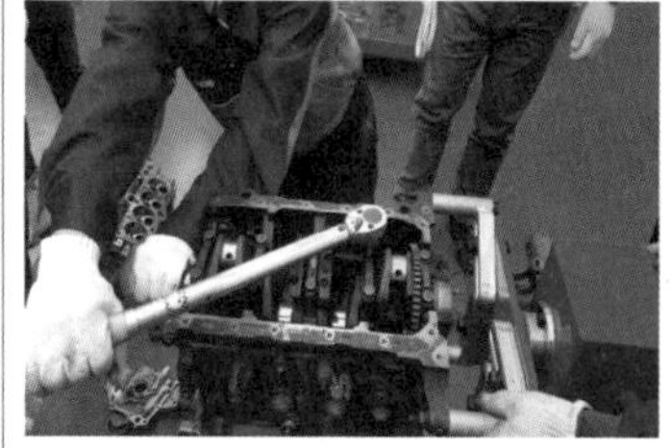

조일 때는 토크 렌치의 손잡이를 오른손으로 잡고 자기 몸 쪽으로 돌려 딱 소리 날 때까지 조인다.

역시 잡고 당길 곳이 마땅치 않을 때는 손잡이를 자기 가슴 쪽에 붙이고 밀고 당겨서 조인다.

06 실린더 헤드(Cylinder Head)의 분해 조립

실린더 헤드(Cylinder Head)의 분해 조립은 실린더 헤드 볼트의 분해 조립 순서와 공구 사용법, 안전 사항을 지킬 수 있는가를 알아보기 위한 작업이다. 대부분이 엔진 스탠드에 설치되어 있어서 분해 조립하기가 쉽지만 때에 따라서는 작업대에 올려져 있는 경우도 있다.

공구 사용법 및 자세가 바르지 않으면 분해 조립이 어려울 수 있다. 공구 통에서 필요한 공구만을 부품대에 올려놓고 작업해야 하며, 실린더 블록의 옆면으로 서서 작업을 한다. 역시 분해 조립에서 차량의 종류가 너무 많기 때문에 어느 것을 기준으로 할까 고민하다가 현재 시험장에서 가장 많이 사용하고 있는 아반떼(AVANTE XD) 1.5와 NF 쏘나타(SONATA) 2.0 차량의 분해 조립 방법을 설명한다.

1. 실린더 헤드(Cylinder Head)의 교환

1) 실린더 헤드의 설치위치

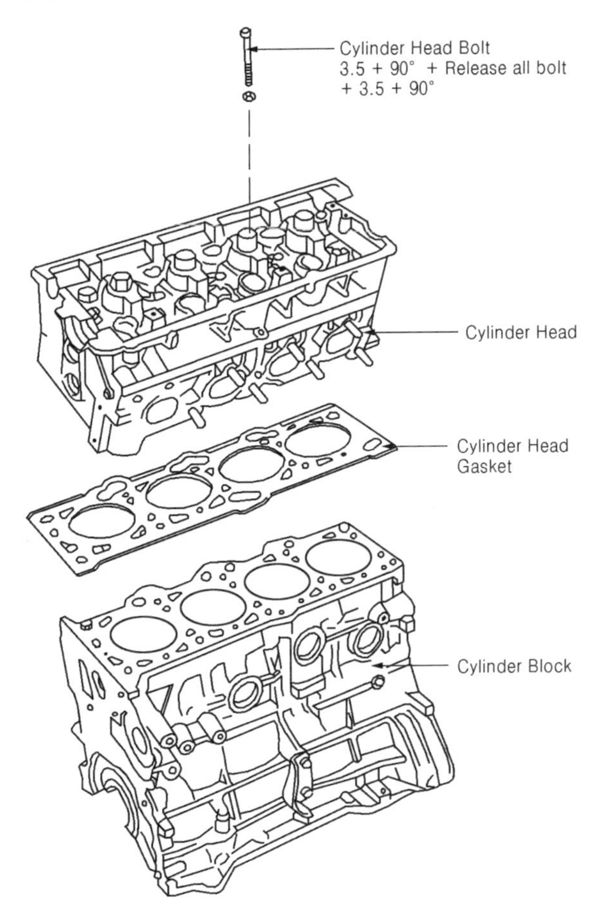

실린더 헤드의 설치위치(아반떼 XD 1.6)

2) 실린더 헤드(Cylinder Head)의 분해 방법

① 특수공구인 실린더 헤드 볼트 렌치(알렌 렌치)를 사용하며, 필요한 공구를 부품대에 준비하여 놓고 작업에 임한다. 준비 공구는 헤드 볼트 렌치, 힌지 핸들, 스피드 핸들, 토크 렌치(시험장에서 준비)만 준비하면 된다.

② 실린더 볼트는 분해 순서에 맞추어 풀어야 변형을 방지할 수 있다.

③ 바깥쪽에서 안쪽을 향하여 대각선 방향으로 헤드 볼트를 풀고 헤드를 탈거하여 부품대에 옆 방향으로 뉘어서(배기 다기관 설치부가 아래로) 내려놓는다. 헤드 볼트의 다 풀림 확인은 스피드 핸들 손잡이를 꾹 누르면서 핸들을 돌리면 "딱딱"소리가 들린다.

④ 실린더 헤드 개스킷을 교환한다.

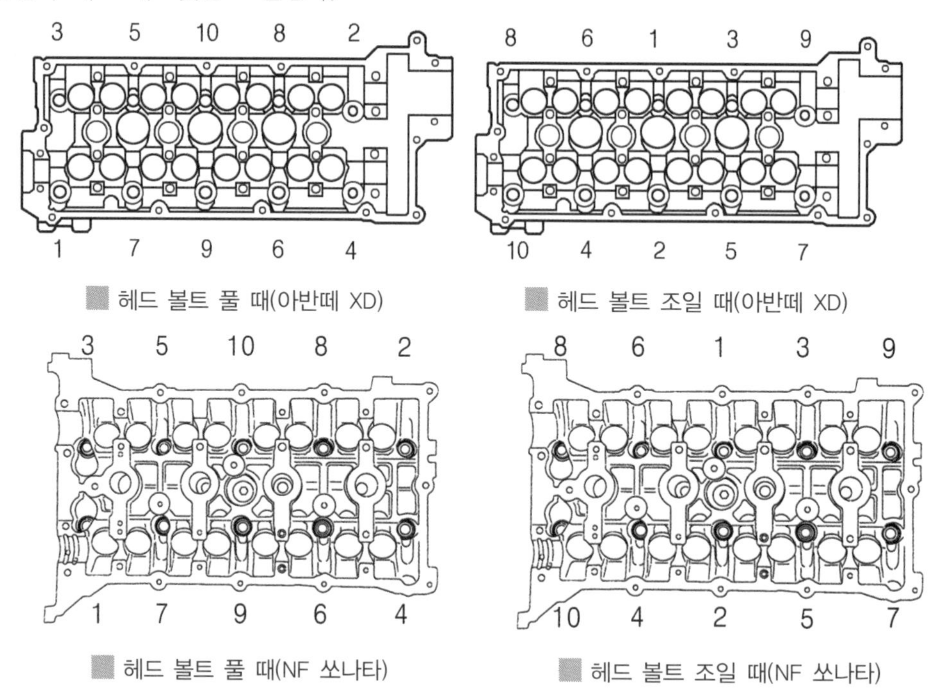

헤드 볼트 풀 때(아반떼 XD)

헤드 볼트 조일 때(아반떼 XD)

헤드 볼트 풀 때(NF 쏘나타)

헤드 볼트 조일 때(NF 쏘나타)

3) 실린더 헤드(Cylinder Head)의 조립 방법

① 실린더 블록의 실린더 헤드가 조립되는 면을 깨끗하게 닦고 새로운 개스킷을 위·아래를 확인해서(글씨가 있는 부분이 위로한다) 실린더 블록 위에 올려놓는다.

② 실린더 헤드의 블록과 접촉되는 면을 깨끗이 닦고 실린더 블록에 올려놓는다. 헤드 볼트 조임은 가운데 볼트부터 대각선 방향으로 조이며 2~3회 나누어서 조인다, 그리고 토크 렌치로 규정 토크로 조인다.

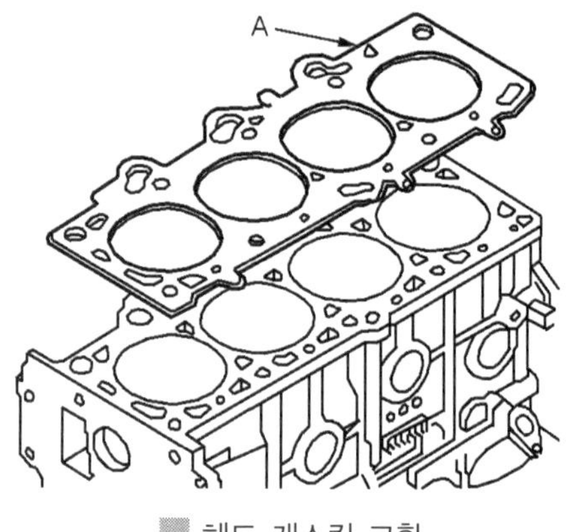

헤드 개스킷 교환

2. 실린더 헤드 교환의 실습현장 사진

감독위원의 작업지시를 받고 그곳에 도착하면 시험장의 작업지시서가 부착되어 있다. 확인하고 작업을 하기 위한 청소 및 공구를 준비를 한다.

실린더 헤드 볼트용 육각렌치 8mm 크기의 헤드 볼트 렌치를 준비한다. 준비가 되지 않은 수검자를 위하여 시험장에서 준비된 경우도 있다.

볼트를 풀 때는 힌지 핸들의 손잡이를 왼손으로 잡고 자기 몸 쪽으로 당겨야 하는데 잡을 데가 없는 왼쪽은 내 몸과 수직으로 대고 민다.

헤드 볼트를 풀 때는 힌지 핸들의 손잡이를 반드시 왼손으로 잡고 자기 몸 쪽으로 당겨서 풀며 어깨로 잡아 당겨야 작은 힘으로 작업할 수 있다.

먼저 힌지 핸들로 바깥쪽부터 대각선으로 풀고 스피드 핸들로 손잡이를 누를 때 "딱딱" 소리가 날 때까지 풀면 다 풀린 것이다.

실린더 헤드 볼트가 다 풀리면 헤드와 볼트가 설치된 상태로 함께 들어낸다. 이때 볼트가 완전히 안 풀리면 어려움이 있다.

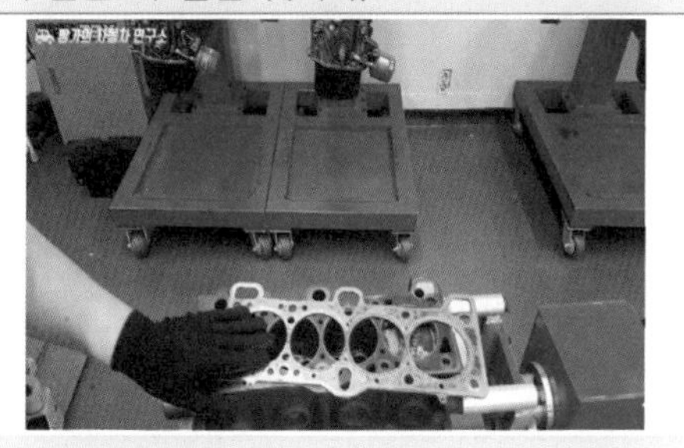

개스킷을 탈거하여 감독 위원에게 가지고가서 새 것으로 바꿔 달라고 한다. 그냥 사용하던 것을 재사용하는 경우도 있다.

새 개스킷을 받으면 이상 유무를 확인하고 아래·위를 구분하여 다웰 핀에 고정한다. 헤드를 올릴 때 밀리지 않도록 주의한다.

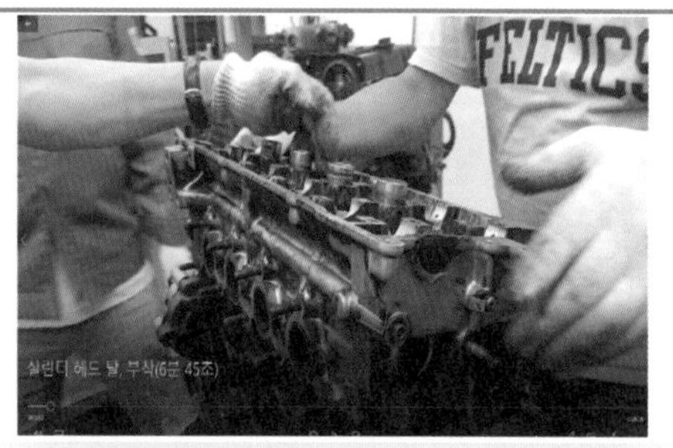

실린더 블록에 헤드를 올려놓고 좌우로 흔들면 헤드 볼트가 볼트 구멍에 안착되고, 흔들림이 없어지면 안착된 것이다.

실린더 헤드 볼트를 스피드 핸들을 이용하여 가운데부터 대각선 방향으로 조인다. 한 번에 끝까지 조이는 것이 아니라 2~3회 나누어 조인다.

스피드 핸들로 다 조이고 나서 토크 렌치로 규정의 토크로 조인다. 토크 렌치의 고정 나사를 풀고 손잡이(딤블)을 이용하여 규정 토크로 맞춘다.

조이는 단위는 회전력의 단위나 각도법으로 주어진다. 단위는 kg.m로 맞춘다. 3.5 kg.m에서 90도 돌리고, 또 3.5kg.m에서 90도 조인다.

조일 때는 가운데부터 조이고 토크 렌치의 손잡이를 오른손으로 잡고 자기 몸 쪽으로 돌린다. 이때 팔을 굽혀서 당기지 말고 어깨로 당긴다.

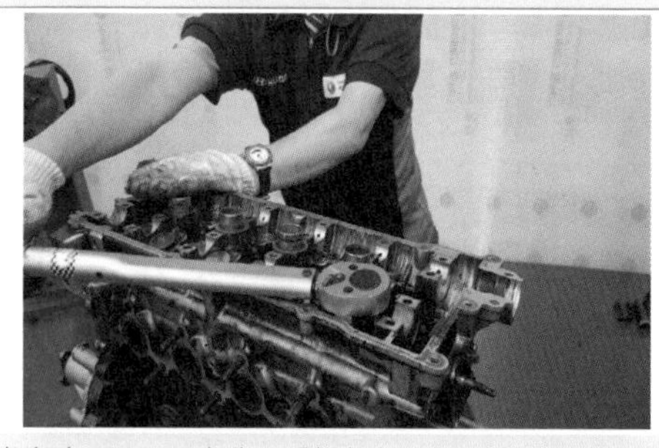

일반적으로 프리세트 형식의 토크 렌치를 한 번에 규정 토크로 조이지 말고 2~3회 나눠서 "딱" 소리 날 때까지 조인다.

역시 잡고 당길 곳이 마땅치 않을 때는 손잡이를 자기 가슴 쪽에 붙이고 밀고 당겨서 조인다. 이 작업은 평상시 숙련이 되도록 연습하여야 한다.

다 조립이 끝나면 감독 위원에게 검사를 받고 나서 공구정리 및 뒷정리를 깨끗하게 한다. 안전관리도 채점에 들어간다.

07 피스톤(Piston)의 분해 조립

피스톤(Piston)의 분해 조립은 피스톤의 분해 조립 순서와 공구 사용법, 안전사항을 지킬 수 있는가를 알아보기 위한 작업이다. 대부분이 엔진 스탠드에 설치되어 있어서 분해 조립하기가 쉽지만 때에 따라서는 작업대에 올려져 있는 경우도 있다.

피스톤의 조립은 방향이 있어서 잘못 조립할 경우 오일 구멍의 연결이 반대로 되고 밸브의 열림량이 달라져서 피스톤의 파손과 밸브의 손상이 생길 수 있다. 공구 사용법 및 자세가 바르지 않으면 분해 조립이 어려울 수 있다. 공구 통에서 필요한 공구만을 부품대에 올려놓고 작업해야 하고 실린더 블록을 옆면으로 놓고 작업을 해야 피스톤이 바닥에 떨어지는 일이 없다.

역시 분해 조립에서 차량의 종류가 너무 많기 때문에 어느 것을 기준으로 할까 고민하다가 현재 시험장에서 가장 많이 사용하고 있는 아반떼(AVANTE XD) 1.5와 NF 쏘나타(SONATA) 2.0 차량의 분해조립 방법을 설명한다.

1. 아반떼(AVANTE) 피스톤(Piston)의 교환

1) 아반떼 엔진의 피스톤의 구조

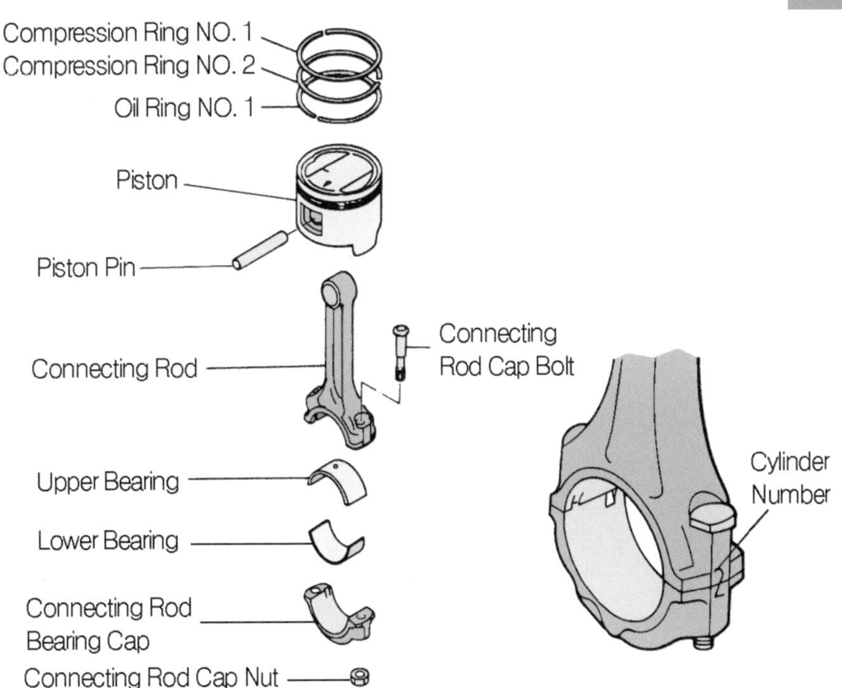

피스톤 어셈블리의 구성부품

■ 피스톤 & 관련부품의 제원

항목		아반떼 XD(1.6)	NF 쏘나타 2.0(쎄타 1 엔진)
핀 저널	외경	45mm	(1) 47.966~47.972mm (2) 47.960~47.966mm (3) 47.954~47.960mm
	원통도	0.005mm 이내	–
	언더사이즈	0.25mm–한계(44.725~44.740) 0.50mm–한계(44.475~44.490) 0.75mm–한계(44.225~44.240)	(1) 47.966~47.972mm (2) 47.960~47.966mm (3) 47.942~47.960mm
	오일 간극	0.018~0.036mm	
피스톤	외경	75.470~75.490mm	(A) 85.975~85.985mm (없음) 85.985~85.995mm (C) 85.995~86.005mm
	피스톤 간극	0.02~0.04mm	0.015~0.035mm
	링홈 넓이	–	NO 1–1.235~1.250mm–한계(1.26) NO 2–1.235~1.250mm–한계(1.26) 오일링–2.01~2.030mm–한계(2.05)
피스톤링	사이드 간극	NO 1–0.04~0.085mm–한계(0.1) NO 2–0.04~0.080mm–한계(0.1)	NO 1–0.05~0.08mm–한계(0.1) NO 2–0.04~0.08mm–한계(0.1) 오일링–0.06~0.15mm–한계(0.2)
	엔드갭	NO 1–0.20~0.35mm–한계(1.0) NO 2–0.37~0.52mm–한계(1.0) 오일링–0.20~0.70mm–한계(1.0)	NO 1–0.15~0.30mm–한계(0.6) NO 2–0.37~0.52mm–한계(0.7) 오일링–0.20~0.70mm–한계(0.8)
	오버 사이즈	STD, 0.25, 0.50	
피스톤핀	외경	–	21.001~21.006mm
	핀홀 내경	–	21.016~21.021mm
	핀과 홀 간극	–	0.010~0.020mm
	핀과 콘로드 간극	–	0.032~0.016mm
	소단부 내경	–	20.974~20.985mm
	핀 압입 하중	–	250~1250kg
커넥팅 로드	빅엔드 오일 간극	0.018~0.036mm	0.025~0.043mm(0.05)
	사이드 간극	0.1~0.25mm–한계(0.4)	0.1~0.25mm–한계(0.35)
	대단부 내경	–	(A) 51.000~51.006mm (B) 51.006~51.012mm (C) 51.012~51.018mm
	휨	0.05mm	0.05/100mm
	비틀림	0.1mm	0.1/100mm
	베어링 두께	–	AA(청색)–1.517~1.520mm A(흑색)–1.514~1.517mm B(무색)–1.511~1.514mm C(녹색)–1.508~1.511mm D(황색)–1.505~1.508mm

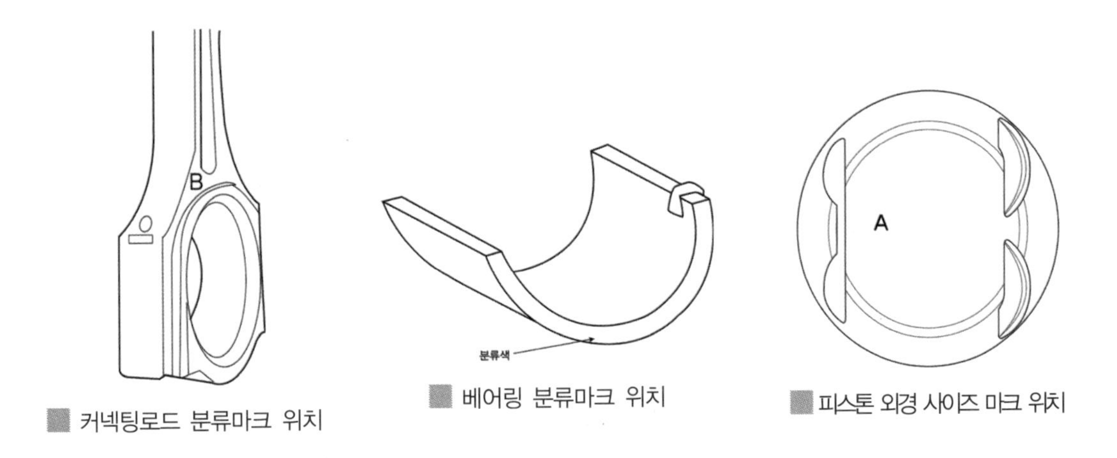

■ 커넥팅로드 분류마크 위치 ■ 베어링 분류마크 위치 ■ 피스톤 외경 사이즈 마크 위치

2) 피스톤(Piston)의 분해 방법

① 실린더 블록을 옆으로 뉘고 1 & 4번 크랭크 핀 저널을 하사점에 위치시킨 후 커넥팅 로드 베어링 캡 고정 너트를 힌지 핸들과 소켓 렌치로 풀고 또 2 & 3번 크랭크 핀 저널을 하사점에 위치시켜 커넥팅 로드 베어링 캡 너트를 풀어준다.

② 스피드 핸들을 이용하여 2번 피스톤 커넥팅 로드 베어링 캡 너트를 풀고 캡 볼트를 밀어서 베어링 캡을 탈거하고 볼핀 해머 자루로 피스톤을 헤드 방향으로 밀어서 탈거한 후 캡을 가조립하여 놓는다. 이때 한 손은 커넥팅 로드 베어링 캡 볼트를 밀고 다른 한 손으로는 피스톤을 받아서 떨어지는 일이 없도록 한다. 또한 베어링 캡이 잘 빠지지 않으면 고무 해머로 가볍게 두드린 후 탈거하도록 한다.

② 모든 피스톤을 탈거하는데 반드시 하사점 위치에서 분리하고 커넥팅 로드 베어링 캡이 바뀌지 않도록 가 조립하여야 한다.

③ 올바른 조립을 위하여 실린더 번호에 따라 해당 피스톤 & 커넥팅 로드를 순서대로 정리한다.

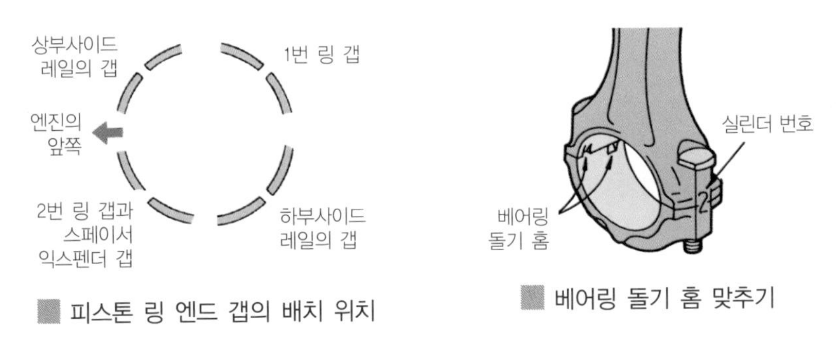

■ 피스톤 링 엔드 갭의 배치 위치 ■ 베어링 돌기 홈 맞추기

3) 피스톤(Piston)의 조립 방법

① 실린더 내부 면과 피스톤 & 베어링 등을 깨끗하게 닦고 오일을 바른다.

② 크랭크 핀 저널을 하사점에 위치시키고 피스톤 링의 엔드 갭을 압축과 폭발방향(크랭크 축 방향과 직각 방향)을 피해서 120도 방향으로 엇갈리게 배치한다.

③ 피스톤의 방향을 확인하고 실린더에 삽입하며 피스톤 링 컴프레서로 눌러서 볼핀 해머 자루로 톡톡치며 밀어 넣는다.

④ 실린더 블록 아래쪽에서 커넥팅 로드를 잡아당겨 크랭크축 핀 저널에 커넥팅 로드 빅엔드 부분을 조립한다. 캡 너트를 스피드 핸들로 조이고 한꺼번에 토크 렌치로 규정 토크로 조인다.

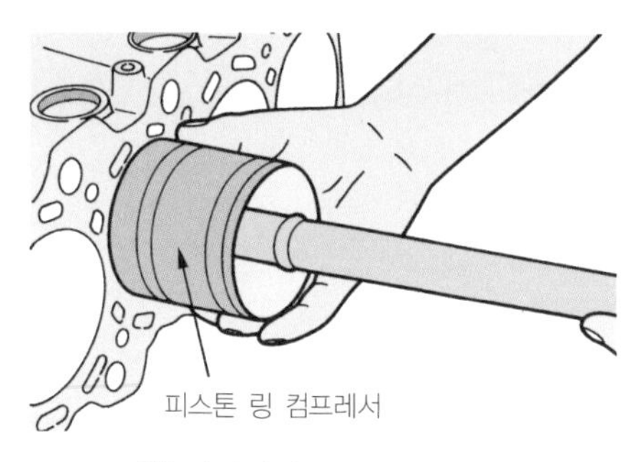

실린더에 피스톤 설치-1

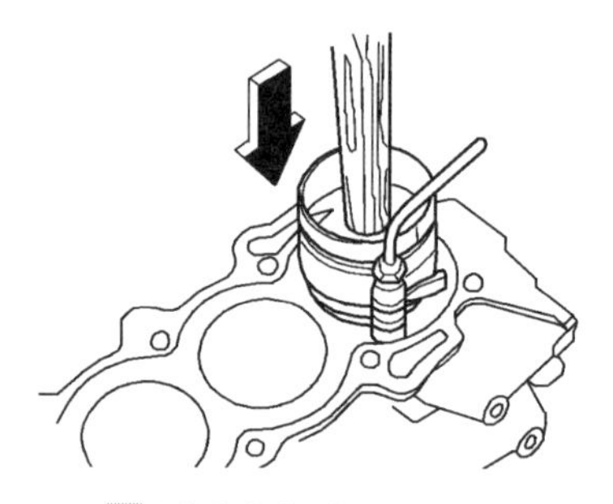

실린더에 피스톤 설치-2

2. 피스톤(Piston) 교환의 실습현장 사진

시험장에 작업 지시서가 부착되어 있다. 확인한 후 작업을 하기 위한 준비를 한다.	실린더 블록이 옆으로 뉘어 있기 때문에 피스톤이 아래로 떨어지는 일이 없도록 한다.	피스톤을 하사점에 놓고 커넥팅 로드 베어링 캡을 볼트를 힌지 핸들로 먼저 푼다.

스피드 핸들로 캡 너트를 푼다. 사진에서 메인 저널이 분해되어 있는데 잘못된 것이다.	캡이 잘 분리되지 않으면 고무 해머로 가볍게 두들겨 이완시킨 후에 분리 탈거 한다.	피스톤을 헤드 방향으로 밀어서 탈거하는데 볼핀 해머 자루로 밀어낸다.

피스톤 어셈블리가 탈거되면 커넥팅로드 베어링 캡을 가 조립하여 바뀌지 않도록 한다.

피스톤 어셈블리를 분해하여 베어링 캡이 가 조립상태에서 가지런히 정리해 놓는다.

커넥팅 로드에 펀치로 점이 찍혀 있는데 번호가 없는 경우 최초 작업자가 펀칭을 한다.

오일 건을 이용하여 각 실린더 벽에 오일을 발라준다. 오일이 준비되지 않은 곳도 있다.

피스톤 링과 피스톤에 오일을 듬뿍 바르고 앞뒤를 구분하여 삽입한다.

피스톤 링 컴프레서를 자가 제작하여 사용하는 경우도 있으나 링을 오무려 압축시키는 것은 같다.

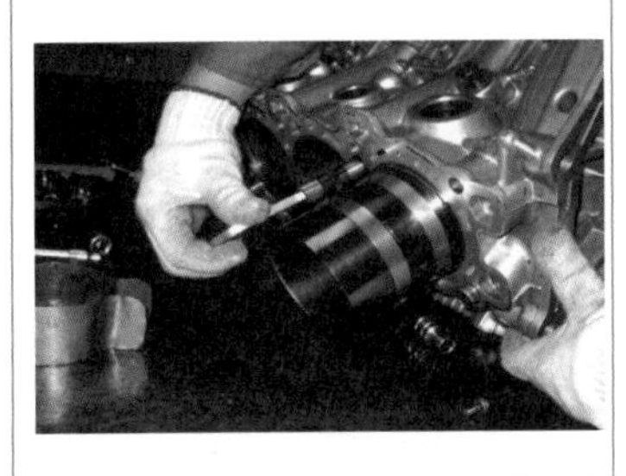

피스톤 조립도 하사점 위치에서 하고 피스톤을 링 컴프레서로 조여서 밀어 넣는다.

한 손은 크랭크축 메인저널에 잘 끼워지도록 잡고 한 손은 해머 자루로 톡톡 밀어 넣는다.

위에서 보면 2 & 3번은 조립된 상태이고 현재 1 & 4번이 조립되고 있는 상태다.

08 오일 펌프(Oil Pump)의 분해 조립

오일 펌프(Oil Pump)의 분해 조립은 윤활장치인 오일 펌프의 분해 조립 순서와 공구 사용법, 안전 사항을 지킬 수 있는가를 알아보기 위한 작업이다. 대부분이 엔진 스탠드에 설치되어 있어서 분해 조립하기가 쉽지만 때에 따라서는 작업대에 올려져 있는 경우도 있다. 오일 펌프는 내접기어 펌프로 프런트 케이스에 장착되어 있고 크랭크축이 직접 내측기어를 작동시켜 유압을 만들어 압송한다.

대부분이 프런트 케이스가 작업대에 올려져 있으며, 많이 분해 조립을 하였기에 ⊕ 드라이버로 쉽게 풀 수 있지만 처음 분해할 때는 어려움이 많다. 분해 조립 시에 오일을 충분히 발라 주어야 한다. 공구 통에서 필요한 공구만을 부품대에 올려놓고 작업해야 한다. 역시 분해 조립에서 차량의 종류가 너무 많기 때문에 어느 것을 기준으로 할까 고민하다가 현재 시험장에서 가장 많이 사용하고 있는 아반떼(AVANTE XD) 1.5와 NF 쏘나타(SONATA) 2.0 차량의 분해 조립 방법을 설명한다.

1. 오일 펌프(Oil Pump)의 교환

1) 오일 펌프의 구조

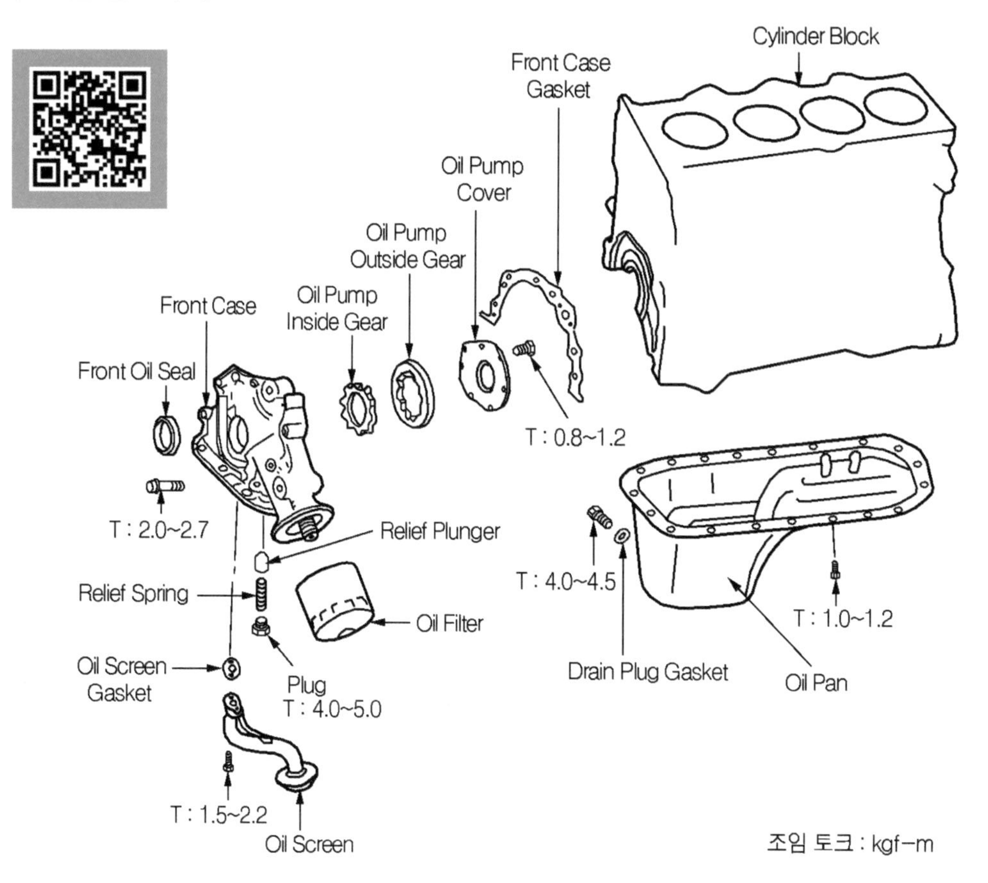

오일펌프의 설치위치와 구조

■ 윤활장치의 고장진단

현상	가능한 원인	정비
오일 압력이 떨어짐	• 엔진오일 부족 • 오일 압력 스위치 결함 • 오일 필터 막힘 • 오일 펌프 기어 또는 커버 마모 • 엔진 오일 점도 부족 • 오일 릴리프 밸브 고착(개방) • 과다한 베어링 간극	• 오닐 보충 • 오일압력 스위치 교환 • 오일 필터 교환 • 오일 펌프 교환 • 엔진 오일 교환 • 조정 또는 교환 • 베어링 교환
오일 압력이 높음	• 오일 압력 스위치 결함 • 오일 릴리프 밸브 고착(폐쇄)	• 오일 압력 스위치 교환 • 조정 또는 교환

■ 오일 펌프의 제원

항목 \ 엔진			아반떼 XD(1.6)	NF 쏘나타 2.0(쎄타 1 엔진
오일 펌프 형식			내접기어식	오일펌프는 어셈블리로 공급되므로 분해조립하지 않는다.
오일 펌프	외경과 프런트 케이스 간극		0.12~0.18mm	
	프런트 사이드	팁간극	0.025~0.069	
		외측기어	0.06~0.11mm	
	내측기어		0.04~0.085	
오일 압력(온도 90~100℃)			1.5kg/㎠-공전(750rpm)	-
엔진오일	오일 용량(전체)		-	4.5L
	오일 용량(오일팬)		-	3.6L
	교환 용량(필터 용량)		3.3L	3.9L
	추천 SAE 등급		SAE 10W-30	SAE 5W-20
	추천 등급 ILSAC		GF-1이상	GF-3급
	추천 API 등급		SG 또는 SH 급 이상	SJ 또는 SL 급 이상
	점도			5W-20(권고), 7.5W-30, 10W-30 가능
릴리프 스프링	자유높이		46.6mm	
	부하		61kg/40.1mm	
엔진오일 참고	• SAE 20W-40*2, 20W-50*2 (-10℃ 이상) • SAE 15W-40*3, 15W-50*2 (-15℃ 이상) • SAE 10W-30 (-25℃ ~40℃) • SAE 10W-40, 10W-50*2 (-25℃ 이상) • SAE 5W-20*4*5 (-10℃ 이하) • SAE 5W-30*5(10℃ 이하) • SAE 5W-40*55(20℃ 이하)			*1 1. VVT 엔진 오일등급은 SH(API분류), GF-I (ILSAC분류)이상일 것 *2 2. VVT 엔진에서는 사용불가 *3 3. VVT 엔진의 경우 -10℃이상에서 사용 *4 4. 연속고속주행불가 *5 5. 사용지역 및 운전조건을 제한

2) 오일 펌프(Oil Pump)의 탈거 및 분해 방법

① 오일 필터를 탈거한 후 오일 팬의 드레인 플러그를 풀고 엔진 오일을 빼낸다.

② 오일 팬, 오일 펌프 스트레이너와 개스킷을 탈거한다.

③ 프런트 케이스(프런트 케이스에 오일 펌프 장착됨)를 탈거한다.

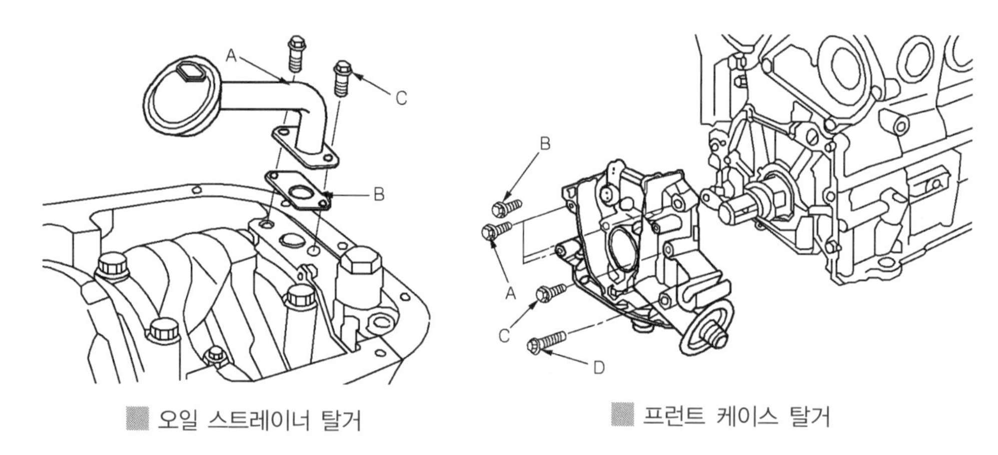

■ 오일 스트레이너 탈거 ■ 프런트 케이스 탈거

④ 오일 펌프 커버를 스크루 드라이버로 풀고 오일 펌프를 탈거한다. 이때 바깥쪽 로터에 조립 방향을 표시하는 표시가 없으므로 바깥쪽 로터 뒷면에 일치 마크를 한다.

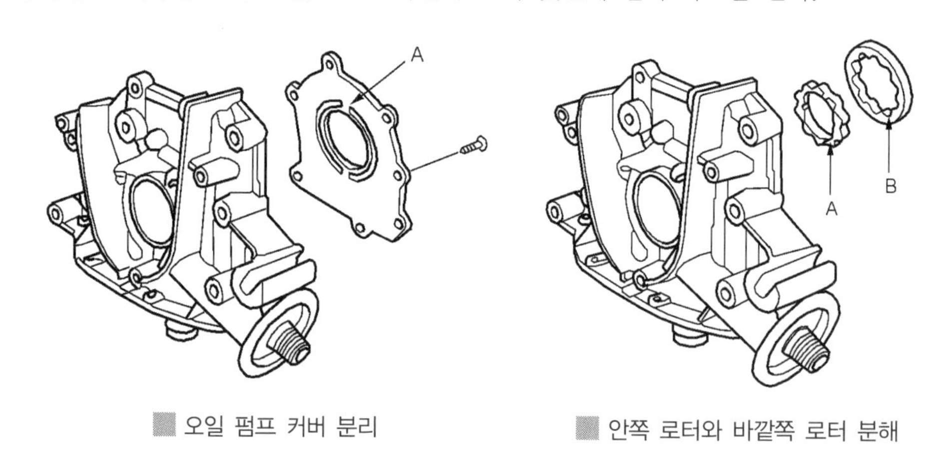

■ 오일 펌프 커버 분리 ■ 안쪽 로터와 바깥쪽 로터 분해

3) 오일 펌프(Oil Pump)의 조립 및 장착 방법

① 바깥쪽 로터에 표시해 두었던 일치 마크를 참조하여 탈거 시와 같은 방향으로 바깥쪽 로터를 장착하고 로터의 전면(全面)에 엔진 오일을 바른다.

② 신품의 개스킷과 함께 프런트 케이스를 장착하고 장착 볼트를 규정의 토크(1.2~1.4kgf·m)로 조인다.

③ 실린더 블록 및 오일 팬의 개스킷 면을 깨끗이 닦은 후 오일 팬 플랜지 홈에 실런트를 약 4mm의 두께로 바른 다음 오일 팬을 장착한다.

④ 오일 필터 O-링부에 엔진 오일을 얇게 바른 후 장착한다.

2. 오일 펌프 교환의 시험장 사진

시험장에 작업지시서가 부착되어 있다. 작업대에 수건을 깔고 필요한 공구만 올려놓은 후 오일펌프 교환 작업을 준비한다.

오일 펌프 스트레이너를 힌지 핸들로 풀고 스피드 핸들로 빠르게 돌려서 탈거한다. 여기에도 개스킷이 있으니 조립할 때 반드시 장착한다.

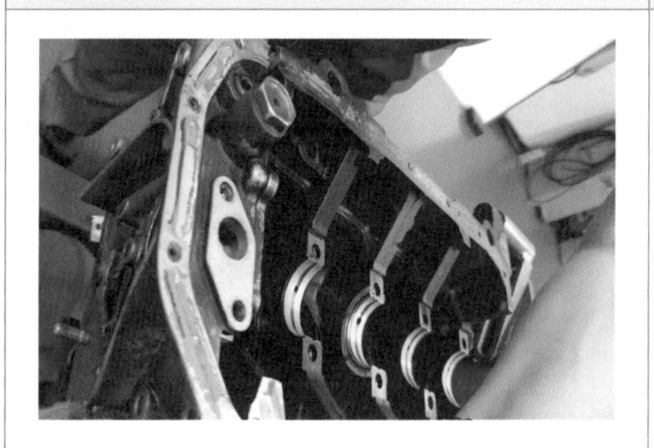

오일 펌프 스트레이너가 탈거된 모습이다. 처음 분해하는 엔진에서는 잘 떨어지지 않는다. 고무 해머로 장착되는 부분을 가볍게 두드린다.

프런트 케이스 설치 볼트를 분리하고 실린더 블록에서 탈거한다. 프런트 케이스에 오일펌프가 장착되어 있다.

프런트 케이스를 장착할 때는 새 개스킷을 감독 위원에게 요청하여 부착한 후 조립하여야 한다. 때에 따라서는 그냥 조립하라고 하기도 한다.

프런트 케이스(오일 펌프)를 장착할 때 안쪽 로터가 크랭크축에 깎여 있는 부분과 맞추어 조립하고 감독 위원에게 확인을 받는다.

09 시동장치(시동 전동기 : Starting Motor)의 탈·부착

시동장치(시동 전동기 : Starting Motor)의 탈·부착은 시동장치 부품 중에 한 가지를 탈거 및 장착하여 시동을 걸기위한 지식이 있는가를 알아보기 위한 항목이라고 볼 수 있다. 시동장치의 부품은 축전지, 키 스위치, 기동 전동기, 퓨즈블 링크, 시동 릴레이, 스타트 스위치 등으로 분류할 수 있는데 가장 탈·부착하기가 쉽고 지식을 평가하기가 적절하여 많이 선택하고 있다. 모든 부품을 탈·부착할 수 있는 능력을 길러야 한다.

시동 전동기의 탈·부착 순서와 공구 사용법, 안전사항을 지킬 수 있는가를 알아보고 있다. 대부분이 시뮬레이터를 이용하여 탈·부착을 하고 있다. 공구 통에서 필요한 공구만을 부품대에 올려놓고 작업을 시행하여야 한다. 역시 분해 조립에서 차량의 종류가 너무 많기 때문에 어느 것을 기준으로 할까 고민하다가 현재 시험장에서 가장 많이 사용하고 있는 아반떼(AVANTE XD) 1.5와 NF 쏘나타(SONATA) 2.0 차량의 분해 조립 방법을 설명한다.

1. 시동장치(시동 전동기: Starting Motor)의 탈·부착

1) 시동 전동기의 설치 위치

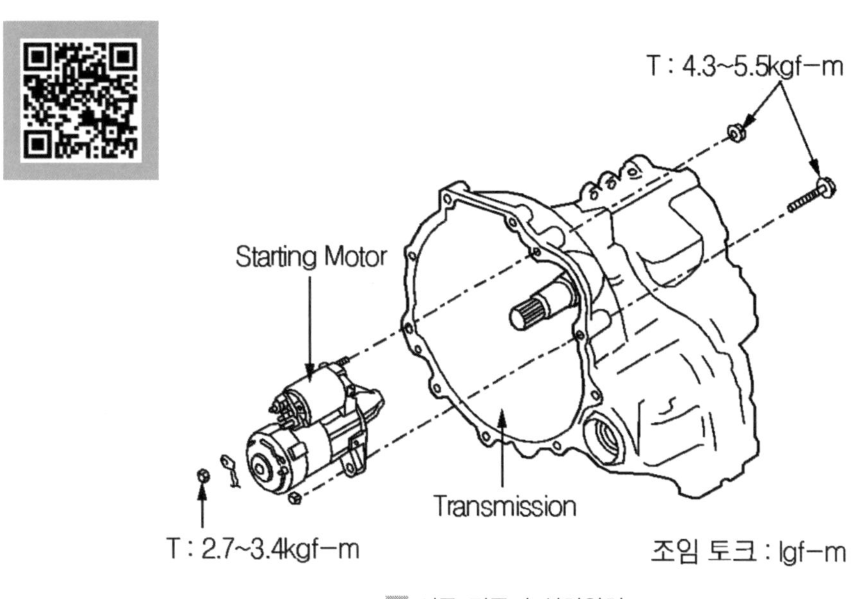

시동 전동기 설치위치

■ 시동 전동기의 제원

항목 \ 엔진			아반떼 XD(1.6)	NF 쏘나타 2.0(쎄타 1 엔진
시동 전동기	출력		12V, 0.9KW	12V, 1.2KW
	피니언 잇수		8개	M/T : 11개, A/T : 8개
	피니언 간극		0.5~2.0mm	–
	무부하 특성	터미널 전압	11.5V	11.5V
		최대 전류	90A MAX	90A MAX
		최저속도	2,800rpm, MAX	2,600rpm
	정류자 런아웃		–	0.02mm–한계(0.05)
	언더컷 깊이		–	0.5mm–한계(0.2)

■ 시동장치의 고장진단

현상	가능한 원인	정비
엔진 크랭킹이 되지 않는다	• 배터리 충전전압 낮음 • 배터리 케이블 연결상태 불량 및 부식 또는 마모 • 변속 레인지 스위치 불량(자동 변속기 차량) • 퓨즈 박스 시동 퓨즈 단선 • 시동 전동기 결함 • 점화 스위치 결함	• 배터리 충전 또는 교환 • 케이블 정비 또는 교환 • 스위치 점검수리 또는 교환 • 퓨즈 교환 • 수리 또는 교환 • 수리 또는 교환
엔진 크랭킹이 느리다	• 배터리 충전전압 낮음 • 배터리 케이블 연결상태 불량 및 부식 또는 마모 • 시동 전동기 결함	• 배터리 충전 또는 교환 • 케이블 정비 또는 교환 • 수리 또는 교환
시동 전동기가 계속 회전한다	• 시동 전동기 결함 • 점화 스위치 결함	• 수리 또는 교환 • 수리 또는 교환
시동 전동기는 회전하나 엔진은 크랭킹이 되지 않는다	• 와이어링의 단락 • 피니언기어 이빨의 마모 및 파손 • 링기어 이빨의 파손	• 수리 또는 교환 • 수리 또는 교환 • 링기어 교환

2) 시동장치(시동 전동기 : Starting Motor)의 탈거 방법

① 축전지 ⊖ 단자 커넥터에서 케이블을 분리한다.

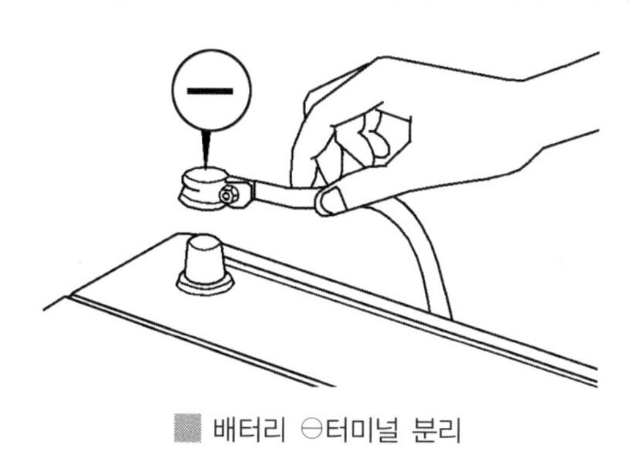

■ 배터리 ⊖터미널 분리

A

■ 시동 릴레이 위치

② 솔레노이드 스위치 ST단자와 연결되는 배선을 분리한다.
③ 솔레노이드 스위치 B단자에 연결된 축전지 ⊕ 단자 케이블을 분리한다.
④ 트랜스액슬 하우징에서 시동 전동기 고정 볼트를 풀고 떨어뜨리지 않도록 주의하여 탈거한다.

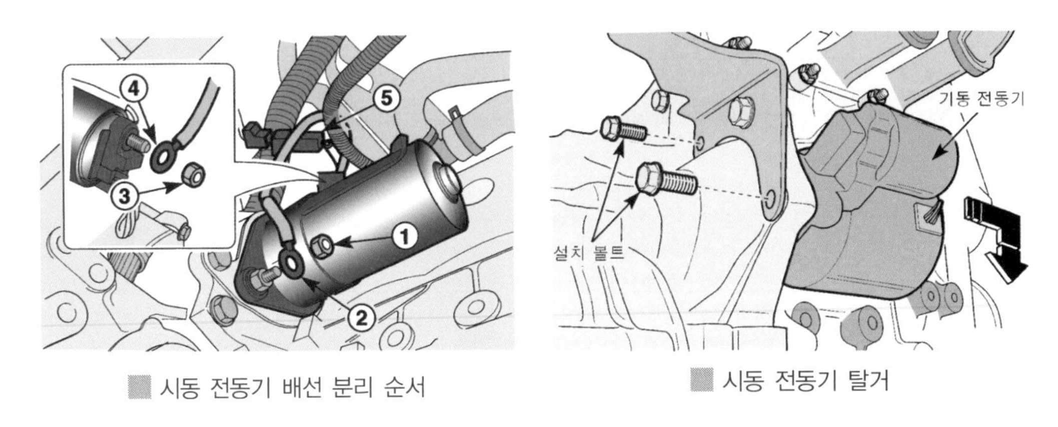

시동 전동기 배선 분리 순서 | 시동 전동기 탈거

3) 시동장치(시동 전동기 : Starting Motor)의 부착 방법-NF 쏘나타

① 트랜스액슬 하우징에서 시동 전동기 고정 볼트를 상부에 있는 것부터 살짝 걸어놓고 아래 볼트를 몇 바퀴 시계방향으로 돌려서 걸고 2~3회 서로 번갈아 가며 조립한다.
② 솔레노이드 스위치 B단자에 연결된 축전지 ⊕ 단자 케이블을 연결한다.
③ 솔레노이드 스위치 ST단자와 연결되는 배선을 연결하고 축전지 ⊖ 단자 커넥터에서 케이블을 연결한다.
④ 축전지를 장착한 후 ⊕, ⊖ 단자 케이블을 연결하고 점화 스위치를 사용하여 엔진 시동을 건다. 기계적 소음 없이 원활히 엔진 시동이 걸리면 정상적으로 조립된 것이다.

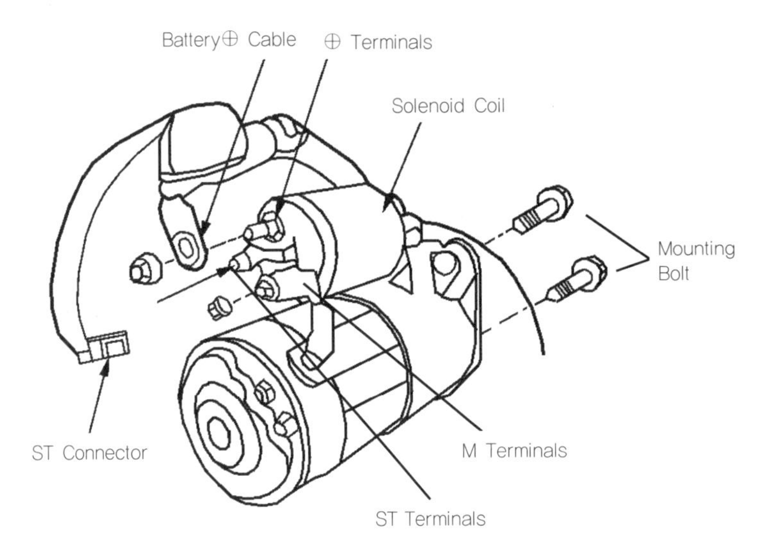

시동 전동기 장착 및 케이블 연결

2. 시동장치의 탈·부착 실습현장 사진

<table>
<tr>
<td>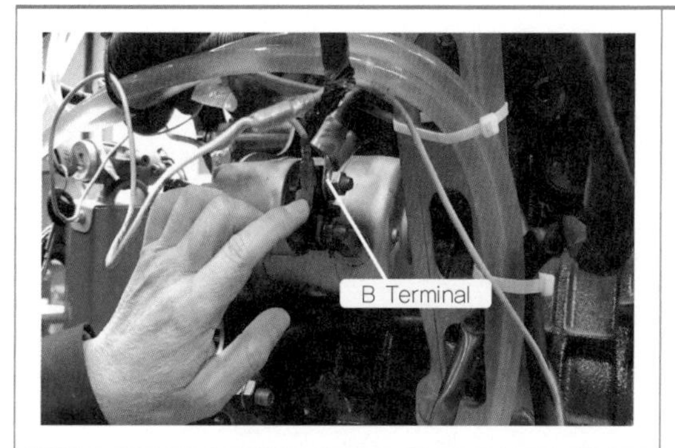</td>
<td>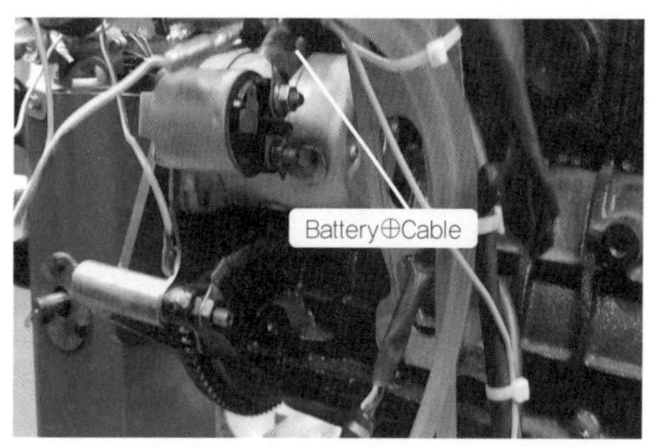</td>
</tr>
<tr>
<td>시험 진행의 원활함을 위하여 실제차가 아닌 시뮬레이터로 시험을 보는 장소가 대부분이다. 시뮬레이터가 다 똑같지는 않다.</td>
<td>배터리에서 ⊖ 터미널 단자를 분리하고 시동 전동기 솔레노이드 코일 "B"단자에서 배터리 ⊕ 케이블을 분리한다.</td>
</tr>
<tr>
<td>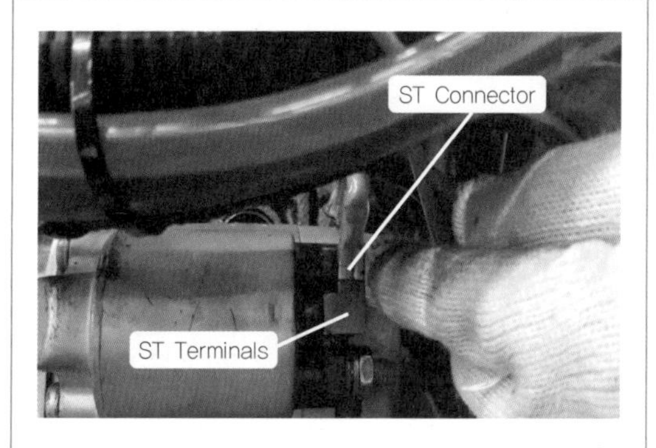</td>
<td></td>
</tr>
<tr>
<td>시동 전동기 솔레노이드 코일에서 "ST"단자 연결 커넥터를 분리한다. 커넥터 누름 버튼을 눌러야 ST커넥터가 분리된다.</td>
<td>시동 전동기가 설치된 리어 플레이트에서 관통볼트를 분리한다. 위에 볼트를 나중에 풀면서 한손으로 시동 전동기를 잡고 탈거한다.</td>
</tr>
<tr>
<td></td>
<td></td>
</tr>
<tr>
<td>시동 전동기 설치 볼트를 분리하기에는 옵셋 복스 렌치로 작업하기가 편리하다. 공구 선택도 작업성을 좌우한다.</td>
<td>시동 전동기를 탈거한 후 감독위원에게 확인을 받고 조립할 때는 장착부분을 깨끗이 닦고 조립한다.</td>
</tr>
</table>

10 점화장치(점화 코일 : Ignition Coil)의 탈·부착

점화장치(점화 코일 : Ignition Coil)의 탈·부착은 점화장치 부품 중 한 가지를 탈거 및 장착하여 시동을 걸기위한 지식이 있는가를 알아보기 위한 항목이라고 볼 수 있다. 점화장치의 부품은 축전지, 키 스위치, 퓨즈블 링크, 이그니션 퓨즈, 점화 코일, 점화 플러그, 점화 케이블, 크랭크 각 센서 등으로 분류할 수 있는데 점화 코일이 가장 탈·부착하기가 쉽고 지식을 평가하기가 적절하여 많이 선택하고 있다. 모든 부품을 탈·부착할 수 있는 능력을 길러야 한다.

점화 코일 탈·부착의 순서와 공구 사용법, 안전사항을 지킬 수 있는가를 알아보고 있다. 대부분이 시뮬레이터를 이용하여 탈·부착을 하고 있다. 공구 통에서 필요한 공구만을 부품대에 올려놓고 작업해야 한다. 역시 분해 조립에서 차량의 종류가 너무 많기 때문에 어느 것을 기준으로 할까 고민하다가 현재 시험장에서 가장 많이 사용하고 있는 아반떼(AVANTE XD) 1.5와 NF 쏘나타(SONATA) 2.0 차량의 분해조립 방법을 설명한다.

1. 점화 코일(Ignition Coil)의 탈·부착

1) 점화 코일의 설치 위치

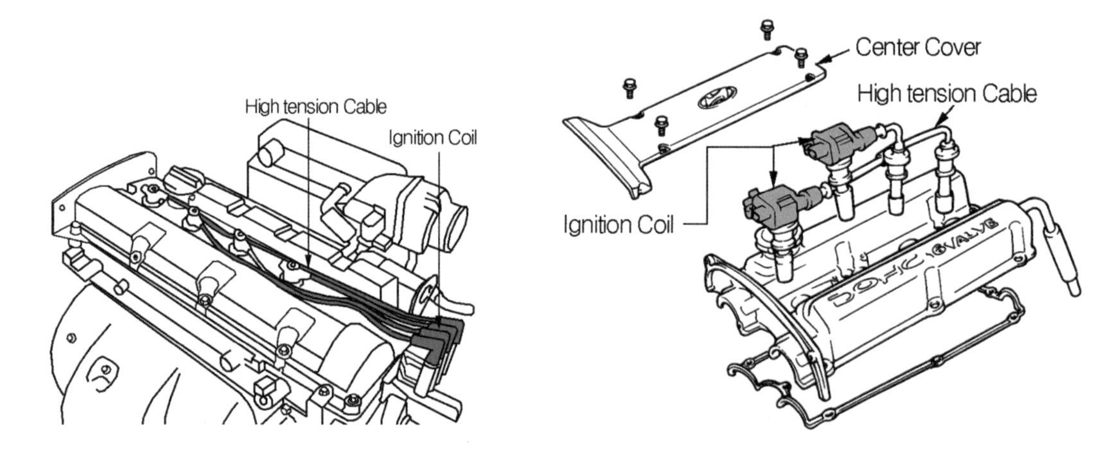

■ 점화 코일의 설치 위치

■ 점화장치의 고장진단

현상	가능한 원인	정비
시동이 걸리지 않거나 어렵다.(크랭킹은 가능)	• 점화 스위치 불량 • 점화 코일 불량 • 점화 플러그 불량 • 와이어링 커넥터의 이탈 또는 파손	• 점화 스위치 점검 또는 교환 • 점화코일 점검 또는 교환 • 점화 플러그 점검 또는 교환 • 와이어링 수리 또는 교환
공회전이 불안정하거나 엔진이 정지한다	• 와이어링 커넥터의 이탈 또는 파손 • 점화코일 불량	• 와이어링 수리 또는 교환 • 점화코일 점검 또는 교환
엔진 부조 또는 가속 불량	• 점화 플러그 불량 • 와이어링 커넥터의 이탈 또는 파손	• 점화 플러그 점검 또는 교환 • 와이어링 수리 또는 교환
연비가 낮다	• 점화 플러그 불량	• 점화 플러그 점검 또는 교환

■ 점화장치의 제원

항목 \ 엔진			아반떼 XD(1.5)	NF 쏘나타 2.0(쎄타 1 엔진
점화 코일	1차 코일 저항		0.62±10%(Ω)	0.62±10%(Ω)
	2차 코일 저항		7.0±15%(kΩ)	7.0±15%(kΩ)
점화 플러그	사양		RC10YC4	FK16HQR11
	플러그 갭		1.0~1.1mm	1.0~1.1mm
	품번	일반	BKR5ES-11	BKR5ES-11
		백금	PFR5N-11	IFR5G11/PFR5N-11

2) 점화 코일(Ignition Coil)의 탈거·부착 방법

① 점화 코일에서 1차 배선 커넥터를 탈거한 후 점화 플러그에서 고압 케이블을 분리한다. 이때 고압 케이블을 잡지 말고 점화 플러그 캡을 잡는다.

② 점화 코일에서 고압 케이블을 분리한다.

③ 점화코일 설치 볼트를 탈거한다.

④ 조립은 분해의 역순이며 1&4번 코일과 2&3번 코일의 연결이 바뀌면 안 된다.

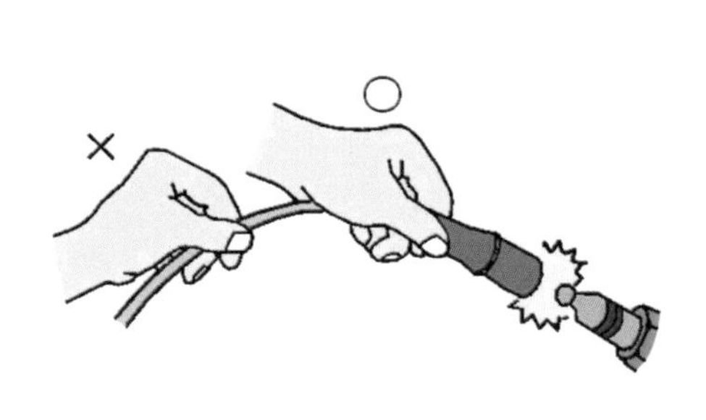

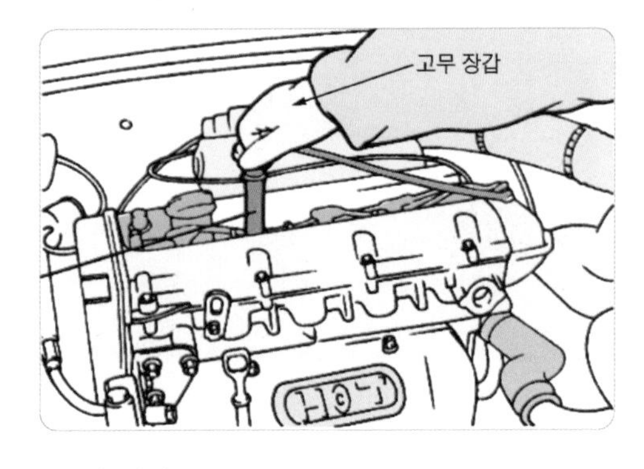

고압 케이블 분리 방법

2. 점화 코일 탈·부착(NF 쏘나타)

① 점화 코일 커넥터(A)를 분리한다.

② 점화코일 설치볼트를 분리하고 점화코일(B)를 탈거한다.

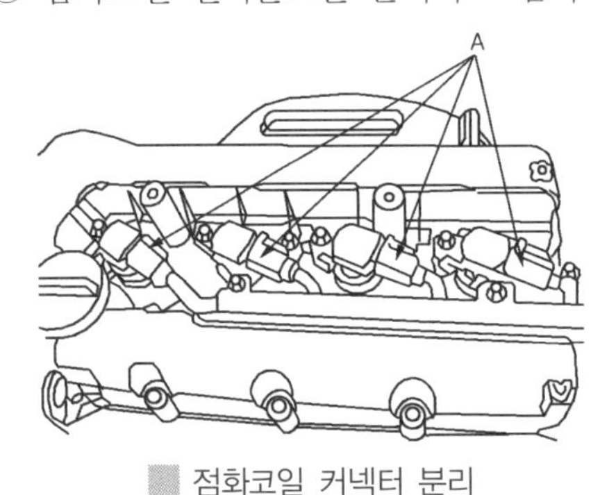

▩ 점화코일 커넥터 분리

▩ 점화코일 탈거

3. 점화 코일(Ignition Coil)의 탈·부착 시험장 사진

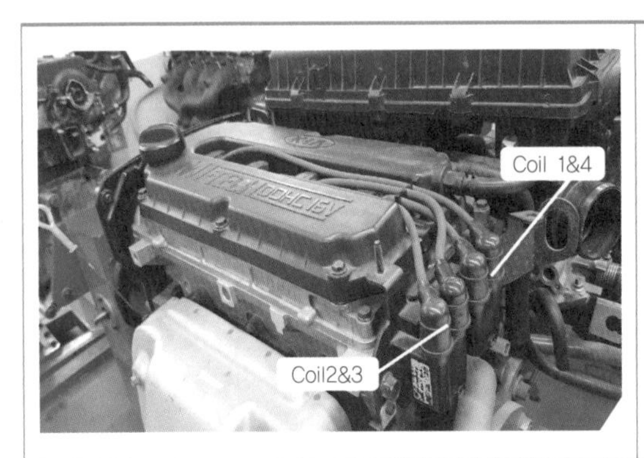

실기 시험 진행의 원활함을 위하여 실제차가 아닌 시뮬레이터로 시험을 보는 시험장이 대부분이다.

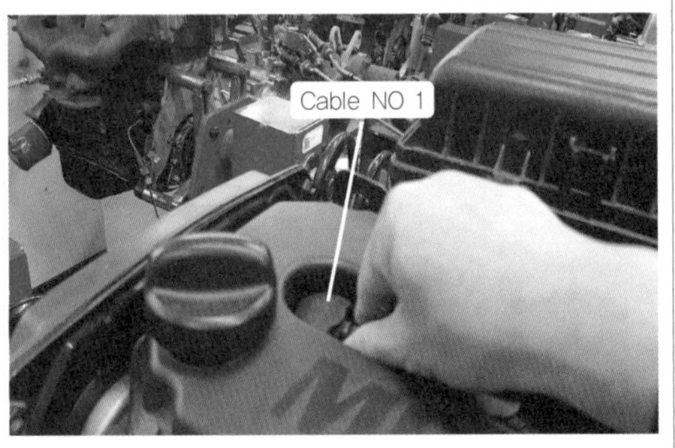

점화 플러그에서 고압 케이블을 뽑아 낼 때는 고압 케이블 캡을 잡고 뽑아낸다. 케이블을 잡고 당길 때는 케이블 연결선이 끊어질 수 있다.

모든 점화 플러그에서 고압 케이블을 분리한 후 감독위원에게 반납하고 새 케이블을 지급받아 설치한다.

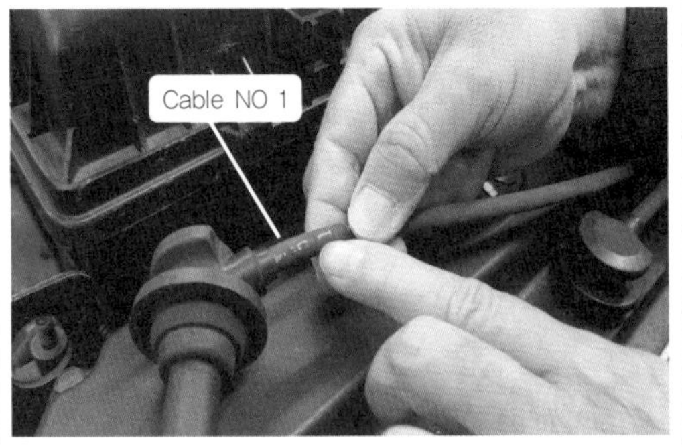

모든 고압 케이블에는 실린더 번호가 표시되어 있다. 실린더가 바뀌면 안된다. 케이블의 저항값이 각각 다르다.

<table>
<tr>
<td>

실린더 헤드 커버에서 2 & 3번 점화 코일 1차 단자 커넥터 키를 꾸욱 누르면서 당겨 잠금장치가 풀리면서 탈거된다.</td>
<td>

실린더 헤드 커버에서 1 & 4번 점화 코일 1차 단자 커넥터를 키를 꾸욱 누르면서 당겨 잠금장치가 풀리면서 탈거된다.</td>
</tr>
<tr>
<td>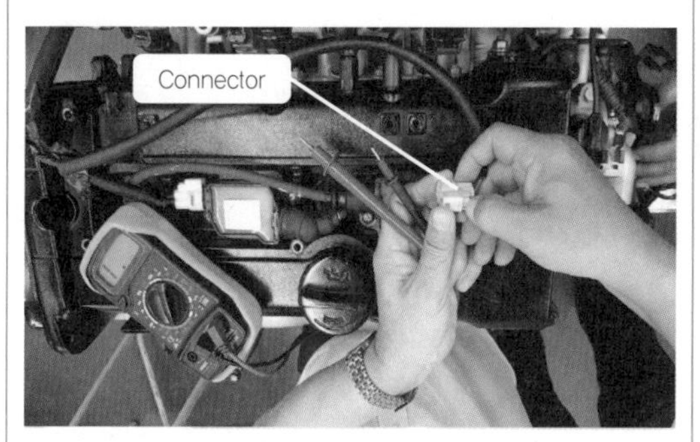

1 & 4번 점화 코일과 2 & 3번 점화 코일의 커넥터를 분리하고 키 스위치를 "ON"으로 하여 12V 전원이 공급되는지 확인한다.</td>
<td>

점화 코일도 점검을 하는데 점화 코일의 저항값을 측정하여 이상 유무를 확인하고 설치 볼트를 분리하여 코일을 탈거한다.</td>
</tr>
</table>

11 연료장치(연료 펌프 : Fuel Pump)의 탈·부착

연료장치(연료 펌프 : Fuel Pump)의 탈·부착은 연료장치 부품 중에 한 가지를 탈거 및 장착 하여 시동걸기위한 지식이 있는가를 알아보기 위한 항목이라고 볼 수 있다.

점화장치의 부품은 축전지, 키 스위치, 퓨즈블 링크, 이그니션 퓨즈, 연료펌프 릴레이, 컨트롤 릴레이, 연료 펌프, 배선 등으로 분류할 수 있는데 연료펌프가 가장 탈·부착하기가 쉽고 지식을 평가하기가 적절하여 많이 선택하고 있다. 그 외 모든 부품을 탈·부착할 수 있는 능력을 길러야 한다. 연료퍼프 탈·부착의 순서와 공구 사용법, 안전사항을 지킬 수 있는가를 알아보고 있다. 대부분이 분해된 연료탱크에서 탈·부착을 하고 있다. 공구통에서 필요한 공구만을 부품대에 올려놓고 작업해야한다.

1. 연료펌프(Fuel Pump)의 탈·부착

1) 엔진의 연료 펌프 설치위치

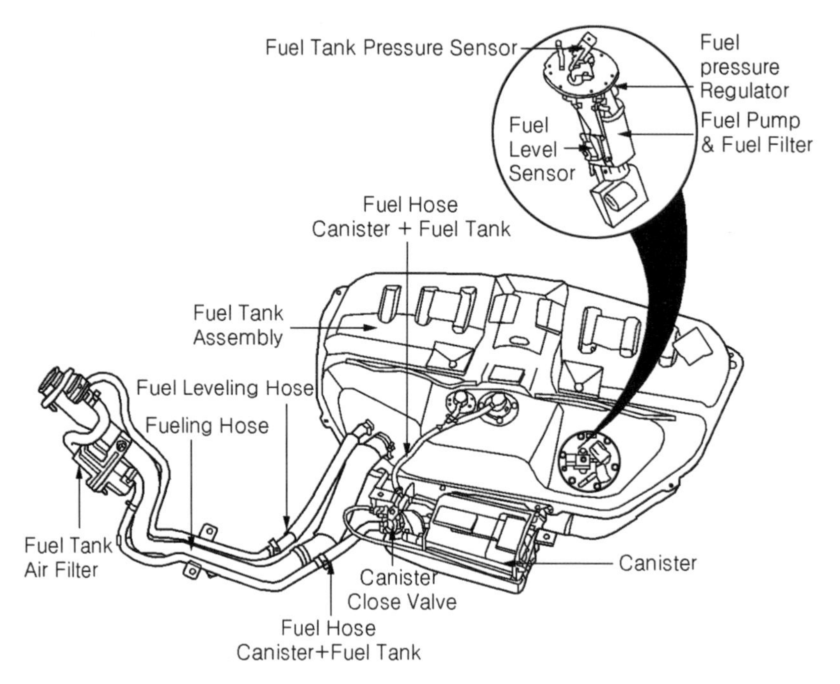

연료 펌프의 설치 위치(NF 쏘나타 2.0)

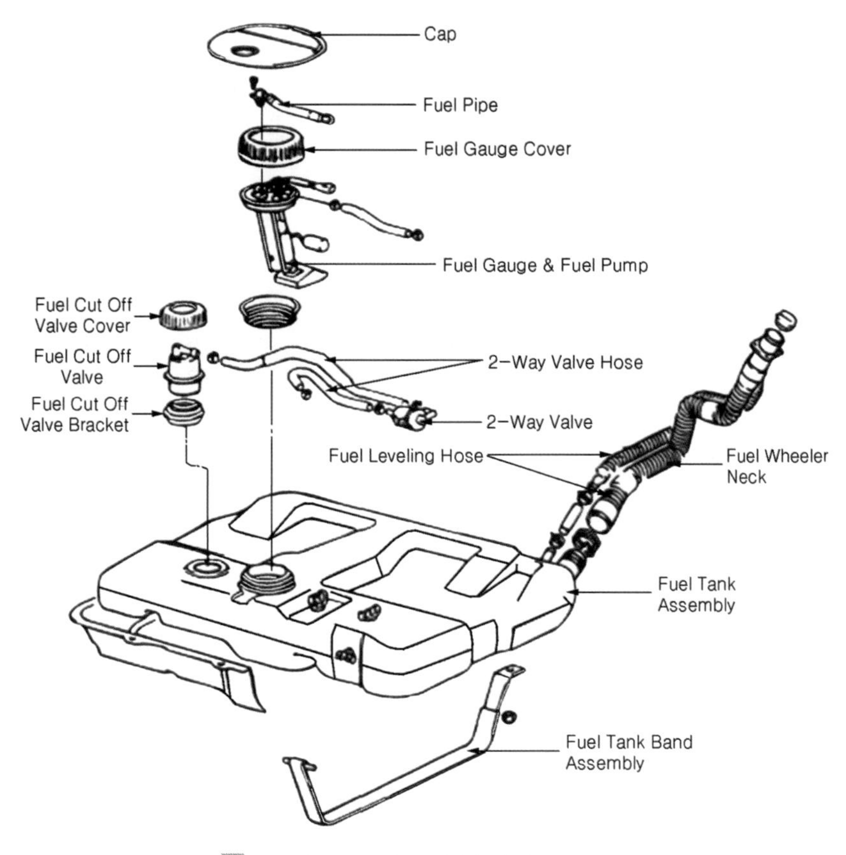

연료 펌프의 설치 위치(아반떼 XD-1.5)

■ 연료공급 장치의 제원

항목 \ 엔진		아반떼 XD(1.5)	NF 쏘나타 2.0(쎄타 1 엔진
연료 탱크 용량			70L
연료 필터(연료 펌프에 내장됨)		7.0±15%(kΩ)	고압력식
연료압력 레귤레이터(연료 펌프에 내장됨) -조정 압력			3.5kgf/㎠
연료펌프	형식	RC10YC4	탱크 내장 전기식
	구동	1.0~1.1mm	전기 모터
연료 공급방식		BKR5ES-11	리턴리스(Returnless) 방식

■ 연료공급 장치의 고장진단

1) 시동이 어렵다. (크랭킹은 됨)

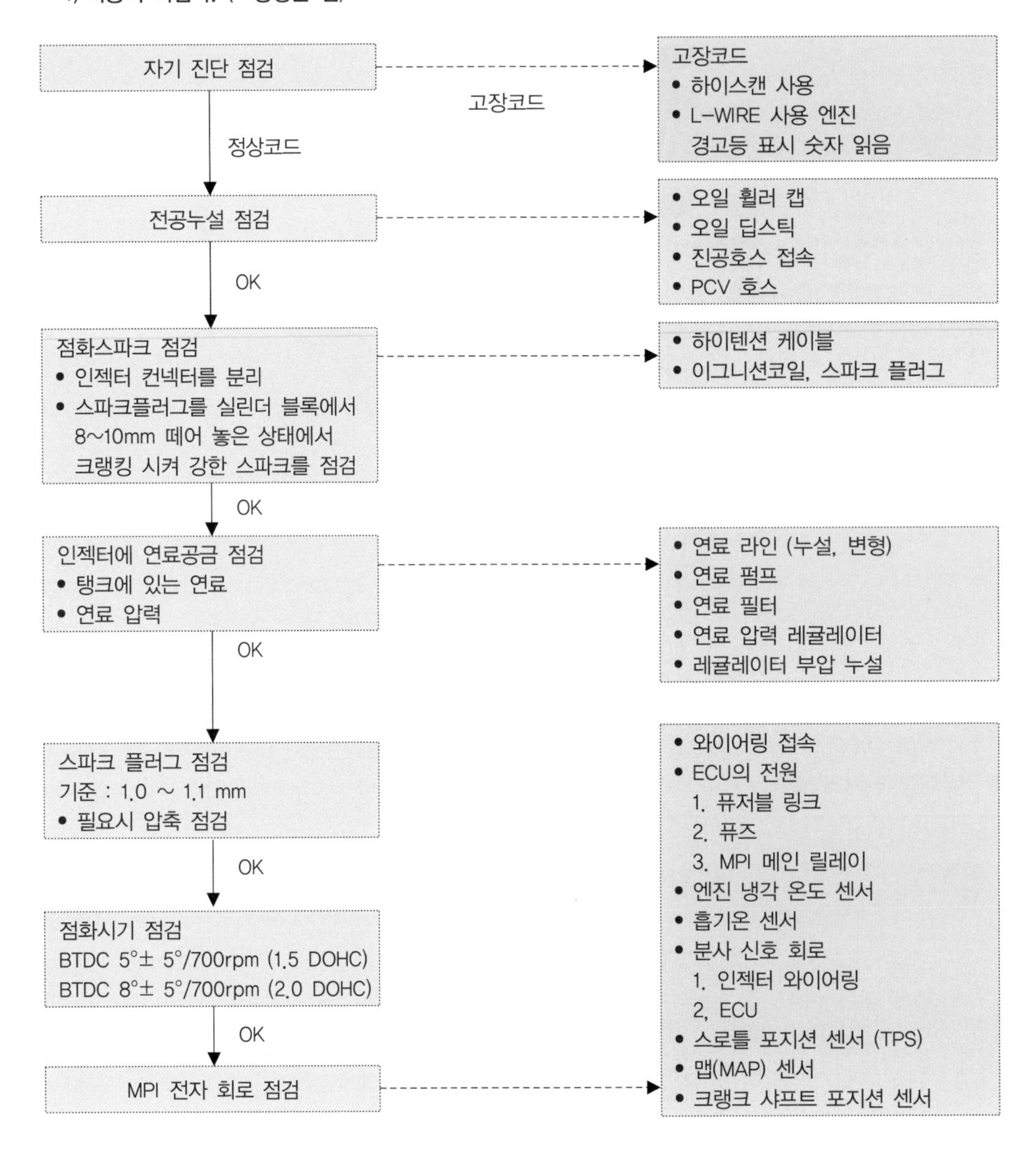

2) 공회전이 불규칙하거나 엔진이 갑자기 정지한다.

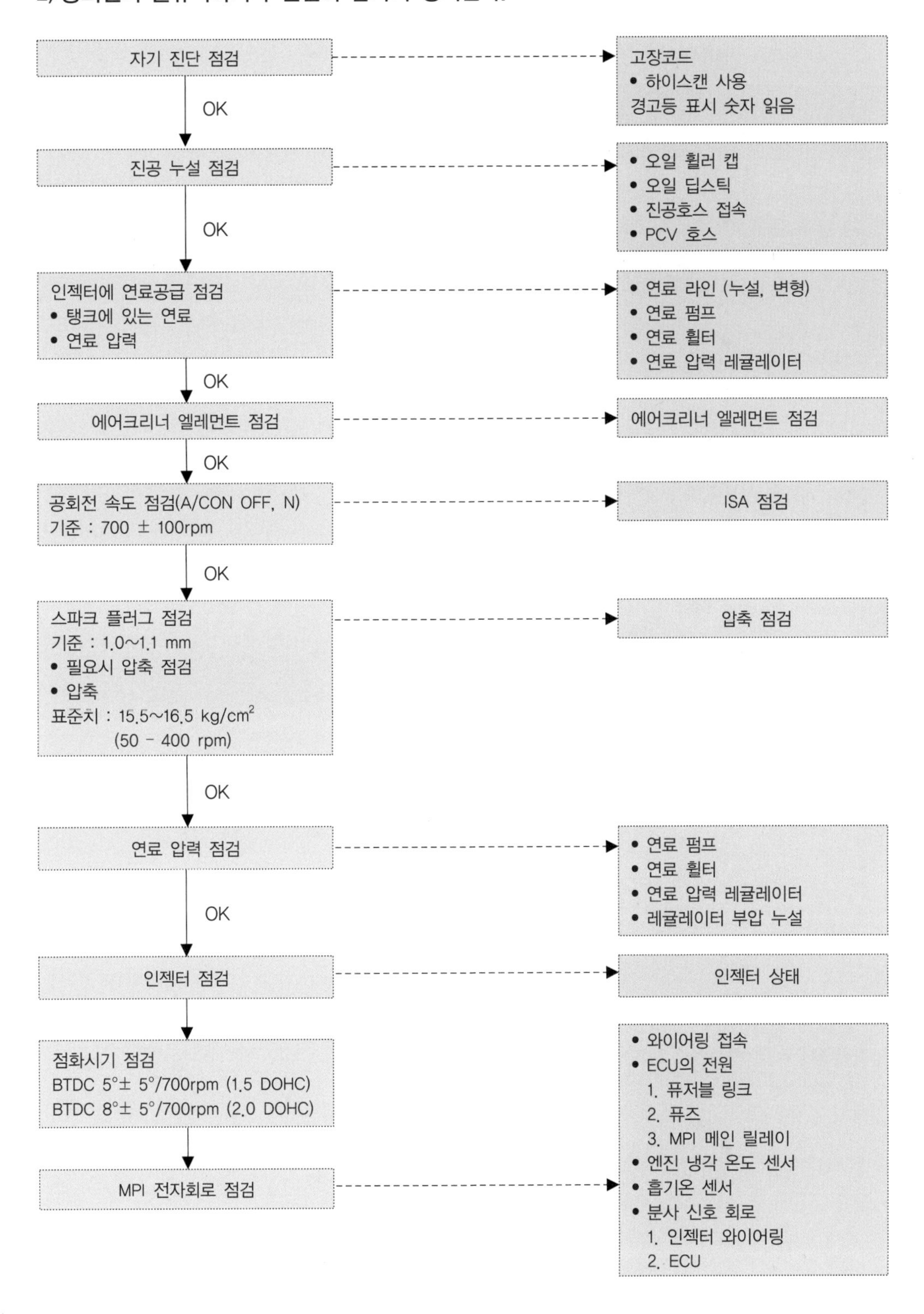

3) 엔진 부조가 일어나거나 가속력이 떨어진다.

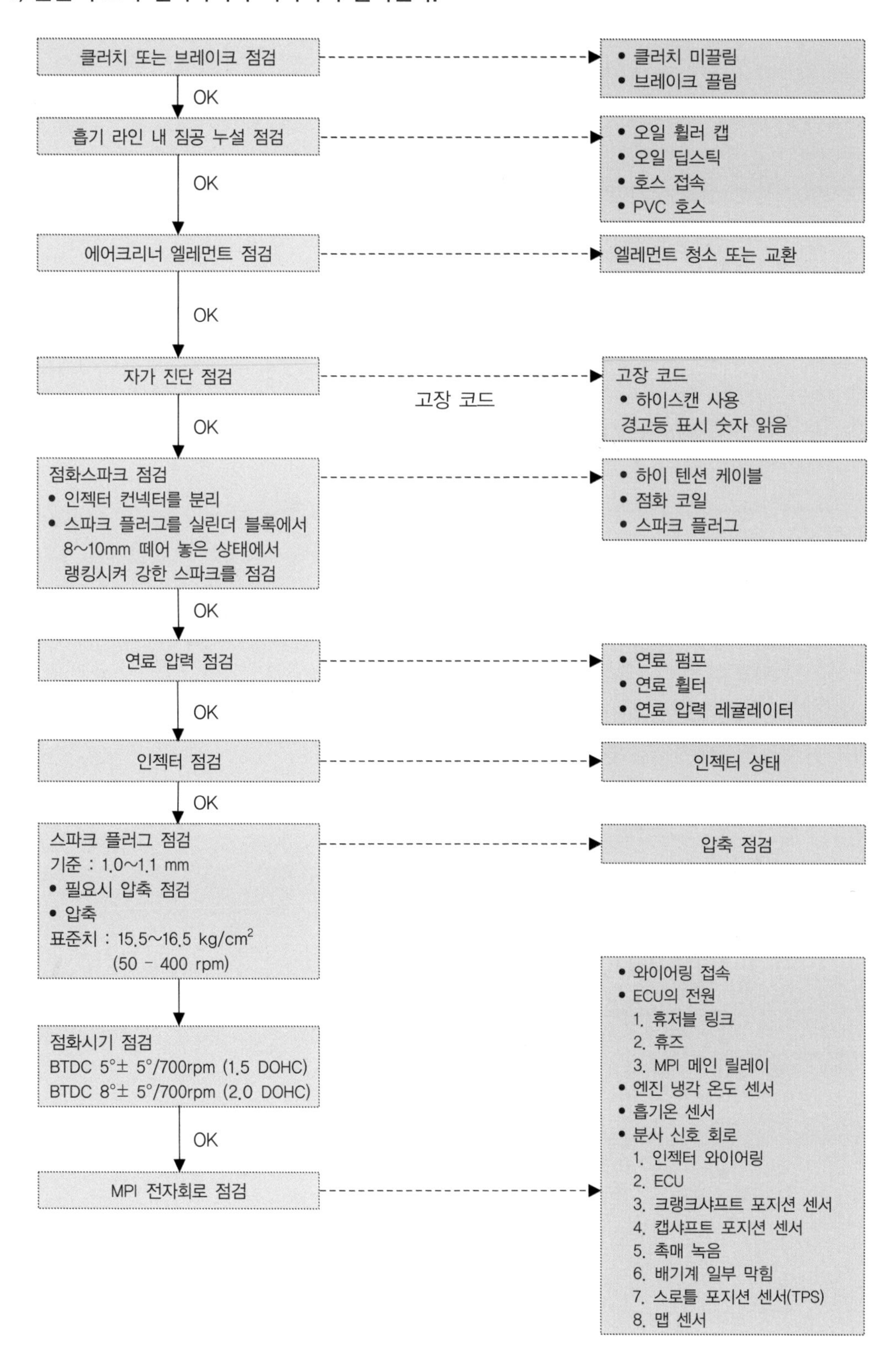

2) 엔진의 연료 펌프 탈·부착 순서

① 연료 공급 파이프와 호스의 내부 압력을 감소시키기 위하여 엔진의 시동을 건 후 뒷좌석 쪽에 있는 연료 펌프 커넥터를 분리시킨다.

② 시동이 자동으로 꺼진 상태에서 점화 스위치를 OFF시킨 후 배터리의 ⊖ 터미널을 분리시킨다.

③ 연료 탱크 캡을 탈거한 후 연료를 배출시킨다.

④ 연료 펌프 & 연료 게이지 커넥터를 탈거한다.

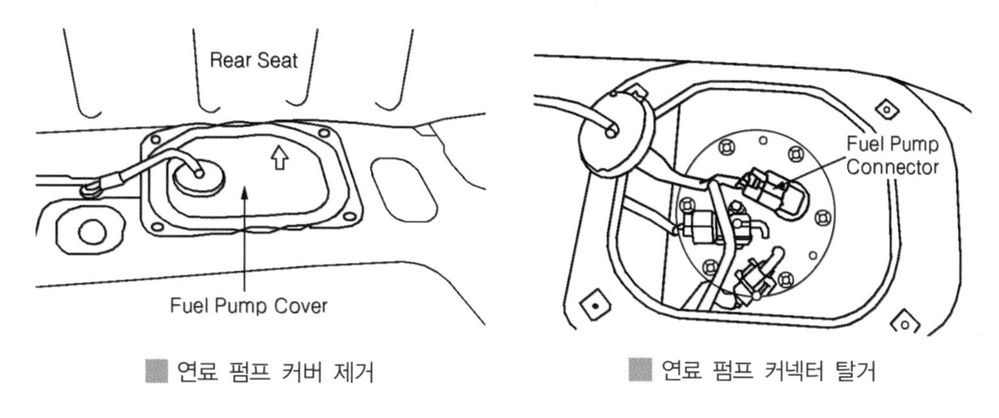

■ 연료 펌프 커버 제거　　■ 연료 펌프 커넥터 탈거

⑤ 고압 연료 호스(A)를 탈거한다.

⑥ 연료 펌프 장착 스크루와 연료 펌프 고정 볼트를 탈거하고 연료 탱크에서 연료 펌프를 탈거한다.

⑦ 조립은 분해의 역순으로 한다.

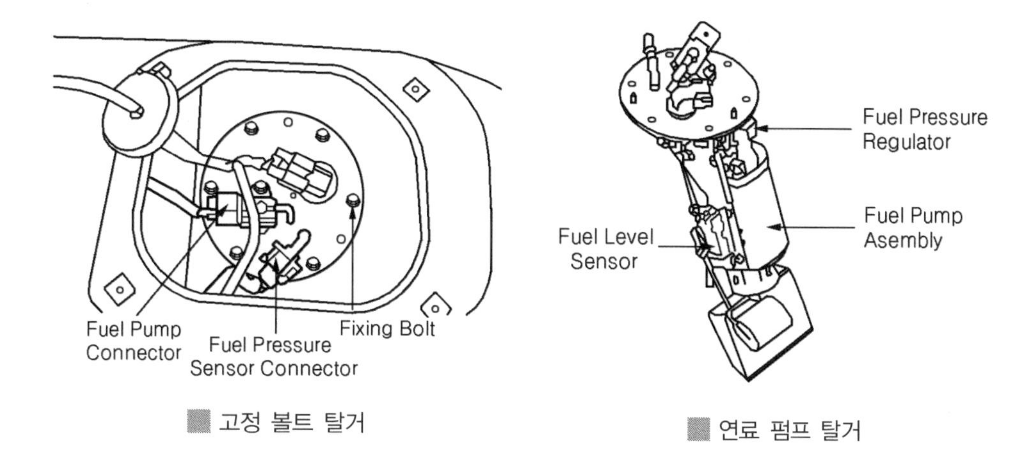

■ 고정 볼트 탈거　　■ 연료 펌프 탈거

2. 연료 펌프(Fuel Pump)의 탈·부착 시험장 사진

시험 진행의 원활함을 위하여 실차가 아니라 연료 탱크를 탈거하여 놓은 상태에서 탈·부착을 실시하는 경우가 많다.

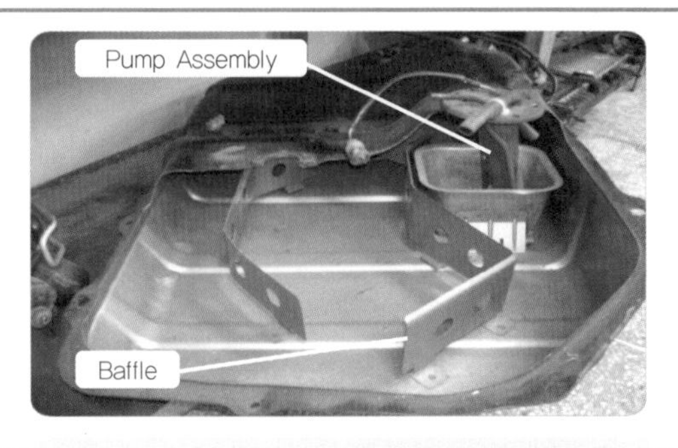

연료 탱크 안에 구조를 보면 연료 펌프가 연료 탱크의 가장 낮은 곳에 설치되고 칸막이를 두어서 흔들림을 방지한다.

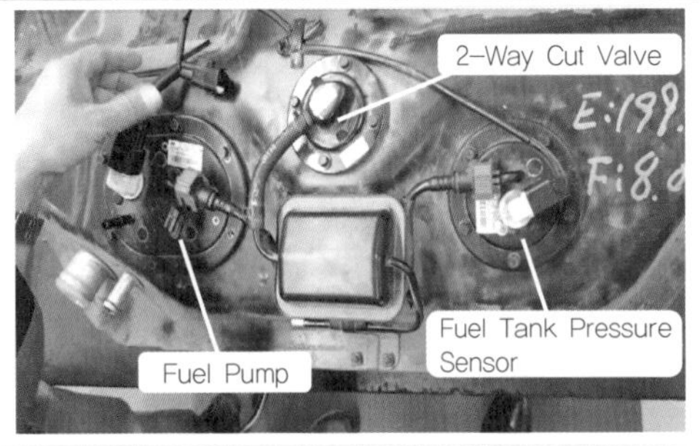

이 차량에서는 연료 펌프와 2웨이 밸브, 압력 센서가 설치된 차량이다. 정비 지침서가 옆에 있으면 보면서 작업을 한다.

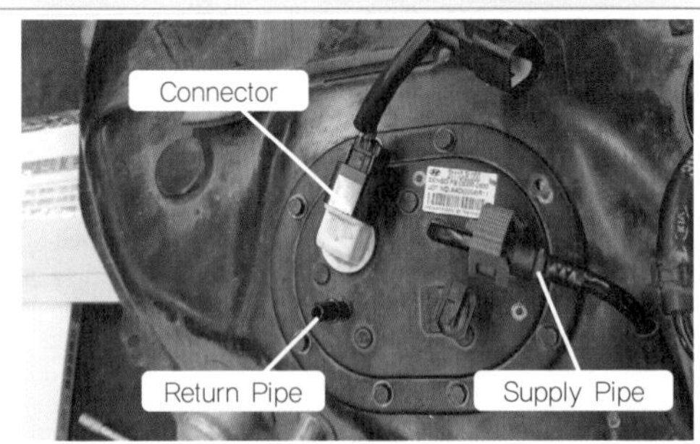

또는 차종마다 연료 펌프 위치가 다를 수 있으므로 잘 모르면 많이 분해 조립한 자국이 있는 것이 연료 펌프로 볼 수 있다.

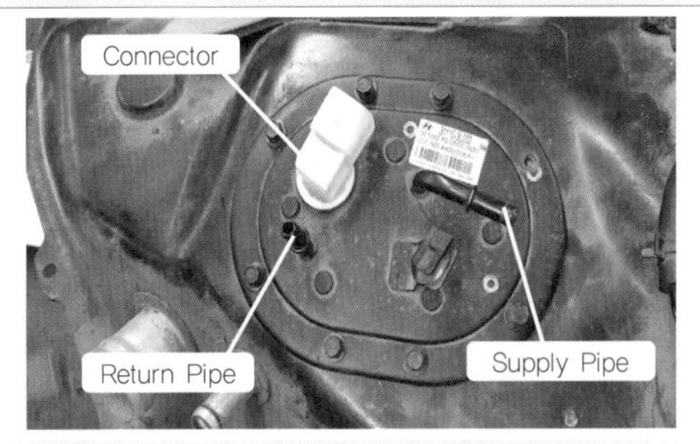

연료 펌프 커넥터를 탈거하고 연료 공급 파이프와 리턴 파이프의 연결을 풀어서 분리한다.

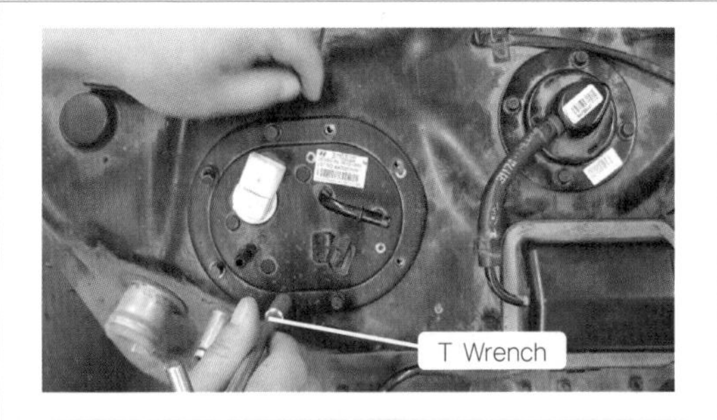

연료 펌프 설치 볼트를 T 렌치나 스피드 핸들로 풀어서 탈거한다. 이때 볼트는 대각선 방향으로 풀고 조인다.

볼트를 분리하고 연료 펌프 어셈블리를 연료 탱크에서 탈거 할 때는 상하 좌우로 돌려가면서 걸리지 않고 나올 수 있게 한다.

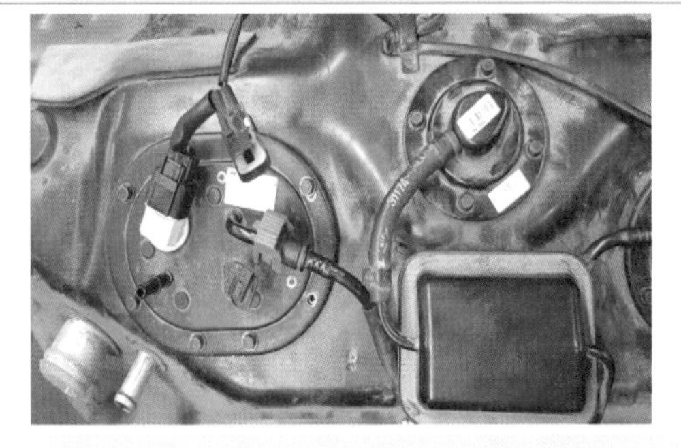

연료 펌프를 조립할 때 볼트 모두를 조금씩 조여야 한다. 하나 조이고 하나 조이다 보면 나중 볼트는 구멍이 안 맞는다.

Chapter 3

엔진 본체의 정비

01 실린더 헤드(Cylinder Head Bending)의 변형상태 점검

실린더 헤드 변형 점검(Cylinder Head Bending)은 실린더 헤드가 휘거나 뒤틀림을 알아보기 위한 방법에 대해 알고 있는가를 점검하는 문제이다. 실린더 헤드는 주로 주철이나 알루미늄 합금으로 제조되어 있으며, 연소실 형성 및 많은 부품들이 장착될 수 있도록 기계적으로 가공한다. 높은 폭발 압력과 열 등으로 인하여 변형이 생기게 되며, 이로 인하여 압축·폭발가스의 누출로 인한 출력저하, 냉각수 누출, 오일 누출 등의 문제가 발생한다.

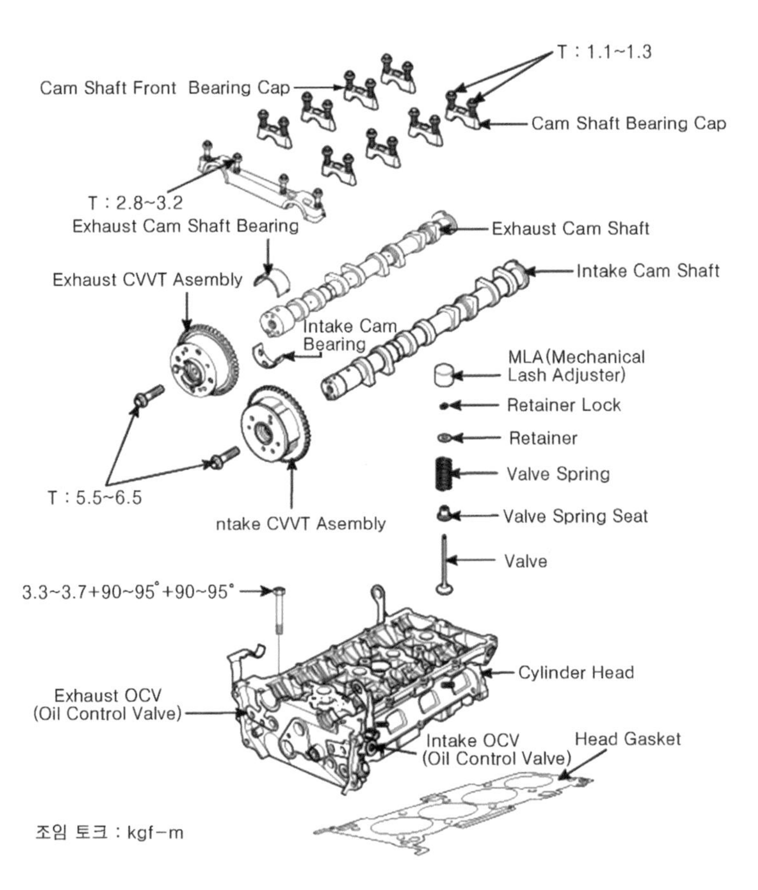

■ 실린더 헤드의 제원

항목 \ 엔진			아반떼 XD(1.5)		NF 쏘나타 2.0(쎄타 1 엔진)	
형 식			직렬, DOHC		직렬, DOHC	
실린더수			4		4	
압축비			10 : 1		10.5 : 1	
점화순서			1-3-4-2		1-3-4-2	
가스켓면의 편평도			0.03mm 이하-한계(0.1)		0.05mm 이하	
매니홀드 장착면의 편평도	흡기		0.15mm 이하-한계(0.2)		0.1mm 이하	
	배기		0.15mm 이하-한계(0.2)		0.1mm 이하	
밸브 시트 홀의 오버사이즈	흡기		0.3 OS(30.7~30.721)		-	
			0.6 OS(31.0~31.021)		-	
	배기		0.3 OS(27.3~27.321)		-	
			0.6 OS(27.6~27.621)		-	
밸브 가이드 홀의 오버사이즈			0.05 OS(11.05~11.067)		-	
			0.25 OS(11.25~11.268)		-	
			0.50 OS(11.50~11.518)		-	
밸브 시트	시트각		45°		45.25°~45.75°	
	시트폭		흡기	0.8~1.2mm	흡기	1.16~1.46mm
			배기	1.3~1.7mm	배기	1.35~1.65mm
밸브 가이드	길이		12.8mm		43.8~44.2mm	
	내경		12.8mm		5.500~5.512mm	
밸브 스템과 가이드 간극	흡기		0.03~0.06mm-한계(0.1)		0.020~0.047mm-한계(0.07 이하)	
	배기		0.05~0.08mm-한계(0.5)		0.030~0.054mm-한계(0.09 이하)	
실린더 헤드 타펫트 보어 내경			-		32.000~32.025mm	
MLA와 타펫 보어간 간격			-		0.020~0.06mm(0.07 이하)	

1. 실린더 헤드(Cylinder Head) 변형의 원인

1) 겨울철에 냉각수가 동결된 경우

자동차가 겨울철을 안전하게 나기 위해서는 냉각수(부동액)의 점검이며, 부동액의 농도가 부족하면 얼면서 팽창으로 인해 헤드의 변형이 일어난다.

2) 엔진이 과열된 경우

냉각수가 부족하거나 냉각장치의 고장 등으로 차량의 엔진이 과열되면, 열팽창으로 인해 실린더 헤드가 변형되어 파손이 발생한다.

3) 헤드 개스킷이 불량한 경우

실린더 헤드 개스킷의 제작 불량으로 개스킷의 두께가 일정하지 않은 경우이나 대부분 사용 중 불량으로 인한 여러 가지 원인이(냉각수 누설, 압축가스 누설, 오일 연소 등) 발생한다.

4) 헤드 볼트의 불균일한 조임 및 조임 순서가 잘못된 경우

실린더 헤드 볼트는 중앙에서부터 대각선으로 바깥쪽을 향하여 2~3회 나누어 조이고, 최종적으로 규정값으로 조이기 위하여 토크 렌치를 사용한다.

2. 실린더 헤드(Cylinder Head) 변형의 점검 방법

1) 실린더 헤드면 청소

걸레를 이용하여 헤드 개스킷이 접촉하는 면을 깨끗하게 닦아낸다.

2) 7개소 측정

직정규와 시크니스 게이지를 이용하여 실린더 헤드의 변형을 점검하여 가장 큰 값이 측정값이다.

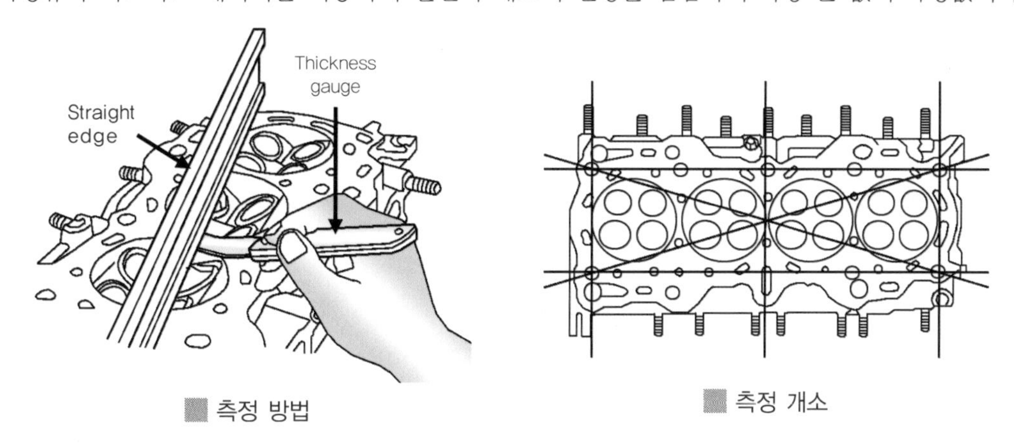

■ 측정 방법

■ 측정 개소

■ 차종별 실린더 헤드 변형도(mm)

차종		규정값	한계값	차종		규정값	한계값
아반떼 RD	1.5 DOHC	0.05이하	0.1	토스카	2.0 DOHC	0.05이하	
	1.8 DOHC	0.05이하	0.1		2.5 DOHC	0.05이하	
라비타	1.5 DOHC	0.03이하	0.1	카렌스	2.0 LPG	0.03이하	
	1.8 DOHC	0.03이하	0.06		2.0 CRDi	0.03이하	
NF 쏘나타	2.0 DOHC	0.05이하	–	아반떼 XD	1.5 DOHC	0.03이하	0.1
	2.4 DOHC	0.05이하	–		1.6 DOHC	0.03이하	0.1
	2.0 LPI	0.05dlgk	–		2.0 DOHC	0.03이하	0.06
쏘나타 EF	1.8 DOHC	0.03이하	0.06	그랜저 XG	2.0 DOHC	0.03이하	0.05
	2.0 DOHC	0.03이하	–		2.5 DOHC	0.03이하	0.05
트라제 XG	2.0 DOHC	0.03이하	–	포터	D4BH	0.05이하	0.2
	2.7 DOHC	0.03이하	0.2		D4CB	0.05이하	0.2
옵티마 리갈	2.0 DOHC	0.03이하		NEW 프라이드	1.4 DOHC	0.03이하	0.1
	2.5 DOHC	0.03이하			1.6 DOHC	0.03이하	0.1
싼타페	2.0 DOHC	0.03이하	0.2	그랜저 TG	2.4 DOHC	0.05이하	–
	2.7 DOHC	0.03이하	0.05		2.7 DOHC	0.03이하	0.05

3. 실린더 헤드(Cylinder Head) 변형의 수정 방법

변형이 경미한 경우에는 정반에 광명단을 바르고 실린더 헤드 면을 문지른 후 광면단이 묻은 부분을 스크레이퍼로 절삭한다. 또 한계값 이상으로 변형된 경우에는 평면 연삭기, 밀링, 세이퍼 등으로 절삭한다.

헤드면 수정(밀링가공)

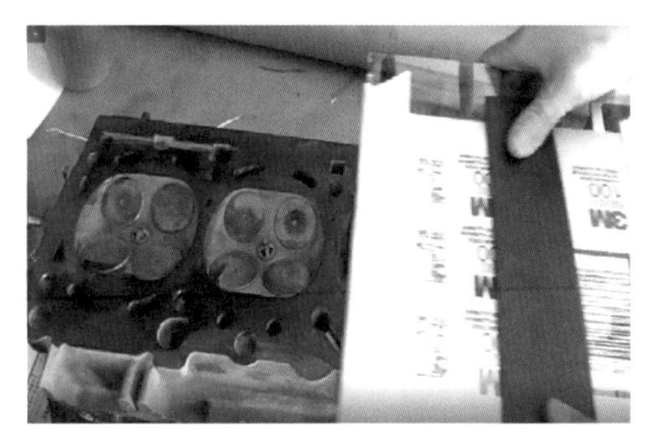

헤드면 수정(수작업)

4. 실린더 헤드(Cylinder Head) 변형의 실습 현장 사진

 실린더 헤드의 변형을 측정하기 위하여 지정된 곳에 가면 직정규와 시크니스 게이지를 준비하여 놓았다. 헤드 표면을 깨끗이 닦고 측정한다.	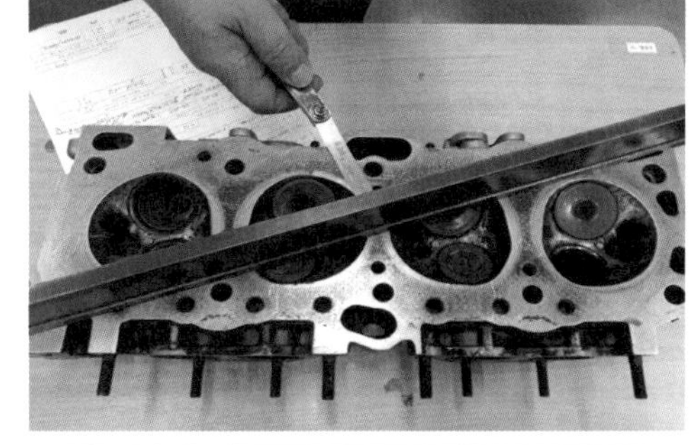 직정규를 실린더 헤드 면에 대고 그 사이에 시크니스 게이지를 꽂아 보면서 7곳을 측정하여 가장 큰 값이 측정값이다.
 직정규를 실린더 헤드 면에 대고 그사이에 시크니스 게이지를 꽂아 보아 시크니스 게이지 브레이드 치수 값을 올리거나 내려 측정한다.	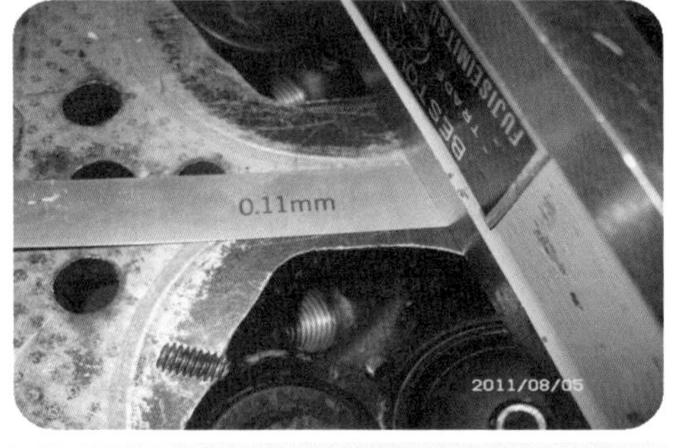 실린더 헤드 면과 직정규 면 사이의 간극에 시크니스 게이지 브레이드를 꽂아서 약간 뻑뻑한 곳이 측정값이다.

02 실린더 블록(Cylinder Block)의 평면도 점검

실린더 블록은 엔진의 기초 구조물이며, 위쪽에는 실린더 헤드가 설치되어 있고, 아래 중앙부에는 평면 베어링을 사이에 두고 크랭크축이 설치된다. 실린더 블록 내부에는 피스톤이 왕복운동을 하는 실린더가 있으며, 실린더 냉각을 위한 물재킷이 둘러싸고 있다. 또 주위에는 밸브기구의 설치부분과 실린더 아래쪽에는 개스킷을 사이에 두고 아래 크랭크 케이스(오일 팬)가 설치되어 엔진 오일이 담겨진다. 실린더 블록의 재질은 특수주철이나 알루미늄 합금을 사용한다.

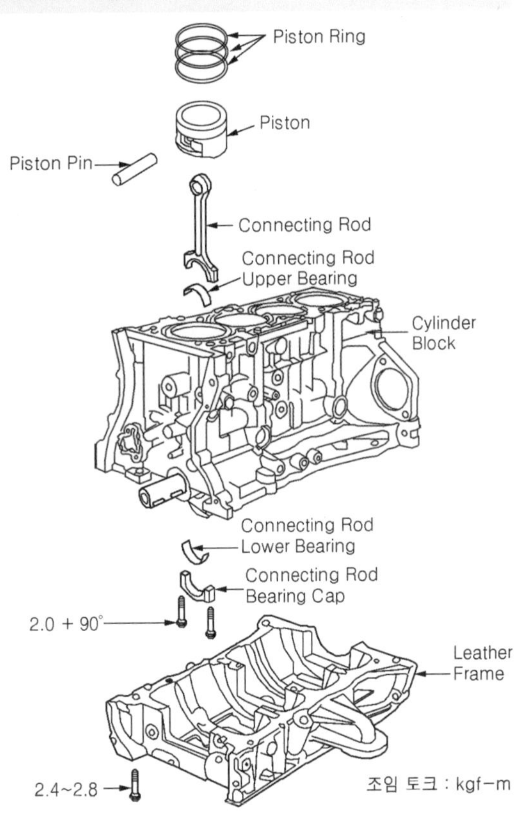

■ 실린더 블록의 구조

■ 실린더 블록의 제원

<table>
<tr><th colspan="2">항목 \ 엔진</th><th colspan="3">아반떼 XD(1.5)</th><th colspan="4">NF 쏘나타 2.0(쎄타 1 엔진)</th></tr>
<tr><td colspan="2">형식</td><td colspan="3">직렬, DOHC</td><td colspan="4">직렬, DOHC</td></tr>
<tr><td colspan="2">실린더수</td><td colspan="3">4</td><td colspan="4">4</td></tr>
<tr><td colspan="2">압축비</td><td colspan="3">10 : 1</td><td colspan="4">10.5 : 1</td></tr>
<tr><td colspan="2">점화순서</td><td colspan="3">1-3-4-2</td><td colspan="4">1-3-4-2</td></tr>
<tr><td colspan="2">실린더 내경×행정</td><td colspan="3">76.5×83.5mm</td><td colspan="4">86mm × 86mm</td></tr>
<tr><td colspan="2">배기량</td><td colspan="3">1,495 cc</td><td colspan="4">1,998 cc</td></tr>
<tr><td colspan="2">가스켓면의 편평도</td><td colspan="3">0.03mm 이하-한계(0.1)</td><td colspan="4">0.05mm 이하</td></tr>
<tr><td colspan="2">실린더와 피스톤 간극</td><td colspan="3">0.02~0.05mm</td><td colspan="4">0.015~0.035mm</td></tr>
<tr><td rowspan="4">엔진 식별 번호</td><td rowspan="2">아반떼XD (1.5)</td><td>G</td><td>4</td><td>F</td><td>B</td><td>6</td><td colspan="2">000001</td></tr>
<tr><td>사용연료
G : 가솔린</td><td>실린더 수
4싸이클
4실린더</td><td>엔진개발순서
알파엔진-Ⅱ</td><td>배기량
1,495cc</td><td>제작년도
2006</td><td colspan="2">제작 일련 번호</td></tr>
<tr><td rowspan="2">NF 쏘나타 2.0</td><td>G</td><td>4</td><td>K</td><td>D</td><td>7</td><td>U</td><td>000001</td></tr>
<tr><td>사용연료
D : 디젤
G :가솔린
L : LPG</td><td>실린더 수
4 : 4사이클 4실린더
6 : 4사이클 6실린더</td><td>엔진개발순서
D : 디엔진
K : 세타엔진</td><td>배기량
A : 세타 1998
C : 세타 2359
D : 세타Ⅱ 1998
E : 세타Ⅱ 2359</td><td>제작년도
7 : 2007
8 : 2008
9 : 2009
A : 2010</td><td>생산공장
A : 아산
H : 화성
P : 포승
S : 소하리
U : 울상</td><td>생산 일련 번호</td></tr>
</table>

1. 실린더 블록(Cylinder Block) 변형의 원인

1) 겨울철에 냉각수가 동결된 경우

자동차가 안전하게 겨울철을 나기 위해서는 냉각수(부동액)의 점검이며, 부동액의 농도가 부족하면 얼면서 팽창으로 인해 실린더 블록의 변형이 일어난다.

2) 엔진이 과열된 경우

냉각수가 부족하거나 냉각장치의 고장 등으로 차량의 엔진이 과열되면, 열팽창으로 인해 실린더 블록이 변형되어 파손이 발생한다.

3) 크랭크축 베어링 캡 볼트의 불균일한 조임 및 조임 순서가 잘못된 경우

베어링 캡 볼트는 중앙에서부터 달팽이 회전같이 안에서 바깥쪽을 향하여 2~3회 나누어 조이고, 최종적으로 토크 렌치를 이용하여 규정 값으로 조인다.

2. 실린더 블록 변형의 점검 방법

1) 실린더 헤드 개스킷 설치면 청소

걸레를 이용하여 헤드 개스킷이 접촉하는 면을 깨끗하게 닦아낸다.

2) 7개소 측정

직정규와 시크니스 게이지를 이용하여 실린더 블록의 변형을 점검하여 가장 큰 값이 측정값이다.

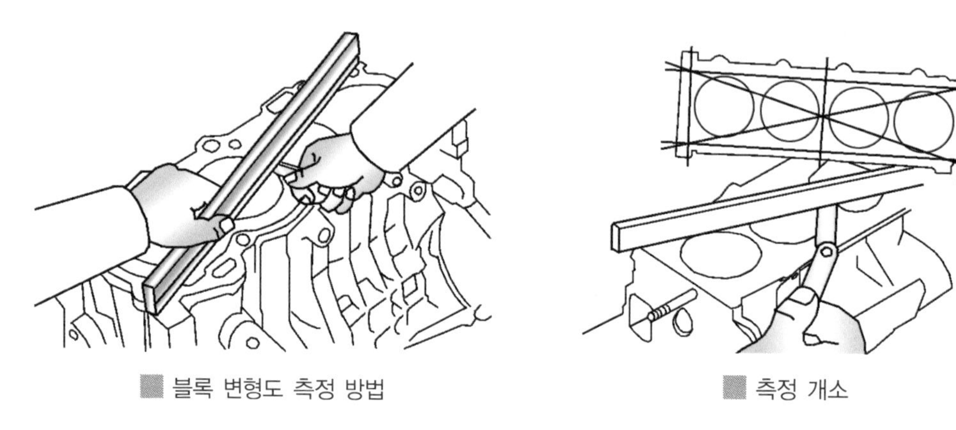

블록 변형도 측정 방법

측정 개소

■ 차종별 실린더 헤드 변형도(mm)

차종		규정값	한계값	차종		규정값	한계값
아반떼 RD	1.5 DOHC	0.050이하	0.1	토스카	2.0 DOHC	0.050이하	-
	1.8 DOHC	0.050이하	0.1		2.5 DOHC	0.050이하	-
베르나 MC	1.4 DOHC	0.050이하	-	카렌스	2.0 LPG	0.030이하	-
	1.6 DOHC	0.050이하	-		2.0 CRDi	0.030이하	-
NF 쏘나타	2.0 DOHC	0.050이하	-	아반떼 XD	1.5 DOHC	0.050이하	0.1
	2.4 DOHC	0.050이하	-		1.6 DOHC	0.050이하	0.1
	2.0 LPI	0.050이하	-		2.0 DOHC	0.030이하	0.15
EF 쏘나타	1.8 DOHC	0.050이하	-	그랜저 XG	2.0 DOHC	0.030이하	0.05
	2.0 DOHC	0.050이하	-		2.5 DOHC	0.030이하	0.05
트라제 XG	2.0 DOHC	0.050이하	-	포터	D4BH	0.050이하	0.1
	2.7 DOHC	0.030이하	0.05		D4CB	0.050이하	0.1
옵티마 리갈	2.0 DOHC	0.030이하	-	NEW 프라이드	1.4 DOHC	0.030이하	0.1
	2.5 DOHC	0.030이하	-		1.6 DOHC	0.030이하	0.1
싼타페 CM	2.0 DOHC	0.050이하	-	그랜저 TG	2.4 DOHC	0.050이하	-
	L 2.7 DOHC	0.030이하	-		2.7 DOHC	0.030이하	-

3. 실린더 블록 변형의 수정 방법

변형이 한계값 이상으로 변형된 경우에는 평면 연삭기, 밀링, 세이퍼 등으로 연삭한다.

■ 헤드 설치면 연삭-1(밀링가공)

■ 헤드 설치면 연삭-2(밀링가공)

03 실린더 보어(Cylinder Bore) 마모량 점검

실린더 보어(Cylinder Bore) 마모량 점검은 실린더 내경의 마모된 량을 점검하여 보링값을 산출하기 위한 지식을 알아 보려는 항목이다. 실린더 블록은 사각형의 금속체에 원통형의 실린더가 1개 내지 여러 개가 가공되어 있고, 그 안에 피스톤이 왕복운동을 하며 흡입 → 압축 → 폭발 → 배기의 과정을 수행하면서 출력을 크랭크축에 전달하여 동력을 얻는다.

이때 마찰 및 마모를 감소시키기 위해 실린더 벽에 오일을 뿌려 윤활을 하지만 오랜 시간이 지나면 실린더 벽이 마모된다. 그래서 실린더 내경을 깎아 내어 더 큰 직경의 피스톤을 조립하여 수정을 하는데 이것을 보링(Boring)이라 한다. 보링을 하기 위한 기초 작업이 마모량 점검이다.

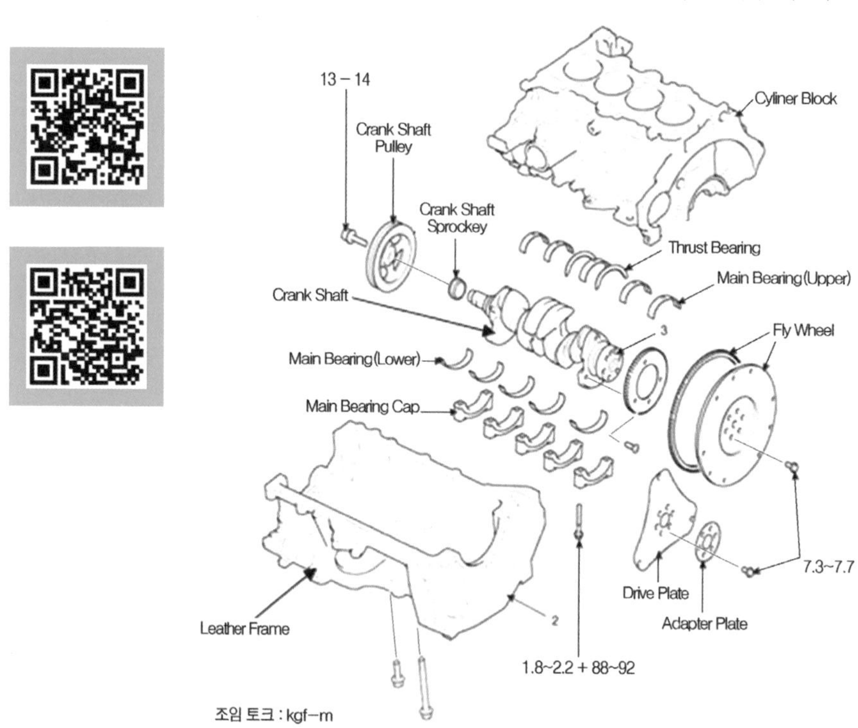

실린더 보어 마모량 점검

■ 실린더 보어의 제원

항목 \ 엔진	아반떼 XD(1.5)	NF 쏘나타 2.0(쎄타 1 엔진)
형식	직렬, DOHC	직렬, DOHC
실린더수	4	4
압축비	10 : 1	10.5 : 1
점화순서	1-3-4-2	1-3-4-2
실린더 내경×행정	76.5×83.5mm	86mm × 86mm
배기량	1,495 cc	1,998 cc
가스켓면의 편평도	0.03mm 이하-한계(0.1)	0.05mm 이하
실린더와 피스톤 간극	0.02~0.05mm	0.015~0.035mm

1. 실린더 보어(Cylinder Bore)의 마모 원인

1) 연소 생성물(카본)에 의한 마멸

연소의 결과 생긴 물질을 연소 생성물이라고 한다. 완전 연소의 경우에는 이산화탄소와 물이며, 불완전 연소에 의한 일산화탄소, 수소, 질소 산화물 등이 발생하고 그들의 일부는 그대로 연소 생성물로서 배출된다. 또 산소 부족으로 연소하면 다량의 일산화탄소를 발생함과 동시에 연료의 열분해생성물이나 중간 산화물, 그으름 등이 생기면서 피스톤과 미끄럼 운동하면서 실린더 벽을 마모시킨다.

2) 흡입 공기 중의 먼지, 이물질 등에 의한 마멸

공기 중에 있는 먼지, 이물질은 실린더 내에 유입되기 전에 공기 청정기(Air Cleaner)에서 제거되어야 한다. 그렇지 못하면 실린더 안에서 오일과 흡착되면서 실린더를 마모시키는 페퍼 기능을 하게 된다.

3) 실린더 벽과 피스톤 및 피스톤 링의 접촉에 의한 마멸

실린더 벽에 마찰되는 것은 사실 피스톤 링이다. 피스톤 링의 장력은 실린더 벽으로 밀어서 압축 및 폭발가스가 새는 것을 막아주나 너무 강하면 마찰에 의하여 실린더 벽과 링의 마모를 초래한다.

4) 농후한 혼합기에 의한 마멸

농후한 혼합기가 엔진 내로 유입되면 엔진의 출력이 저하되고 연료 소비와 불완전 연소로 인한 배출가스도 증가한다. 몇 가지 이유가 있지만 다 맞는 이론 같다. 즉 출력이 저하되기에 기어 변속이 저속으로 되고 액셀러레이터 페달을 밟으므로 같은 거리 가더라도 엔진 회전수가 증가되어 마모 증대, 불완전 연소로 인한 탄소 분말의 생성으로 인한 마모 증대, 연료가 오일과 희석되면서 유성이 떨어져서 윤활기능의 저하에 의한 마모 증대 등으로 생각할 수 있다.

5) 하중 변화에 따른 마멸

최고 폭발압력은 상사점을 지난 직후(크랭크 각으로 4~10°)에 40~70bar 범위가 된다. 이 폭발압력이 피스톤을 하향 운동시키지만 반대로 각이 진 상태에서 피스톤이 실린더 벽을 밀고 있는 것과 같고 이로 인하여 마찰력 증가로 마모가 증가한다.

2. 실린더 보어 마멸량의 점검 방법

1) 실린더 벽을 깨끗이 청소한다.

2) 실린더 게이지를 조립한다.(측정 바의 크기는 실린더 안지름보다 2mm정도 큰 것을 선택하며, 다이얼 게이지의 바늘이 움직이는지를 확인한다.)

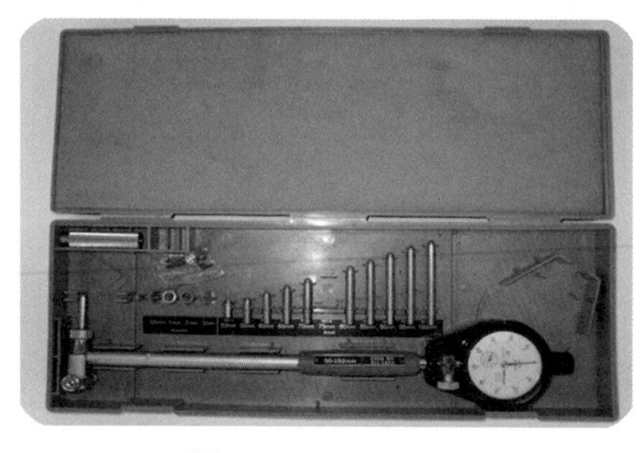

실린더 보어 게이지

측정 방법

3) 다이얼 게이지 바늘의 0점을 조정한 상태에서 외측 마이크로미터로 실린더 게이지 실제 길이를 측정하여 둔다(예: 82mm를 맞추지만 오차에 의해 더 커지는 경우가 대부분이다).

4) 실린더 게이지를 실린더에 삽입하여 크랭크축 방향 3곳과 크랭크축 직각 방향 3곳에서 측정한다. 이때 A쪽에서 C쪽으로 기울이면 다이얼 게이지의 바늘이 회전하다가 멈춘 후 역회전한다. 멈춘 장소의 치수가 정확한 치수이다. A와 C는 실제치수보다 큰 치수이며, B가 정확한 측정값이다.

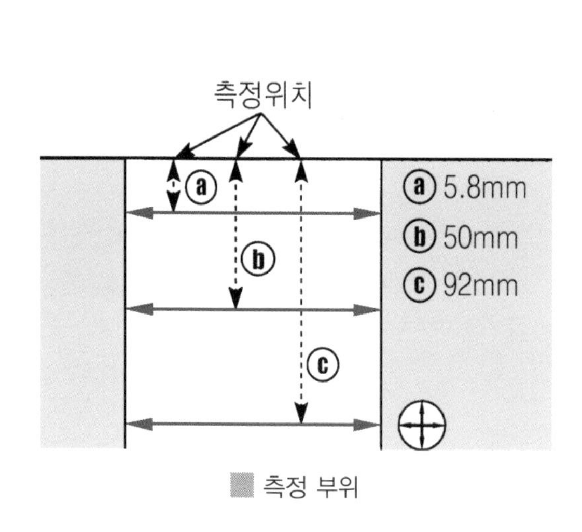

측정 부위

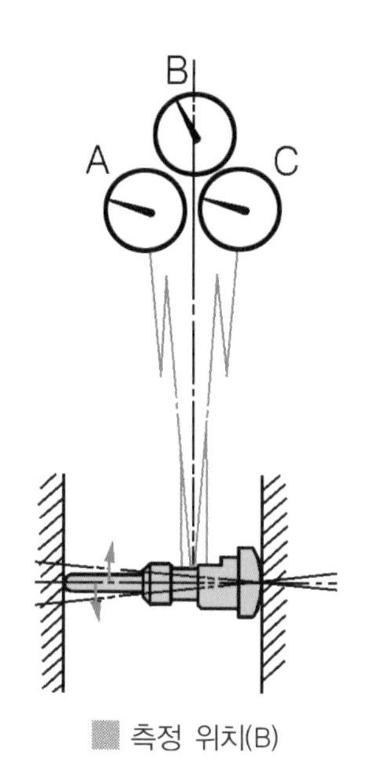

측정 위치(B)

■ 차종별 실린더 보어 규정값/ 마모량 한계값(mm)

차 종		규정값 (내경×행정)	마모량 한계값	차 종		규정값 (내경×행정)	마모량 한계값
아반떼 RD	1.5 DOHC	75.5×83.5	75.53	토스카 (6기통)	2.0 DOHC	75.0×75.2	0.2
	1.8 DOHC	82.0×85.0	82.03		2.5 DOHC	77.0×89.2	0.2
베르나 MC	1.4 DOHC	75.5×78.1	75.53	투스가니	2.0 DOHC	82.0×93.5	82.03
	1.6 DOHC	76.5×87.0	76.53		2.7 DOHC	86.7×75.0	86.72
NF 쏘나타	2.0 DOHC	86.0×86.0	86.03	아반떼 XD	1.5 DOHC	75.5×83.5	75.53
	2.4 DOHC	88.0×97.0	88.03		1.6 DOHC	76.5×83.5	76.53
	2.0 LPI	86.0×86.0	86.03		2.0 DOHC	82.0×93.5	82.03
EF 쏘나타	1.8 DOHC	81.5×85.0	81.53	그랜저 XG	2.0 DOHC	75.2×75.0	–
	2.0 DOHC	85.0×88.0	85.03		2.5 DOHC	84.0×75.0	–
트라제 XG	2.0 DOHC	85.0×88.0	85.03	라노스	1.3 SOHC	76.5×73.4	0.2
	2.7 DOHC	86.7×75.0	–		1.5 S/DOHC	76.5×81.5	0.2
카렌스	2.0 LPG	82.0×93.5	0.2	그랜저 TG	2.4 DOHC	88.0×97.0	88.03
	2.5 CRDi	83.0×92.0	0.2		2.7 DOHC	86.7×75.0	86.73

3. 실린더 보어 마멸량의 수정 방법

1) 최대 마모값이 수정 한계값 이상일 경우에는 보링을 하여야 하며, 수정 한계값 이하일 경우에는 재사용한다.

■ 수정 한계값

실린더 안지름	수정 한계값
70mm이상	0.20mm
70mm이하	0.15mm

■ 오버 사이즈(O/S)한계

실린더 안지름	수정 한계값
70mm이상	1.50mm
70mm이하	1.25mm

■ 오버 사이즈(O/S)값

KS규격	SAE규격
0.25mm	
0.50mm	0.020"
0.75mm	
1.00mm	0.040"
1.25mm	
1.50mm	0.060"

2) 최대 마모값 + 0.2mm(진원 절삭값)한 값을 오버 사이즈에 맞는 큰 치수로 깎아낸다.

예 실린더 안지름 표준값이 73.00mm인 엔진에서 최대 측정값이 73.38mm인 때 수정값과 오버 사이즈 값은 각각 얼마인가?

① 수정값 : 73.38mm + 0.2 = 73.58mm, 오버 사이즈 표준 값에는 0.58mm가 없으므로 이 값보다 크면서 가장 가까운 값인 0.75mm를 선택한다.
따라서 수정값은 73.75mm가 된다.

② 오버 사이즈 값 = 수정값 – 표준 값이므로 73.75mm – 73.00mm = 0.75mm

보링 작업

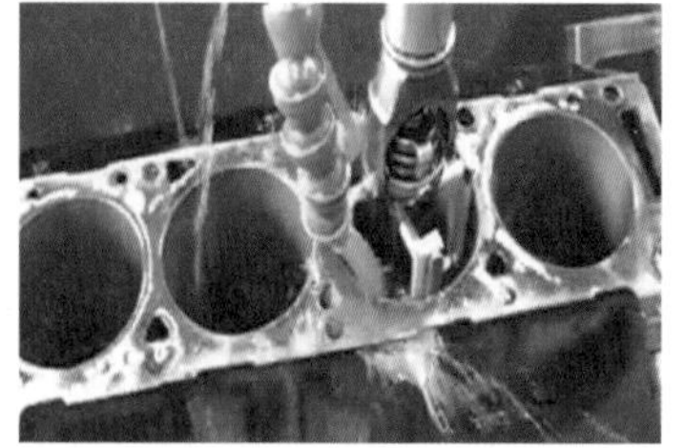

호닝 작업

라이너 삽입 작업

3) 실린더 블록 오른쪽 뒤쪽에 실린더 보어 외경 사이즈를 확인할 수 있다.

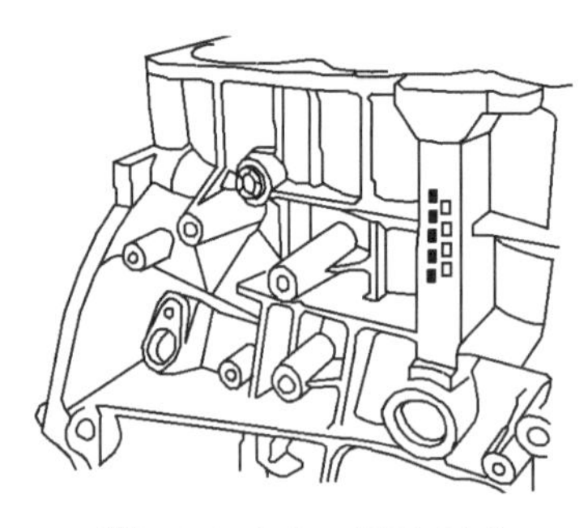

보어 사이즈 확인 위치

■ 외경 사이즈값 – NF 쏘나타

분류마크	2.0 DOHC	2.4 DOHC
A	86.00~86.01	88.00~88.01
B	86.01~86.02	88.01~88.02
C	86.02~86.03	88.02~88.03

4. 실린더 보어 마모 시 영향

1) 출력 저하

압축압력 저하 및 폭발압력 저하로 출력이 저하된다.

2) 블로바이 가스(Blow-by Gas) 대량 배출

마모된 실린더 간극으로 압축되어 미연가스 및 폭발가스가 크랭크 케이스로 누출된다.

3) 연료 소비량 증가

블로바이 가스가 누출되어 출력저하로 힘을 얻기 위해 고부하 운전을 하기 때문이다.

4) 압축 압력의 저하

마모된 실린더 간극으로 압축가스가 누출됨으로 저하된다.

5) 윤활유 소비량 증대

마모된 실린더 간극으로 오일이 연소실로 올라와 연소되므로 배기가스가 청백색이 나오며, 오일량이 줄어든다.

6) 피스톤 슬랩(Piston Slap) 발생

실린더 마모로 실린더 간극이 커지므로 피스톤이 행정을 바꿀 때 실린더 벽을 타격하는 슬랩이 일어난다.

7) 엔진 시동성 저하

실린더 간극으로 압축압력 가스가 누출되어 연소온도에 오르지 못하므로 특히 추운 날씨에는 더욱 시동이 어렵다.

5. 실린더 보어 실습 현장 사진

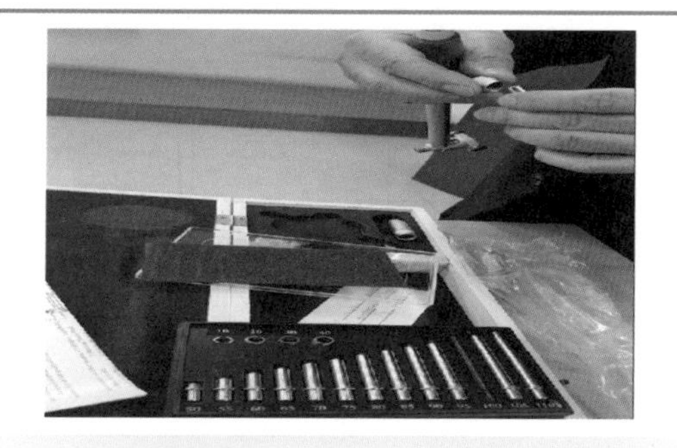	
실린더 보어 게이지를 측정하고자 하는 차량의 보어보다 2mm 더 크게 조립한다.	실린더 보어 게이지로 실린더 하사점 크랭크축 직각 방향에서 측정한다.
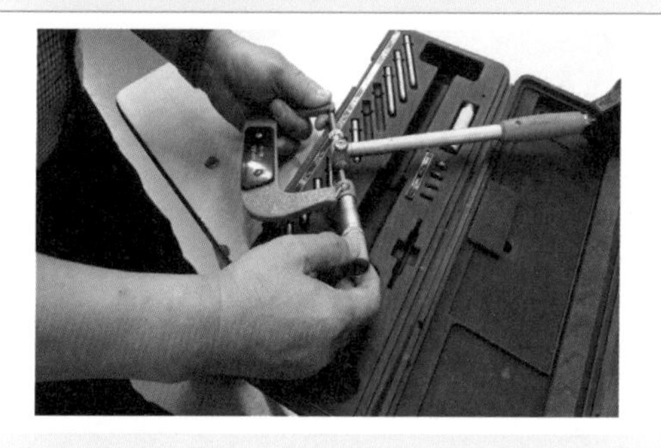	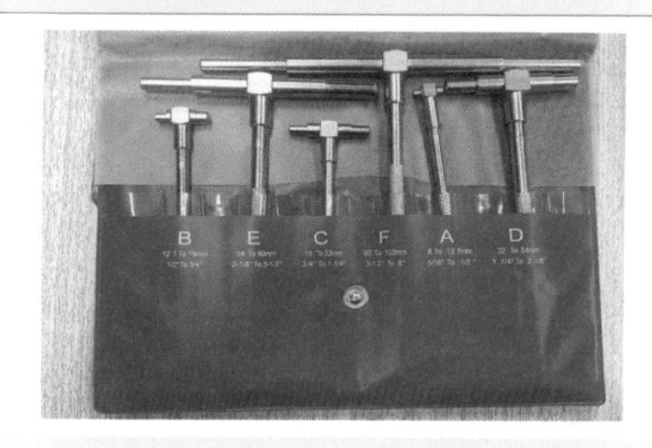
측정한 실린더 보어 게이지를 마이크로미터로 측정한다.	텔레스코핑 게이지를 실린더 내경에 맞는 게이지를 선택한다.
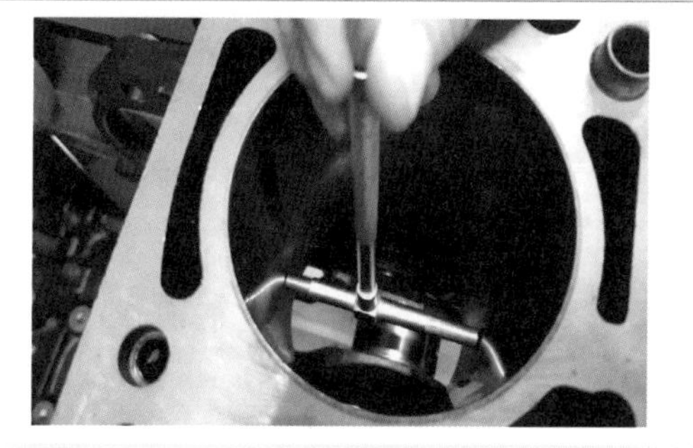	
텔레스코핑 게이지로 실린더 하사점 크랭크축 직각 방향에서 측정한다.	텔레스코핑 게이지를 마이크로미터로 측정한다.

04 실린더 간극(Cylinder Clearance & Piston Clearance) 점검

실린더 간극(Cylinder Clearance & Piston Clearance)이란 실린더 안지름과 피스톤 최대 바깥 지름(스커트 부 지름)과의 차이를 말하며, 간극이 크면 블로바이(blow-by) 현상 발생, 압축압력의 저하, 연소실에 엔진 오일 상승, 피스톤 슬랩 발생, 엔진 오일에 연료가 희석되어 점도 저하, 엔진의 출력 저하 등이 발생하며, 간극이 적으면 실린더와 피스톤의 마찰력이 증대하며, 심한 경우에는 고착(固着)된다. 실린더 간극은 알루미늄제 피스톤의 경우 실린더 안지름의 0.05%를 피스톤 간극으로 설정한다.

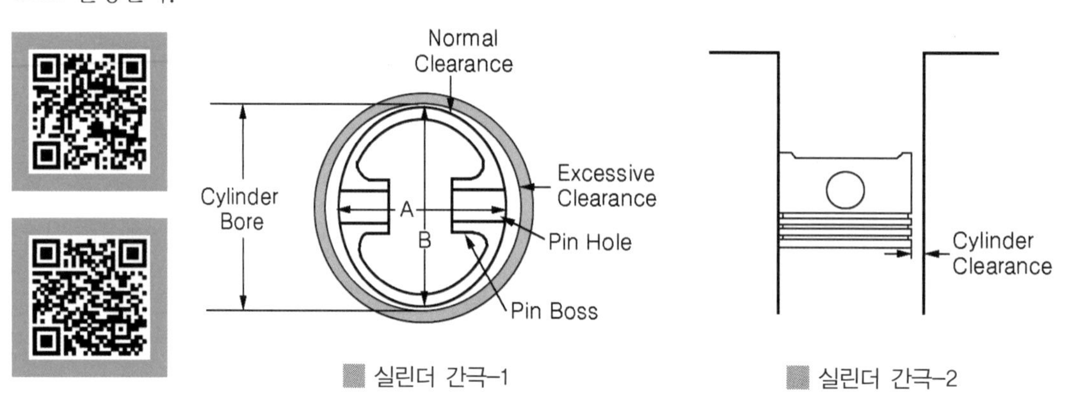

실린더 간극-1

실린더 간극-2

■ 실린더 간극의 제원

항목 \ 엔진		아반떼 HD(1.6)	NF 쏘나타 2.0(쎄타 1 엔진)
형식		직렬, DOHC	직렬, DOHC
실린더수		4	4
압축비		10.5 : 1	10.5 : 1
점화순서		1-3-4-2	1-3-4-2
실린더 내경×행정		77.00×85.44mm	86mm × 86mm
배기량		1,591 cc	1,998 cc
가스켓면의 편평도		0.05mm 이하	0.05mm 이하
실린더와 피스톤 간극		0.02~0.04mm	0.015~0.035mm
실린더 보어 사이즈 분류	A	77.00~77.01mm	86.00~86.01mm
	B	77.01~77.02mm	86.01~86.02mm
	C	77.02~77.03	86.02~86.03mm
피스톤 외경 사이즈 분류	A	76.97~76.98mm	85.975~85.985mm
	없음	76.98~76.99mm(B)	85.985~85.995mm
	C	76.99~77.00mm	85.995~86.005mm

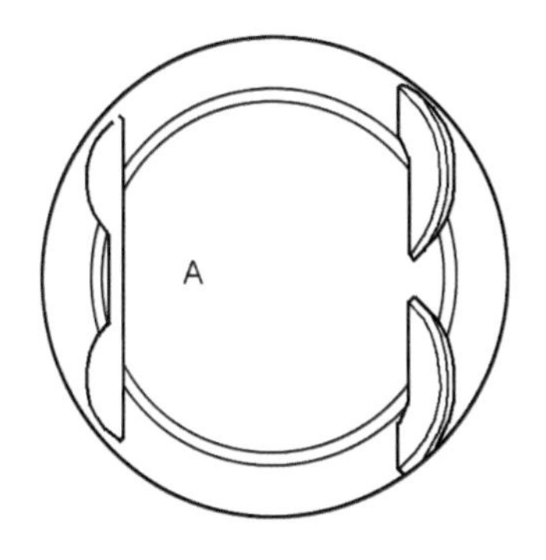

피스톤 외경 사이즈 위치(NF 쏘나타)

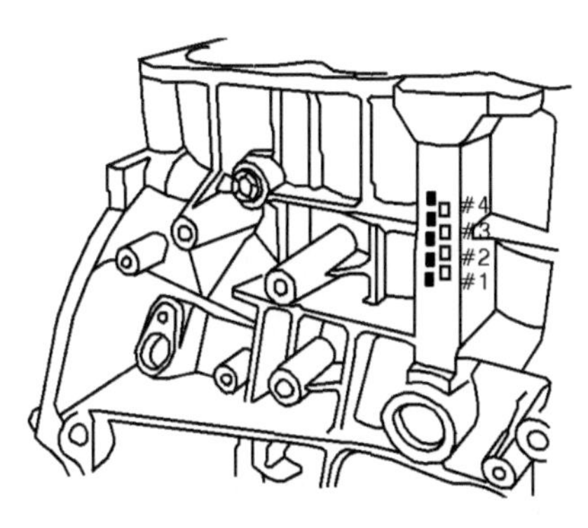

실린더 보어 사이즈 위치(NF 쏘나타)

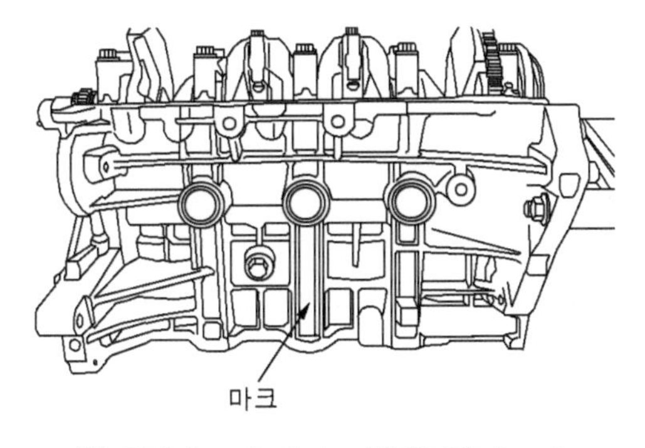

실린더 보어 사이즈 위치(아반떼 HD)

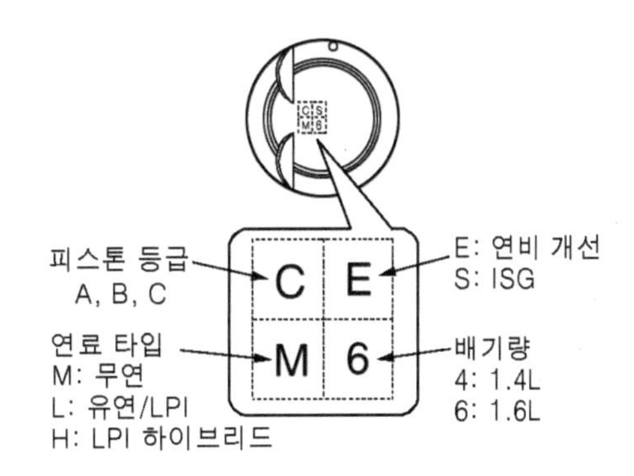

피스톤 외경 사이즈 위치(아반떼 HD)

1. 실린더 간극(Cylinder Clearance & Piston Clearance)이 커지는 원인

1) 연소 생성물(카본)에 의한 마멸

연소의 결과 생긴 물질을 연소 생성물이라고 한다. 완전 연소의 경우에는 이산화탄소와 물이며, 불완전 연소에 의한 일산화탄소, 수소, 질소산화물 등이 생기고 그들의 일부는 그대로 연소 생성물로서 배출된다. 또 산소 부족으로 연소하면 다량의 일산화탄소를 발생함과 동시에 연료의 열분해 생성물이나 중간 산화물, 그으름 등이 발생되어 피스톤과 미끄럼 운동을 하면서 실린더 벽을 마모시킨다.

2) 흡입 공기 중의 먼지, 이물질 등에 의한 마멸

공기 중에 있는 먼지, 이물질은 실린더 내에 유입되기 전에 공기 청정기(Air Cleaner)에서 제거되어야 한다. 그렇지 못하면 실린더 안에서 오일과 흡착되면서 실린더를 마모시키는 페퍼의 기능을 하게 된다.

3) 실린더 벽과 피스톤 및 피스톤 링의 접촉에 의한 마멸

실린더 벽이 마찰되는 것은 사실 피스톤 링이다. 피스톤 링의 장력은 실린더 벽으로 밀어서 압축 및 폭발가스가 새는 것을 막아주나 너무 강하면 마찰에 의하여 실린더 벽과 링의 마모를 초래한다.

4) 농후한 혼합기에 의한 마멸

농후한 혼합기가 실린더 내로 유입되면 엔진의 출력이 저하되고 연료소비와 불완전 연소로 인한 유해 배출가스도 증가한다. 몇 가지 이유가 있지만 다 맞는 이론 같다. 즉 엔진의 출력이 저하되기에 기어 변속이 저속으로 되고 액셀러레이터 페달을 밟으므로 같은 거리 가더라도 엔진 회전수가 많아서 마모 증대, 불완전 연소에 의해 탄소가루가 생성되어 마모 증대, 연료가 오일과 희석되면서 유성이 떨어져 윤활기능의 저하에 의한 마모 증대 등으로 생각할 수 있다.

5) 하중 변화에 따른 마멸

최고 폭발압력은 상사점을 지난 직후(크랭크 각으로 4~10°)에 40~70bar 범위가 된다. 이 폭발압력이 피스톤을 하향 운동시키지만 반대로 각이 진 상태에서 피스톤이 실린더 벽을 밀고 있는 것과 같고 이로 인하여 마찰력의 증가로 마모가 증대된다.

2. 실린더 간극의 점검 방법

1) 실린더 게이지와 외측 마이크로미터로 측정하는 방법

① 실린더 게이지로 실린더 안지름을 측정한다.
② 외측 마이크로미터로 각 피스톤의 바깥지름을 크랭크축 직각방향의 스커트 끝부분에서 12mm 위치의 직경을 측정한다.
③ 실린더 안지름(크랭크축 직각방향의 하사점 부근)에서 피스톤 최대 바깥지름(스커트부)을 뺀 값이 피스톤 간극이다.(실린더 마멸량 측정 참조)

2) 필러 게이지와 스프링 저울 사용방법

① 실린더 안쪽 벽과 피스톤 바깥쪽을 깨끗한 헝겊으로 닦는다.
② 실린더 간극 규정 두께의 필러 게이지(feeler gauge)를 피스톤 스커트부 쪽의 전체 길이에 걸쳐 실린더 내에 넣는다.
③ 피스톤을 거꾸로 조심스럽게 밀어 넣는다.
④ 필러 게이지 손잡이를 스프링 저울로 당겨 필러 게이지가 막 빠지려고 할 때 스프링 저울의 눈금을 읽는다. 이때 스프링 저울의 눈금은 1.0~2.5kgf정도면 정상이다.

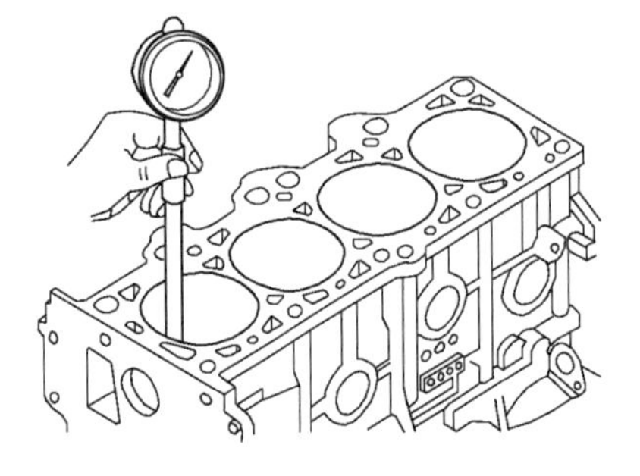

■ 실린더 보어 측정

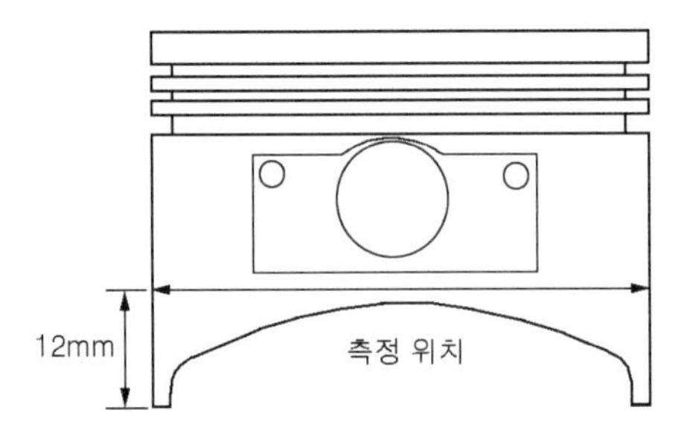

■ 피스톤 외경 측정 위치

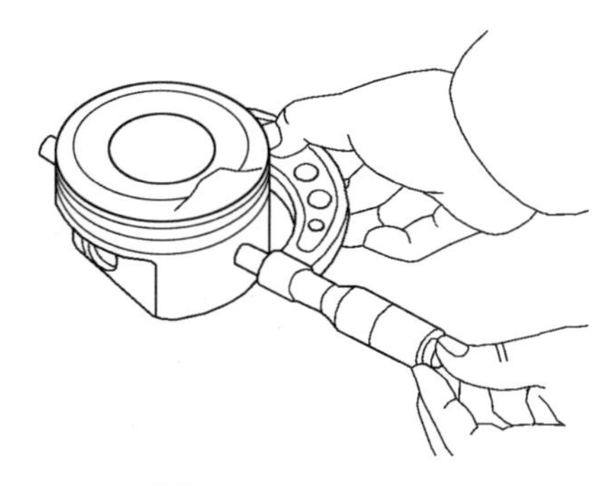

마이크로미터 측정

■ 차종별 실린더 간극(피스톤 간극) 규정값(mm)

차종		규정값	차종		규정값
아반떼 RD	1.5 DOHC	0.025~0.045	SM	6(K9K)	0.048~0.062
	1.8 DOHC	0.025~0.045		5(M4R)	0.020~0.040
베르나 MC	1.4 DOHC	0.020~0.040	투스가니	2.0 DOHC	0.020~0.040
	1.6 DOHC	0.020~0.040		2.7 DOHC	0.010~0.030
NF 쏘나타	2.0 DOHC	0.015~0.035	아반떼 XD	1.5 DOHC	0.020~0.040
	2.4 DOHC	0.015~0.035		1.6 DOHC	0.020~0.040
	2.0 LPI	0.020~0.040		2.0 DOHC	0.020~0.040
EF 쏘나타	1.8 DOHC	0.020~0.040	그랜저 XG	2.0 DOHC	0.010~0.030
	2.0 DOHC	0.020~0.040		2.5 DOHC	0.010~0.030
트라제 XG	2.0 DOHC	0.020~0.040	모닝	1.0 SOHC	0.020~0.040
	L2.7 DOHC	-		L1.0 SOHC	0.020~0.040
로체	2.0 DOHC	0.015~0.035	그랜저 TG	2.4 DOHC	0.015~0.035
	L 2.0 DOHC	0.015~0.035		2.7 DOHC	0.020~0.040

3. 실린더 간극이 작을 때와 클 때 영향

1) 실린더 간극이 적을 때의 영향

① 오일 간극의 저하로 유막이 파괴되어 마찰 마멸이 증대된다.

② 마찰열에 의해 소결(Stick:고착)되기 쉽다.

2) 실린더 간극이 클 때의 영향

① 블로바이(Blow-by : 압축행정을 할 때 피스톤과 실린더 사이에서 혼합가스가 누출되는 현상) 현상이 일어난다.

② 압축압력이 저하된다. ③ 피스톤 링의 기능 저하로 인하여 오일이 연소실에 유입된다.

④ 연료 소비량이 저하된다. ⑤ 오일이 희석 된다.

⑥ 오일 소비량이 증가된다. ⑦ 피스톤 슬랩(Piston Slap) 현상이 발생되어 엔진 출력이 저하된다.

4. 실린더 간극 수정방법

예전에는 피스톤의 표면을 널링하여 사용하기도 하였으나 요즘은 오버사이즈 피스톤으로 보링을 한다.

5. 실린더 간극 점검의 실습 현장 사진

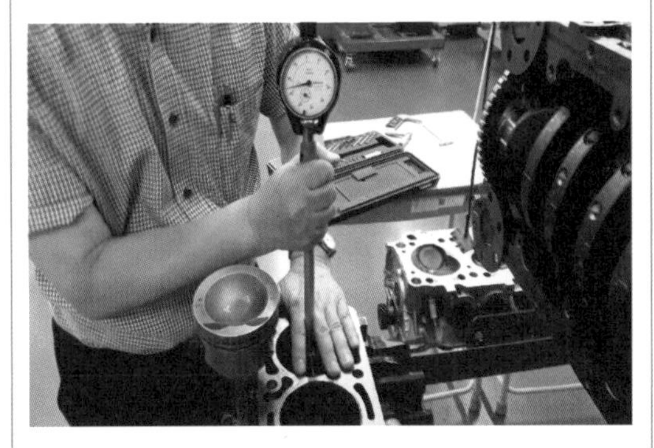	
실린더 보어 게이지로 실린더 하사점의 크랭크축 직각 방향에서 측정한다.	측정한 실린더 보어 게이지를 마이크로미터로 측정한다.
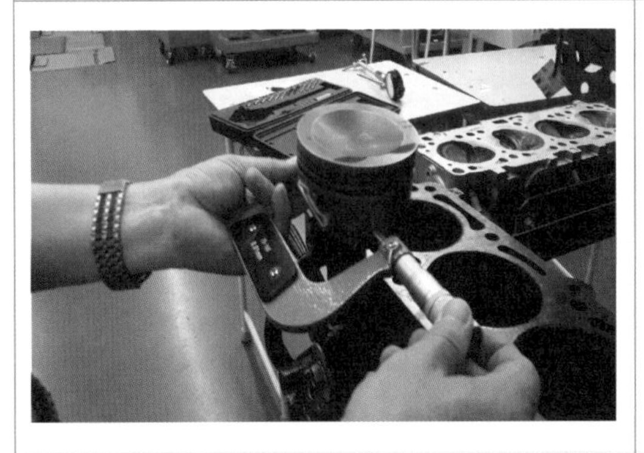	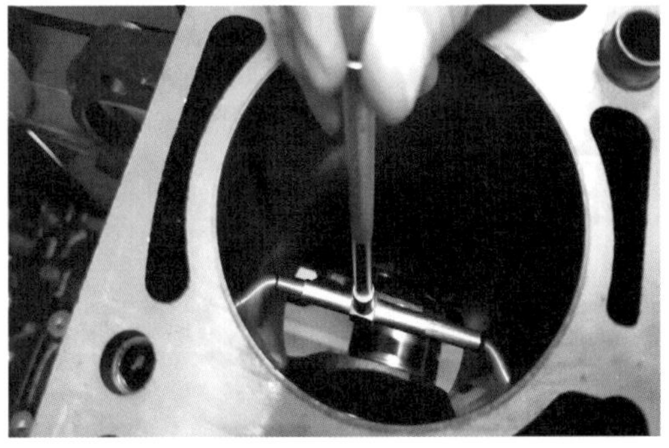
실린더 내경(최소값)에서 피스톤의 외경(최대값)을 빼주면 이것이 실린더 간극이다.	텔레스코핑 게이지로 실린더 하사점의 크랭크축 직각 방향에서 측정한다.
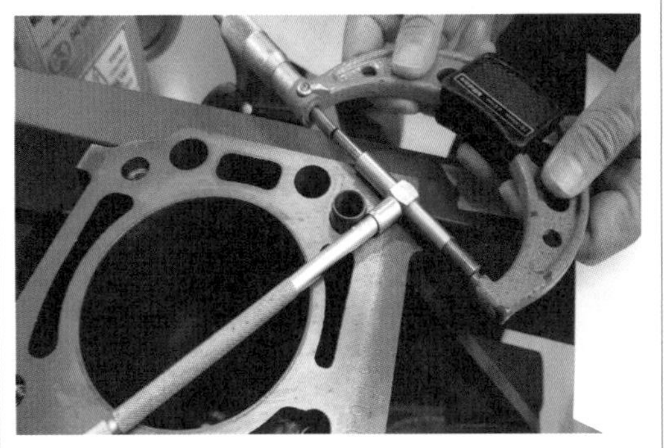	
텔레스코핑 게이지를 마이크로미터로 측정한다.	실린더 내경(최소값)에서 피스톤의 외경(최대값)을 빼주면 이것이 실린더 간극이다.

05 피스톤 링 엔드 갭(Piston Ring End Gap) 점검

피스톤 링 엔드 갭(Piston Ring End Gap)을 두는 이유는 작동 온도에서의 링의 열팽창을 고려하여 두는 간극이다. 피스톤 링은 피스톤과 함께 실린더 내를 상하 왕복 운동하면서 실린더 벽과 밀착되어 실린더와 피스톤 사이에서 블로바이를 방지하는 기밀(밀봉) 작용과 실린더 벽과 피스톤 사이의 엔진오일을 긁어내려 연소실로 유입되는 것을 방지하는 오일 제어 작용 및 피스톤 헤드가 받은 열을 실린더 벽으로 전달하는 냉각(열전도) 작용 등 3가지 작용을 한다.

이 기능을 만족하기 위해서 피스톤 링 이음 간극은 아주 중요하다. 이음 간극은 엔진 작동 중 열팽창을 고려하여 두며 피스톤 바깥지름에 관계된다. 링 이음 간극을 측정할 때에는 피스톤 헤드로 피스톤 링을 실린더 내에 수평으로 밀어 넣고 필러(시크니스, 틈새) 게이지로 측정한다. 이때 실린더 벽의 최소 마모부분에서 측정한다.

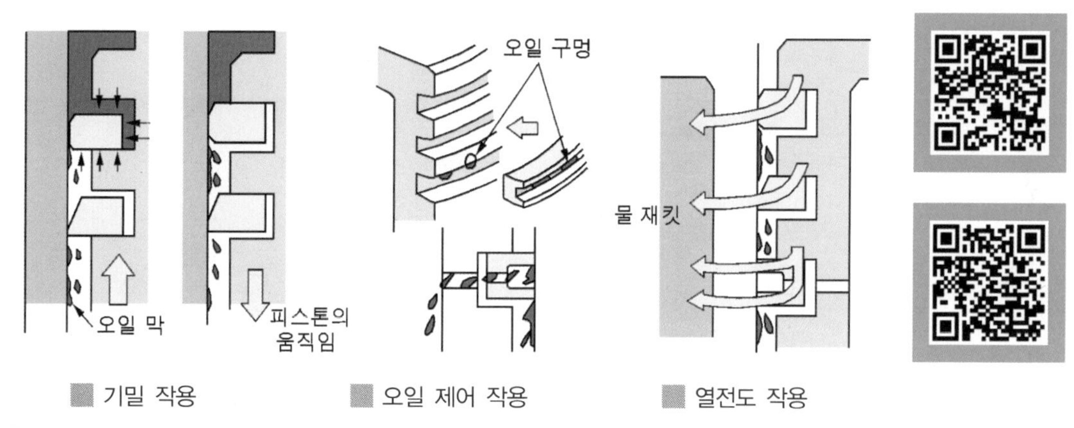

기밀 작용 오일 제어 작용 열전도 작용

■ 피스톤 엔드갭의 제원

항목 \ 엔진		아반떼 HD(1.6)	NF 쏘나타 2.0(쎄타 1 엔진)
형식		직렬, DOHC	직렬, DOHC
실린더수		4	4
압축비		10.5 : 1	10.5 : 1
점화순서		1-3-4-2	1-3-4-2
실린더 내경×행정		77.00×85.44mm	86mm × 86mm
배기량		1,591 cc	1,998 cc
가스켓면의 편평도		0.05mm 이하	0.05mm 이하
실린더와 피스톤 간극		0.02~0.04mm	0.015~0.035mm
피스톤링 엔드갭	NO 1	0.20~0.35mm-한계(1.0)	0.15~0.30mm-한계(0.6)
	No 2	0.37~0.35mm-한계(1.0)	0.37~0.52mm-한계(0.7)
	오일링(사이드레일)	0.2~0.7mm-한계(1.0)	0.20~0.70mm-한계(0.8)
	오버 사이즈	0.25, 0.50mm	-
피스톤 사이드 간극	NO 1	0.04~0.085mm-한계(0.1)	0.05~0.08mm-한계(0.1)
	No 2	0.04~0.085mm-한계(0.1)	0.04~0.08mm-한계(0.1)
	오일링	-	0.06~0.13mm-한계(0.2)

1. 피스톤 링 엔드 갭(Piston Ring End Gap)의 측정 방법

① 측정 실린더의 벽을 깨끗이 청소한다.

② 피스톤 링의 각인 표시가 실린더 헤드 쪽으로 향하도록 하고 링의 엔드 갭을 하사점의 크랭크축의 축방향이나 직각 방향을 피한 위치가 되도록 설치한다.

③ 피스톤을 거꾸로 삽입하여 피스톤 핀 보스부 중앙 또는 실린더의 BDC 아래 부분까지 피스톤 링을 밀어 넣고 시크니스 게이지를 엔드 갭에 넣어 측정한다.

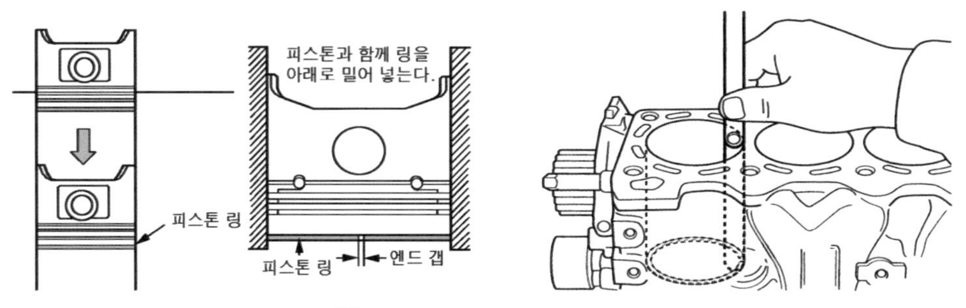

피스톤 링 엔드 갭 측정

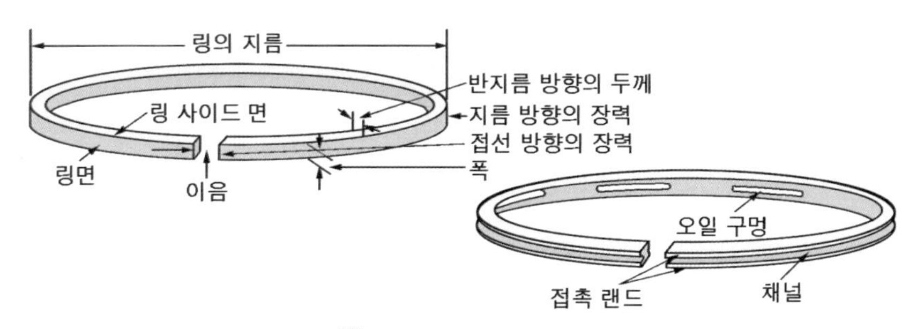

피스톤 링의 구조

■ 차종별 피스톤 링 엔드 갭 규정값(mm)-1번 압축링 기준

차종		규정값	한계값	차종		규정값	한계값
아반떼 RD	1.5 DOHC	0.15~0.3	1.0	SM	6(K9K)	0.20~0.35	–
	1.8 DOHC	0.23~0.38	1.0		5(M4R)	0.20~0.51	–
베르나 MC	1.4 DOHC	0.20~0.35	1.0	투스가니	2.0 DOHC	0.23~0.38	1.0
	1.6 DOHC	0.15~0.30	1.0		2.7 DOHC	0.20~0.35	0.8
NF 쏘나타	2.0 DOHC	0.15~0.30	0.6	아반떼 XD	1.5 DOHC	0.20~0.35	1.0
	2.4 DOHC	0.15~0.30	0.6		1.6 DOHC	0.20~0.35	1.0
	2.0 LPI	0.15~0.30	0.6		2.0 DOHC	0.23~0.38	1.0
EF 쏘나타	1.8 DOHC	0.23~0.38	1.0	그랜저 XG	2.0 DOHC	0.20~0.35	0.8
	2.0 DOHC	0.25~0.35	–		2.5 DOHC	0.20~0.35	0.8
트라제 XG	2.0 DOHC	0.23~0.38	1.0	모닝SA	1.0 SOHC	0.15~0.30	–
	L2.7 DOHC	0.20~0.35	0.8		L1.0 SOHC	0.15~0.30	–
로체	2.0 DOHC	0.15~0.30	0.6	그랜저 TG	2.4 DOHC	0.15~0.30	0.6
	L 2.0 DOHC	0.15~0.30	0.6		2.7 DOHC	0.15~0.30	0.6

2. 피스톤 링 엔드 갭의 측정시 주의사항

① **피스톤 링을 부러뜨리지 않도록 주의한다** : 피스톤 링의 재질은 조직이 치밀한 특수주철이기에 잘 부러지므로 조심하게 다루어야 한다. 제작은 원심 주조법으로 제작한다. 그리고 피스톤 링의 재질은 실린더 벽 재질보다 경도가 다소 낮아야 한다. 이것은 실린더 벽의 마모를 감소시키기 위함이다.

② **측정은 실린더 마멸이 가장 적은 부분에서 한다** : 피스톤 링 이음 간극은 가장 작은 부분에서 측정하기에 하사점부분에서 측정한다.

③ **측정 작업에 사용하는 작업대 및 측정면은 항상 깨끗하게 유지한다** : 측정 부분은 모두 깨끗하게 청소를 하고 측정하여야 한다.

④ **피스톤 링이 하사점 부분에 내려갔을 때 수평이 유지된 상태에서 측정한다** : 수평을 유지하기가 어렵기 때문에 피스톤을 거꾸로 하여 하사점까지 수평으로 밀어 넣는다.

3. 피스톤 링 엔드 갭이 작을 때 일어나는 현상

① **열팽창으로 고착 발생** : 엔드 갭이 작으면 열팽창으로 인하여 이음 간극이 없어지면서 실린더 벽에 강하게 밀착되어 마찰이 발생하므로 고착(Stick)되는 현상이 일어날 수 있다.

② **실린더 벽의 마멸 증가** : 링의 지름이 늘어나서 실린더에 밀착되므로 마멸이 증가한다.

4. 피스톤 링 엔드 갭이 클 때 일어나는 현상

① **블로바이 가스(Blow-by Gas) 발생으로 엔진의 압축 압력 저하** : 피스톤 링을 피스톤에 조립할 때 각 링 이음부분의 방향이 한쪽으로 일직선상에 있게 되면 블로바이가 발생하기 쉽고, 엔진 오일이 연소실에 상승한다. 이를 방지하기 위하여 링 이음부분의 위치는 서로 120~180° 방향으로 조립하지만 엔드 갭이 크면 이곳으로 압축가스가 누출된다.

② **엔진의 출력 저하** : 블로바이가스가 만들어진다는 것은 폭발가스의 누출로 인하여 피스톤을 밀어내리는 힘이 약하여 출력이 저하된다.

5. 피스톤 링 엔드 갭 수정법

① **링 이음부 간극이 한계값 이상일 때** : 링을 교환한다. 이때 실린더 모두 같은 사이즈로 교환한다.

② **링 이음부가 규정값보다 작을 때** : 줄을 바이스에 고정한 후 링 이음부를 연삭하여 사용하도록 하고 한계값(일반적으로 0.8~1.0mm)이하인 경우에는 재사용이 가능하다.

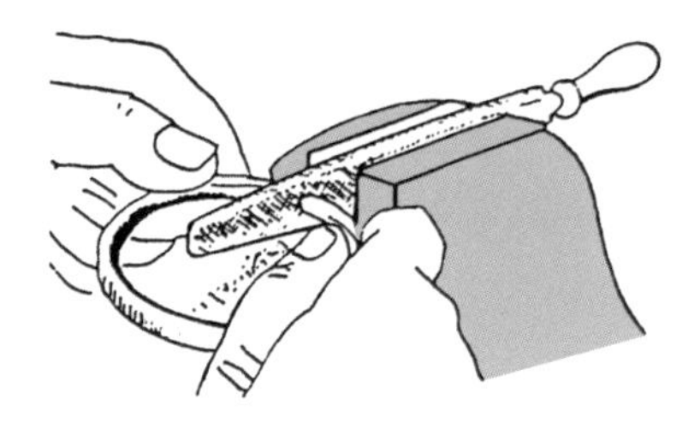

피스톤 링 이음부 간극 수정

6. 피스톤 링 엔드 갭 점검의 실습현장 사진

<table>
<tr><td>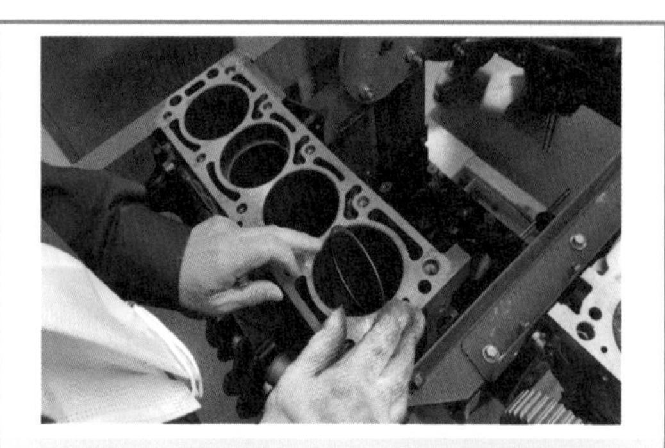</td><td>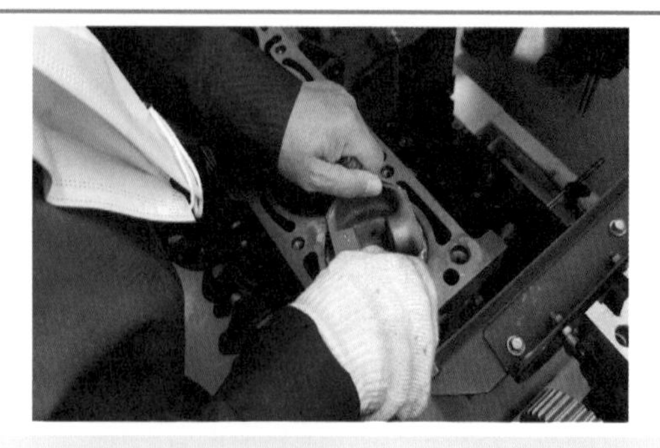</td></tr>
<tr><td>피스톤 링을 실린더에 세워서 삽입하고 한쪽으로 밀어서 링이 누어지게 한다.</td><td>피스톤을 거꾸로 밀어서 하사점까지 밀어 내리고 피스톤을 제거한다.</td></tr>
<tr><td>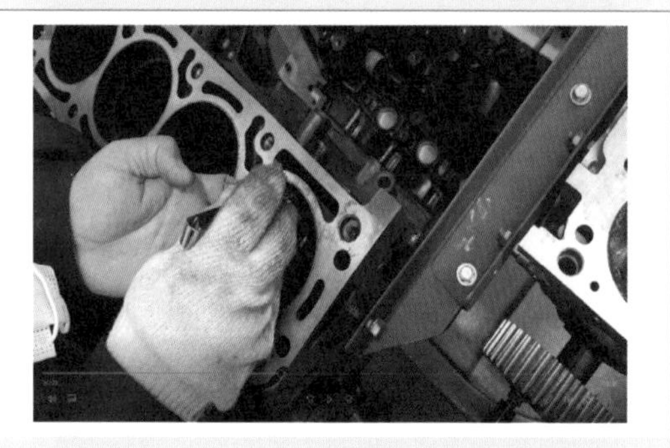</td><td></td></tr>
<tr><td>시크니스 게이지를 갭 부분에 중앙에서부터 밀어 넣어서 뻑뻑하게 움직인 값이다.</td><td>시크니스 게이지를 엔드 갭에 삽입할 때 피스톤 링이 기울어지지 않도록 주의한다.</td></tr>
</table>

06 캠축 휨(Cam Shaft Bending) 점검

캠축 휨(Cam Shaft Bending)이 있을 때 시동 불량 및 아이들링 시 부조 현상이 발생되며, 가속의 불량 및 출력의 부족이 일어난다. 또한 타음도 발생한다. 이러한 현상이 모두 캠축에 의하여만 발생되는 것은 아니지만 캠축의 휨을 점검하여 이상 유무를 진단하기 위함이다.

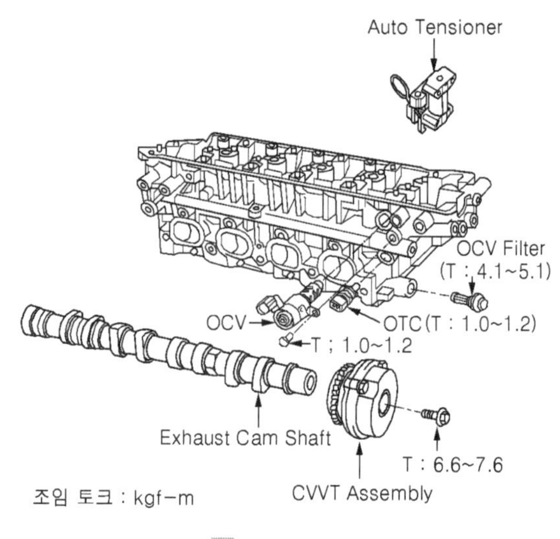

캠축의 위치

1. 캠축 휨(Cam Shaft Bending)의 측정 방법

① 정반 위에 V블록을 설치하고 캠축을 올려놓는다.
② 다이얼 게이지를 캠축의 중앙 저널부에 직각으로 설치한 후 0점을 조정한다.
③ 캠축을 서서히 1회전시켜 다이얼 게이지의 최대의 눈금과 최소의 눈금을 확인한다.
④ 최대값과 최소값을 뺀 값의 1/2이 캠축의 휨 값이다.
⑤ 일반적인 한계값은 0.2~0.3mm이다.

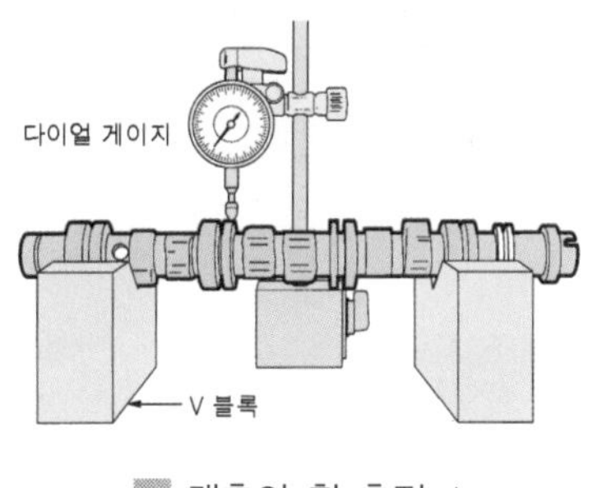

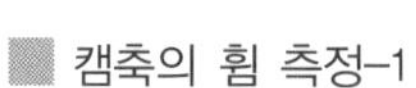
캠축의 휨 측정-1

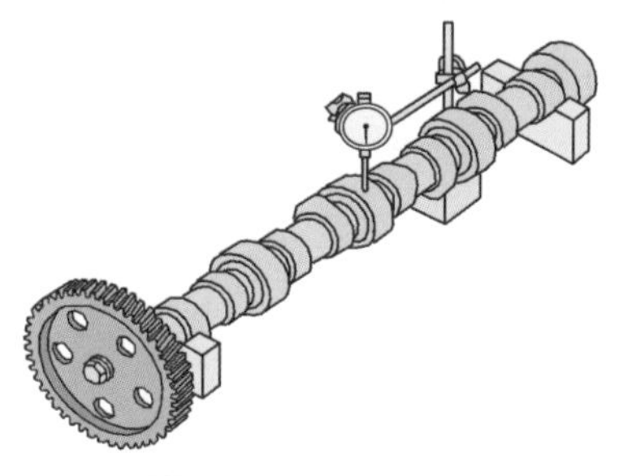

캠축의 휨 측정-2

2. 캠축 휨의 수정

① 캠축의 휨이 한계값을 넘으면 교환한다. - 수정 불가

3. 캠축 휨 측정 실습현장 사진

시험장에서는 다이얼 게이지가 저널 중심부에 세팅이 되어있다. 만지지 말고 그 상태에서 측정만 한다.	다이얼 게이지의 스핀들이 정면이나 측면에서 보더라도 중신 저널에 직각으로 설치되어 있어야 한다.

만약 다이얼 게이지 스핀들이 저널 표면에 직각이 아니라면 감독 위원에게 다시 설치하겠다고 허락을 받고 측정한다.	다이얼 게이지 0점을 맞춰야하나 0점 조정하려고 하면 작은 흔들림에 맞추기가 어렵다. 그냥 지시된 값에서 측정을 하여 지시된 값을 빼고 2로 나눈다.

07 캠 양정(Cam Lift) 점검

캠 양정(Cam Lift)은 밸브의 행정을 얼마로 하여 열고 닫을 것인가? 밸브를 언제부터 열기 시작하여 최고로 열고 언제 닫을 것인가를 결정하게 된다. 그런데 엔진 오일의 교환주기가 너무 길어지면 오일의 윤활성이 떨어져 캠축의 캠 양정 마모로 인하여 소음과 흡기 및 배기 밸브 열림·닫힘의 불량으로 출력저하 현상이 발생된다.

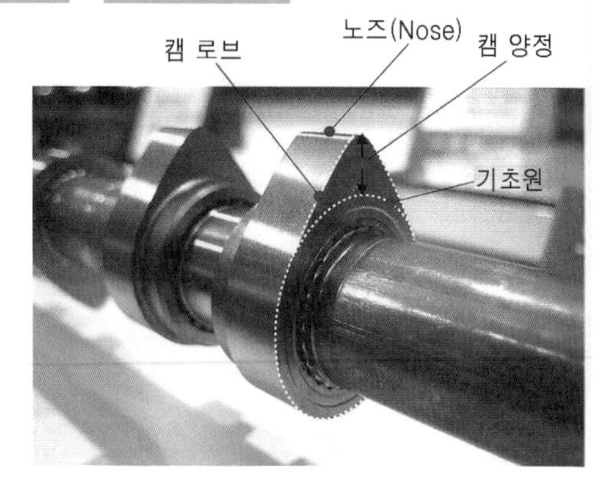

▒ 캠의 구조

1. 캠 양정(Cam Lift)의 측정 방법

① 측정 부위를 깨끗이 닦는다.

② 외측 마이크로미터로 지정한 실린더의 캠의 높이를 측정한다.

③ 기초원의 직경을 측정하여 캠 높이에서 기초원의 직경을 빼면 양정이다.

④ 그러나 현재는 양정보다는 캠 높이로 측정을 하고 있다.

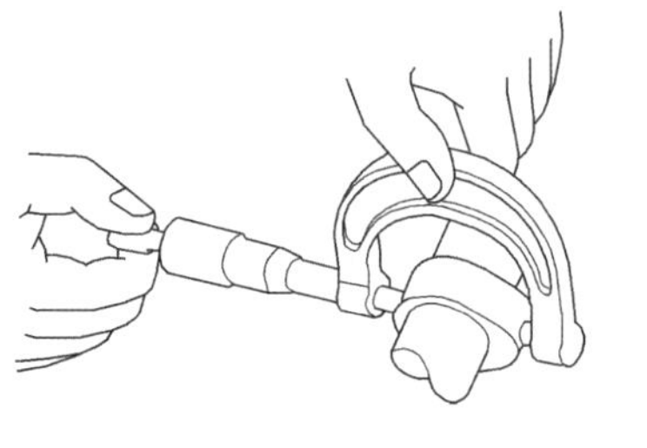

▒ 캠 높이 측정

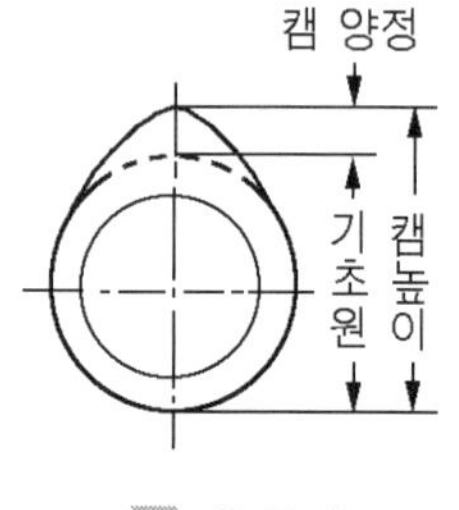

▒ 캠 양정

■ 캠 양정의 점검 제원

항목 \ 엔진			아반떼 HD(1.6)	NF 쏘나타 2.0(쎄타 1 엔진)
형식			직렬, DOHC	직렬, DOHC
실린더수			4	4
압축비			10.5 : 1	10.5 : 1
점화순서			1-3-4-2	1-3-4-2
실린더 내경×행정			77.00×85.44mm	86mm × 86mm
배기량			1,591 cc	1,998 cc
가스켓면의 편평도			0.05mm 이하	0.05mm 이하
실린더와 피스톤 간극			0.02~0.04mm	0.015~0.035mm
캠축	캠 높이	흡기	43.85mm-한계(43.35)	44.10~44.30mm
		배기	44.25mm-한계(43/75)	44.90~45.10mm
	저널 외경		Φ 27mm	NO 1 : Φ 30mm(흡기)/Φ 36mm(배기) NO 2, 3, 4, 5 : Φ 24mm(흡/배기)
	베어링 오일 간극		0.035~0.072mm	NO 1 : 0.022~0.057mm(흡기)-한계(0.09) / 0~0.032mm(배기) NO 2, 3, 4, 5 : 0.045~0.082mm(흡/배기)-한계(0.12)
	엔드 플레이		0.1~0.2mm	0.04~0.16mm-한계(0.2)

■ **차종별 캠 양정(캠 높이) 규정값(mm)**

차종		규정값	한계값	차종		규정값	한계값
아반떼 RD	흡기	43.2484	42.7484	SM	흡기	44.018	44.012
1.5 DOHC	배기	43.8489	43.3489	6(K9K)	배기	44.598	44.592
베르나 MC	흡기	43.5484	43.3484	투스가니	흡기	43.95~44.15	43.45
1.4 DOHC	배기	43.7486	43.5486	2.7 DOHC	배기	43.95~44.15	43.45
NF 쏘나타	흡기	44.20	–	아반떼 XD	흡기	43.85	43.35
2.0 DOHC	배기	45.00	–	1.6 DOHC	배기	44.25	43.75
EF 쏘나타	흡기	35.493±0.1	–	그랜저 XG	흡기	43.47~43.67	42.97
1.8 DOHC	배기	35.317±0.1	–	2.5 DOHC	배기	43.95~44.15	43.45
트라제 XG	흡기	43.67	43.47	모닝	흡기	41.798	–
L2.7 DOHC	배기	44.15	43.95	1.0 SOHC	배기	41.498	–
로체	흡기	44.20	–	그랜저 TG	흡기	44.20	–
2.0 DOHC	배기	45.00	–	2.4 DOHC	배기	45.00	–

2. 캠 양정(Cam Lift)의 수정

① 캠 양정이 한계값을 넘으면 캠축 어셈블리를 교환한다. - 수정 불가

3. 캠축 휨(Cam Shaft Bending) 실습현장 사진

1) 캠 높이 측정-버니어캘리퍼스 이용

시험장에는 용지에 측정 항목과 측정하라는 캠과 (4-2) 규정값이 기록되어있고 버니어캘리퍼스도 준비되어 있다.

감독위원이 지시하는 캠을 측정하여야 한다. DOHC 캠축이기에 한 개 실린더에 두 개의 캠이 있다.

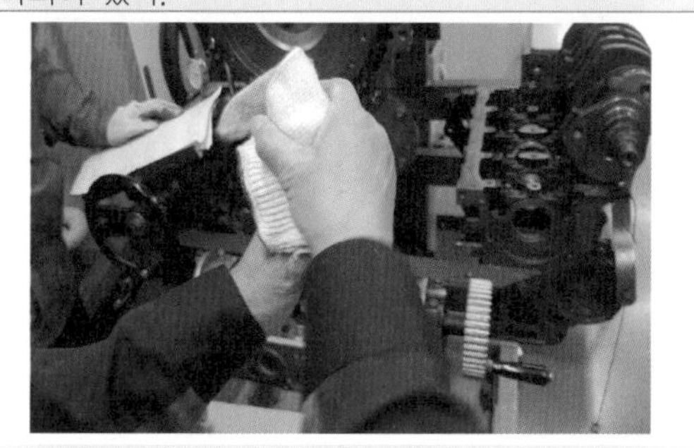

지정된 캠과 측정기를 깨끗이 닦는다. 시험장에도 종이 수건이 준비되어 있지만 헌수건 한 장을 가지고가서 사용하면 좋다.

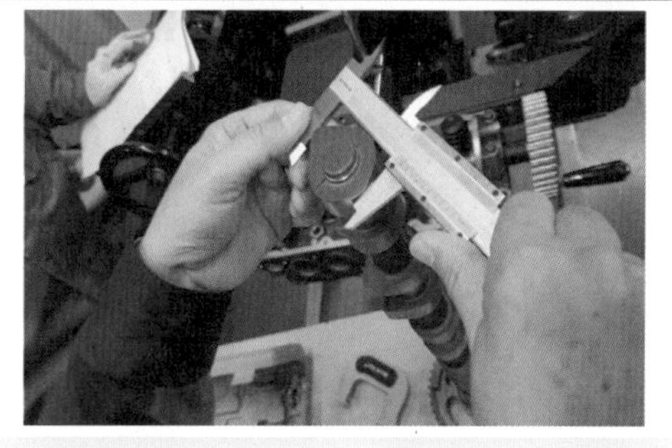

지정하는 캠의 높이를 버니어캘리퍼스를 이용하여 2곳을 측정하고 그중 가장 작은 곳이 측정값이다.

2) 캠 높이 측정-마이크로미터 이용

시험장에는 마이크로미터와 캠축이 측정할 수 있게 세팅되어 있다. 지정한 곳을 찾아서 준비한다.

대부분 캠축을 하나만 놓지만 때에 따라서는 흡·배기 캠축을 함께 놓기도 한다. 흡기는"INTAKE", 배기는"EXHAUST"로 표시된다.

25~50mm 마이크로미터를 이용하여 캠 기초원 부분에서 2곳을 측정하여 가장 작은 값이 측정값이다.

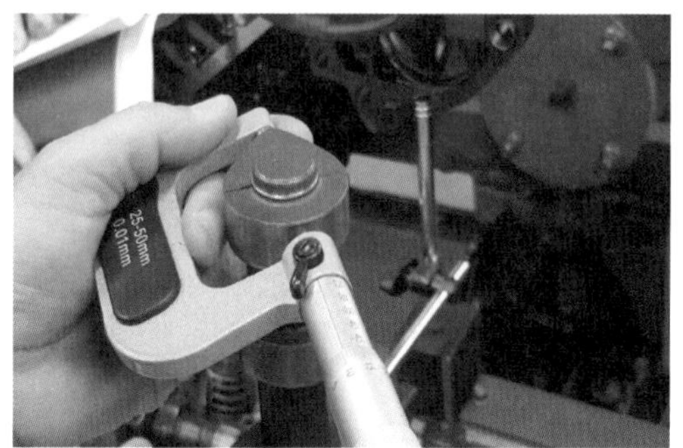

25~50mm 마이크로미터를 이용하여 캠 높이 부분에서 2곳을 측정하여 가장 작은 값이 측정값이다.

3) 캠 양정 측정-마이크로미터 이용

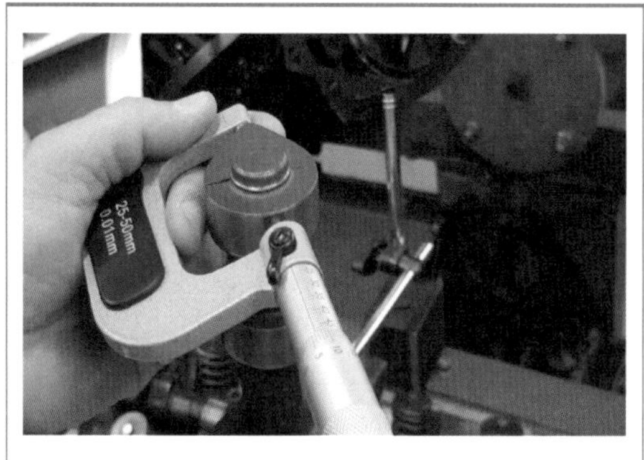

25~50mm 마이크로미터를 이용하여 캠 높이 부분에서 2곳을 측정하여 가장 작은 값이 측정값이다.

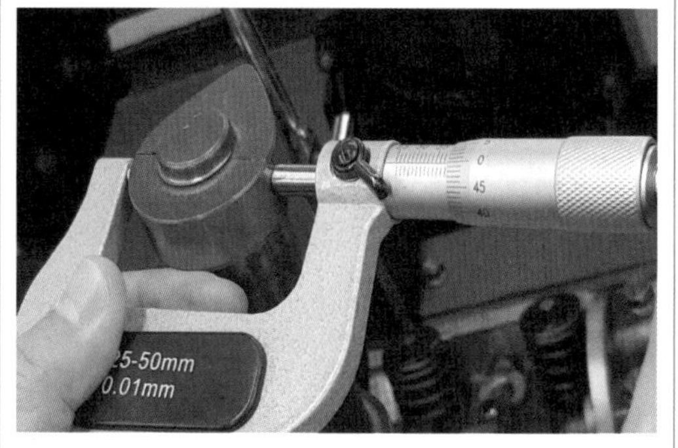

25~50mm 마이크로미터를 이용하여 캠 기초원 부분에서 2곳을 측정하여 가장 작은 값이 측정값이다.

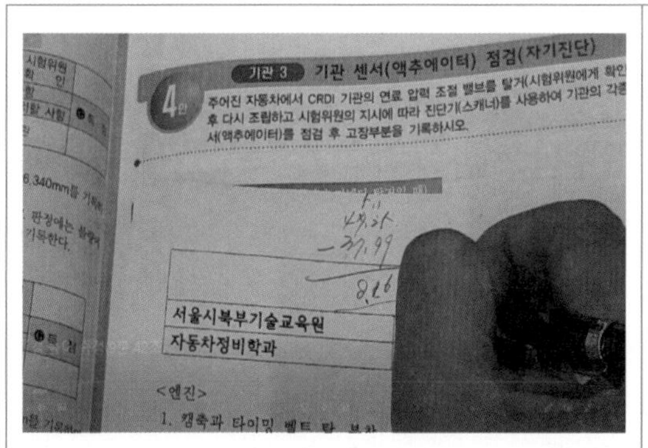

캠 높이 2곳에서 측정한 값 중 가장 작은 값에서 기초원의 2곳 측정한 값 중 가장 작은 값을 빼면 그것이 양정이다.

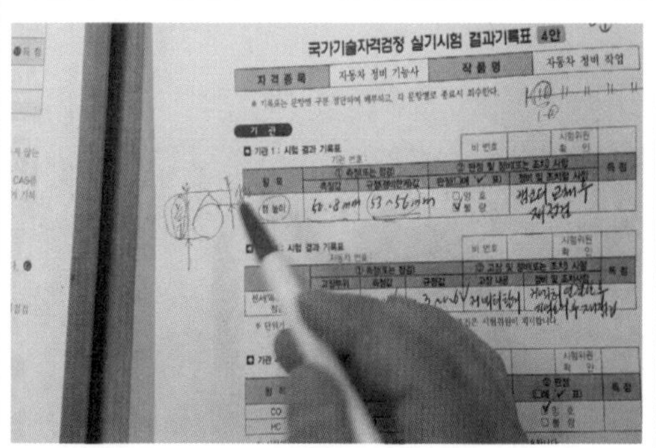

감독위원이 주어지는 값이 양정의 높이로 주어지면 수검자는 양정으로 답안지를 작성하여야 한다.

4) 캠 양정 측정–다이얼 게이지 이용

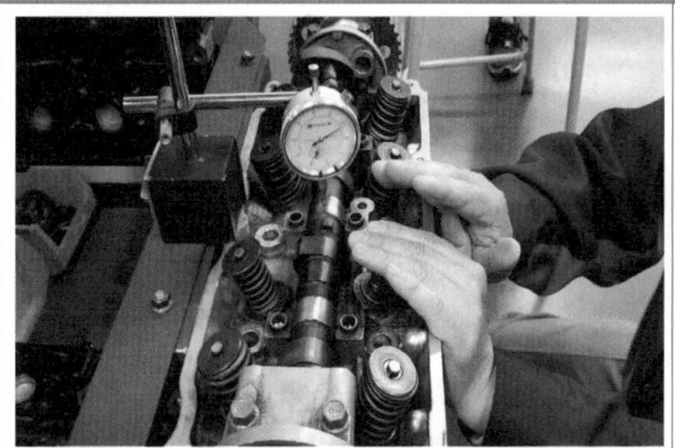

측정 위치에 도착하면 실린더 헤드에 측정할 수 있게 세팅이 되어있다. 게이지는 설치위치를 재조정하지 말고 설치된 상태로 측정한다.

어느 시험장에는 실린더 헤드에 측정할 수 있게 세팅이 되어있다. 게이지를 재설치 하지 말고 지정한 곳을 측정한다.

지정된 캠에 다이얼 게이지의 스핀들을 캠 면에 직각으로 설치하고 기초원 위치에서 바늘을 0에 맞춘다.

캠축을 한 바퀴 돌릴 때 백묵으로 스프로켓에 표시를 하고 다이얼 게이지 바늘이 몇 바퀴 돌고 정지되면 그것이 측정값이다.

08 크랭크축 축 방향 유격(Crank Shaft End Play)의 점검

크랭크축 축 방향 유격(Crank Shaft End Play)은 크랭크축이 앞뒤로 움직이는 값이다. 적정한 유격을 갖고 있어야지만 축 방향의 마찰저항을 줄일 수 있다. 그렇지만 클러치 조작과 급출발, 급정거로 인한 축 방향 움직임에 스러스트 베어링(Thrust Bearing)이 마모되어 유격이 커진다. 스러스트 베어링이란 크랭크축 메인저널 베어링 중 하나로 축 방향의 움직임을 조정한다.

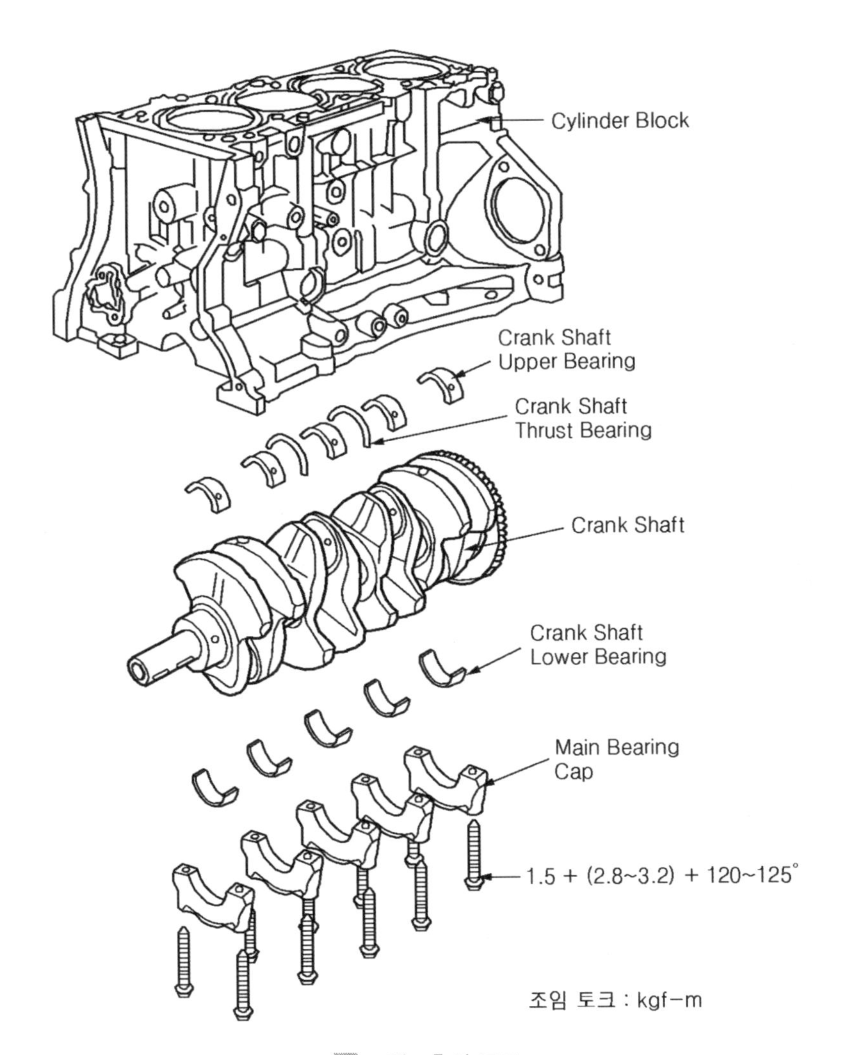

▩ 크랭크축의 구조

■ 크랭크축의 제원

항목 \ 엔진	아반떼 XD(1.6)	NF 쏘나타 2.0(쎄타 1 엔진
핀 저널 외경	45mm	(1) 47.966~47.972mm
		(2) 47.960~47.966mm
		(3) 47.954~47.960mm
메인저널 외경	50mm	(1) 51.954~51.960mm
		(2) 51.948~51.954mm
		(3) 51.942~51.948mm
휨	0.03mm 이내	–
메인 저널 베어링 오일 간극	NO 1, 2, 4, 5–0.022~0.040mm NO 3–0.028~0.046mm	0.020~0.038mm–한계(0.1)
핀 저널 베어링 오일 간극	0.018~0.036	0.025~0.043mm
핀 저널 사이드 간극	0.1~0.25mm–한계	0.1~0.25mm–한계(0.35)
핀과 메인저널의 원통도	0.005mm 이내	–
엔드 플레이(축방향 유격)	0.05~0.175mm	0.07~0.25mm–한계(0.3)
스러스트 베어링의 두께	–	1.925~1.965mm
핀 저널 언더사이즈	0.25mm–한계(44.725~44.740)	(1) 47.966~47.972mm
	0.50mm–한계(44.475~44.490)	(2) 47.960~47.966mm
	0.75mm–한계(44.225~44.240)	(3) 47.942~47.960mm
메인 저널 언더사이즈	0.25mm–한계(49.727~49.742)	(1) 51.954~51.960mm
	0.50mm–한계(49.477~49.492)	(2) 51.948~51.954mm
	0.75mm–한계(49.227~49.242)	(3) 51.942~51.948mm
베어링 두께	–	AA(청색)–2.026~2.029mm A(흑색)–2.023~2.026mm B(무색)–2.020~2.023mm C(녹색)–2.017~2.020mm D(황색)–2.014~2.017mm

1. 크랭크축 축 방향 유격(Crank Shaft End Play)의 측정 방법

1) 다이얼 게이지(Dial Gauge)를 이용한 측정법

① 크랭크축을 엔진 베어링과 함께 실린더 블록에 조립하고 메인 베어링 캡 볼트를 규정 토크로 조인다.

② 크랭크축을 앞쪽이나 뒤쪽으로 플라이 바 또는 스크루 드라이버 등으로 밀어 붙이고 반대부분의 크랭크축 끝단에 다이얼 게이지 스핀들을 설치하고 0점을 조정한다.

③ 크랭크축을 앞쪽이나 뒤쪽으로 플라이 바로 밀었을 때 다이얼 게이지 바늘이 지시하는 값이 축방향 유격이다.

2) 시크니스 게이지(Thickness Gauge)를 이용한 측정법

① 크랭크축을 엔진 베어링과 함께 실린더 블록에 조립하고 메인 베어링 캡 볼트를 규정 토크로 조인다.

② 크랭크축을 앞쪽이나 뒤쪽으로 플라이 바 또는 스크루 드라이버 등으로 밀어 붙인다.

③ 시크니스 게이지를 밀어 붙인 반대방향의 스러스트 베어링과 크랭크 축 옆면 사이에 넣어 측정한다.

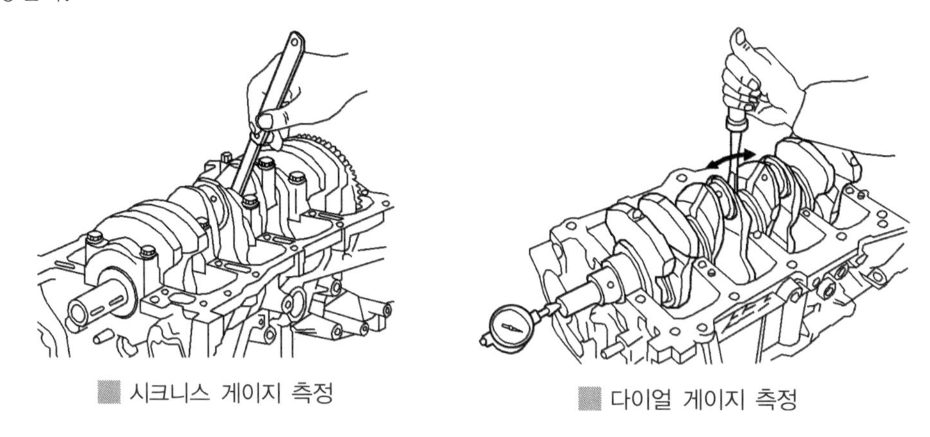

■ 시크니스 게이지 측정　　　■ 다이얼 게이지 측정

■ 차종별 크랭크축 축 방향 유격 규정값(mm)

차 종		규정값	한계값	차 종		규정값	한계값
아반떼 RD	1.5 DOHC	0.05~0.175	–	로체 MG	2.0 DOHC	0.07~0.250	0.3
	1.8 DOHC	0.06~0.260	–		L 2.0 DOHC	0.07~0.250	0.3
베르나 MC	1.4 DOHC	0.05~0.175	0.2	모닝 SA	1.0 SOHC	0.05~0.250	–
	1.6 DOHC	0.05~0.175	0.2		L 1.0 SOHC	0.05~0.250	–
NF 쏘나타	2.0 DOHC	0.07~0.250	0.3	아반떼 XD	1.5 DOHC	0.05~0.175	–
	2.4 DOHC	0.07~0.250	0.3		1.6 DOHC	0.05~0.175	–
	2.0 LPI	0.07~0.250	0.3		2.0 DOHC	0.06~0.260	–
EF 쏘나타	1.8 DOHC	0.05~0.250	–	그랜저 XG	2.0 DOHC	0.07~0.250	–
	2.0 DOHC	0.05~0.250	–		2.5 DOHC	0.07~0.250	–
트라제 XG	2.0 DOHC	0.06~0.260	0.3	포터	D 2.5 TCI	0.05~0.180	–
	2.7 DOHC	0.07~0.250	0.4		D 2.5 TCI-A	0.05~0.250	–
SM6	K9K	0.045~0.252	–	프라이드 JB	1.6 DOHC	0.07~0.250	0.2
	M4R	0.10~0.30	–		D1.5 TCI-U	0.08~0.280	0.3
싼타페 CM	2.4 DOHC	0.07~0.250	0.3	그랜저 TG	2.4 DOHC	0.07~0.250	0.3
	L 2.7 DOHC	0.07~0.250	0.3		2.7 DOHC	0.07~0.250	0.3

2. 크랭크축 축 방향 유격이 불량일 때 영향

1) 유격이 클 때

① **크랭크축이 앞·뒤로 움직이므로 소음이 발생한다** : 크랭크축 축 방향의 움직임은 클러치의 조작과 급출발, 급정지 등에서 앞뒤로 움직이며 스러스트 베어링이 마모되어 소음이 발생된다.

② **실린더, 피스톤, 커넥팅 로드, 엔진 베어링 등에 편 마멸을 일으킨다** : 크랭크축에 연결된 피스톤이 일직선으로 상하 운동을 하여야 하지만 앞뒤로 밀린 상태에서 상하운동을 하므로 연결부분에 편 마모가 발생한다.

③ **밸브 구동기구 및 클러치에 악영향을 미친다** : 크랭크축의 앞뒤 움직임으로 클러치 디스크의 마찰력에 변동이 생겨 연결 상태가 고르지 못하다.

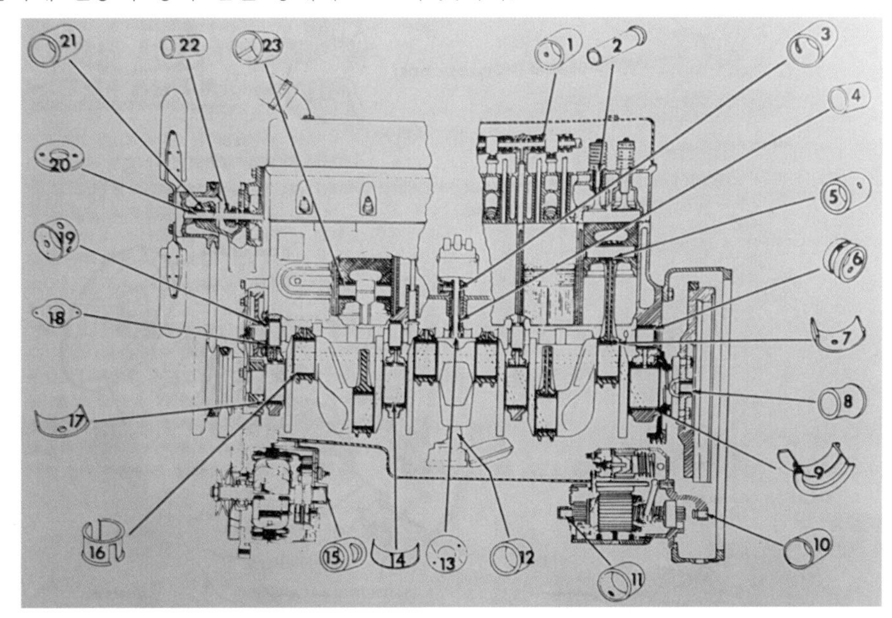

1. Rocker Arm Bushing
2. Valve Guide Bushing
3. Distributor Bushing, Upper
4. Distributor Bushing, Lower
5. Piston Pin Bushing
6. Camshaft Bushings
7. Connecting Rod Bearing
8. Clutch Pilot Bushing
9. Crankshaft Thrust Bearing
10. Starting Motor Bushing, Drive End
11. Starting Motor Bushing, Commutator End
12. Oil Pump Bushing
13. Distributor Thrust Plate
14. Intermediate Main Bearing
15. Alternator Bearing
16. Connecting Rod Bearing, Floating Type
17. Front Main Bearing
18. Camshaft Thrust Plate
19. Camshaft Bushing
20. Fan Thrust Plate
21. Water Pump Bushing, Front
22. Water Pump Bushing, Rear
23. Piston Pin Bushing

각부에 설치된 베어링의 종류

2) 유격이 작을 때

① **스러스트 면에서 열이 발생하여 소손을 일으키기 쉽다** : 스러스트 베어링과 크랭크축 메인저널 측면의 마찰면에 윤활이 되지만 유격이 작으면 유막이 끊어지면서 마찰저항이 생겨 마찰부분에 손상이 생긴다.

3. 크랭크축 축 방향 유격의 수정방법

1) 유격이 클 때

① 스러스트 베어링을 사용하는 경우에는 베어링을 교환한다.

② 스러스트 심(shim)을 사용하는 경우에는 심을 교환한다.

2) 유격이 작을 때

① 정반 위에 연마지를 놓고 스러스트 면을 연마하여 조정한다.

스러스트 심 설치위치　　　일체형과 분리형 스러스트 베어링

엔진 베어링

4. 크랭크축 축 방향 유격 측정 실습현장 사진

1) 시크니스 게이지를 이용한 측정

<table>
<tr>
<td>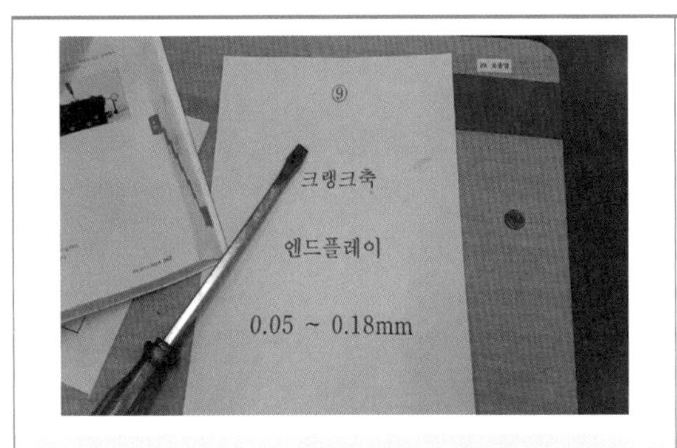
</td>
<td></td>
</tr>
<tr>
<td>시험장에는 용지에 측정 항목과 규정값이 있고 대 드라이버 & 시크니스 게이지가 준비되어 있다.</td>
<td>책상 위에 놓여있는 시크니스 게이지를 규정값 범위에 것을 선택하여 측정하고 게이지가 헐렁하면 더 두꺼운 것으로 선택하여 측정한다.</td>
</tr>
</table>

크랭크축을 한쪽으로 밀어 놓고 반대편에서 시크니스 게이지로 측정한다. 반드시 스러스트 베어링에서 측정한다.

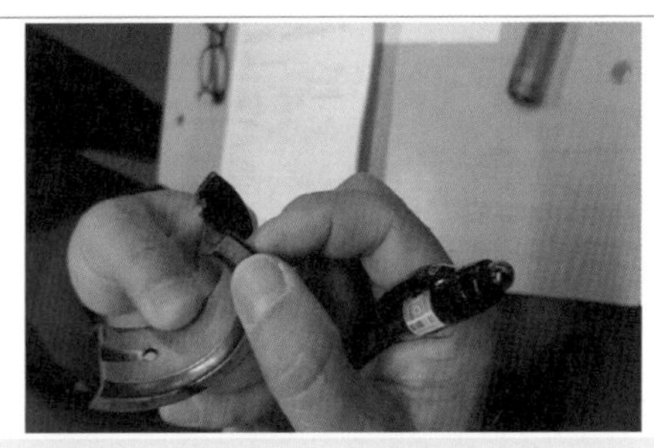

스러스트 베어링의 두께가 축 방향 간극을 좌우한다. 두께가 두꺼우면 축 방향 간극은 작아진다.

2) 다이얼 게이지를 이용한 측정

시험장에는 측정할 수 있게 다이얼 게이지가 세팅되어 있다. 게이지를 만지지 말고 그 상태로 측정한다.

설치된 상태에서 드라이버로 크랭크축을 플라이휠 쪽으로 밀어 놓고 다이얼 게이지를 0점을 조정한다.

다이얼 게이지 눈금판을 0점 조정한다. 0점을 조정하기는 어려워서 바늘이 지시하는 상태에서 측정하기도 한다.

드라이버로 크랭크축을 플라이휠 쪽으로 밀어 놓는다. 이때 밀고 드라이버는 뺀다. 게이지가 지시하는 눈금을 읽는다.

다이얼 게이지 바늘이 움직여 정지한 곳의 지침을 읽어서 답안지에 기록한다. 0점 조정이 안 된 상태에서 측정하는 것을 권장한다.

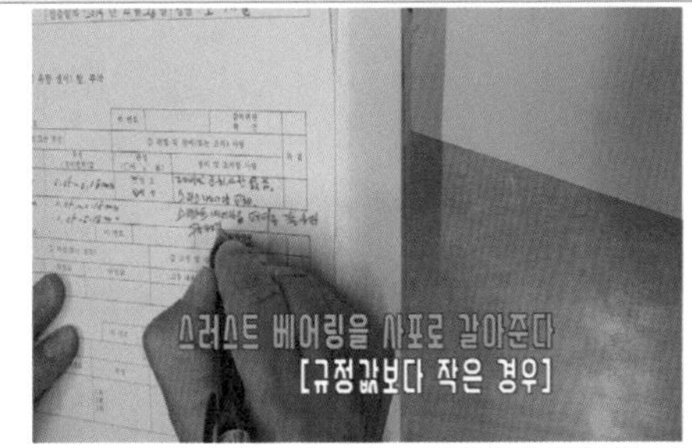

답안지를 작성한다. 정비 및 조치할 사항 란에는 간극이 크면 U/S 베어링으로 교환, 작으면 사포로 갈아준다. 로 기입한다.

09 크랭크축 메인저널 마모량(Crank Shaft Main Journal Wear) 점검

크랭크축 메인저널 마모(Crank Shaft Main Journal Wear)는 크랭크축 메인저널의 마모량을 측정하는 방법과 정비방법을 알아보기 위한 문제이다. 크랭크축 메인저널이 저널 베어링 내에서 회전하면서 마찰에 의해 마모가 이루어진다.

즉 압축이나 폭발하중에 의한 메인저널 표면과 저널 베어링 사이의 유막이 얇아지거나 끊어져 윤활 기능이 상실 되면서 마모가 발생되어 오일 간극이 커지면서 실린더 벽으로 튀게 되고 더 많은 오일이 연소실 내로 흘러들어 타게 된다.

이것은 오일 소비량의 증대, 다른 윤활부분에서 윤활 부족 등으로 작동 불량을 일으킨다. 특히 오일펌프 가까운 부분에서 오일이 옆으로 새서 먼 곳에서는 윤활부족이 일어난다.

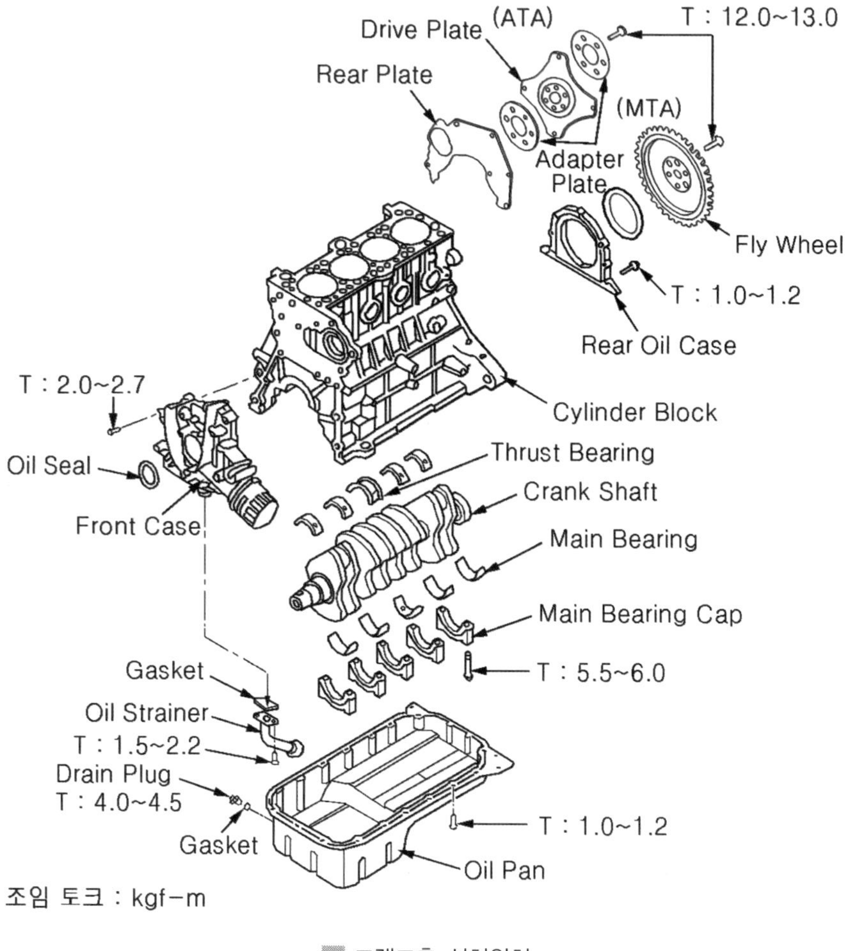

크랭크축 설치위치

■ 크랭크축의 제원

항목 \ 엔진	아반떼 XD(1.6)	NF 쏘나타 2.0(쎄타 1 엔진)
핀 저널 외경	45mm	(1) 47.966~47.972mm (2) 47.960~47.966mm (3) 47.954~47.960mm
메인저널 외경	50mm	(1) 51.954~51.960mm (2) 51.948~51.954mm (3) 51.942~51.948mm
휨	0.03mm 이내	–
메인 저널 베어링 오일 간극	NO 1, 2, 4, 5–0.022~0.040mm NO 3–0.028~0.046mm	0.020~0.038mm–한계(0.1)
핀 저널 베어링 오일 간극	0.018~0.036	0.025~0.043mm
핀 저널 사이드 간극	0.1~0.25mm–한계	0.1~0.25mm–한계(0.35)
핀과 메인저널의 원통도	0.005mm 이내	–
엔드 플레이(축방향 유격)	0.05~0.175mm	0.07~0.25mm–한계(0.3)
스러스트 베어링의 두께	–	1.925~1.965mm
핀 저널 언더사이즈	0.25mm–한계(44.725~44.740) 0.50mm–한계(44.475~44.490) 0.75mm–한계(44.225~44.240)	(1) 47.966~47.972mm (2) 47.960~47.966mm (3) 47.942~47.960mm
메인 저널 언더사이즈	0.25mm–한계(49.727~49.742) 0.50mm–한계(49.477~49.492) 0.75mm–한계(49.227~49.242)	(1) 51.954~51.960mm (2) 51.948~51.954mm (3) 51.942~51.948mm
베어링 두께	–	AA(청색)–2.026~2.029mm A(흑색)–2.023~2.026mm B(무색)–2.020~2.023mm C(녹색)–2.017~2.020mm D(황색)–2.014~2.017mm

1. 크랭크축 메인저널 마모(Crank Shaft Main Journal Wear)의 측정 방법

① 크랭크축 저널을 깨끗한 헝겊으로 닦는다.
② 외측 마이크로미터의 0점을 확인하고, 맞지 않으면 0점을 조정한다.
③ 각 저널의 상·하부와 좌·우측 부분 2개소씩 모두 4개소를 측정하여 최소 측정값을 찾아낸다. 이때 각 저널의 최소 측정값을 기준으로 하여 수정한다.

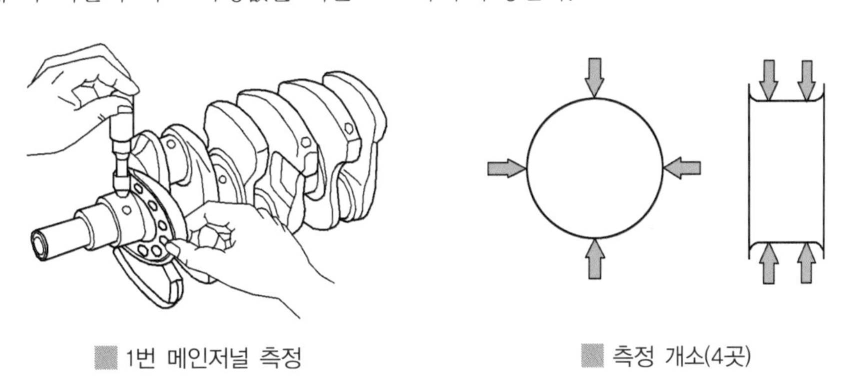

1번 메인저널 측정　　측정 개소(4곳)

■ 차종별 크랭크축 마멸량 규정값(mm)

차종		저널 직경	U/S 값
아반떼 RD	1.5 DOHC	50.00	0.25/ 0.50/ 0.75
	1.8 DOHC	57.00	
베르나 MC	1.4 DOHC	49.950~49.968	
	1.6 DOHC		
NF 쏘나타	2.0 DOHC	51.942~51.960	3단계
	2.4 DOHC		
	2.0 LPI		
EF 쏘나타	1.8 DOHC	57.00	–
	2.0 DOHC	57.00	–
트라제 XG	2.0 DOHC	56.944~56.962	–
	L 2.7 DOHC	61.982~62.00	–
SM6	K9K	47.990~48.000	–
	M4R	51.959~51.979	–
싼타페 CM	2.4 DOHC	51.942~51.960	3단계
	L 2.7 DOHC	61.982~62.000	3단계

차종		규정값	한계값
로체 MG	2.0 DOHC	51.942~51.960	3단계
	L 2.0 DOHC		
모닝 SA	1.0 SOHC	41.982~42.000	3단계
	L 1.0 SOHC		
아반떼 XD	1.5 DOHC	50.000	–
	1.6 DOHC	50.000	–
	2.0 DOHC	57.000	–
그랜저 XG	2.0 DOHC	61.982~62.000	–
	2.5 DOHC		–
포터	D 2.5 TCI	66.000	4단계
	D 2.5 TCI-A	66.982~67.000	3단계
프라이드 JB	1.6 DOHC	49.950~49.968	3단계
	D1.5 TCI-U	53.972~53.990	3단계
그랜저 TG	2.4 DOHC	51.942~51.960	3단계
	2.7 DOHC	61.982~62.000	3단계

2. 크랭크축 메인저널 마모 수정방법

① 크랭크축 저널 최대 마멸량이 수정 한계값 이상인 경우에는 연마 수정을 하여야 한다.

② 크랭크축 저널을 연마 수정하면 저널의 지름이 작아지므로 최소 측정값으로부터 진원 절삭값(0.2mm)을 빼낸다.

예 어느 엔진의 크랭크축 메인저널 지름의 규정값이 57.00mm이다. 이 엔진을 분해하여 크랭크축 메인저널의 지름을 측정하였더니 제1번이 56.72mm, 제2번이 56.85mm, 제3번이 56.92mm, 제4번이 56.76mm, 제5번이 56.94mm였다. 이 크랭크축 메인 저널의 수정값과 언더 사이즈 값을 각각 구하시오.

① **언더 사이즈 계산 방법** : 최소 측정값이 56.72mm이므로 56.72mm-0.2mm(진원 절삭값)=56.52mm, 그러나 언더 사이즈 값에는 0.52mm가 없으므로 이 값보다 작으면서 가장 가까운 값인 0.50mm를 선택한다. 따라서 수정값은 56.50mm이며, 언더 사이즈 기준값은 57.00mm(표준값)-56.50mm(수정값)=0.50mm이다. 이에 따라 이 크랭크축 메인 저널의 지름은 0.50mm가 가늘어지고, 엔진 베어링은 0.50mm가 더 두꺼워진다.

③ 치수가 작아지므로 언더 사이즈(under size)라고 부르며, 엔진 베어링의 두께는 두꺼워지게 된다.

④ 크랭크 축 저널 수정방법 최소 측정값에서 진원 절삭값 0.2mm를 뺀 값으로부터 언더 사이즈치수에 알맞은 값을 찾아서 그 값으로 한다. 언더 사이즈값은 다음과 같다.

■ 크랭크축 마멸량 한계값

항 목	저널 지름	수정 한계값
진원 마멸값	50mm이상	0.20mm
	50mm이하	0.15mm

■ 언더 사이즈(U/S) 한계값

저널 지름	U/S 한계값
50mm이상	1.50mm
50mm이하	1.00mm

■ 언더 사이즈 값

KS 규격	SAE 규격	KS 규격	SAE 규격
0.25mm		1.00mm	0.040"
0.50mm	0.020"	1.25mm	
0.75mm		1.50mm	0.060"

3. 크랭크축 메인저널 마모가 많을 때 영향

1) 오일 소비량 증가

오일 간극이 크면 메인저널에서 오일이 실린더 벽으로 튀게 되고 오일이 연소실 내로 흘러들어 연소된다. 이것은 오일 소비량 증대, 다른 윤활부분에서 윤활 부족 등으로 작동 불량을 일으킨다. 특히 오일펌프 가까운 부분에서 오일이 옆으로 새서 먼 곳에서는 윤활부족이 일어난다.

2) 소음 발생

폭발압력 등에 의한 베어링 내경과 축의 직경 사이에 공간이 커지면서 회전소음이 커진다.

4. 크랭크축 메인저널 마모 측정 실습현장 사진

메인저널의 외경은 오일 구멍이 있는 곳을 피해서 양쪽 끝부분 화살표 방향의 아래·위 4곳에서 측정한다.

걸레나 시험장에 있는 종이 휴지를 이용하여 측정 면을 깨끗이 닦고 마이크로미터의 래칫 스톱을 3바퀴 돌리는 압력으로 측정한다.

시험장에서는 혼자 측정하여야 한다. 안정된 자세로 편안하게 측정해야 정확한 측정값이 나오고 안전관리도 잘 지키는 것이다.

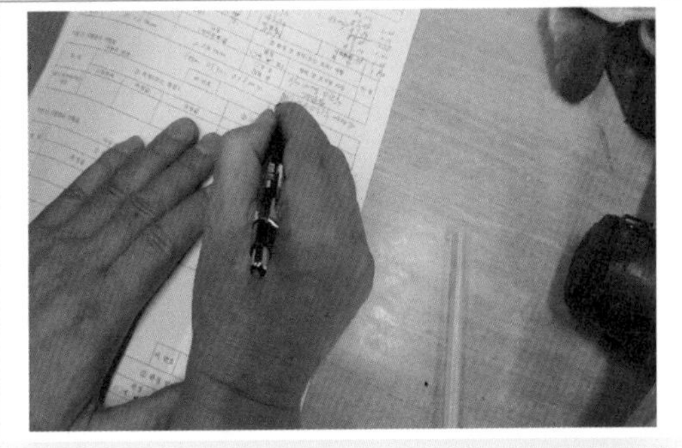

4곳을 측정한 곳 중에 가장 작은 값을 측정값으로 하여 메인저널 직경의 기준 값에서 빼주면 그것이 마멸량이다.

10 크랭크축 메인저널 오일 간극(Main Journal Oil Clearance)의 점검

크랭크축 메인저널의 오일 간극(Crank Shaft Main Journal Oil Clearance)은 크랭크축 메인저널 베어링 캡 내경(4곳 중 최대값)에서 메인저널 축 직경(4곳 중 최소값)의 차이를 말한다. 크랭크축 메인저널이 저널 베어링 내에서 회전하면서 마찰에 의해 마모가 이루어진다. 즉 압축이나 폭발 하중에 의한 메인저널 표면과 저널 베어링 사이의 유막이 얇아지거나 끊어져 윤활 기능이 상실 되면서 마모가 발생하게 되어 오일 간극이 커지면 실린더 벽으로 튀게 되고 더 많은 오일이 연소실 내로 흘러들어 타게 된다. 이것은 오일 소비량의 증대, 다른 윤활부분에서 윤활 부족 등으로 작동 불량을 일으킨다. 특히 오일펌프 가까운 부분에서 오일이 옆으로 새서 먼 곳에서는 윤활부족이 일어난다.

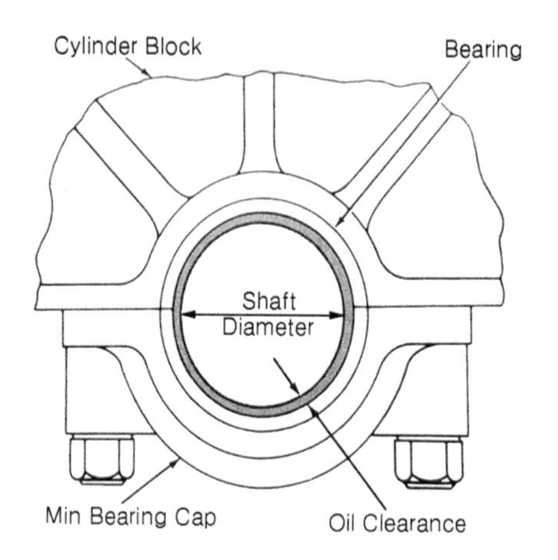

메인 저널 오일간극

■ 크랭크축의 제원

항목 \ 엔진	아반떼 XD(1.6)	NF 쏘나타 2.0(쎄타 1 엔진
핀 저널 외경	45mm	(1) 47.966~47.972mm
		(2) 47.960~47.966mm
		(3) 47.954~47.960mm
메인저널 외경	50mm	(1) 51.954~51.960mm
		(2) 51.948~51.954mm
		(3) 51.942~51.948mm
휨	0.03mm 이내	–
메인 저널 베어링 오일 간극	NO 1, 2, 4, 5–0.022~0.040mm NO 3–0.028~0.046mm	0.020~0.038mm–한계(0.1)
핀 저널 베어링 오일 간극	0.018~0.036	0.025~0.043mm
핀 저널 사이드 간극	0.1~0.25mm–한계	0.1~0.25mm–한계(0.35)
핀과 메인저널의 원통도	0.005mm 이내	–
엔드 플레이(축방향 유격)	0.05~0.175mm	0.07~0.25mm–한계(0.3)
스러스트 베어링의 두께	–	1.925~1.965mm
핀 저널 언더사이즈	0.25mm–한계(44.725~44.740)	(1) 47.966~47.972mm
	0.50mm–한계(44.475~44.490)	(2) 47.960~47.966mm
	0.75mm–한계(44.225~44.240)	(3) 47.942~47.960mm
메인 저널 언더사이즈	0.25mm–한계(49.727~49.742)	(1) 51.954~51.960mm
	0.50mm–한계(49.477~49.492)	(2) 51.948~51.954mm
	0.75mm–한계(49.227~49.242)	(3) 51.942~51.948mm
베어링 두께	–	AA(청색)–2.026~2.029mm A(흑색)–2.023~2.026mm B(무색)–2.020~2.023mm C(녹색)–2.017~2.020mm D(황색)–2.014~2.017mm

1. 크랭크축 메인저널 오일 간극의 측정 방법

1) 플라스틱 게이지(Plastic Gauge)법

① 메인저널 베어링에서 오일, 기타 이물질을 닦아낸다.

② 크랭크축 메인저널 베어링에 폭과 같은 길이로 플라스틱 게이지를 잘라서 저널과 평행하게 위치시킨다.

③ 크랭크축 베어링 캡을 설치하고 규정 토크로 조인다. 이때 절대로 크랭크축을 회전시켜서는 안된다.

④ 베어링 캡을 분리한 후 눈금이 있는 자(대부분 플라스틱 게이지가 들어 있는 봉투에 눈금이 새겨져 있음)를 사용하여 폭이 가장 넓은 부분에서 플라스틱 게이지 폭을 맞추면 그곳 숫자가 간극이다.

⑤ 간극이 정비 한계값을 넘었으면 베어링을 교환하거나 크랭크축을 수정하여야 한다.

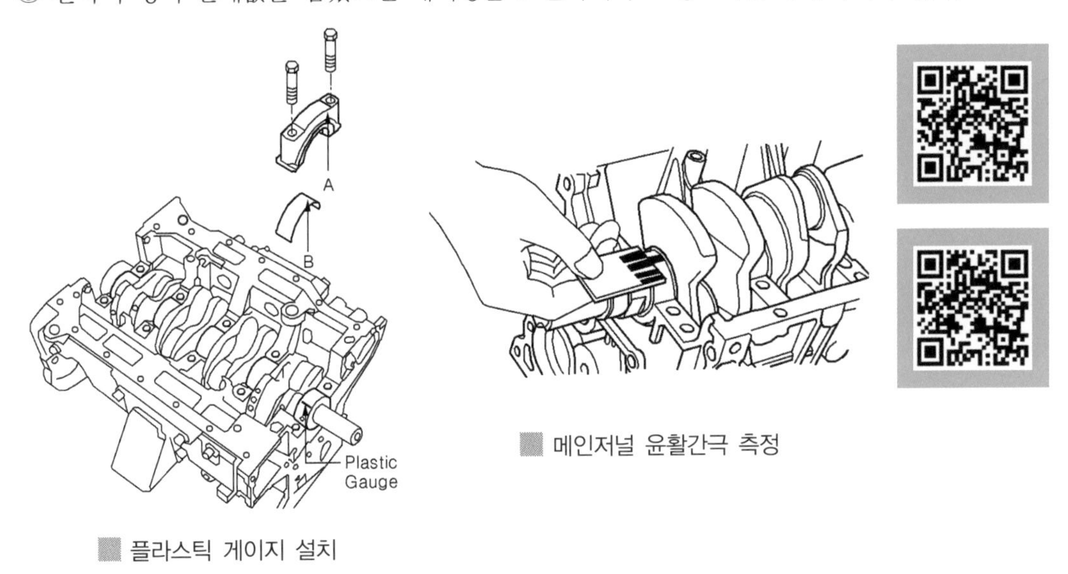

플라스틱 게이지 설치

메인저널 윤활간극 측정

2) 마이크로미터(Micrometer)법

① 외측 마이크로미터로 크랭크축 메인저널의 지름을 측정한다.(4곳 중 최소값)

② 메인저널 베어링을 캡에 조립한 후 실린더 게이지나 내측 마이크로미터, 또는 텔레스코핑 게이지로 안지름을 측정한다.(4곳 중 최대값)

③ **오일 간극 = 베어링 안지름(최대값) – 메인저널 지름(최소값)**

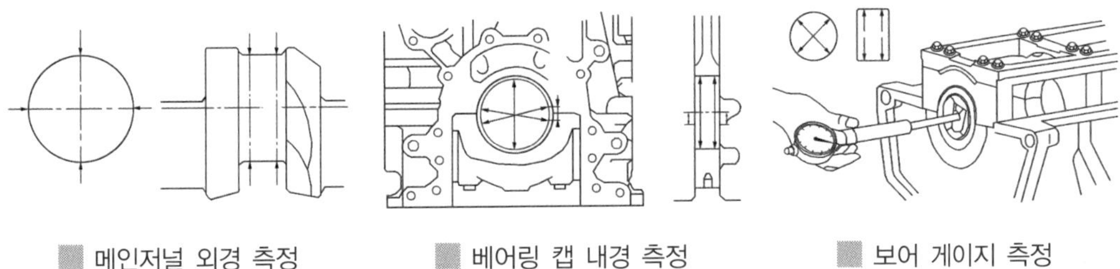

메인저널 외경 측정 베어링 캡 내경 측정 보어 게이지 측정

■ 차종별 크랭크축 메인저널 오일 간극 규정값(mm)

차종		규정값	한계값	차종		규정값	한계값
아반떼 RD	1.5 DOHC	–	–	로체 MG	2.0 DOHC	0.025~0.043	0.05
	1.8 DOHC	–	–		L 2.0 DOHC	0.026~0.048	0.1
베르나 MC	1.4 DOHC	0.022~0.040 (1,2,4,5번)	–	모닝 SA	1.0 SOHC	0.020~0.038	–
	1.6 DOHC				L 1.0 SOHC	0.020~0.038	–
NF 쏘나타	2.0 DOHC	0.020~0.038	–	아반떼 XD	1.5 DOHC	0.022~0.040 (1,2,4,5번)	–
	2.4 DOHC	0.020~0.038	0.1		1.6 DOHC		
	2.0 LPI	0.026~0.048	0.1		2.0 DOHC	0.028~0.048	–
EF 쏘나타	1.8 DOHC	0.024~0.044	–	그랜저 XG	2.0 DOHC	0.004~0.022	–
	2.0 DOHC	0.018~0.036 (1,2,4,5번)	–		2.5 DOHC	0.004~0.022	–
트라제 XG	2.0 DOHC	0.028~0.046	0.1	포터	D 2.5 TCI	0.020~0.038	–
	L 2.7 DOHC	0.004~0.022	0.1		D 2.5 TCI-A	0.030~0.054	0.1
SM6	K9K	0.010~0.054		프라이드 JB	1.6 DOHC	0.022~0.040	0.1
	M4R	0.024~0.065 (1,4,5번)			D1.5 TCI-U	0.024~0.042	–
싼타페 CM	2.4 DOHC	0.020~0.038	0.1	그랜저 TG	2.4 DOHC	0.020~0.038	0.1
	L 2.7 DOHC	0.004~0.022	0.1		2.7 DOHC	0.004~0.022	0.1

2. 크랭크축 메인저널 오일 간극 수정방법

1) 언더 사이즈(Under Size) 수치값을 계산하여 메인저널을 깎고 U/S 베어링으로 교환하여 수리를 한다. 수정 한계값이 넘을 때는 크랭크축 교환하여야 한다.

■ 크랭크축 마멸량 한계값

항목	저널 지름	수정 한계값
진원 마멸값	50mm이상	0.20mm
	50mm이하	0.15mm

■ 언더 사이즈(U/S) 한계값

저널 지름	U/S 한계값
50mm이상	1.50mm
50mm이하	1.00mm

■ 언더 사이즈 값

KS 규격	SAE 규격	KS 규격	SAE 규격
0.25mm		1.00mm	0.040"
0.50mm	0.020"	1.25mm	
0.75mm		1.50mm	0.060"

2) 크랭크축 저널을 연마 수정하면 저널의 지름이 작아지므로 최소 측정값으로부터 진원 절삭값(0.2mm)을 빼낸다.

예 어느 엔진의 크랭크축 메인저널 지름이 52.00mm이다. 이 엔진을 분해하여 크랭크축 메인저널의 지름을 측정하였더니 제1번이 51.52mm, 제2번이 51.47mm, 제3번이 51.54mm, 제4번이 51.56mm, 제5번이 51.48mm였다. 이 크랭크축 메인저널의 수정값과 언더 사이즈 값을 각각 구하시오.

① **계산 방법** : 최소 측정값이 51.47mm이므로 51.47mm−0.2mm(진원 절삭값)=51.27mm, 그러나 언더 사이즈 값에는 0.25(51.75), 0.50(51.50), 0.75(51.25)가 있으므로 진원 절삭값 51.27mm보다 작은 값을 선택하면 U/S 보링값은 0.75이다. 이에 따라 이 크랭크축 메인저널의 지름은 0.75mm가 가늘어지고, 엔진 베어링은 0.75mm가 더 두꺼워진다.

3. 크랭크축 메인저널 오일 간극이 클 때 영향

1) 오일 소비량 증가

오일 간극이 크면 메인저널에서 오일이 실린더 벽으로 튀게 되고 오일이 연소실 내로 흘러들어 연소된다. 이것은 오일 소비량의 증대, 다른 윤활부분에서 윤활 부족 등으로 작동 불량을 일으킨다. 특히 오일펌프 가까운 부분에서 오일이 옆으로 새서 먼 곳에서는 윤활부족이 일어난다.

2) 소음 발생

폭발 압력 등에 의한 베어링 내경과 축의 직경 사이에 공간이 커지면서 회전소음이 커진다.

4. 크랭크축 메인저널 오일 간극 측정 실습현장 사진

1) 마이크로미터(Micrometer)법

메인저널의 외경 측정은 마이크로미터로 오일 구멍 부위를 피해서 끝부분 4곳에서 측정한다. 가장 작은 값이 측정값이다.	마이크로미터 딤블을 돌리는 압력이 사람마다 다르므로 래칫 스톱을 3바퀴를 "따라락"소리가 3~4번 돌리는 압력으로 측정한다.
	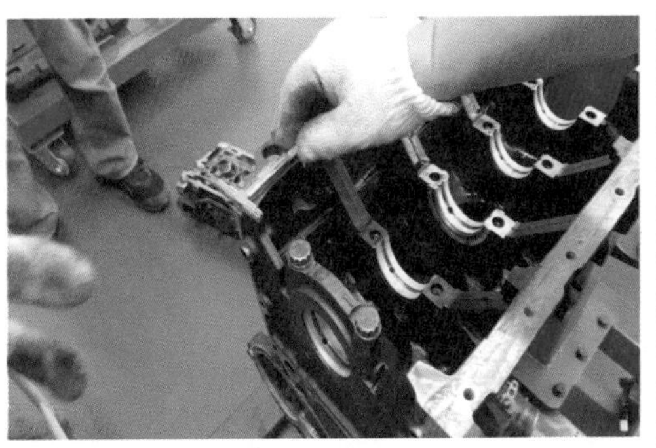
크랭크축 메인저널의 지정해준 저널 4곳을 측정하여 가장 작은 값이 측정값이 된다.(오일 간극은 가장 큰 값)	메인저널의 내경은 캡이 조립된 상태에서 준비한 걸레나 시험장에 있는 종이걸레로 닦아내고 측정하면 된다. 가장 큰 값이다.

	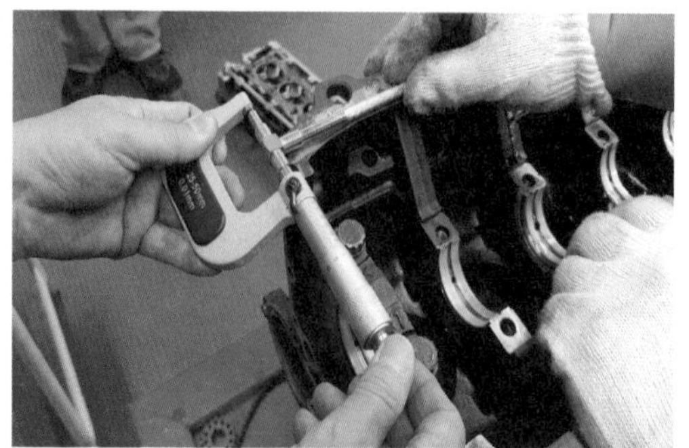
텔레스코핑 게이지를 저널 내경에 넣고 잠금 나사를 풀면 내경만큼 벌어진다. 4곳에서 측정하며 가장 큰 값이 측정값이다.	텔레스코핑 게이지는 간접 측정 게이지이므로 마이크로미터로 4곳을 측정하여 가장 큰 값으로 하여 축 직경에서 빼주면 그것이 마모량이다.

2) 플라스틱 게이지(Plastic Gauge)법

지정하는 메인저널 위에 플라스틱 게이지를 올려놓고 메인저널 캡을 조립한다. 시험장에서는 플라스틱 게이를 실제로 사용하지는 않는다.	메인저널 베어링 캡을 조립하고 토크 렌치를 사용하여 규정 토크로 조인다. 이때 크랭크축 돌리면 안된다.
	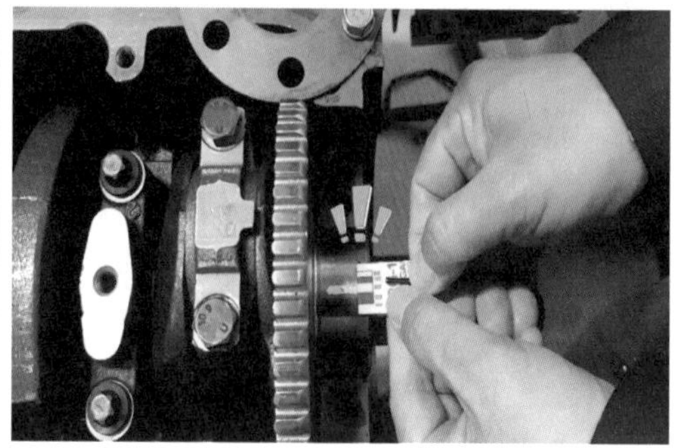
어떤 시험장의 경우는 시험 진행을 수월하게 하기 위하여 한 곳에 측정하는 항목을 모아 설치하여 놓은 곳도 있다.	메인저널 베어링 캡을 분리하고 플라스틱 게이지 포장지에 있는 측정표의 넓이가 같은 곳이 측정값이다.

11 크랭크축 핀 저널 오일 간극(Pin Journal Oil Clearance)의 점검

크랭크축 핀 저널 오일 간극은 크랭크축 핀 저널 베어링 캡 내경(4곳 중 최대값)에서 핀 저널 축 직경(4곳 중 최소값)의 차이를 말한다. 크랭크축 핀 저널이 저널 베어링 내에서 회전하면서 마찰에 의해 마모가 이루어진다. 즉 압축이나 폭발하중에 의한 핀 저널 표면과 저널 베어링 사이의 유막이 얇아지거나 끊어져 윤활기능이 상실 되면서 마모가 발생하게 된다. 증간된 오일 간극이 커지면서 실린더 벽으로 튀게 되고 더 많은 오일이 연소실내로 흘러들어 타게 된다. 이것은 오일 소비량 증대, 다른 윤활부분에서 윤활 부족 등으로 작동 불량을 일으킨다. 특히 오일펌프 가까운 부분에서 오일이 옆으로 새서 먼 곳에서는 윤활부족이 일어난다.

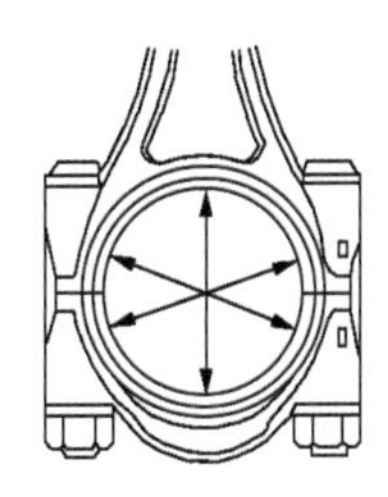
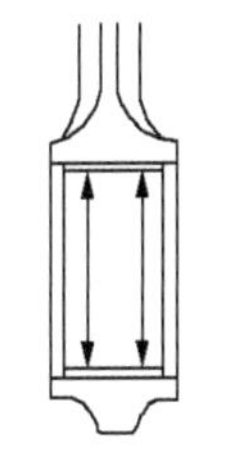
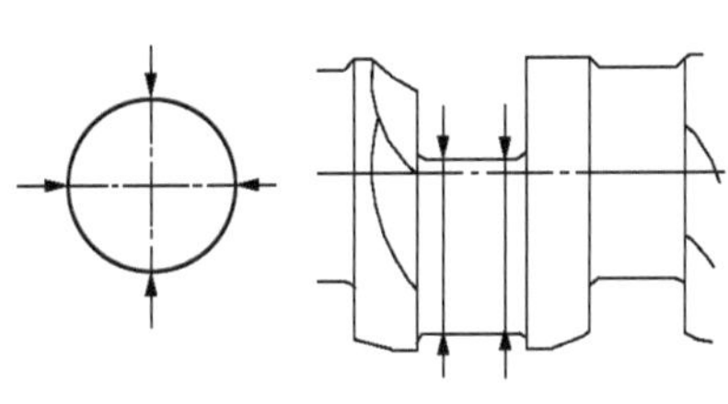

▩ 핀 저널 측정 위치

■ 크랭크축의 제원

항목 \ 엔진	아반떼 XD(1.6)	NF 쏘나타 2.0(쎄타 1 엔진
핀 저널 외경	45mm	(1) 47.966~47.972mm (2) 47.960~47.966mm (3) 47.954~47.960mm
메인저널 외경	50mm	(1) 51.954~51.960mm (2) 51.948~51.954mm (3) 51.942~51.948mm
휨	0.03mm 이내	–
메인 저널 베어링 오일 간극	NO 1, 2, 4, 5–0.022~0.040mm NO 3–0.028~0.046mm	0.020~0.038mm–한계(0.1)
핀 저널 베어링 오일 간극	0.018~0.036	0.025~0.043mm
핀 저널 사이드 간극	0.1~0.25mm–한계	0.1~0.25mm–한계(0.35)
핀과 메인저널의 원통도	0.005mm 이내	–
엔드 플레이(축방향 유격)	0.05~0.175mm	0.07~0.25mm–한계(0.3)
스러스트 베어링의 두께	–	1.925~1.965mm
핀 저널 언더사이즈	0.25mm–한계(44.725~44.740) 0.50mm–한계(44.475~44.490) 0.75mm–한계(44.225~44.240)	(1) 47.966~47.972mm (2) 47.960~47.966mm (3) 47.942~47.960mm
메인 저널 언더사이즈	0.25mm–한계(49.727~49.742) 0.50mm–한계(49.477~49.492) 0.75mm–한계(49.227~49.242)	(1) 51.954~51.960mm (2) 51.948~51.954mm (3) 51.942~51.948mm
베어링 두께	–	AA(청색)–2.026~2.029mm A(흑색)–2.023~2.026mm B(무색)–2.020~2.023mm C(녹색)–2.017~2.020mm D(황색)–2.014~2.017mm

1. 크랭크축 핀 저널 오일 간극(Crank Shaft Main Journal Oil Clearance)의 측정 방법

1) 플라스틱 게이지(Plastic Gauge)법

① 핀 저널 베어링에서 오일, 기타 이물질을 닦아낸다.
② 크랭크축 핀 저널 베어링에 폭과 같은 길이로 플라스틱 게이지를 잘라서 핀 저널과 평행하게 위치시킨다.
③ 커넥팅 로드 베어링 캡을 설치하고 규정 토크로 조인다. 이때 절대로 피스톤을 회전시켜서는 안된다.
④ 베어링 캡을 분리한 후 눈금이 있는 자(대게 플라스틱 게이지가 들어 있는 봉투에 눈금이 새겨져 있음)를 사용하여 폭이 가장 넓은 부분에서 플라스틱 게이지 폭을 맞추면 그곳 숫자가 간극이다.
⑤ 간극이 정비 한계값을 넘었으면 베어링을 교환하거나 크랭크축을 수정하여야 한다.

2) 마이크로미터(Micrometer)법

① 외측 마이크로미터로 핀 저널의 지름을 측정한다.(4곳 중 최소값)
② 커넥팅 로드 베어링 캡에 조립한 후 실린더 게이지나 내측 마이크로미터, 또는 텔레스코핑 게이지로 안지름을 측정한다.(4곳 중 최대값)
③ **오일 간극 = 핀 저널 베어링 안지름(최대값) - 크랭크축 핀 저널 지름(최소값)**

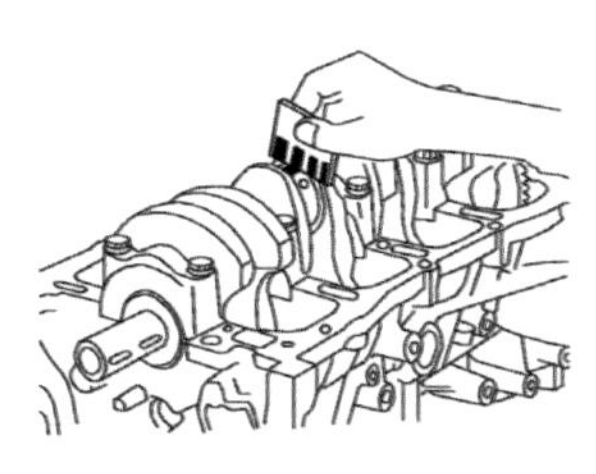
플라스틱 게이지

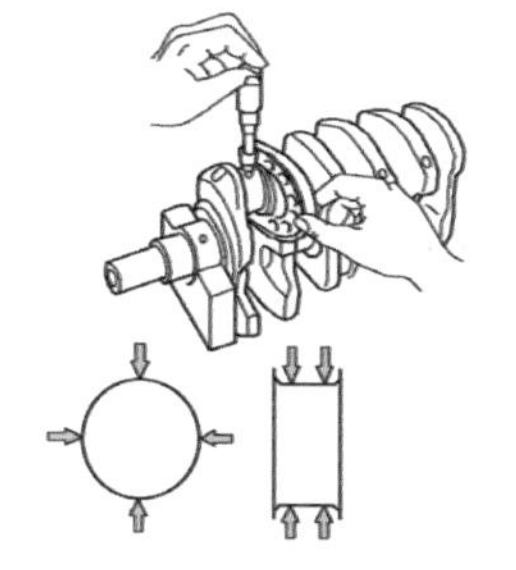
마이크로미터 측정법

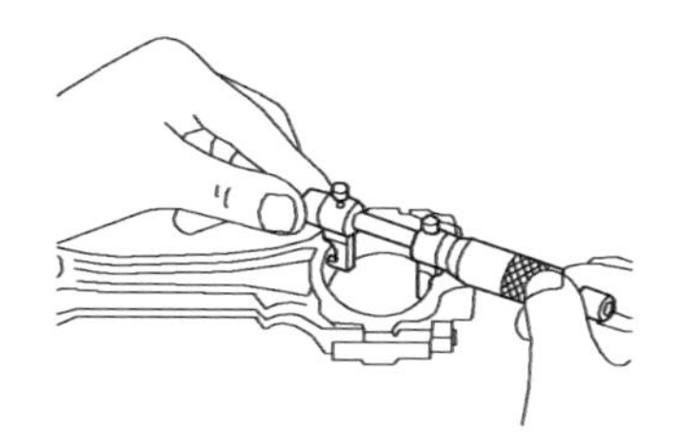
대단부 내경 측정

■ 차종별 크랭크축 핀 저널 오일 간극 규정값(mm)

차종		규정값	한계값	차종		규정값	한계값
아반떼 RD	1.5 DOHC	0.024~0.042	–	로체 MG	2.0 DOHC	0.025~0.043	0.05
	1.8 DOHC	0.024~0.044	–		L 2.0 DOHC	0.028~0.046	0.05
베르나 MC	1.4 DOHC	0.018~0.036	–	모닝 SA	1.0 SOHC	0.012~0.041	–
	1.6 DOHC	0.018~0.036	–		L 1.0 SOHC	0.012~0.041	–
NF 쏘나타	2.0 DOHC	0.025~0.043	0.05	아반떼 XD	1.5 DOHC	0.018~0.036	–
	2.4 DOHC	0.025~0.043	0.05		1.6 DOHC		
	2.0 LPI	0.028~0.046	0.05		2.0 DOHC	0.028~0.044	–
EF 쏘나타	1.8 DOHC	0.015~0.048	–	그랜저 XG	2.0 DOHC	0.018~0.036	–
	2.0 DOHC	0.015~0.048	–		2.5 DOHC	0.018~0.036	0.1
트라제 XG	2.0 DOHC	0.024~0.042	–	포터	D 2.5 TCI	0.020~0.050	–
	L 2.7 DOHC	0.018~0.036	–		D 2.5 TCI-A	0.024~0.042	–
SM5	SR	0.020~0.045	0.065	프라이드 JB	1.6 DOHC	0.018~0.036	–
	VQ	0.034~0.059	0.070		D1.5 TCI-U	0.025~0.043	–
싼타페 CM	2.4 DOHC	0.027~0.045	0.05	그랜저 TG	2.4 DOHC	0.027~0.045	0.05
	L 2.7 DOHC	0.018~0.036	–		2.7 DOHC	0.018~0.036	–

2. 크랭크축 핀 저널 오일 간극 수정방법

1) 언더 사이즈(Under Size) 수치값을 계산하여 메인저널을 깎고 U/S 베어링으로 교환하여 수리를 한다. 수정 한계값이 넘을 때는 크랭크축을 교환한다.

■ 크랭크축 마멸량 한계값

항목	저널 지름	수정 한계값
진원 마멸값	50mm이상	0.20mm
	50mm이하	0.15mm

■ 언더 사이즈(U/S) 한계값

저널 지름	U/S 한계값
50mm이상	1.50mm
50mm이하	1.00mm

■ 언더 사이즈 값

KS 규격	SAE 규격	KS 규격	SAE 규격
0.25mm		1.00mm	0.040"
0.50mm	0.020"	1.25mm	
0.75mm		1.50mm	0.060"

2) 크랭크축 저널을 연마 수정하면 저널의 지름이 작아지므로 최소 측정값으로부터 진원 절삭값 (0.2mm)을 빼낸다.

예 어느 엔진의 크랭크축 핀 저널 지름이 50.00mm이다. 이 엔진을 분해하여 크랭크축 핀 저널의 지름을 측정하였더니 제1번이 49.52mm, 제2번이 49.47mm, 제3번이 49.54mm, 제4번이 49.56mm이었다. 크랭크축 핀 저널의 수정값과 언더 사이즈 값을 각각 구하시오.

① **계산 방법** : 최소 측정값이 49.47mm이므로 49.47mm-0.2mm(진원 절삭값)=49.27mm, 그러나 언더 사이즈 값에는 0.25(49.75), 0.50(49.50), 0.75(49.25)가 있으므로 진원 절삭값 49.27mm 보다 작은 값을 선택하면 U/S 보링값은 0.75이다. 이에 따라 이 크랭크축 핀 저널의 지름은 0.75mm가 가늘어지고, 엔진 베어링은 0.75mm가 더 두꺼워진다.

3. 크랭크축 핀 저널 오일 간극이 클 때 영향

1) 오일 소비량 증가

오일 간극이 크면 핀 저널에서 오일이 실린더 벽으로 튀게 되고 오일이 연소실 내로 흘러들어 연소된다. 이것은 오일 소비량의 증대, 다른 윤활부분에서 윤활 부족 등으로 작동 불량을 일으킨다. 특히 오일펌프 가까운 부분에서 오일이 옆으로 새서 먼 곳에서는 윤활부족이 일어난다.

2) 소음 발생

폭발압력 등에 의한 베어링 내경과 축의 직경 사이에 공간이 커지면서 회전소음이 커진다.

12 오일펌프 사이드 간극(Oil Pump Side Clearance)의 점검

오일펌프 사이드 간극 (Oil Pump Side Clearance) 의 점검은 펌프 커버와 구동기어 사이에 간극을 말한다. 대부분의 구동기어가 크랭크축 평면 코트 된 부분에 물려서 구동된다. 만약 사이드 간극이 크게 되면 오일의 압송이 불량하게 된다. 즉 오일을 압송하여 보내도 사이드 간극으로 유출되므로 엔진 각부의 마찰부분에 충분한 윤활 기능이 불가능하여 마모를 촉진하게 된다.

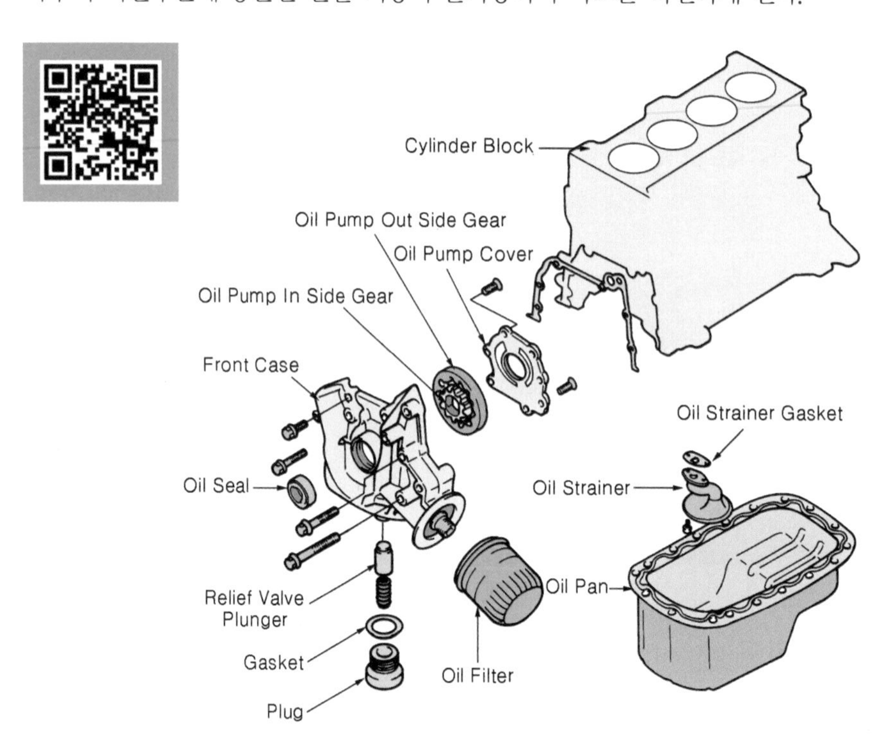

오일 펌프 분해도

■ 오일펌프 사이드 간극의 제원

현상	가능한 원인	정비
오일 압력이 떨어짐	• 엔진오일 부족 • 오일 압력 스위치 결함 • 오일 필터 막힘 • 오일 펌프 기어 또는 커버 마모 • 엔진 오일 점도 부족 • 오일 릴리프 밸브 고착(개방) • 과다한 베어링 간극	• 오닐 보충 • 오일압력 스위치 교환 • 오일 필터 교환 • 오일 펌프 교환 • 엔진 오일 교환 • 조정 또는 교환 • 베어링 교환
오일 압력이 높음	• 오일 압력 스위치 결함 • 오일 릴리프 밸브 고착(폐쇄)	• 오일 압력 스위치 교환 • 조정 또는 교환

■ 오일펌프의 제원

<table>
<tr><th colspan="3">항목 \ 엔진</th><th>아반떼 XD(1.6)</th><th>NF 쏘나타 2.0(쎄타 1 엔진)</th></tr>
<tr><td colspan="3">오일펌프 형식</td><td>내접기어식</td><td rowspan="5">오일펌프는 어셈블리로 공급되므로 분해조립하지 않는다.</td></tr>
<tr><td rowspan="4">오일펌프</td><td colspan="2">외경과 프런트 케이스 간극</td><td>0.12~0.18mm</td></tr>
<tr><td rowspan="2">프런트 사이드</td><td>팁간극</td><td>0.025~0.069</td></tr>
<tr><td>외측기어</td><td>0.06~0.11mm</td></tr>
<tr><td colspan="2">내측기어</td><td>0.04~0.085</td></tr>
<tr><td colspan="3">오일압력(온도 90~100℃)</td><td>1.5kg/㎠-공전(750rpm)</td><td>-</td></tr>
<tr><td rowspan="7">엔진오일</td><td colspan="2">오일 용량(전체)</td><td>-</td><td>4.5L</td></tr>
<tr><td colspan="2">오일 용량(오일팬)</td><td>-</td><td>3.6L</td></tr>
<tr><td colspan="2">교환 용량(필터 용량)</td><td>3.3L</td><td>3.9L</td></tr>
<tr><td colspan="2">추천 SAE 등급</td><td>SAE 10W-30</td><td>SAE 5W-20</td></tr>
<tr><td colspan="2">추천 등급 ILSAC</td><td>GF-1이상</td><td>GF-3급</td></tr>
<tr><td colspan="2">추천 API 등급</td><td>SG 또는 SH 급 이상</td><td>SJ 또는 SL 급 이상</td></tr>
<tr><td colspan="2">점도</td><td></td><td>5W-20(권고), 7.5W-30, 10W-30 가능</td></tr>
<tr><td rowspan="2">릴리프 스프링</td><td colspan="2">자유높이</td><td>46.6mm</td><td></td></tr>
<tr><td colspan="2">부하</td><td>61kg/40.1mm</td><td></td></tr>
<tr><td>엔진오일 참고</td><td colspan="3">• SAE 20W-40*2, 20W-50*2 (-10℃ 이상)
• SAE 15W-40*3, 15W-50*2 (-15℃ 이상)
• SAE 10W-30 (-25℃ ~40℃)
• SAE 10W-40, 10W-50*2 (-25℃ 이상)
• SAE 5W-20*4*5 (-10℃ 이하)
• SAE 5W-30*5(10℃ 이하)
• SAE 5W-40*55(20℃ 이하)</td><td>*1 1. VVT 엔진 오일등급은 SH(API분류), GF-I (ILSAC분류)이상일 것
*2 2. VVT 엔진에서는 사용불가
*3 3. VVT 엔진의 경우 -10℃이상에서 사용
*4 4. 연속고속주행불가
*5 5. 사용지역 및 운전조건을 제한</td></tr>
</table>

1. 내접 기어 펌프(Internal Gear Pump)의 점검 방법

1) 사이드 간극(End Play)

보디와 내·외측 기어의 사이를 직정규와 시크니스 게이지를 사용하여 폭이 가장 넓은 부분에서 점검한다.

2) 팁 간극

① 외측 기어 끝과 크레센트(Crescent : 초승달처럼 생긴 부분) 사이의 간극을 점검한다.
② 내측 기어 끝과 크레센트(Crescent) 사이의 간극을 점검한다.

3) 보디 간극

보디와 외측 기어 사이의 간극을 시크니스 게이지(Thickness)로 점검한다.

4) 간극이 정비 한계값을 넘었으면 기어 어셈블리를 교환한다.

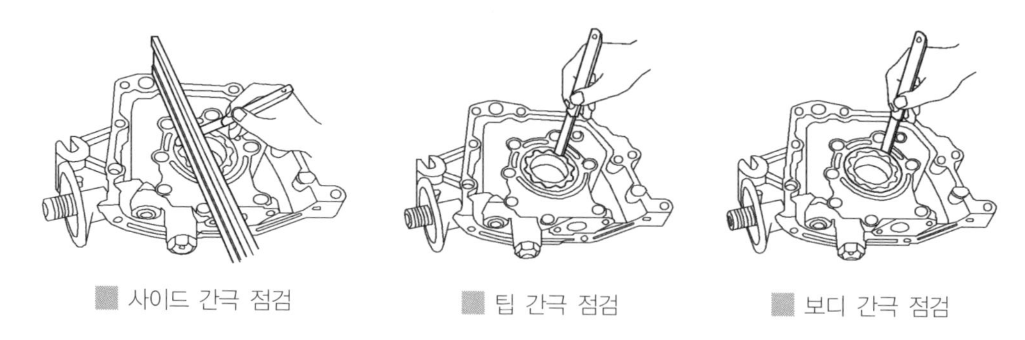

■ 사이드 간극 점검 ■ 팁 간극 점검 ■ 보디 간극 점검

2. 외접 기어 펌프(Circumscription Gear Pump)의 점검 방법

1) 사이드 간극은 보디와 구동·피동 기어의 사이의 간극을 점검한다.

2) **백래시(Back Lash)**

구동 기어와 피동 기어 사이의 백래시 간극을 점검한다.

3) **보디 간극**

보디와 구동·피동 기어 사이의 간극을 점검한다.

4) 간극이 정비 한계값을 넘었으면 기어 어셈블리를 교환한다.

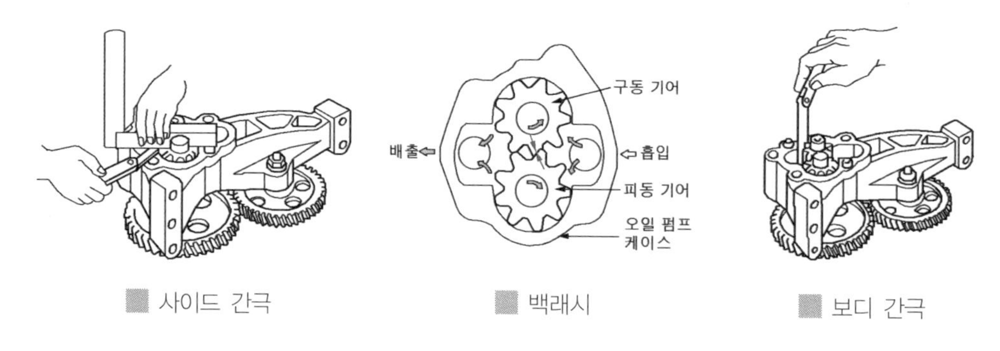

■ 사이드 간극 ■ 백래시 ■ 보디 간극

3. 로터리 펌프(Rotary Pump)의 점검 및 수정 방법

1) **사이드 간극**

보디와 로터의 사이의 간극을 점검한다.

2) **팁 간극**

안 로터와 바깥 로터 사이의 간극을 점검한다.

3) **보디 간극**

보디와 바깥 로터 사이의 간극을 점검한다.

4) 간극이 정비 한계값을 넘었으면 로터리 어셈블리를 교환한다.

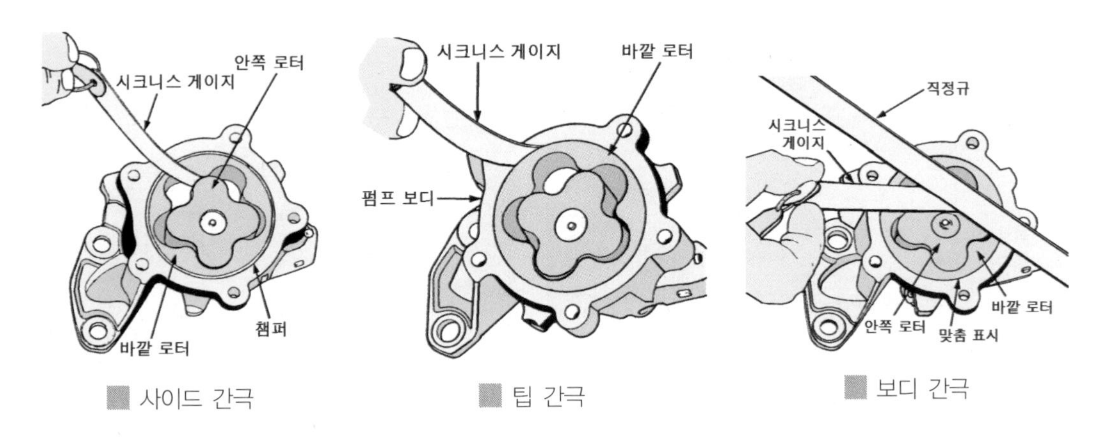

사이드 간극 / 팁 간극 / 보디 간극

■ 차종별 크랭크축 핀 저널 오일 간극 규정값(mm)

차 종		보디 간극		팁 간극	사이드 간극
아반떼 RD	1.5 DOHC	외측	0.12~0.18	0.025~0.069	0.06~0.11
		내측	–	–	0.04~0.085
	1.8 DOHC	외측	0.12~0.185	0.025~0.069	0.02~0.07
		내측	–	–	0.02~0.065
베르나 MC	1.4 DOHC	외측	0.060~0.090	–	0.04~0.065
		내측	–	–	0.04~0.085
	1.6 DOHC	외측	0.060~0.090	–	0.04~0.090
		내측	–	–	0.04~0.085
NF 쏘나타	2.0 DOHC	오일펌프 모듈은 Assembly로 공급되어 분해 · 정비하지 않는다.			
	2.4 DOHC				
	2.0 LPI				
트라제 XG	2.0 DOHC	외측	0.120~0.185	0.025~0.069	0.04~0.09
		내측	–	–	0.04~0.085
	L 2.7 DOHC	외측	0.10~0.181	–	0.04~0.095
		내측	–	–	–
싼타페 CM	2.4 DOHC	오일펌프 모듈은 Assembly로 공급되어 분해 · 정비하지 않는다.			
	L 2.7 DOHC	–		–	–
로체 MG	2.0 DOHC	오일펌프 모듈은 Assembly로 공급되어 분해 · 정비하지 않는다.			
	L 2.0 DOHC				
아반떼 XD	1.5 DOHC	외측	0.120~0.180	0.025~0.069	0.06~0.11
		내측	–	–	0.04~0.085
	1.6 DOHC	외측	0.120~0.180	0.025~0.069	0.06~0.11
		내측	–	–	0.04~0.085
	2.0 DOHC	외측	0.120~0.185	0.025~0.069	0.04~0.09
		내측	–	–	0.04~0.085

4. 오일펌프 사이드 간극(Oil Pump Side Clearance) 점검의 실습현장 사진

<table>
<tr>
<td></td>
<td></td>
</tr>
<tr>
<td>대부분의 차량에서 오일펌프는 프런트 케이스에 장착되어 있으며, 내접기어 방식이 주를 이룬다.</td>
<td>새 차량에서는 펌프 커버가 잘 분리되지 않는다. 고무망치로 "톡톡"치면서 분리하여야 한다. 시험장에서는 분해되어 있다.</td>
</tr>
<tr>
<td></td>
<td></td>
</tr>
<tr>
<td>엔진 스탠드에 설치되어 있는 곳도 있지만 작업대 위에 올려져 있는 경우도 있다. 대부분 탈거되어 있는 상태에서 측정하기도 한다.</td>
<td>측정면을 걸레나 시험장에 비치된 종이걸레로 닦고, 직정규와 시크니스 게이지로 내측 기어와 외측 기어를 모두 측정해서 가장 큰 값이다.</td>
</tr>
</table>

Chapter 4

엔진의 차상 점검 & 정비

01 시동회로(Starting Circuit)의 점검 & 시동

시동회로(Starting Circuit)의 점검 & 시동은 엔진 시동을 걸기위한 부품과 전기회로의 고장진단 및 수리방법을 알고 있는가를 평가하는 문항이다.

시동은 아반떼 엔진 단발 시동용으로 실시하고 있으며, 엔진 스탠드에 설치되어 있고 단발 시동을 걸기 위한 최소한의 장치만 설치되어 있으므로 시동을 걸고 바로 정지시켜야 한다. 시동의 기회는 한번이므로 사전 점검을 철저히 하여야 한다.

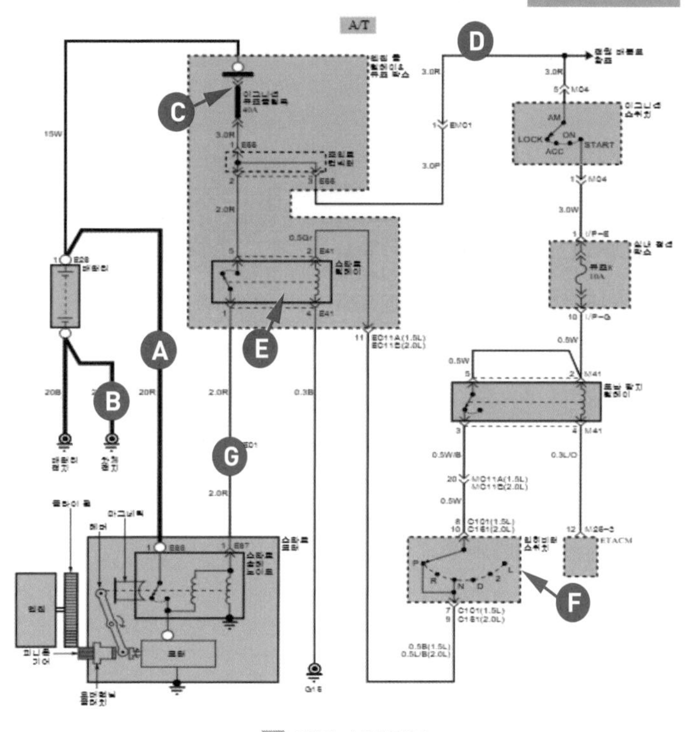

엔진 시동회로

■ 시동장치의 고장진단

현상	가능한 원인	정비
엔진 크랭킹이 되지 않는다	• 배터리 충전전압 낮음 • 배터리 케이블 연결상태 불량 및 부식 또는 마모 • 변속 레인지 스위치 불량(자동 변속기 차량) • 퓨즈 박스 시동 퓨즈 단선 • 시동 전동기 결함 • 점화 스위치 결함	• 배터리 충전 또는 교환 • 케이블 정비 또는 교환 • 스위치 점검수리 또는 교환 • 퓨즈 교환 • 수리 또는 교환 • 수리 또는 교환
엔진 크랭킹이 느리다	• 배터리 충전전압 낮음 • 배터리 케이블 연결상태 불량 및 부식 또는 마모 • 시동 전동기 결함	• 배터리 충전 또는 교환 • 케이블 정비 또는 교환 • 수리 또는 교환
시동 전동기가 계속 회전한다	• 시동 전동기 결함 • 점화 스위치 결함	• 수리 또는 교환 • 수리 또는 교환
시동 전동기는 회전하나 엔진은 크랭킹이 되지 않는다	• 와이어링의 단락 • 피니언기어 이빨의 마모 및 파손 • 링기어 이빨의 파손	• 수리 또는 교환 • 수리 또는 교환 • 링기어 교환

1. 시동회로(Starting Circuit)의 점검 & 시동 방법

배터리(Battery)에서 시동 전동기 + 케이블(A), 배터리 - 케이블(B), 이그니션 퓨즈블 링크(C), 퓨즈블 링크와 키스위치(D), 스타트 릴레이(E), 자동변속기 선택레버 위치(F), 스타트 릴레이에서 스타팅 모터 St단자간(G) 등의 연결 회로를 점검한다. 물론 부품도 점검한다(퓨즈의 단선여부, 커넥터 연결 상태, 연결 볼트의 풀림 등) 탈・부착은 이 부품 중에 한 가지 탈부착으로 하고 있다.

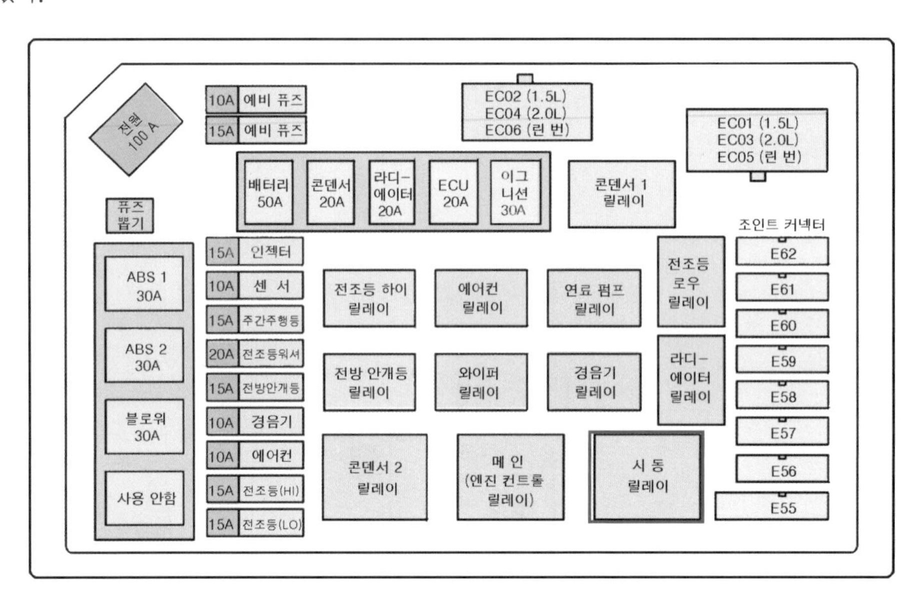

구분	표기	용량(A)	연결회로
퓨즈블 링크	전원	120A	제너레이터
	배터리	50A	퓨즈블링크(파워윈도우), 퓨즈(4,13,14,15,16), 미등 릴레이, 파워 커넥터
	콘덴서	20A	콘덴서 팬 릴레이 .1
	라디에이터	20A	라디에이터 팬 릴레이
	ECU	20A	제너레이터, 연료 펌프 릴레이, 엔진 컨트롤 릴레이, PCM
	이그니션	40A	스타트 릴레이, 이그니션 스위치
	ABS. 1	30A	ABS 컨트롤(모터)
	ABS. 2	30A	ABS 컨트롤(솔레노이드)
	블로워	30A	블로워 릴레이
퓨즈	인젝터	15A	인젝터, 캐니스터 퍼지 밸브, 센서, CVVT
	센서	10A	PCM, 산소(O_2) 센서, 아이들 스피드 액추에이터
	주간 주행등	15A	사용 안함
	전조등 와셔	20A	사용 안함
	안개등	15A	안개등
	경음기 & 에어컨	15A	경음기, 에어컨 컨트롤
	ECU	10A	PCM, 사이렌
	전조등(HI)	15A	전조등(HIGH)
	전조등(LO)	15A	전조등(LOW)

2. 시동장치 고장진단

1) 시동이 어려울 때 고장진단 순서도

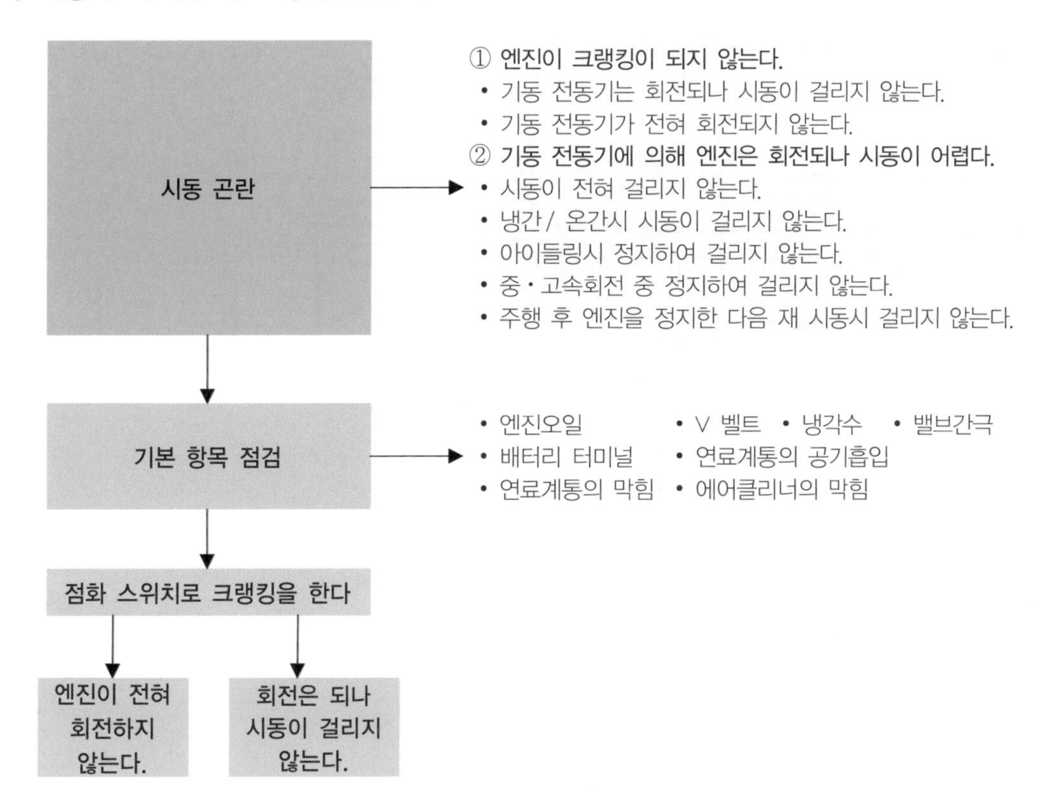

2) 엔진이 크랭킹이 되지 않는다.

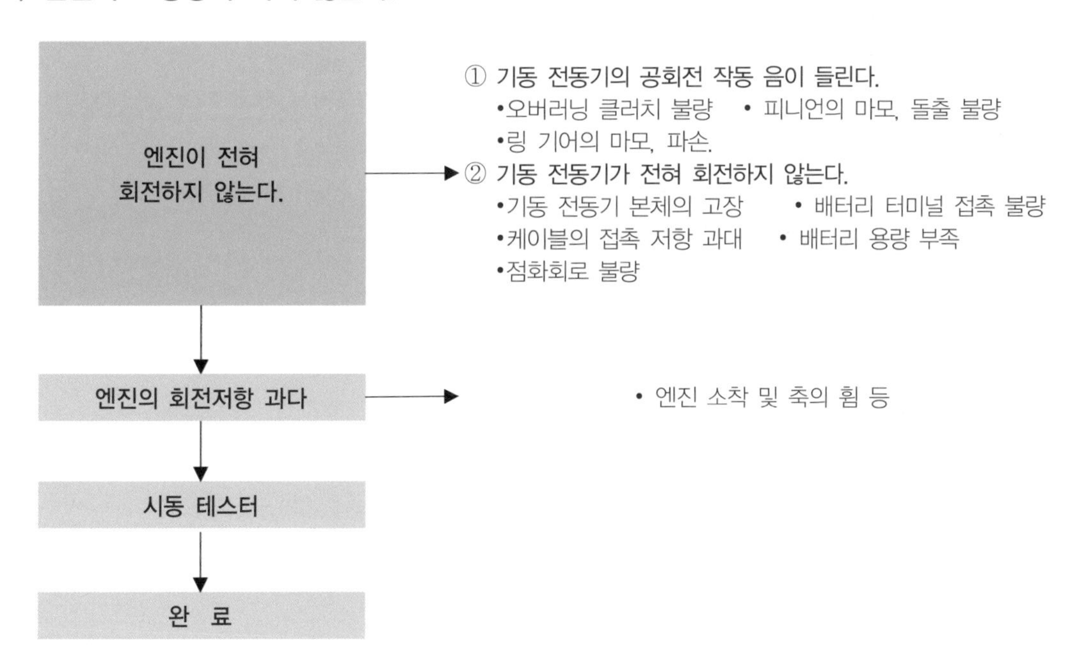

3. 시동장치 점검

1) 스타트 릴레이(Start Relay) 점검

① 엔진룸 퓨즈 릴레이 박스에서 시동 릴레이를 탈거하여 터미널 간 통전여부를 점검한다.

② 배터리 전원을 차단하고 85번 단자와 86번 단자는 통전 되어야 한다. 30번 단자와 87번 단자는 불통이다.

③ 85번 단자와 86번 단자에 12V 전원을 공급하면 30번 단자와 87번 단자는 통전이 되어야 한다.

터미 / 조건	85	86	87	30
전원 차단	○━	━○		
전원 공급	○━	━○	○━	━○

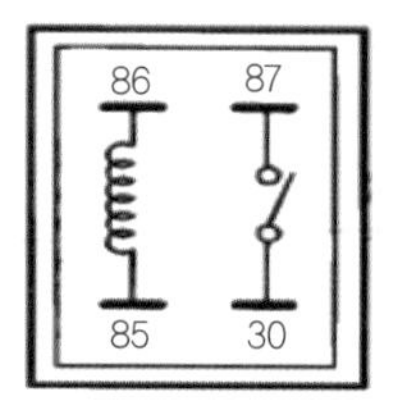

릴레이 점검

2) 점화 로크 스위치(Ignition Lock Switch) 점검(M/T 차량)

① 스위치가 “ON” 되었을 때(눌렀을 때) 터미널 사이가 통전되는지 확인한다.

② 스위치가 “OFF” 되었을 때(놓았을 때) 터미널 사이가 불통되는지 확인한다.

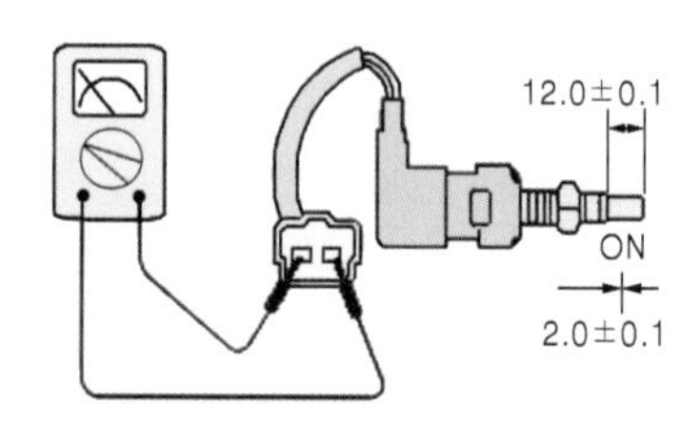

로크 스위치 점검

3) 배터리(Battery) 점검

배터리의 충전 전압을 점검하고, 배터리 터미널의 연결 상태를 확인한다.

4) 퓨즈블 링크(Fusible Link) 점검

단선 여부 및 접촉 불량, 연결 상태 등을 점검한다.

5) 시동 전동기 마그네틱 스위치(Starting Motor Magnetic Switch) 점검

마그네틱 스위치의 “B” 단자, “M”단자, “ST”단자의 연결 상태를 점검한다.

6) 점화 스위치(Ignition Switch) 점검

키 스위치의 불량과 커넥터 연결 상태를 점검한다.

7) 시동 릴레이(Starting Relay) 점검

퓨즈 박스에서 “시동 릴레이”의 단선, 이상 유무, 탈거 등을 점검한다.

4. 전장계통 정비할 때 주의사항

① 전장 계통 정비 시에는 배터리 (–) 단자를 먼저 분리시킨다.
② 하니스(조립 부품으로 완전히 마무리한 케이블 조립품)가 날카로운 부위나 모서리 등에 간섭이 되면 그 부위를 테이프 등으로 감싸서 하니스가 손상되지 않도록 한다.

① 배터리 (-) 단자를 분리 혹은 연결하기 전에 먼저 점화 스위치 및 기타 램프류의 스위치를 "OFF"시켜야 한다.
② 스위치를 "OFF" 시키지 않을 경우 반도체 부품이 손상될 수 있다.

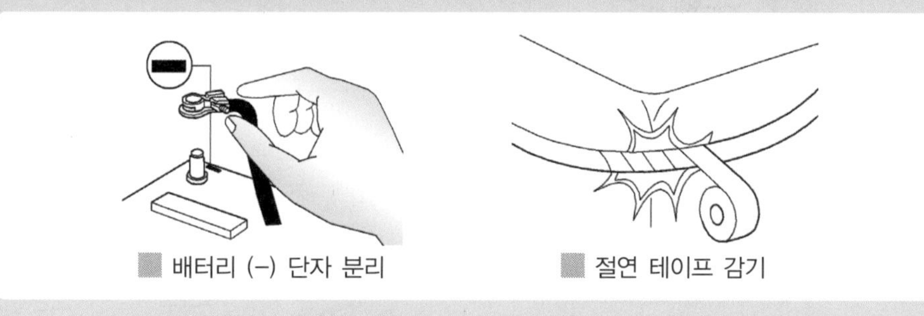

배터리 (–) 단자 분리 / 절연 테이프 감기

③ 전선 및 하니스의 지정된 위치에 각각의 전선 타이(A)를 이용하여 프레임에 확실하게 고정한다.
④ 차량에 부품을 장착할 때는 와이어링 하니스가 찢어지기거나 손상되지 않도록 주의한다.

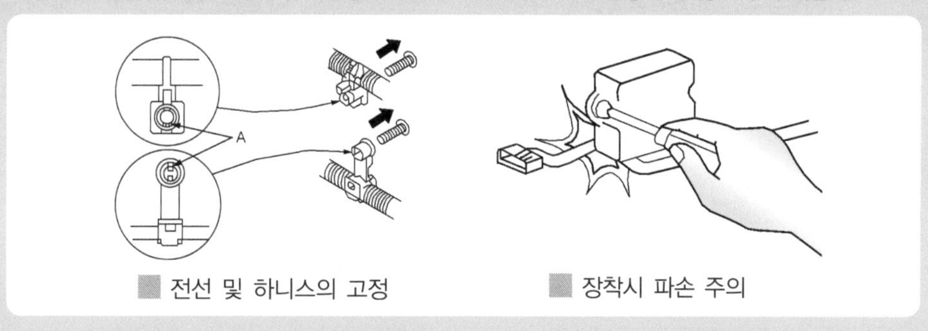

전선 및 하니스의 고정 / 장착시 파손 주의

⑤ 퓨즈 및 릴레이가 소손되었을 때는 정격용량의 퓨즈를 교환한다. 규정 용량보다 높은 것을 사용하면 부품의 손상이나 화재가 일어날 수 있다. 반대로 작은 용량을 사용하면 퓨즈가 또 소손된다.
⑥ 센서 릴레이류 등은 강한 충격을 받아서는 안 되며, 바닥에 떨어트리거나 주고받을 때 던져서는 안 된다.

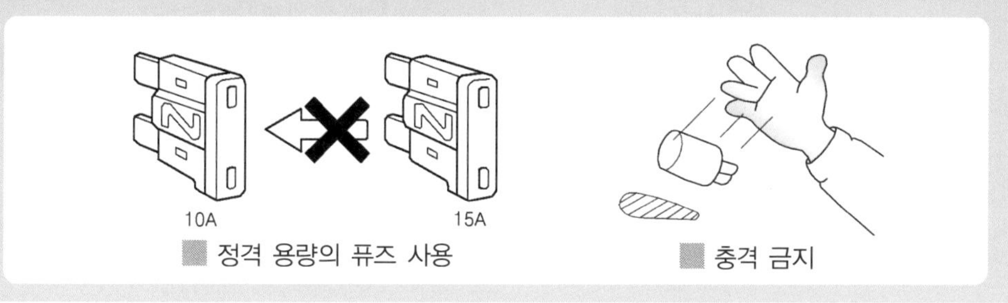

정격 용량의 퓨즈 사용 / 충격 금지

⑦ 컴퓨터, 릴레이 등에 사용되는 전자 부품은 열에 의해 쉽게 손상되므로 온도가 80℃를 초과해서 작업을 할 경우에는 미리 전자 부품을 분리하여 손상이 없도록 한다.

⑧ 느슨한 커넥터의 연결은 고장의 원인이 되므로 확실하게 장착한다.

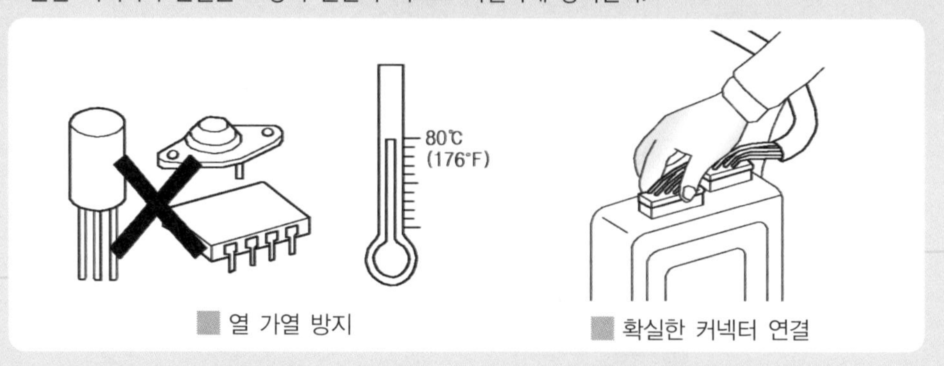

■ 열 가열 방지 ■ 확실한 커넥터 연결

⑨ 하니스를 분리할 때 커넥터를 잡고 당겨야 하며, 배선을 잡고 당겨서는 안된다.

⑩ 잠금장치(A)가 있는 커넥터를 분리시킬 때 잠금장치를 누르면서 분리한다.

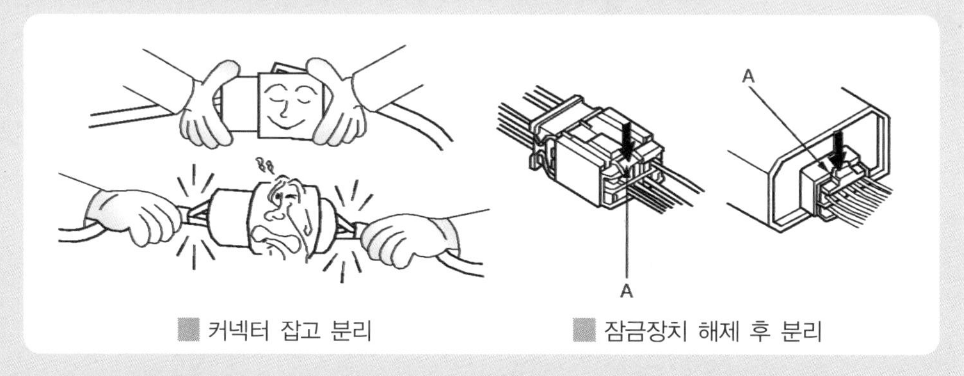

■ 커넥터 잡고 분리 ■ 잠금장치 해제 후 분리

⑪ 커넥터를 연결할 때는 "딱" 소리가 날 때까지 삽입한다.

⑫ 회로 테스터기를 이용하여 커넥터 단자의 통전 혹은 전압 점검할 때는 하니스 측에서 탐침 하여야 한다. 봉합 커넥터일 경우 와이어링 고무 캡 내의 구멍을 통해 삽입한다. 절연이나 방수기능이 손상되지 않도록 한다.

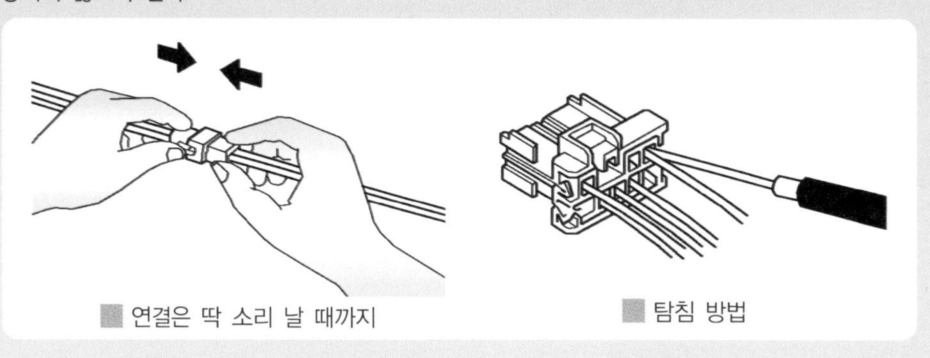

■ 연결은 딱 소리 날 때까지 ■ 탐침 방법

5. 엔진 시동회로(Starting Circuit)의 점검 & 시동의 실습현장 사진

단발 시동용 엔진으로 스탠드에 설치되어 있다. 시험장 시뮬레이터가 제작회사마다 다르다.

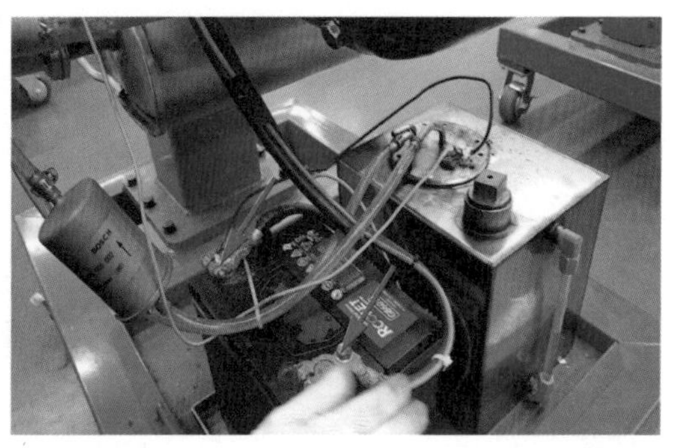

제일 먼저 점검하여야 할 것은 배터리 +, – 터미널 연결 상태이며, 배터리가 옆에 점프용 배터리가 준비되어 있는 곳도 있다.

키 스위치 뒤편이다. 극히 드물지만 땜질부분의 연결상태를 점검한다. 또는 접촉 불량일 경우도 있다.

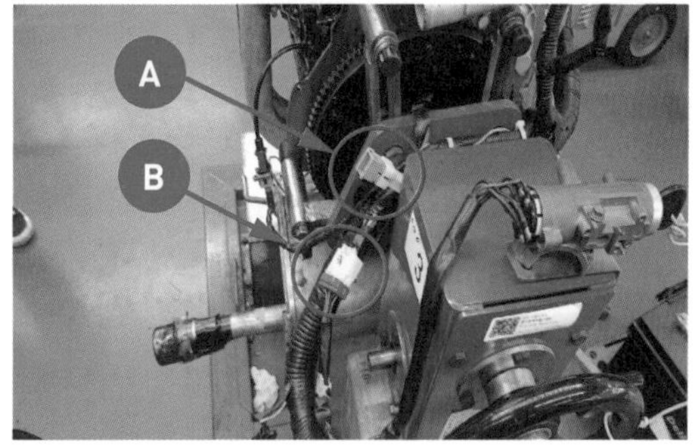

퓨즈블 링크(A)와 키 스위치 커넥터(B)의 연결 상태 및 단선 여부를 멀티 테스터를 이용하여 확인한다.

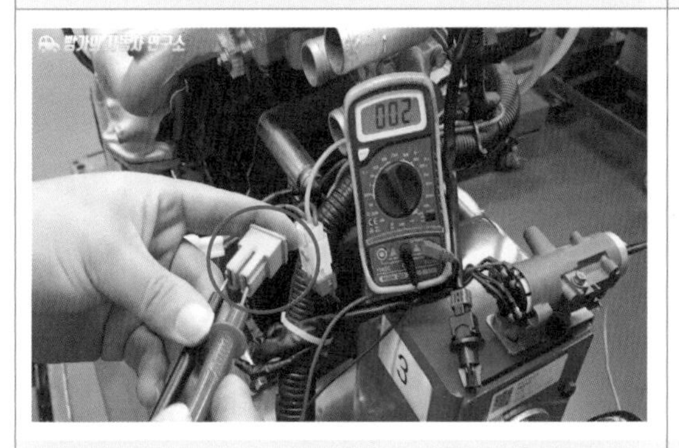

준비되어 있는 퓨즈블 링크를 디지털 멀티 테스터를 갖고 단선여부를 확인한다. 현직에 있는 분은 테스트 램프를 이용하기도 한다.

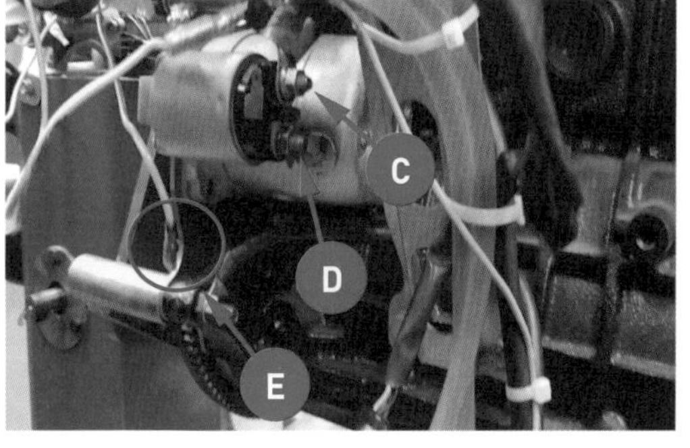

솔레노이드 스위치 "B"단자(C), "M"단자(D)의 연결 상태와 ST커넥터 탈거(E)를 확인한다.

02 점화회로(Ignition Circuit)의 점검 & 시동

점화회로(Ignition Circuit)의 점검 & 시동은 엔진 시동을 걸기위한 점화관련 부품과 전기회로의 고장진단 및 수리방법을 알고 있는가를 평가하는 문항이다. 아직도 아반떼 엔진 단발 시동용으로 실시하고 있으며, 대부분 엔진 스탠드에 설치되어 있고 단발 시동을 걸기위한 최소한의 장치만 설치되어 있으므로 시동을 걸고 바로 정지시켜야 한다. 시동의 기회는 한번이므로 사전점검을 철저히 하여야 한다.

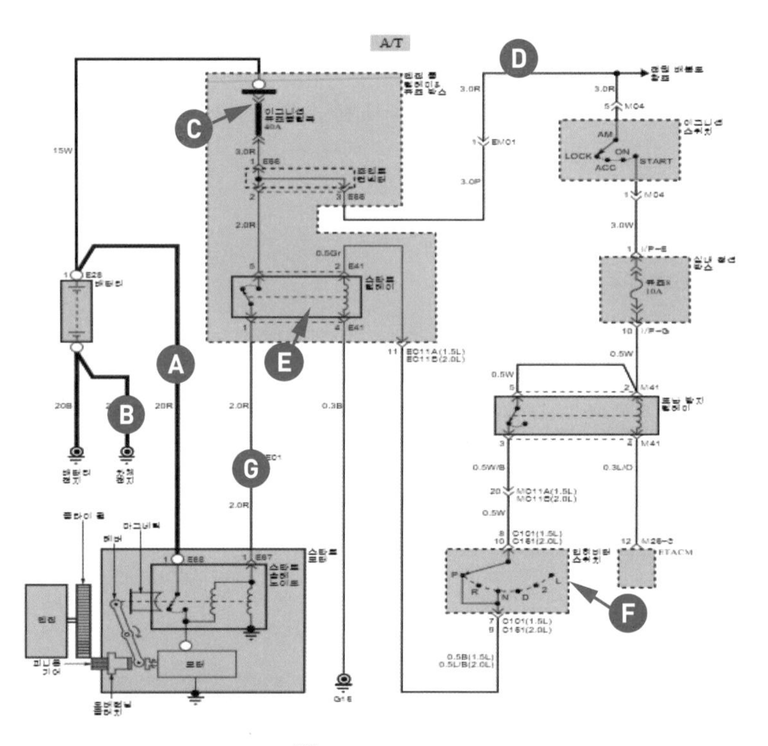

엔진 시동회로

■ 점화장치의 고장진단

현상	가능한 원인	정비
시동이 걸리지 않거나 어렵다. (크랭킹은 가능)	• 점화 스위치 불량 • 점화코일 불량 • 점화 플러그 불량 • 와이어링 커넥터의 이탈 또는 파손	• 점화 스위치 점검 또는 교환 • 점화코일 점검 또는 교환 • 점화 플러그 점검 또는 교환 • 와이어링 수리 또는 교환
공회전이 불안정하거나 엔진이 정지한다	• 와이어링 커넥터의 이탈 또는 파손 • 점화코일 불량	• 와이어링 수리 또는 교환 • 점화코일 점검 또는 교환
엔진 부조 또는 가속 불량	• 점화 플러그 불량 • 와이어링 커넥터의 이탈 또는 파손	• 점화 플러그 점검 또는 교환 • 와이어링 수리 또는 교환
연비가 낮다	• 점화 플러그 불량	• 점화 플러그 점검 또는 교환

■ 점화장치의 제원

항목 \ 엔진			아반떼 XD(1.5)	NF 쏘나타 2.0(쎄타 1 엔진)
점화 코일	1차 코일 저항		0.62±10%(Ω)	0.62±10%(Ω)
	2차 코일 저항		7.0±15%(kΩ)	7.0±15%(kΩ)
점화 플러그	사양		RC10YC4	FK16HQR11
	플러그 갭		1.0~1.1mm	1.0~1.1mm
	품번	일반	BKR5ES-11	BKR5ES-11
		백금	PFR5N-11	IFR5G11/PFR5N-11

1. 점화회로(Ignition Circuit)의 점검 & 시동 방법

배터리(Battery)에서 시동 전동기 + 케이블(A), 배터리 - 케이블(B), 이그니션 퓨즈블 링크(C), 퓨즈블 링크와 키스위치(D), 스타트 릴레이(E), 자동 변속기 선택레버 위치(F), 스타트 릴레이에서 스타팅 모터 St단자간(G)와 점화코일의 연결 커넥터(H) 등의 연결 회로를 점검한다. 물론 부품도 점검한다(이그니션 퓨즈 단선여부, 커넥터 연결 상태, 연결 볼트의 풀림 등) 탈·부착은 이 부품 중에 한 가지 탈부착으로 하고 있다.

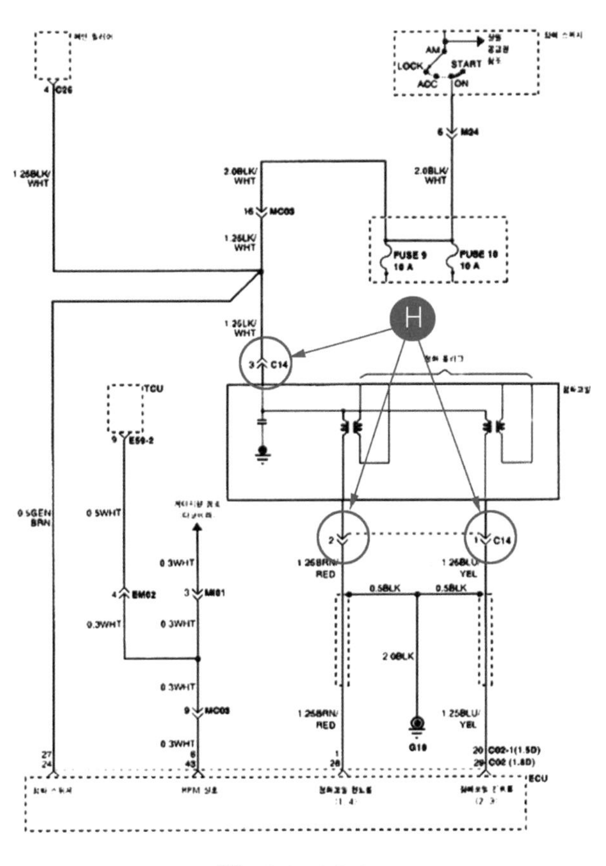

엔진 점화회로

2. 점화장치 고장진단

1) 엔진은 정상적으로 회전하지만 시동이 어려울 때 고장진단 순서도

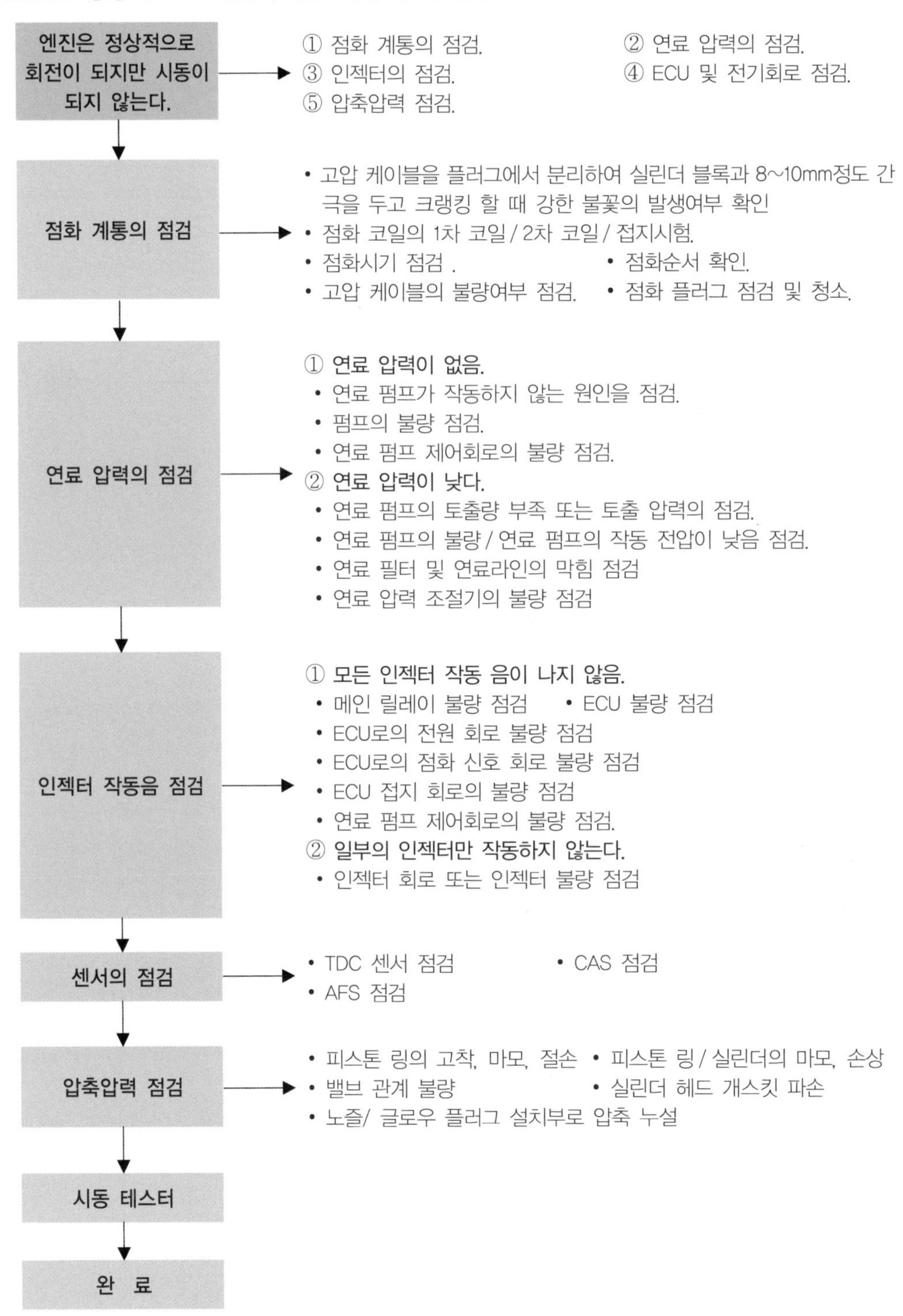

3. 점화회로(Ignition Circuit)의 점검

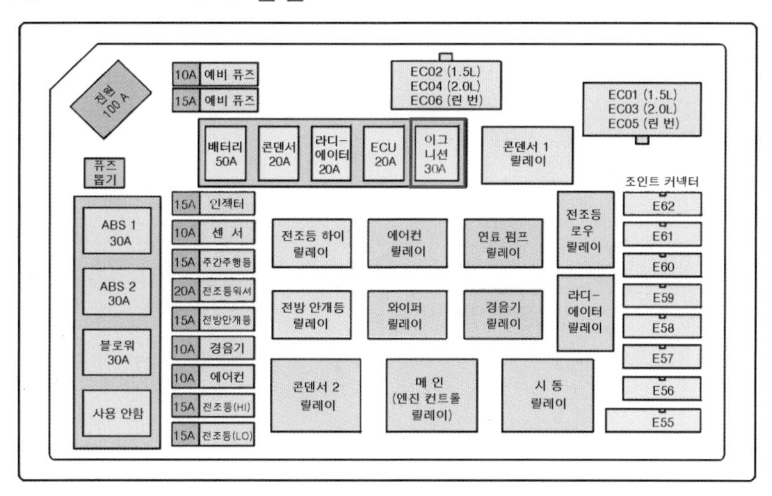

구분	표기	용량(A)	연결회로
퓨즈 블링크	전원	120A	제너레이터
	배터리	50A	퓨즈블 링크(파워윈도우), 퓨즈(4,13,14,15,16), 미등 릴레이, 파워 커넥터
	콘덴서	20A	콘덴서 팬 릴레이 .1
	라디에이터	20A	라디에이터 팬 릴레이
	ECU	20A	제너레이터, 연료 펌프 릴레이, 엔진 컨트롤 릴레이, PCM
	이그니션	40A	스타트 릴레이, 이그니션 스위치
	ABS. 1	30A	ABS 컨트롤(모터)
	ABS. 2	30A	ABS 컨트롤(솔레노이드)
	블로워	30A	블로워 릴레이
퓨즈	인젝터	15A	인젝터, 캐니스터 퍼지 밸브, 센서, CVVT
	센서	10A	PCM, 산소(O_2) 센서, 아이들 스피드 액추에이터
	주간 주행등	15A	사용 안함
	전조등 와셔	20A	사용 안함
	안개등	15A	안개등
	경음기 & 에어컨	15A	경음기, 에어컨 컨트롤
	ECU	10A	PCM, 사이렌
	전조등(HI)	15A	전조등(HIGH)
	전조등(LO)	15A	전조등(LOW)

① **점화 스위치(Ignition Switch) 점검** : 키 스위치의 불량과 커넥터 연결 상태를 점검한다.

② **점화 코일(Ignition Coil) 점검** : 점화 1코일과 2차코일의 저항값을 측정하여 단선여부, 커넥터의 연결 상태 등을 점검한다.

③ **점화 고압 케이블(high Tension Coil) 점검** : 각 실린더로 가는 고압 케이블의 저항값을 점검하여 단선여부, 연결 상태 등을 점검한다.

④ **점화 플러그(Spark Plug) 점검** : 점화 플러그의 불량, 간극 점검, 연결 상태 등을 점검한다.

⑤ **이그니션 퓨즈(Ignition Fuse) 점검** : 퓨즈 박스에서 "이그니션 퓨즈 30A" 단선, 이상 유무, 탈거 등을 점검한다.

⑥ **크랭크각 센서(CKPS : Crank Position Sensor)의 점검** : CKPS의 점검 및 커넥터의 연결 상태 등을 점검한다.

⑦ **퓨즈블 링크(Fusible Link) 점검** : 단선 여부 및 접촉 불량, 연결 상태 등을 점검한다.

4. 스파크(Spark)의 점검

1) 점화장치 스파크 시험 방법

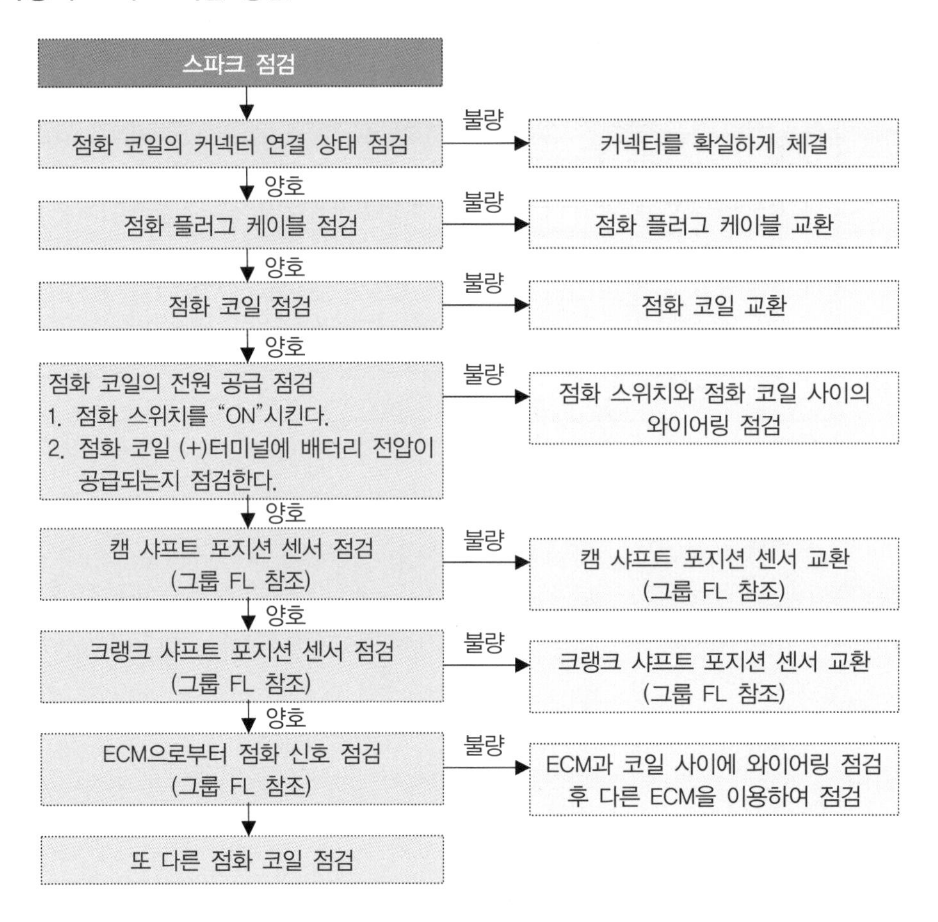

5. 엔진 점화회로의 점검 & 시동의 실습현장 사진

단발 시동용 엔진으로 스탠드에 설치되어 있으며, 시뮬레이터 엔진으로 사용할 수도 있다. 시험장마다 다를 수 있다.

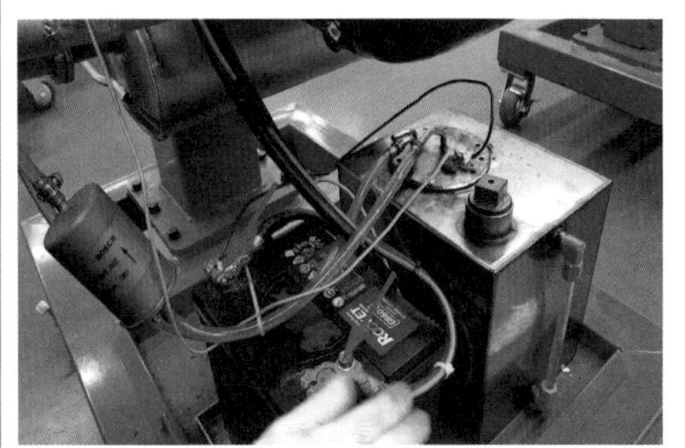

시동용 엔진이 몇 대 준비되어 있으며, 지정한 엔진에서 제일 먼저 점검하여야 할 것은 배터리 +, − 터미널 연결 상태이다.

키 스위치 뒤편에는 AM, ACC, IG1, IG2, ST 단자가 있다. 극히 드물지만 땜질부분의 연결 상태를 점검한다.

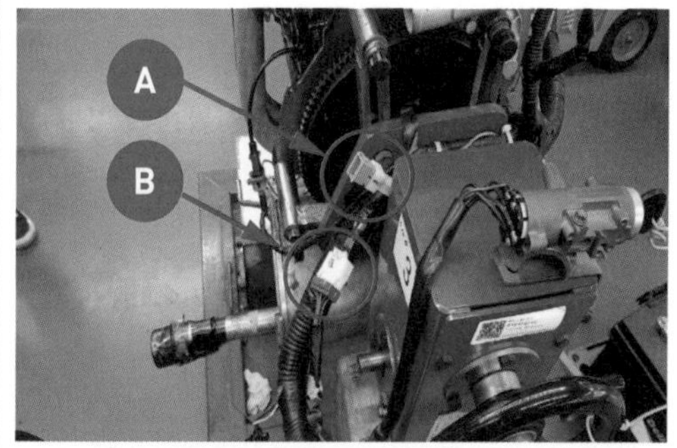

퓨즈블 링크(A)와 키 스위치 커넥터(B)의 연결 상태를 확인한다. 때에 따라서는 멀티 테스터로 단선여부를 점검한다.

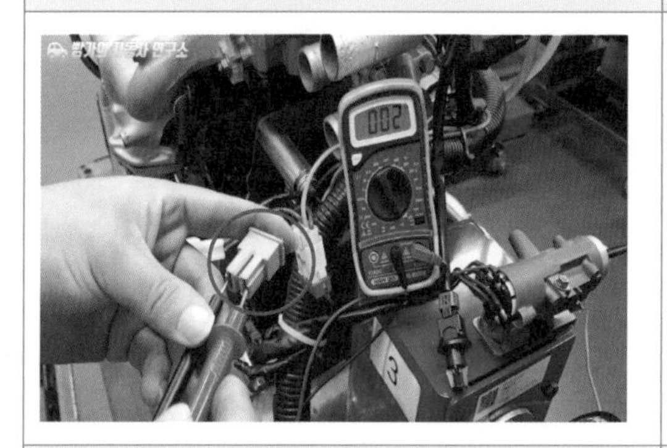

설치되어 있는 퓨즈블 링크를 디지털 멀티 테스터를 갖고 단선여부를 확인하여 단선일 경우 새것으로 달래서 설치한다.

아이들 스피드 밸브 커넥터와 크랭크각 센서를 확인하고 커넥터 연결 상태를 확인한다.

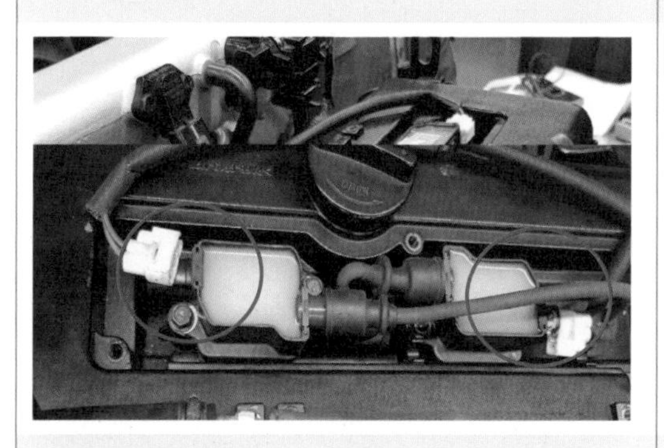

실린더 헤드 위에 있는 점화 코일 커넥터 2개(1&4/2&3)가 장착 불량일 때는 딱 소리가 날 때가지 밀어 넣는다.

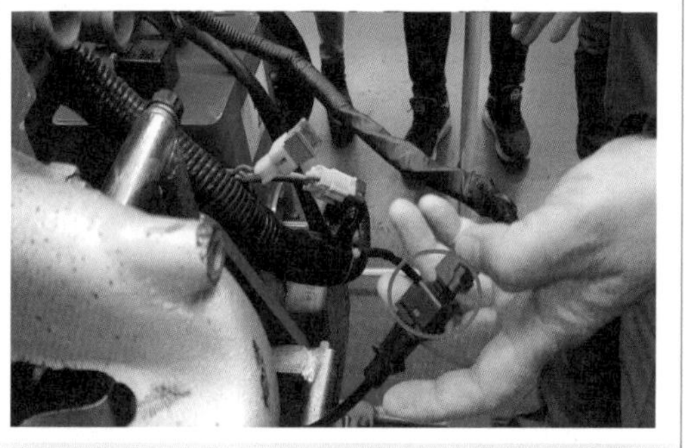

실린더 블록 뒤쪽에 설치된 크랭크각 센서 커넥터의 연결 상태를 확인하여 확실하게 장착한다.

03 연료 장치 회로(Fuel System Circuit)의 점검 & 시동

연료장치 회로(Fuel System Circuit)의 점검은 시동을 걸기위한 연료장치 관련 부품과 전기회로의 고장진단 및 수리방법을 알고 있는가를 평가하는 문항이다. 아직도 아반떼 엔진 단발 시동용으로 실시하고 있으며, 대부분 엔진 스탠드에 설치되어 있고 단발 시동을 걸기위한 최소한의 장치만 설치되어 있으므로 시동을 걸고 바로 정지시켜야 한다. 시동의 기회는 한번이므로 사전 점검을 철저히 하여야 한다.

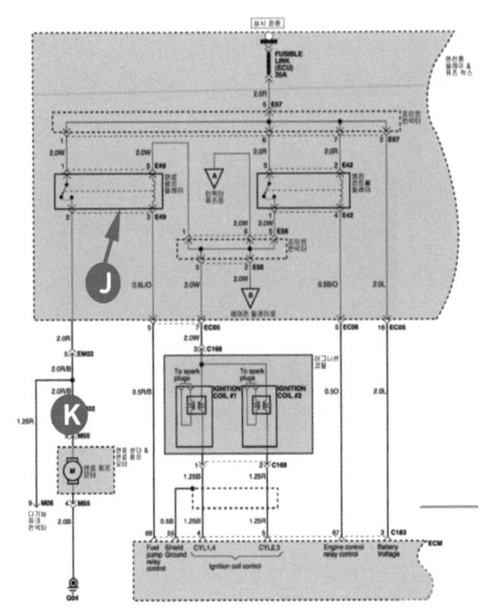

릴레이 펌프 커넥터 점검

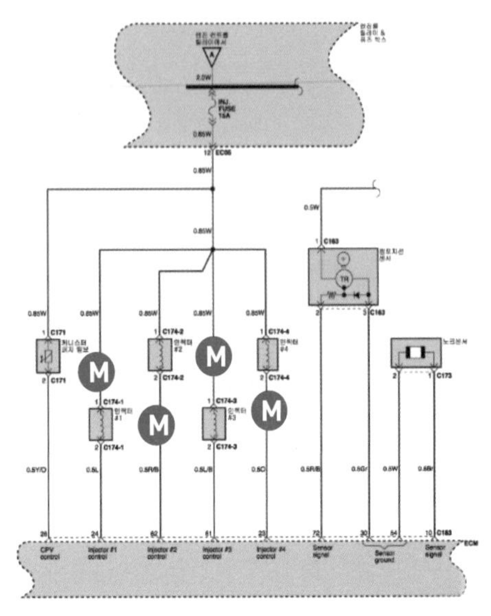

인젝터와 커넥터 점검

■ 연료공급 장치의 고장진단

상태	가능한 원인	원인
압력이 너무 낮다	· 연료 필터가 막힘 · 연료 압력 레귤레이터에 있는 밸브의 밀착이 불량하여 귀화구(Return port) 쪽으로 연료가 누설된다.	· 연료 필터 교환 · 연료 펌프에 장착된 연료 압력 레귤레이터 교환 · 연료 펌프 교환
연료 압력이 너무 높다	연료 압력 레귤레이터 내의 밸브가 고착됨	· 연료 펌프에 장착된 연료 압력 레귤레이터 교환 · 호스, 파이프를 수리 혹은 교환

■ 연료공급 장치의 제원

항목 \ 엔진		아반떼 XD(1.5)	NF 쏘나타 2.0(쎄타 1 엔진)
연료 탱크 용량			70L
연료 필터(연료펌프에 내장됨)		7.0±15%(kΩ)	고압력식
연료압력 레귤레이터(연료펌프에 내장됨)-조정 압력			3.5kgf/㎠
연료펌프	형식	RC10YC4	탱크 내장 전기식
	구동	1.0~1.1mm	전기 모터
연료 공급방식		BKR5ES-11	리턴리스(Returnless) 방식

1. 연료장치 회로(Fuel System Circuit)의 점검 & 시동 방법

연료 펌프 릴레이 점검(J), 연료 펌프 커넥터(K), 인젝터 커넥터(M)의 연결 상태를 확인한다. 물론 부품도 점검한다(연료 펌프 릴레이, 인젝터 퓨즈 단선여부, 연료 펌프의 고장 여부 등) 탈・부착은 이 부품 중에 한 가지 탈부착으로 하고 있다.

2. 연료장치 회로의 고장진단

1) 시동 불능(크랭킹은 됨) 점검 방법

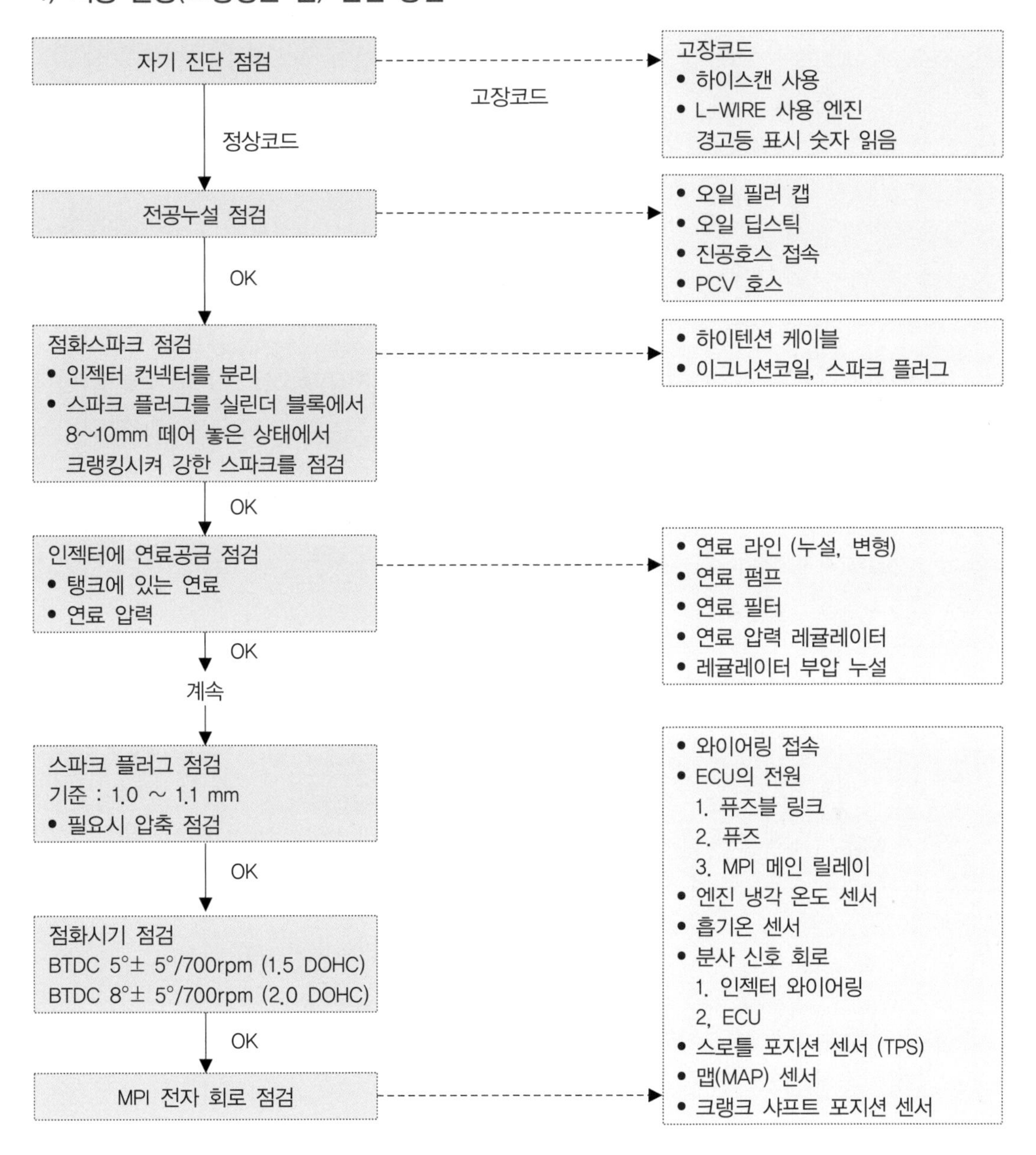

2) 시뮬레이터에서의 연료장치회로 시동 불능 고장진단

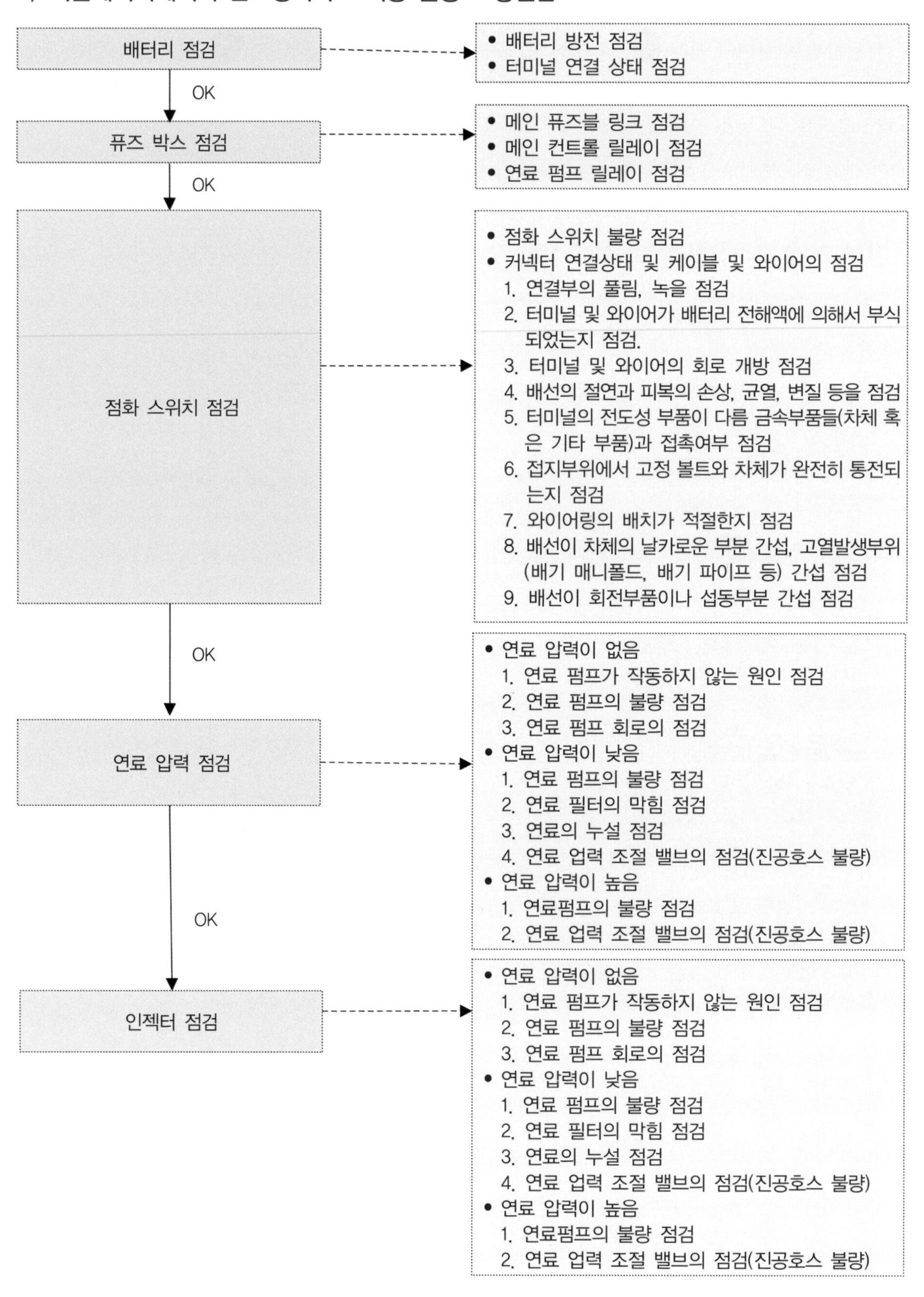

3. 연료장치 회로 점검

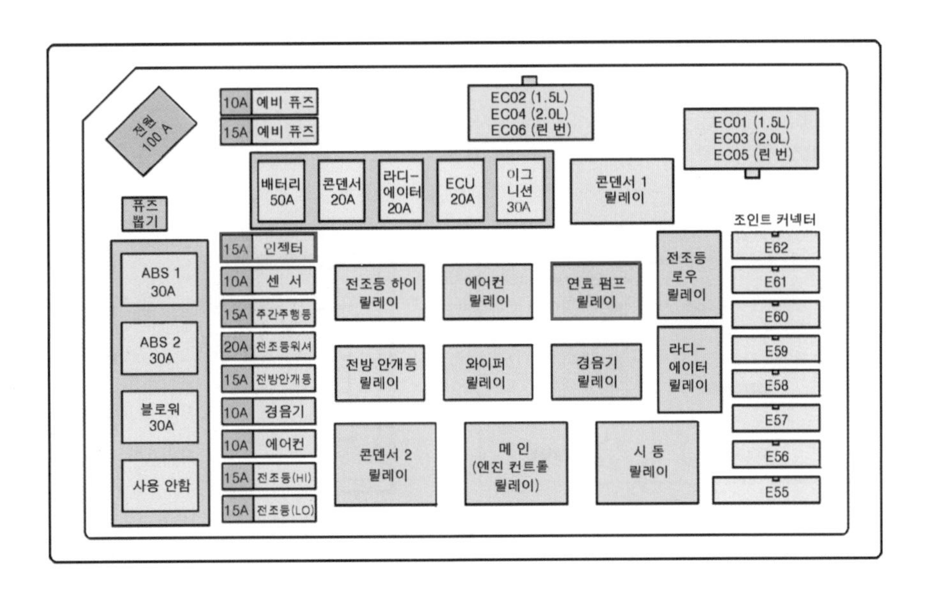

구분	표기	용량(A)	연결회로
퓨즈 블링크	전원	120A	제너레이터
	배터리	50A	퓨즈블링크(파워윈도우), 퓨즈(4,13,14,15,16), 미등 릴레이, 파워 커넥터
	콘덴서	20A	콘덴서 팬 릴레이 .1
	라디에이터	20A	라디에이터 팬 릴레이
	ECU	20A	제너레이터, 연료 펌프 릴레이, 엔진 컨트롤 릴레이, PCM
	이그니션	40A	스타트 릴레이, 이그니션 스위치
	ABS. 1	30A	ABS 컨트롤(모터)
	ABS. 2	30A	ABS 컨트롤(솔레노이드)
	블로워	30A	블로워 릴레이
퓨즈	인젝터	15A	인젝터, 캐니스터 퍼지 밸브, 센서, CVVT
	센서	10A	PCM, 산소(O_2) 센서, 아이들 스피드 액추에이터
	주간 주행등	15A	사용 안함
	전조등 와셔	20A	사용 안함
	안개등	15A	안개등
	경음기 & 에어컨	15A	경음기, 에어컨 컨트롤
	ECU	10A	PCM, 사이렌
	전조등(HI)	15A	전조등(HIGH)
	전조등(LO)	15A	전조등(LOW)

1) 연료 펌프 릴레이(Start Relay) 점검

① 엔진룸 퓨즈 릴레이 박스에서 연료 펌프 릴레이를 탈거하여 터미널 간 통전여부를 점검한다.
② 배터리 전원 차단하고 85번 단자와 86번 단자는 통전 되어야 한다. 30번 단자와 87번 단자는 불통이다.
③ 85번 단자와 86번 단자에 12V 전원을 공급하면 30번 단자와 87번 단자는 통전이 되어야 한다.

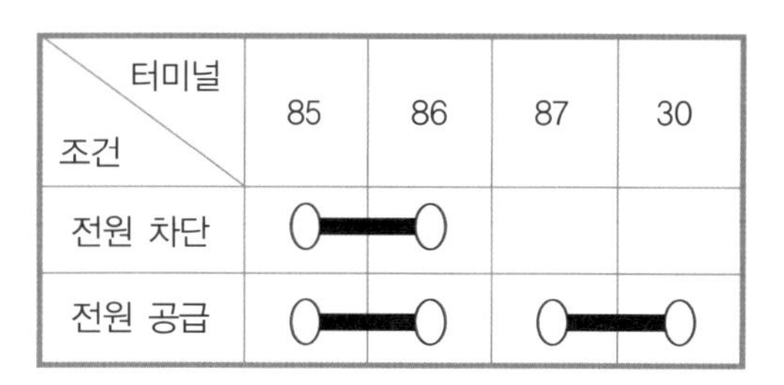

조건 \ 터미널	85	86	87	30
전원 차단	○━	━○		
전원 공급	○━	━○	○━	━○

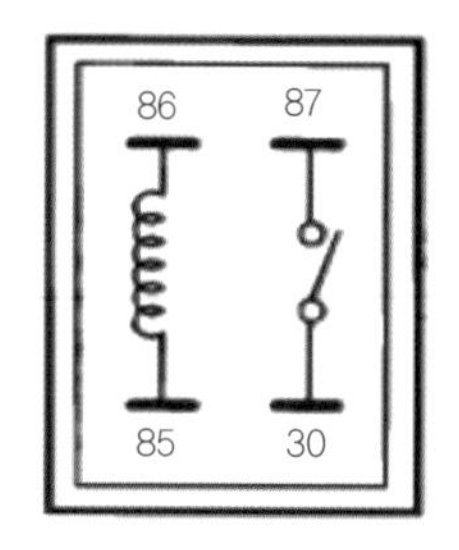

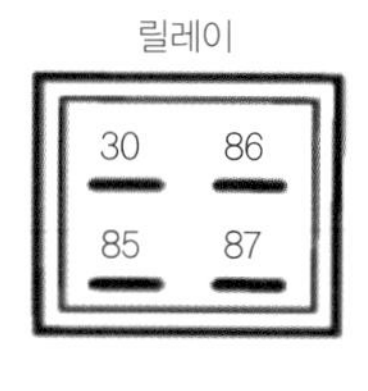

릴레이 점검

2) 배터리(Battery) 점검

배터리의 충전 전압을 점검하고, 배터리 터미널의 연결 상태를 확인한다.

3) 퓨즈블 링크(Fusible Link) 점검

단선 여부 및 접촉 불량, 연결 상태 등을 점검한다.

4) 점화 스위치(Ignition Switch) 점검

키 스위치의 불량과 커넥터 연결 상태를 점검한다.

5) 연료 펌프(Fuel Pump) 점검

연료 펌프의 이상 유무와 배선의 단선, 연결 커넥터의 접촉 불량 등을 점검한다.

6) 인젝터(Injector) 점검

인젝터의 코일 단선 여부와 커넥터의 접촉 불량, 연결 상태 등을 점검한다.

7) 인젝터 퓨즈(Injector Fuse) 점검

퓨즈 박스에서 인젝터 퓨즈의 단선 여부, 접촉 불량, 탈거 등을 점검한다.

4. 연료장치 회로 점검 & 시동의 실습현장 사진

단발 시동용 엔진으로 스탠드에 설치되어 있으며, 많은 학생들이 연습을 하였기에 시동회로 부품은 상처가 많다.

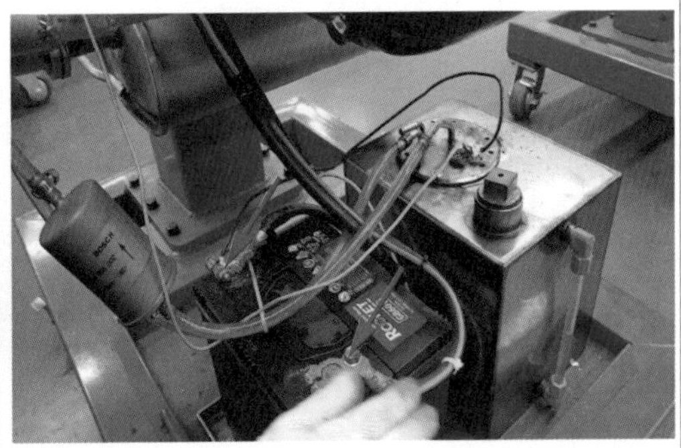

단발 기동용 엔진은 시험장마다 다를 수 있다. 제일 먼저 점검하여야 할 것은 배터리 +, − 터미널의 연결 상태이다.

키 스위치 뒤편이다. 땜질부분의 연결 상태를 점검한다. 여기를 고장 내놓았다가 원상태 복귀가 어려워 드문 편이다.

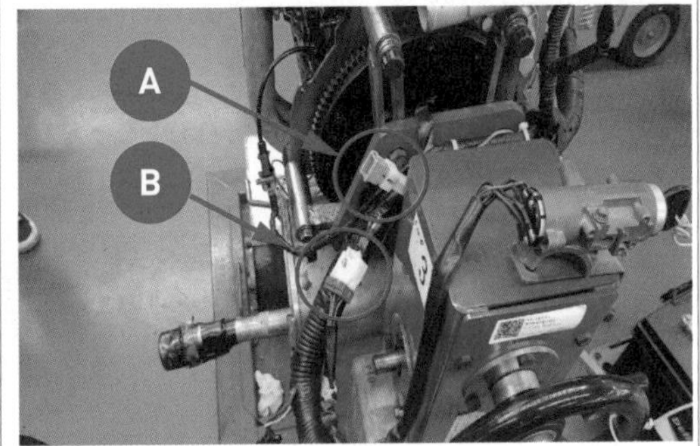

모양이 차마다 다르겠지만 퓨즈블 링크(A)와 키 스위치 커넥터(B)의 연결 상태를 확인한다. 멀티 테스터를 사용한다.

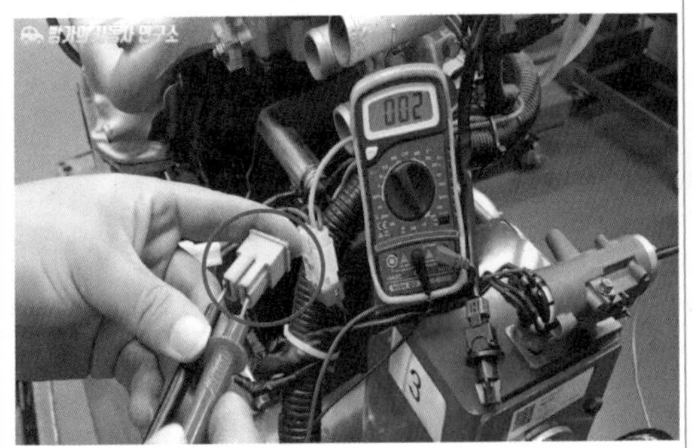

준비되어 있는 퓨즈블 링크를 디지털 멀티 테스터를 갖고 단선여부를 확인한다. 때에 따라서는 시험장에 준비된 곳도 있다.

아이들 스피드 밸브 커넥터와 크랭크각 센서를 확인하고 커넥터 연결 상태를 확인한다.

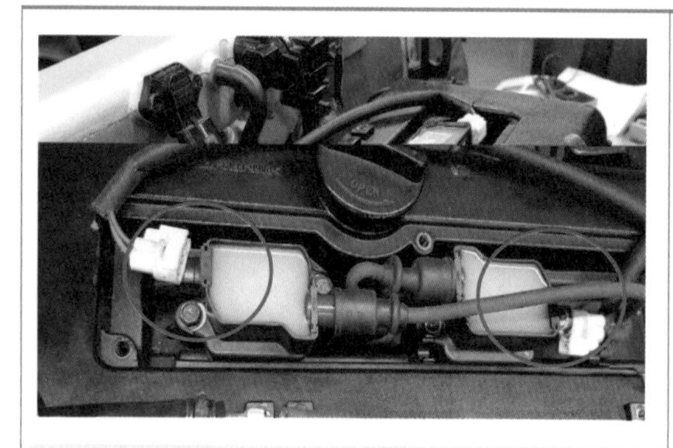

점화장치의 점검사항이지만 실린더 헤드 위에 있는 점화 코일 커넥터 2개(1&4/ 2&3)의 연결 상태를 확인한다.

점화장치의 점검사항이지만 실린더 헤드 뒤쪽에 설치된 캠 포지션 센서 커넥터의 탈거를 확인한다.

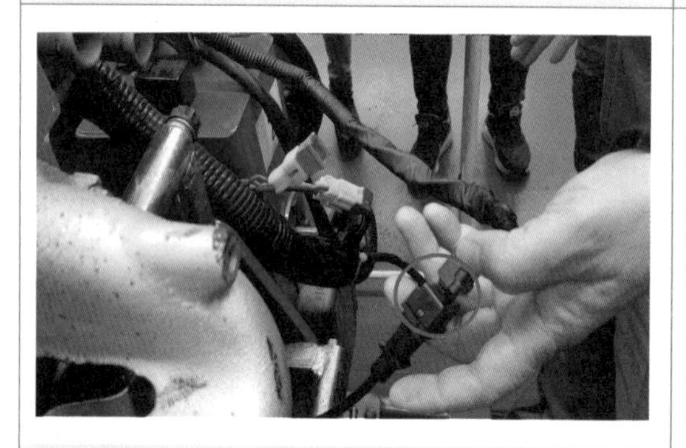

점화장치의 점검사항이지만 실린더 블록 뒤쪽에 설치된 크랭크각 센서 커넥터의 연결 상태를 확인한다.

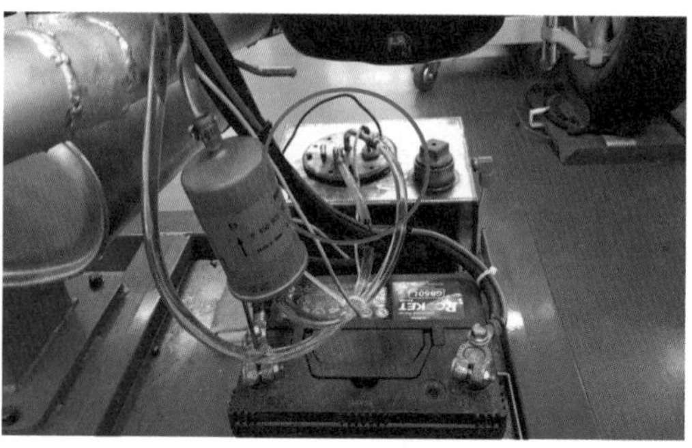

연료 펌프에서 연료 파이프의 연결 상태, 펌프 모터의 점검, 펌프 배선 등을 점검한다.

가장 많이 고장을 내 놓는 부분으로 연료 펌프로 들어가는 배선 커넥터의 연결 상태가 바른가 확인한다.

인젝터 커넥터가 빠져 있는 경우는 커넥터가 "딱" 소리가 날 때까지 밀어서 장착한다.

04 가솔린 엔진 배기가스(Gasoline Engine Emission Gas) 점검

가솔린 엔진의 배기가스(Gasoline Engine Exhaust Gas) 점검은 시동용 차량으로 배기가스에서 유해한 가스인 일산화탄소(CO), 탄화수소(HC), 알데히드(RCHO), 입자상물질(PM : Particulate Matter), 질소 산화물(NOx) 중 일산화탄소와 탄화수소를 측정하는 것이다. 배기가스 측정 방법과 검사기준에 의거 합격 여부를 판정할 수 있는가를 알아보기 위한 문제이다. 자동차 검사 항목이기에 측정한 값을 검사 기준값에 적용 판단하여야 하기에 검사 기준값은 암기하고 있어야 한다.

1. 배기가스 배출 특징

1) 공연비와의 관계

① 이론 공연비(14.7 : 1)보다 농후한 공연비를 공급하면 질소산화물의 발생량은 감소하고, 일산화탄소와 탄화수소의 발생량이 증가한다.

② 이론 공연비보다 약간 희박한 공연비를 공급하면 질소산화물의 발생량은 증가하고, 일산화탄소와 탄화수소의 발생량이 감소한다.

③ 이론 공연비보다 매우 희박한 공연비를 공급하면 질소산화물과 일산화탄소의 발생량은 감소하고, 탄화수소의 발생량이 증가한다.

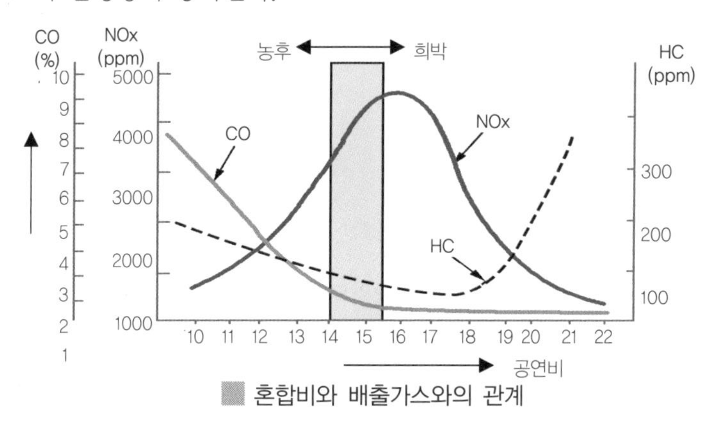

혼합비와 배출가스와의 관계

2) 엔진의 온도와의 관계

① 엔진의 온도가 낮은 경우에는 농후한 공연비를 공급하므로 일산화탄소와 탄화수소는 증가하고, 연소 온도가 낮아 질소산화물의 발생량이 감소한다.

② 엔진의 온도가 높을 경우에는 질소산화물의 발생량이 증가한다.

3) 엔진을 감속 또는 가속하였을 때

① 엔진을 감속하였을 때 질소산화물의 발생량은 감소하지만, 일산화탄소와 탄화수소 발생량은 증가한다.

② 엔진을 가속할 때는 일산화탄소, 탄화수소, 질소산화물 모두 발생량이 증가한다.

2. 배출가스의 종류

1) 블로바이 가스(Blow-by Gas)

이 가스는 피스톤과 실린더 사이에서 발생하는 가스로 대부분 탄화수소(HC)이며, 크랭크 케이스의 압력 상승으로 오일의 누유를 초래하고, 오일 슬러지를 만들어 윤활 기능의 저하를 가져올 수 있다. PCV(Positive Crankcase Ventilation)장치가 블로바이 가스를 재순환하여 연소시킴으로써 HC를 감소시킨다.

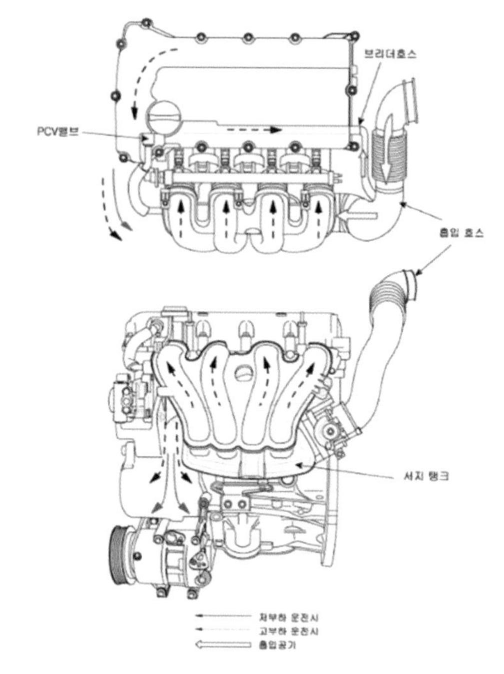

블로바이 가스 저감 장치

2) 배기가스(Exhaust Gas)

실린더 내에서 연소는 결코 완전연소가 이루어지지 않는다. 미연소된 탄화수소(HC)와 일산화탄소(CO), 질소 산화물(NOx)이 배기가스로 배출된다. 촉매 컨버터(Catalytic Converter)는 유해가스를 무해가스로 만들어서(CO_2, H_2O, NO_2) 줄인다. 질소산화물(NOx)은 배기가스 재순환장치(EGR : Exhaust Gas Recirculation) 장치를 이용하여 줄인다.

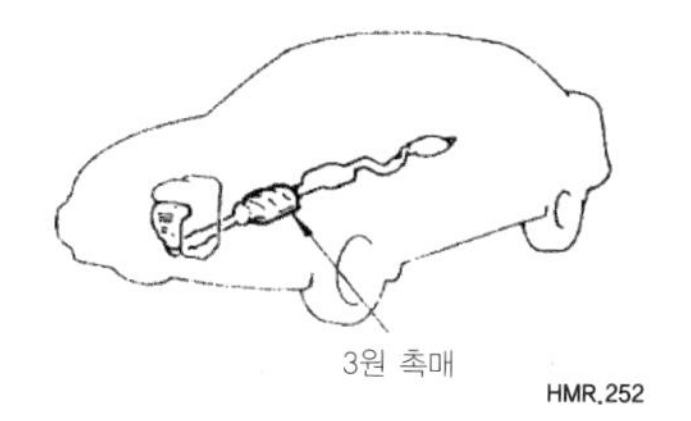

배기가스 촉매 컨버터

3) 증발가스(Purge Gas)

연료 탱크 내에서 증발하는 가스가 대기 중에 방출되는 가스는 탄화수소가 주류를 이루고 있으며 다시 흡기 다기관으로 흡입하여 연소 후에 무해한 가스로 만들어 배출한다.

연료는 원래 사용량보다 많게는 6배 정도를 보내주고 남는 것은 다시 탱크로 리턴하는 과정에서 온도가 상승하여 증발가스를 촉진한다.

증발가스는 증발가스 제어 장치(Purge gas control system)로 배출을 억제하며, ECS (Evaporative Control System), EEC(Evaporative Emission Control), VVR(Vehicle Vapor Recovery), VSS(Vapor Saver System) 등으로 불리고 있다.

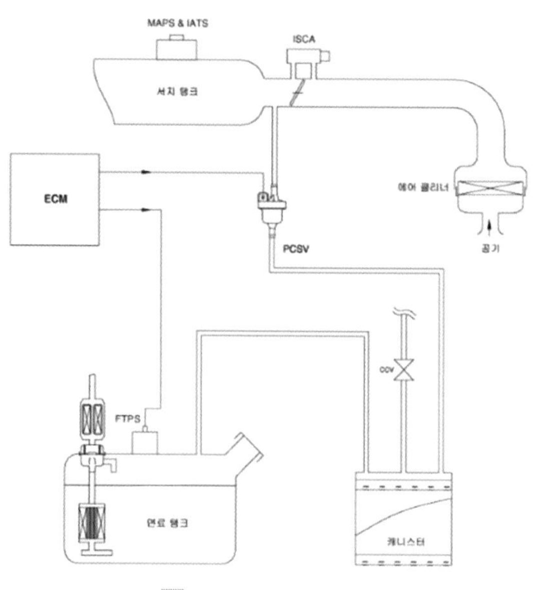

증발가스 제어장치

■ 배출가스의 구성부품과 기능

계통	주요 구성부품	기능
크랭크 케이스 배출가스 제어장치	• 포지티브 크랭크 케이스 벤틸레이션 밸브(PCV : Positive Crankcase Ventilation Valve)	HC 감소
증발가스 제어장치	• 캐니스터 • 퍼지컨트롤 솔레노이드 밸브(PCSV; Purge Control Solenoid Valve)	HC 감소
배기가스 제어장치	• MPI 장치(공기/연료 혼합비 조절장치) • 3원 촉매 장치	CO, HC, NOX 감소

3. 배출가스 장치의 고장진단

현 상	가능한 원인	정 비
엔진의 시동이 걸리지 않거나 시동을 걸기가 힘들다	진공호스가 빠지거나 손상됨	수리 혹은 교환
	퍼지 컨트롤 솔레노이드 밸브의 작동이 불량함	수리 혹은 교환
공회전이 불규칙하거나 엔진이 갑자기 정지한다	진공호스가 빠지거나 작동이 불량함	수리 혹은 교환
	PCV 밸브의 작동이 불량함	교환
	퍼지 컨트롤 장치의 작동이 불량함	장치를 점검 : 만일 문제가 있으면 구성부품을 차례로 점검
오일의 소모량이 과도하다	포지티브 크랭크 통풍 라인이 막힘	포지티브 크랭크 케이스 통풍 라인을 점검

4. 배출가스 허용기준과 차대번호 표기부호

1) 배출가스 허용기준

차 종		제작일자	일산화탄소	탄화수소	공기과잉율
경자동차		1997년 12월 31일 이전	4.5% 이하	1,200ppm 이하	1±0.1 이내 다만, 기화기식 연료공급 장치 부착 자동차는 1±0.15이내 촉매 미부착 자동차는 1±0.20 이내
		1998년 1월 1일부터 2000년 12월 31일까지	2.5% 이하	400ppm 이하	
		2001년 1월 1일부터 2003년 12월 31일까지	1.2% 이하	220ppm 이하	
		2004년 1월 1일 이후	1.0% 이하	150ppm 이하	
승 용 자동차		1987년 12월 31일 이전	4.5% 이하	1,200ppm 이하	
		1988년 1월 1일부터 2000년 12월 31일까지	1.2% 이하	220ppm 이하(휘발유·알코올자동차) 400ppm 이하(가스자동차)	
		2001년 1월 1일부터 2005년 12월 31일까지	1.2% 이하	220ppm 이하	
		2006년 1월 1일 이후	1.0% 이하	120ppm 이하	
승합·화물·특수 자동차	소형	1989년 12월 31일 이전	4.5% 이하	1,200ppm 이하	
		1990년 1월 1일부터 2003년 12월 31일까지	2.5% 이하	400ppm 이하	
		2004년 1월 1일 이후	1.2% 이하	220ppm 이하	
	중형·대형	2003년 12월 31일 이전	4.5% 이하	1200ppm 이하	
		2004년 1월 1일 이후	2.5% 이하	400ppm 이하	

2) 현대 자동차 차대번호(VIN : Vehicle Identification Number)의 표기 부호 (쏘나타NF -2005)

K	M	H	E	T	4	1	B	P	5	A	1	2	3	4	5	6
①	②	③	④	⑤	⑥	⑦	⑧	⑨	⑩	⑪	⑫	⑬	⑭	⑮	⑯	⑰
제작 회사군			자동차 특성군						제작 일련 번호군							

① K : 국제배정 국적표시 - • K : 한국, • J : 일본, • 1 : 미국.
② M : 제작사를 나타내는 표시 - • M : 현대, • L : 대우, • N : 기아, • P : 쌍용 자동차.
③ H : 자동차 종별 표시 - • H : 승용, 다목적용, • F : 화물9밴), • J : 승합
• C : 특장-승합, 화물
④ E : 차종 - • E : NF 쏘나타.
⑤ T : 세부차종 - • L : 스탠다드(Standard, L), • T : 디럭스(Deluxe, GL),
• U : 슈퍼 디럭스(Super Deluxe,GLS), • V : 그랜드 사룡(GDS),
• W : 슈퍼 그랜드 사롱(HGS).
⑥ 4 : 차체형상 - • 4 : 세단 4도어.
⑦ 1 : 안전장치 - • 1 : 운전석/ 동승석-액티브(Active) 시트벨트,
• 2 : 운전석/ 동승석-패시브(Passive) 시트벨트, • 0 : None.
⑧ B : 엔진형식 - • B : 2.0 가솔린, • C : 2.4 가솔린
⑨ P : 운전석 방향 및 변속기 - • P : LHD(왼쪽 운전석), • R : RHD(오른쪽 운전석).
⑩ 5 : 제작년도 - • Y : 2000, • 1 : 2001, • 2 : 2002. • 3 : 2003,… .• 5 : 2005,…
• A : 2010, • B : 2011, • C :2012,… : 2009, A : 2010, B : 2011, C :2012 D : 2013, E : 2014, F : 2015, G : 2016, H : 2017, H : 2018
⑪ A : 공장 기호 - • C : 전주공장, • U : 울산공장, • M : 인도공장, • Z : 터키공장,
• A : 아산공장
⑫~⑰ 123456 : 차량 생산 일련 번호

3) 자동차 등록증 현대 자동차 차대번호(VIN)의 표기 부호(쏘나타NF -2005)

자 동 차 등 록 증

제 2005-006260호　　　　최초 등록일 : 2010년 11월 08일

① 자동차 등록 번호		02소 2885	② 차 종	중형 승용	③ 용도	자가용
④ 차 명		NF 쏘나타(SONSTA)	⑤ 형식 및 연식	NF-20GL-A1		2010
⑥ 차 대 번 호		KMHET41BPAA123456	⑦ 원동기 형식	G4KA		
⑧ 사 용 본 거 지		경기도 양주시 부흥로 1901 신도 8차 아파트***동 ***호				
소유자	⑨ 성명(명칭)	김광수	⑩ 주민(사업자) 등 록 번 호	***117-*******		
	⑪ 주 소	경기도 양주시 부흥로 1901 신도 8차 아파트***동 ***호				

자동차 관리법 제8조등의 규정에 의하여 위와 같이 등록하였음을 증명합니다.

2010 년 11 월 08 일

-위반하기 쉬운사항-

※ 위반시 과태료 처분(뒷면 기재 참조)

- o 주소 및 사업장 소재지 변경 15일 이내
- o 정기검사 만료일 전후 15일 이내
- o 책임 보험료 가입 만료일 이전 이내 가입(100만원 이하 과태료)
- o 말소 등록.폐차일로 부터 30일 이내(50만원 이하 과태료)

양 주 시 장

1. 제원

⑫형식승인번호	A08-1-00064-0005-1201		
⑬길 이	4800mm	⑭너 비	1830mm
⑮높 이	1475mm	⑯총 중 량	1785kgf
⑰배 기 량	1998cc	⑱정격 출력	144/6000ps/rpm
⑲승차 정원	5 명	⑳최대적재량	0kgf
㉑기 통 수	4기통	㉒연료의종류	휘발유(무연) (연비 10.7km/L)

2. 등록 번호판 교부 및 봉인

㉓구 분	㉔번호판교부일	㉕봉인일	㉖교부대행자확인

2. 저당권 등록

㉗구분(설정 또는 말소)	㉘ 일 자

※ 기타 저당권 등록의 내용은 자동차 등록원부를 열람확인 하시기 바랍니다.

※ 비고

4. 검사 유효기간

㉙연 월 일 부 터	㉚연 월 일 까 지	㉛검 사 시행장소	㉜주행 거리	㉝검사 책임자 확인
2010-11-08	2014-11-07	노원검사소		
2014-11-08	2016-11-07	노원검사소		
2016-11-08	2018-11-07	노원검사소		
2018-11-08	2020-11-07	노원검사소		
2020-11-08	2022-11-07	노원검사소		

※ 주의사항 : ㉙항 첫째란에는 신규 등록일을 기재합니다.

33331-00211비
96. 10. 4. 승인

210mm×297mm
(보존용지(1종) 120g/㎡)

5. 큐로테크(QRO-401) 배기가스 측정기를 이용한 점검 방법

1) 큐로 테크(QRO-401) 전면 구조

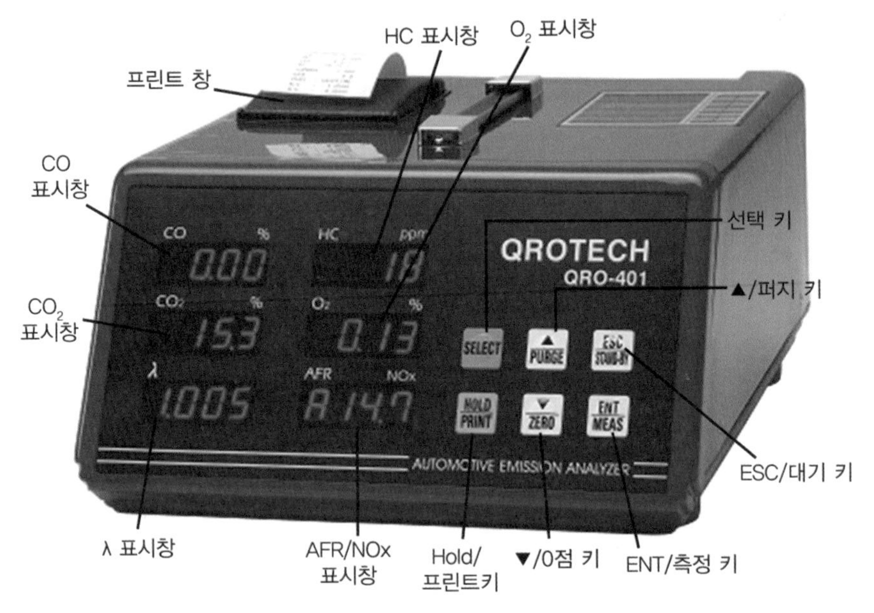

큐로테크 전면부 구조

① **CO 표시창** : 일산화탄소 농도 및 프로그램의 진행 상황을 표시한다.
② **CO_2 표시창** : 이산화탄소 농도 및 프로그램의 진행 상황을 표시한다.
③ **λ 표시창** : 공기 과잉율 및 프로그램의 진행 상황을 표시한다.
④ **Hold/프린트 키** : 정지나 프린트 시에 사용한다.
⑤ **▼/0점 키** : 영점을 교정하거나, 자리 수 이동시에 사용한다.
⑥ **ENT/ 측정키** : 측정을 하거나 부가 기능의 승인 시 사용한다.
⑦ **ESC/ 대기키** : RDY 모드로 복귀 시 사용한다.
⑧ **▲/퍼지 키** : 퍼지를 시키거나 수치의 증가를 수행할 때 사용한다.
⑨ **선택 키** : 부가 기능의 선택 시에 사용한다.
⑩ **AFR/NOx 표시창** : 공연비와 질소산화물 및 프로그램의 진행 상황을 표시한다.
⑪ **O_2 표시창** : 산소 농도 및 프로그램의 진행 상황을 표시한다.
⑫ **HC 표시창** : 탄화수소 농도 및 프로그램의 진행 상황을 표시한다.
⑬ **프린트 창** : 프린트 시 용지가 나오는 곳이다.

2) 큐로 테크(QRO-401) 후면 구조

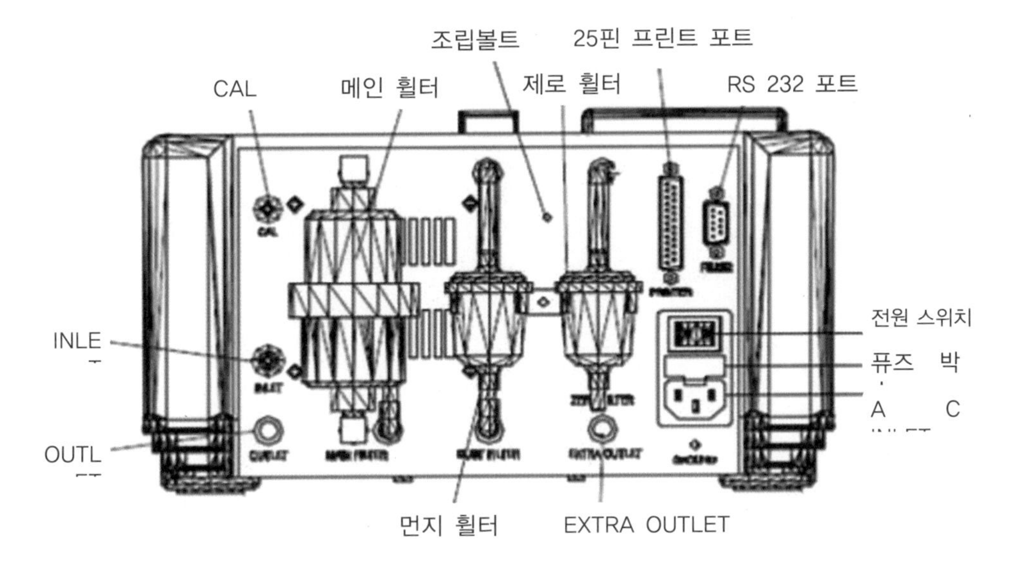

① **INLET** : 배출가스 측정 시에 프로브 호스 한쪽 끝을 장착하는 측정 인입구다.

② **OUTLET** : 배출가스 측정 시에 가스(4GAS 분석기) 및 교정용 가스 수분이 배출되는 배출구다.

③ **먼지 필터** : 배출가스 측정 시에 분석기 내부로 미세한 이 물질이 들어가는 것을 방지한다.

④ **EXTRA OUTLET** : NOx 추가 시 배출가스 및 교정용 가스가 배출되는 배출구다.

⑤ **AC INLET** : 전원을 공급하는 인입구다.

⑥ **전원 스위치** : 본 기기의 전원 ON/OFF 단자다.

⑦ **RS 232 포트** : PC에서 프로그램을 작동시켜 주는 통신 단자다.

⑧ **25핀 프린트 포트** : 일반 PC 프린터와 직접 연결하는 단자다.

⑨ **제로 필터** : 영점 교정 시에 분석기 셀을 청정화 시켜주는 활성탄 필터다.

⑩ **조립 볼트** : 위 덮개 케이스와 뒤 패널 케이스의 조립 볼트다.

⑪ **메인 필터** : 자동차 배출가스에 포함되어 있는 수증기를 응축시켜 분석기 내부로 수분과 측정가스 외의 이물질이 유입되는 것을 방지한다.

⑫ **CAL** : 표준가스 교정 시에 사용되는 가스 인입구다.

3) 큐로 테크(QRO-401) 부속품

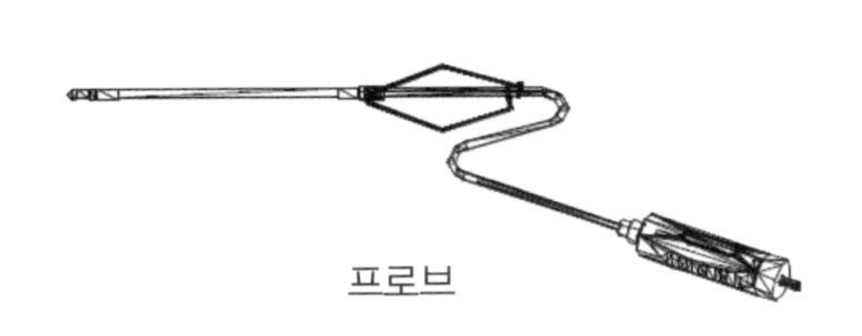

프로브

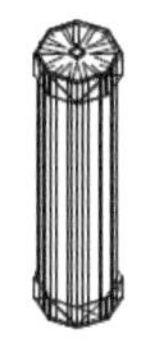

프로브 필터

활성탄 필터

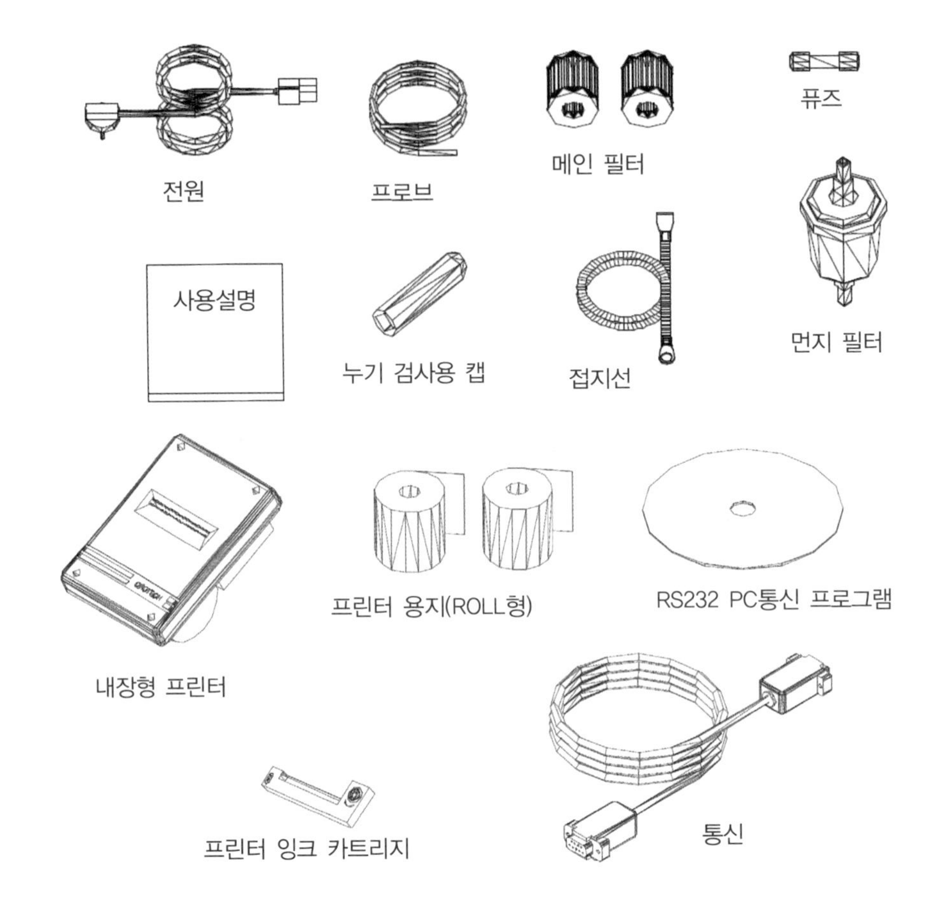

4) 큐로 테크(QRO-401) 설치 방법

① 측정 프로브에 프로브 호스 한쪽 끝을 끼우고, 다른 한쪽 끝은 분석기 후면의 GAS INLET구에 체결한다. 체결상태가 불량하여 외부에서 공기가 유입되면 측정값에 오차가 발생한다. 그러므로 정확한 체결이 이루어졌는지 다시 한 번 확인하고 사용한다.

② 전원 S/W를 OFF 위치에 놓은 상태에서 전원 케이블을 분석기 후면 전원 소켓에 연결한다.

③ 측정 프로브 필터 및 분석기 후면의 각종 필터들의 체결 상태를 확인한다.

④ 분석기 후면의 GROUND에 반드시 접지선을 연결한다.

⑤ 분석기가 제대로 연결되어 있는지 재확인하고, 전원 S/W를 켠다.

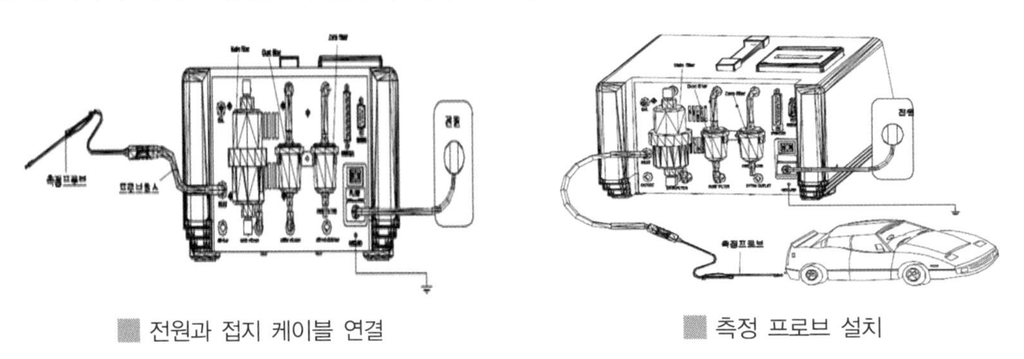

전원과 접지 케이블 연결　　측정 프로브 설치

5) 큐로 테크(QRO-401) 사용중 주의사항

① 이 분석기는 AC/220V 또는 AC/110V 전용이다. 사용하기 전에 전원을 꼭 확인한다.(제품은 출고 시 전원이 고정되어 있으므로 임의로 변경할 수 없다.)

② 분석기 본체는 다음과 같은 사항을 고려하여 적절한 위치에 설치한다.
- 직사광선, 습기, 진동 및 급격한 온도 변화가 없는 곳에 설치할 것.
- 배출가스가 유입되지 않는 실내에 설치할 것.
- 지면에서 최소 25cm 이상의 높이에 설치할 것.

③ 분석 중에 기기의 위치를 이동하면 측정치의 오차를 유발할 수 있다.

④ 채취 프로브는 바람의 영향을 받지 않는 위치에 설치한다.

⑤ 채취 프로브는 고온으로 가열된 상태이므로 탈·부착 시 화상에 주의한다.

⑥ 분석 시 배출가스가 발생되는 곳에 장시간 머무르지 않는다.

⑦ 배출 가스는 인체에 치명적인 손상을 입히는 일산화탄소(CO)를 함유하고 있으므로 항상 적절한 환기가 되는 장소에서 사용한다.

⑧ 이 분석기는 관계 법령에 따른 형식승인 제품이므로 임의적인 해체, 변경 및 개조가 엄격히 금지되어 있으며, NDIR 모듈을 해체한 경우에는 보증수리를 받을 수 없다.

6) 워밍업 및 대기 모드

① 전원 스위치를 [ON]으로 하면, 10초간 초기화를 진행한다.

② 현재 설정되어 있는 날짜 및 시간이 약 5초간 표시된다.

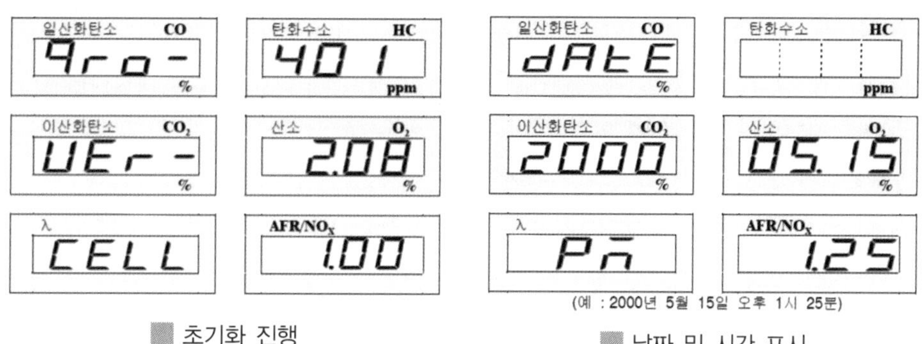

초기화 진행

날짜 및 시간 표시

③ 시간 표시된 후 아래와 같이 자체 진단을 실시하며, 진단 순서는 표시창 확인, 통신, 내부 센서, 메모리 순으로 자체 점검을 실시한다. 실시된 항목이 정상이면, [PASS] 메시지를 표시한다.

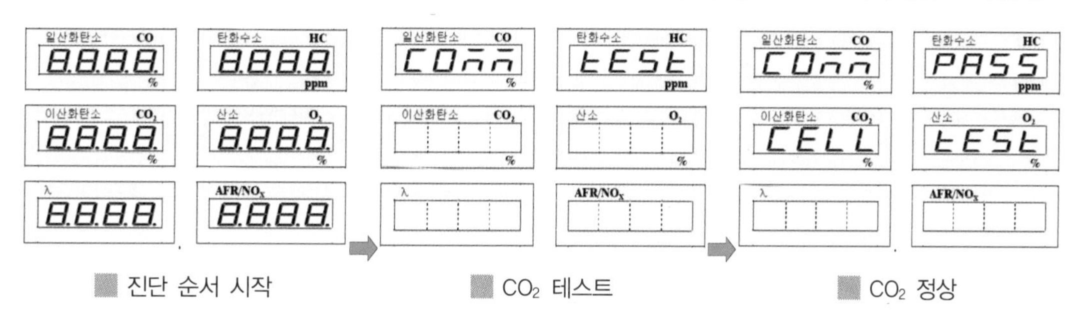

진단 순서 시작

CO_2 테스트

CO_2 정상

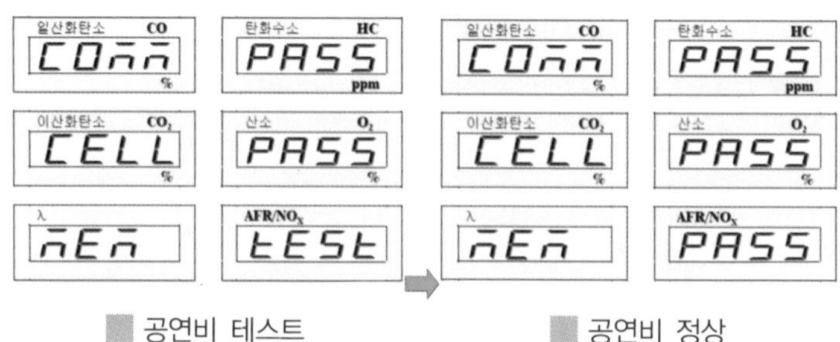

공연비 테스트 공연비 정상

④ 자체진단이 끝나면 표시창의 화면에 아래와 같이 표시되고, 카운트 값이 주위의 온도나 기기의 사용 상태에 따라 약 120~480에서 1씩 감소하며 워밍업을 실시한다.

⑤ 워밍업 작업이 끝나기 1분전에 펌프가 가동되어, 맑은 공기로 장비 내부를 세척한다. 이때 프로브의 끝 부분은 반드시 깨끗한 공기가 있는 곳에 놓는다.

⑥ 워밍업이 끝나면 자동으로 1회 영점 조정을 실시한다. 아래의 화면과 같이 카운트 값이 20에서 1씩 감소하며, 약 20초간 영점 조정을 실시한다.

워밍업 영점 조정(20초간) 측정 준비 상태

⑦ 영점 조정 후 아래와 같은 메시지가 표시되면, 측정 전 준비 상태가 된다.

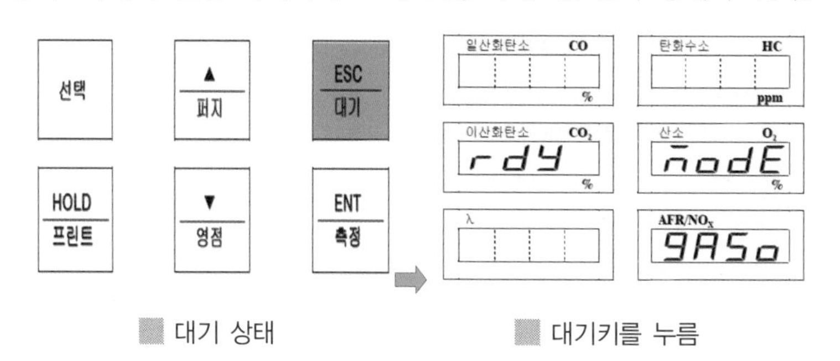

대기 상태 대기키를 누름

⑧ 대기 상태란 장시간 측정을 하지 않을 때, 전원은 [ON]되어 있으나 흡입 펌프는 OFF되어 있는 상태를 의미한다.

⑨ 측정 또는 퍼지를 실시한 후, 대기 키를 누르면 흡입 펌프가 정지된다.

⑩ 표시 창에 위와 같이 나타나면 rdy modE(ready mode)는 대기 상태를 나타내는 것이며 gASo 표시는 람다 값 계산에 사용되는 선택된 연료를 표시한다.

① 이 장비는 절전형 프로그램이 내장되어 있어 측정 상태로 작동되다가 10분이 지나면 자동으로 펌프가 OFF되면서 대기 상태를 유지하도록 되어있다. 이것은, 단기적으로는 필터의 교환시기를 연장시켜 주고, 장기적으로는 펌프 및 제반 부품의 수명을 연장할 수 있도록 설계되어 있는 것이다.

② 비 오는 날과 같이 대기 중에 습도가 높은 날씨에는 배출가스의 측정을 자제하는 것이 바람직하다. 그러나 여건상 어쩔 수 없이 측정해야 된다면 프로브 손잡이에 부착되어 있는 필터 및 장비 뒷면에 부착되어 있는 메인 1·2차 종이 필터, 먼지 필터는 수분을 많이 포함하고 있는지 육안으로 확인하고, 가능하면 새 필터로 교체하여 사용한다.

7) 퍼지 방법

① [퍼지] 상태라는 것은 프로브에서부터 장비 내부의 샘플–셀 속에 남아있는 잔류가스를 맑은 공기로 세척해 주는 것을 의미한다. 퍼지 작업은 약 120초 동안 프로브를 세척한 다음, 20초간 내부 샘플–셀을 세척하며, 자동으로 영점 조정을 실시하도록 설계되어 있다.

② 퍼지 키를 한번 누르면 약 120초 동안 프로브를 세척하며, 이때 프로브 끝은 반드시 맑은 대기 상태에 놓는다.

③ 프로브 세척이 완료되면, 자동으로 아래와 같이 20초간 영점 조정을 실시하며 샘플–셀 세척 작업을 실시한다.

④ 영점조정이 완료되면, 자동으로 대기 모드로 이동한다.

퍼지 상태 　 프로브 세척 　 영점 조정

주의 · 참고사항

① 퍼지 동작 중 퍼지 키를 1회 더 누르면, 30분 동안 퍼지 기능을 수행한다. 자동차의 배출가스를 연속하여 장시간 사용 후에는 프로브 및 샘플-셀 속에 잔류가스가 많이 남아 있을 수 있다. 영점 교정 후 HC 값이 10ppm 이상 지시하면 이 기능을 사용한다. 이것은 다음 측정을 정확하게 하기 위한 준비 과정이고 장비 내부의 샘플-셀을 보호하기 위한 방법이므로, 연속하여 장시간 사용한 후에는 반드시 퍼지 키를 눌러 장비 내부를 세척하도록 한다.

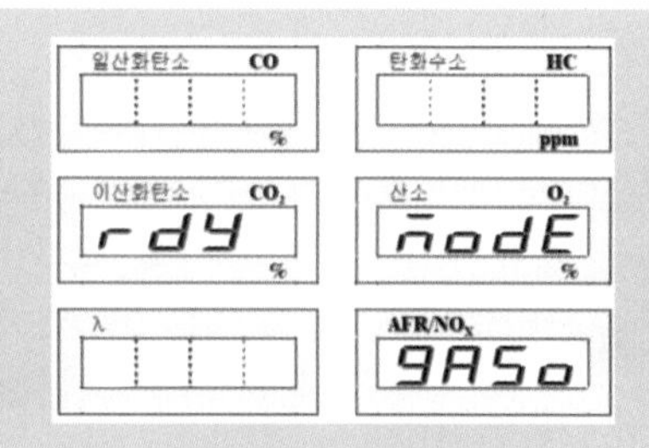

■ 퍼지 기능(30분)

② 하루 일과를 마친 후 장비의 전원 스위치를 OFF 위치로 하기 전에 10분 이상 [퍼지]시킨 후 전원 스위치를 OFF 위치로 하도록 습관화하는 것이 장비의 정밀도를 유지하고 수명을 연장시키는 방법이다.

8) 0점 조정 방법

① 퍼지 키를 눌러 장비 내부를 맑은 공기로 세척을 한 다음에 실시한다.

② 영점 키를 누르면 아래의 화면과 같이 카운트 값이 20에서 1씩 감소하며, 약 20초간 영점 조정을 실시한다.

③ 영점을 조정한 후 아래와 같은 메시지가 표시되면, 측정 전 준비 상태가 된다.

■ 0점 조정 상태 ■ 영점조정(20초간) ■ 측정 준비된 상태

① 영점 조정을 실시한 이후에도 지시 값이 CO : 0.05%, HC : 30ppm 이상으로 표시될 때에는 퍼지 키를 다시 눌러, 맑은 공기로 2~3분 정도 장비의 내부를 세척한 후 영점 조정을 실시한다.

② 활성탄 필터(Activated Charcoal Filter)를 일명, ZERO 필터라고 부르는데, 이 필터는 영점을 조정할 때, 주변의 공기 중에 HC(탄화수소)를 중화 또는 결합시켜, 탄화수소를 측정하는 동안 측정된 실제 탄화수소의 값(수치)이 왜곡되는 것을 방지해 준다. 이 필터의 수명은 사용빈도에 따라 다르지만 약 6 개월에 한번 씩 필터를 교체해서 사용하여야 한다.

9) 측정 방법

① 0점 조정이 끝나면 프로브를 자동차 배기구에 깊숙이 넣고(프로브를 배기관 내에 30cm 이상 삽입), 측정 키를 눌러 배기가스를 측정한다. 측정은 10분간 작동된 후 절전형 모드 작동으로 펌프가 자동으로 정지된다. 10분 이상 측정 시 측정키를 한 번 더 누른다.

② 측정 후 프로브를 자동차 배기구에서 빼낸 후 퍼지 키를 눌러 측정값이 "0"까지 떨어지도록 장비 내부를 맑은 공기로 세척한다.

③ 모든 수치 값들이 "0"근처로 떨어지면 대기 키를 눌러 대기상태로 유지 시킨다.

④ 연속 측정 시에는 영점 키를 누른 후 측정을 실시한다. 이후 ③번 항목을 반복한다.

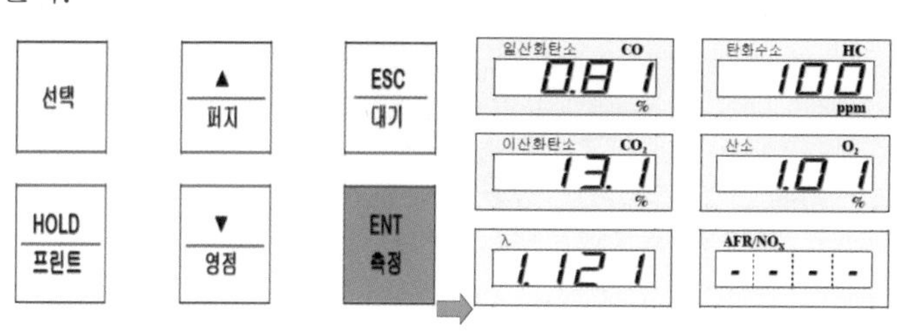

측정 상태 측정 화면

10) HOLD 방법

① 측정 화면을 일시적으로 정지시키는 기능이다.

② 측정 상태에서만 작동한다.

③ HOLD 키를 1회 누르면 측정화면이 정지된다. 다시 측정 상태로 복귀하려면 ESC 키를 누른다.

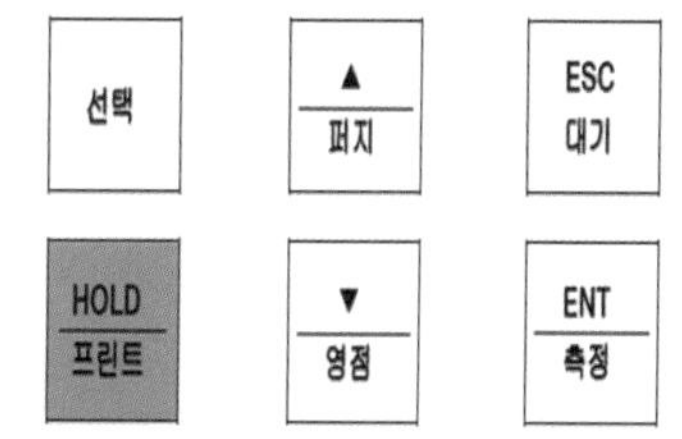

HOLD 상태

11) 프린트 방법

① 배출가스 측정의 결과값을 프린트하는 기능이다. 본 기기는 프린터를 내장한 모델과 외장형 프린터를 지원하는 모델로 구분된다. 외장형 프린터를 사용하는 모델일 경우, 준비된 프린터의 전용 케이블을 프린터의 커넥터와 본 분석기의 뒷면에 준비된 PRINTER 포트에 연결한다.

② 측정값이 안정되면, 프린트 키를 누른다. 프린트 키는 측정 모드에서만 동작된다.

③ HOLD 상태에서 프린트 키를 1회 더 누르면 아래와 같이 차량번호 등록화면이 표시되고, 수치 값의 맨 윗자리가 깜박이며, ▼ 키를 누르면 깜박이는 부분의 숫자가 증가한다. 원하는 수치로 맞춘 후 ▼ 키를 누르면 다음 자리 수치 값이 깜박이며, ▼,▲ 키를 사용해서 차량번호를 등록한 다음 프린트 키를 누르면, 프린트를 시작한다.

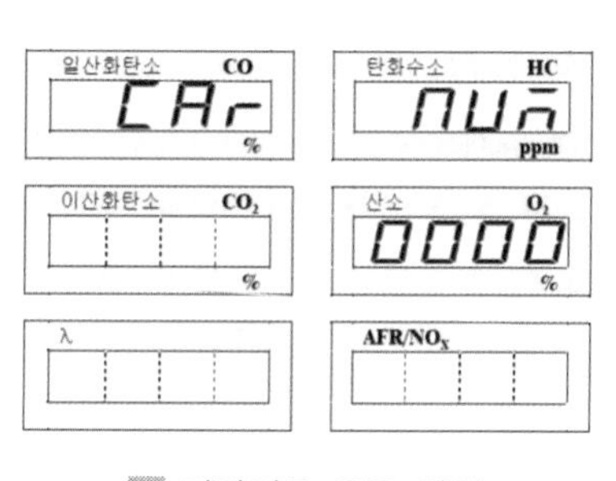

차량번호 등록 화면

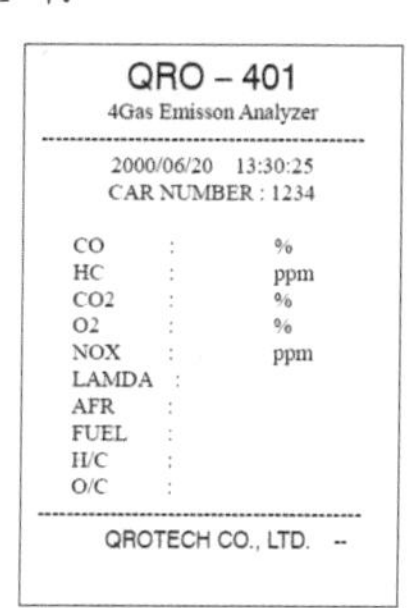

프린트된 모습

6. 호리바(MEXA-554) 배기가스 측정기를 이용한 점검 방법

1) 호리바(MEXA-554)의 구조

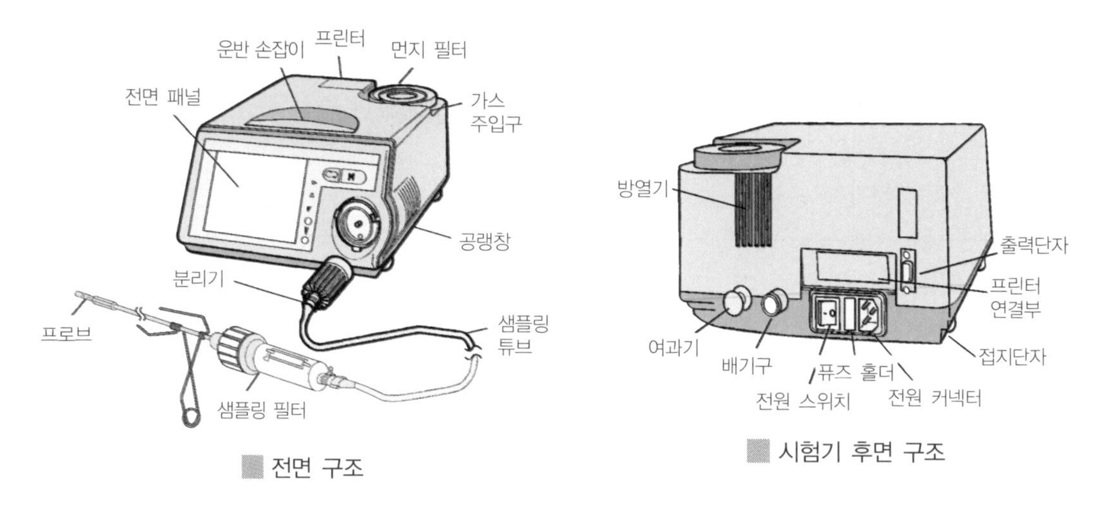

전면 구조

시험기 후면 구조

2) 호리바(MEXA-554)의 전면 패널의 명칭

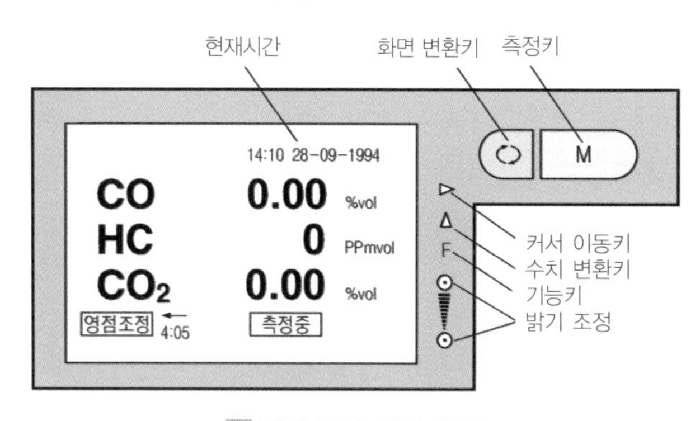

전면 패널 키의 명칭

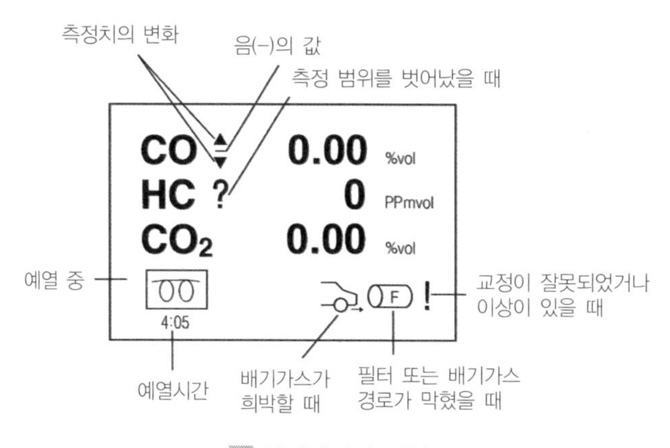

화면에서의 명칭

3) 호리바(MEXA-554)의 측정법

① 테스터 뒷면에 있는 전원 스위치를 ON시킨다.(이때 테스터는 5분간 예열 됨)

② 각 필터를 점검하고 만약 오염이 되었다면 필터 교환 및 캘리브레이션을 한다.

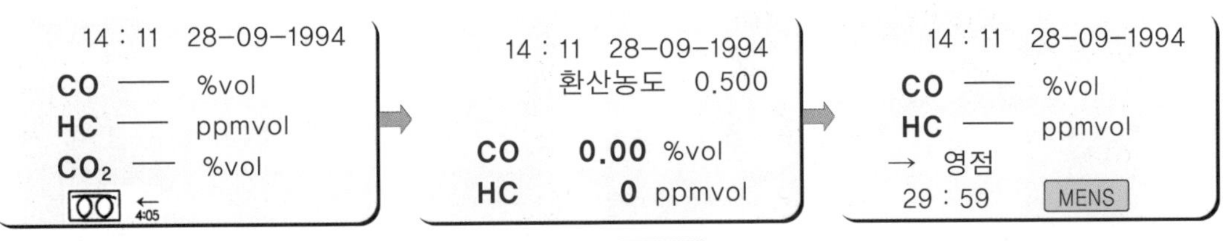

③ 전면 패널에서 M 키를 누른다.(10초 동안 MENS 가 깜박인 후 측정 모드로 들어감)

④ 프로브를 측정할 차량의 배기구에 넣고 고정시킨다.

⑤ 측정값을 읽는다.

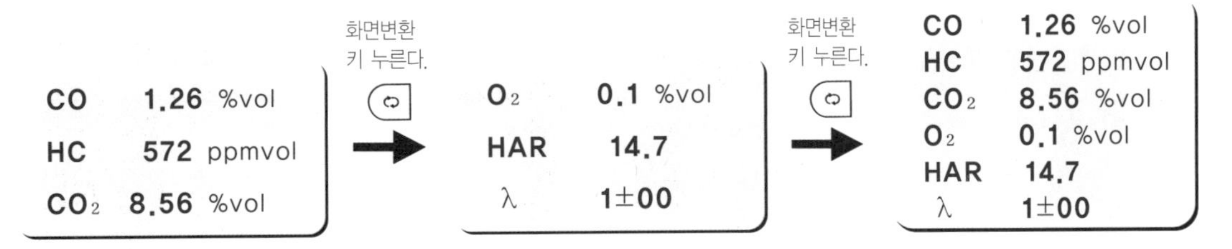

7. 가솔린 엔진 배기가스 점검의 실습현장 사진

1) 큐로 테크(QRO-401)의 점검 방법

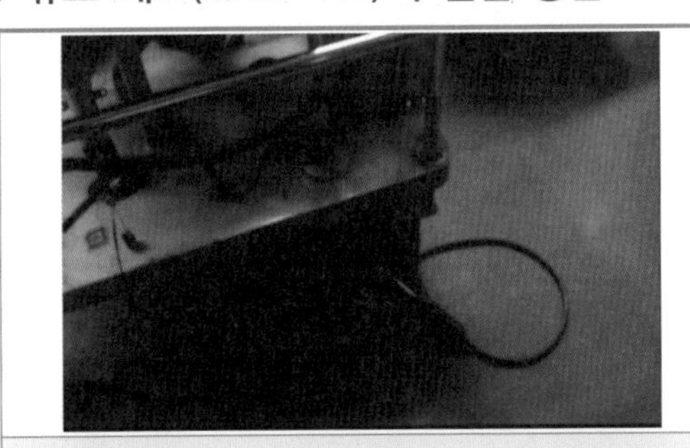

측정 프로브를 자동차 배기관에 삽입한다. 깊이는 최소 30cm 이상 깊게 삽입하고 집게를 배기관에 끼워서 고정한다.

측정하기 위해 세팅이 되어있다. 예열이나 0점 보정이 되어 있고 ENT/ 측정과 ESC/ 대기키만 누를 수 있게 테이프를 붙여 놓고 있다.

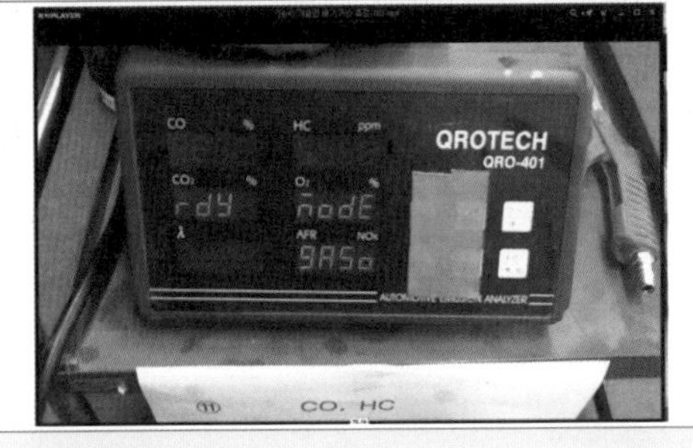

ESC/ 대기키가 눌러진 상태에서 잠시 기다리면 "rdy" "mode" "gaso" 글이 올라온다. 이때 ENT/ 측정키를 누르면 측정을 시작한다.

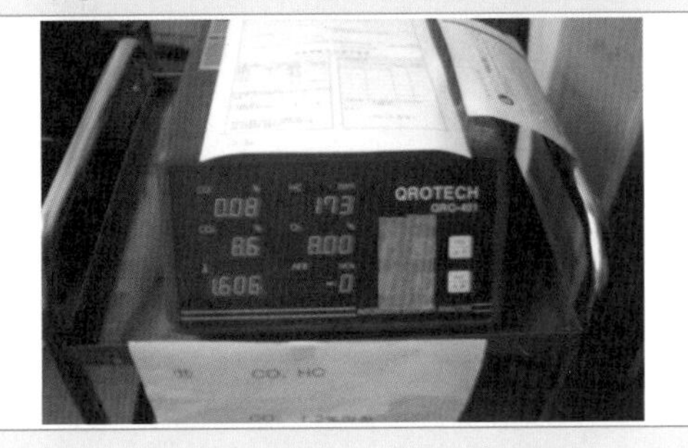

측정이 끝나면 CO 표시창을 비롯한 HC, CO_2, O_2, λ, AFR/NOx, 측정값이 나타난다. 답안지에 CO, HC값을 기록한다.

2) 호리바(MEXA-554)의 점검 방법- [기능사 답안지 작성법 참조]

측정하기 위해 세팅이 되어있다. 예열이나 0점 보정이 되어 있고 측정키만 누르면 된다.

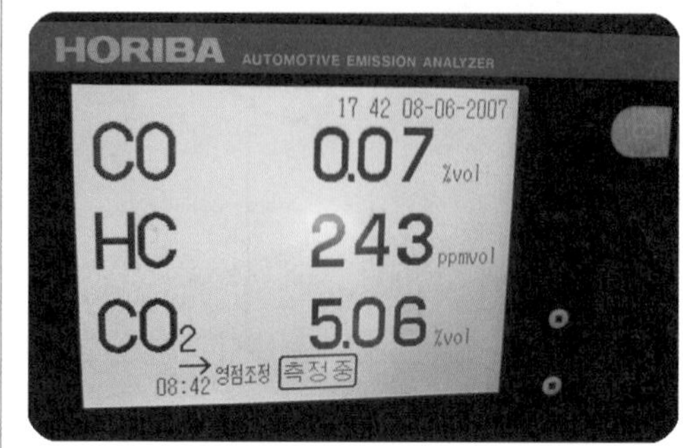

M 키를 누르면 측정이 되며 화면에 일산화탄소, 탄화수소, 이산화탄소 측정값이 뜬다.

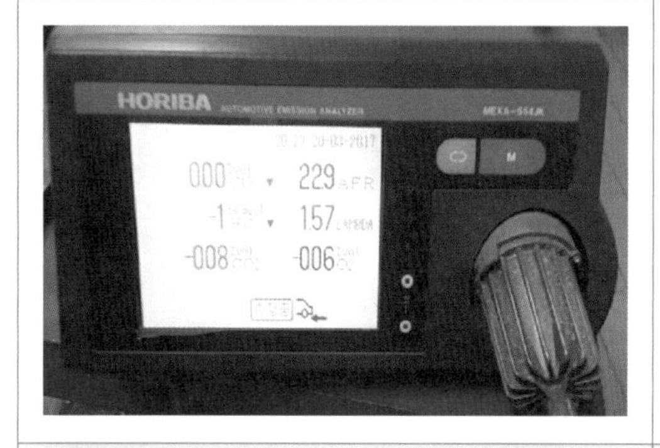

변환키를 누르면 측정이 되면서 화면 아래에 측정중이라는 글이 깜박이면서 배기가스에서 4가스와 AFR과 LAMBDA가 측정된다.

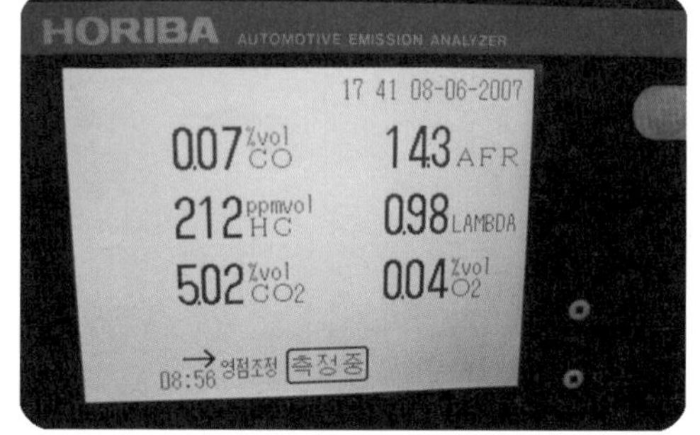

변환키를 누르면 CO, HC, CO_2, O_2, λ, AFR/NOx, 측정값이 나타난다. 답안지에 CO, HC값을 기록한다.

3) 헵시바(HEPHZIBAH HQ-550)의 점검방법

박스는 DIESEl SMOKE TESTER지만 안에는 헵시바 측정기가 설치되어있다.

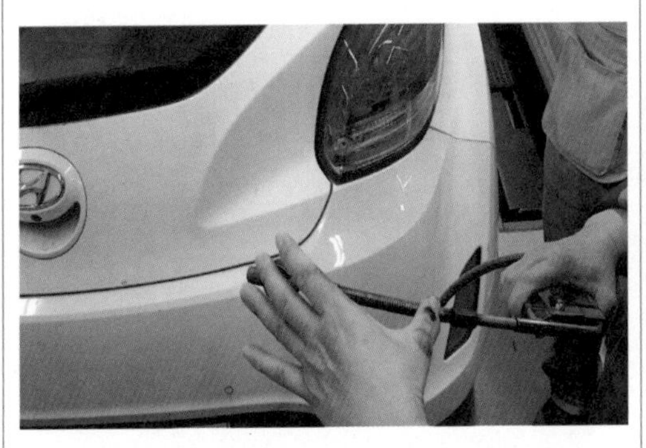

툴 박스 옆에 보면 측정 프로브가 걸려 있다. 이것을 배기관에 설치한다.

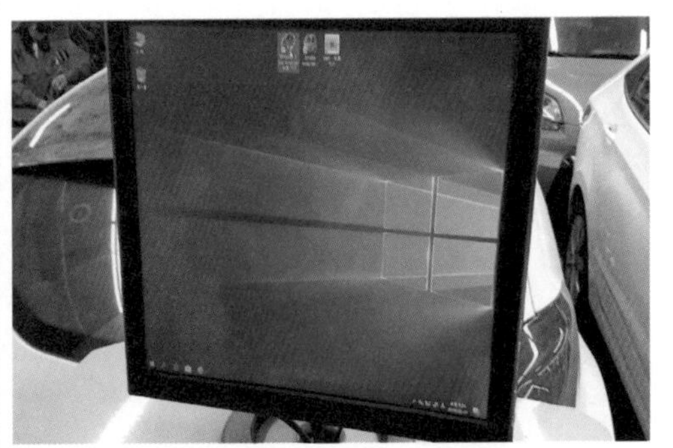

모니터 화면 측정 아이콘을 클릭하여야 한다. 어떤 경우는 클릭한 경우도 있다.

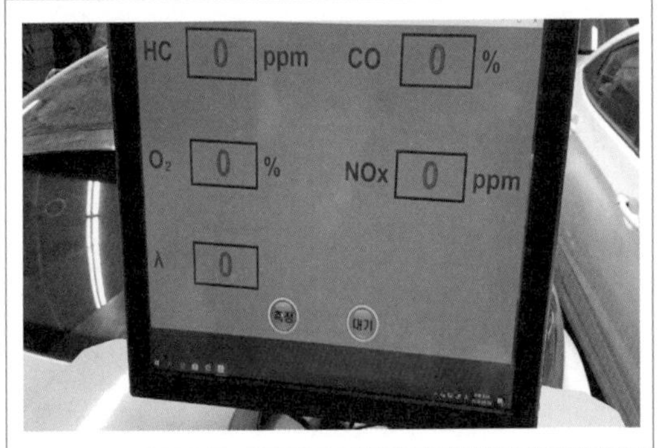

아이콘을 클릭하면 5가스 측정 대기상태가 되며 왼쪽 아래 "측정"을 클릭한다.

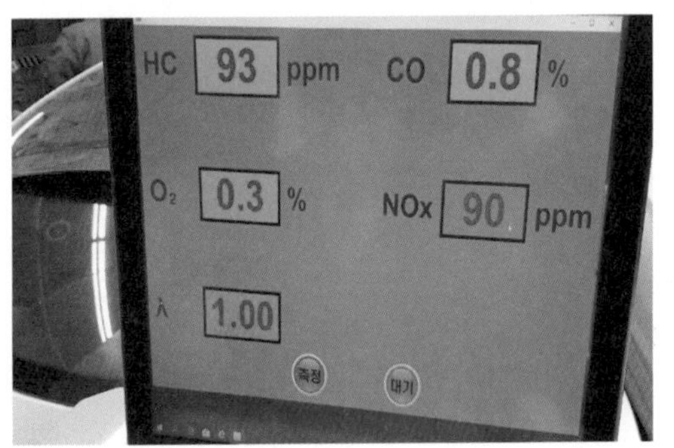

측정이 끝난 가스는 네모 박스에 수치가 뜨며, 녹색으로 변화한다.

모두가 측정된 상태이며, 하단 오른쪽 대기를 클릭하지 않는 한 정지되어 있다.

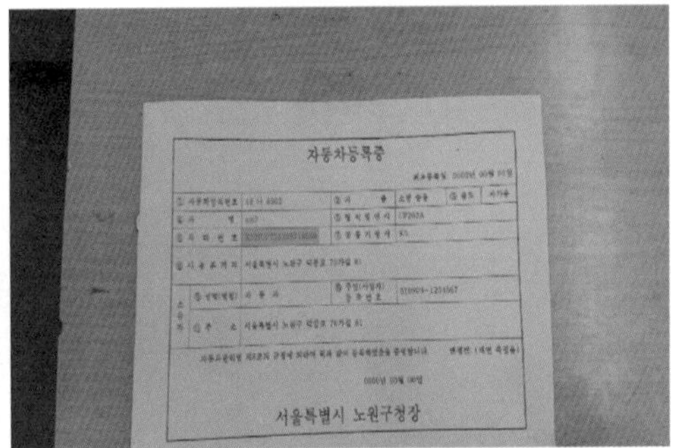
자동차등록증

서울특별시 노원구청장

책상 위는 자동차 등록증이 보인다. 등록년도에 맞춰 판정을 하기 때문이다.

05 디젤 엔진 매연(Diesel Engine Smoke) 점검

디젤 엔진의 매연(Diesel Engine Smoke) 점검은 디젤 엔진의 매연 배출량을 측정하여 검사기준에 의거 합격 여부를 판정하기 위한 항목이다.

시동용 차량으로 배기가스에서 유해한 가스인 일산화탄소(CO), 탄화수소(HC), 질소산화물(NOX), 매연(Smoke), 입자상물질(PM : Particulate Matter), 암모니아(NH_3), 황(S) 등에서 매연을 측정하는 것이다. 자동차 검사 항목이기에 측정한 값을 검사 기준값에 적용 판단하여야 하기에 검사 기준값은 암기하고 있어야 한다. 대기환경보전법 제2조(정의)에서 사용하는 용어의 뜻은 다음과 같다.

① "**대기 오염 물질**"이란 대기 중에 존재하는 물질 중 제7조에 따른 심사·평가 결과 대기 오염의 원인으로 인정된 가스·입자상 물질로서 환경부령(입자상 물질 외 63종)으로 정하는 것을 말한다.

② "**온실가스**"란 적외선 복사열을 흡수하거나 다시 방출하여 온실 효과를 유발하는 대기 중의 가스 상태 물질로서 이산화탄소, 메탄, 아산화질소, 수소불화탄소, 과불화탄소, 육불화황을 말한다.

③ "**가스**"란 물질이 연소·합성·분해될 때에 발생하거나 물리적 성질로 인하여 발생하는 기체상물질을 말한다.

④ "**입자상 물질**(粒子狀物質)"이란 물질이 파쇄·선별·퇴적·이적(移積)될 때, 그 밖에 기계적으로 처리되거나 연소·합성·분해될 때에 발생하는 고체상(固體狀) 또는 액체상(液體狀)의 미세한 물질을 말한다.

⑤ "**먼지**"란 대기 중에 떠다니거나 흩날려 내려오는 입자상 물질을 말한다.

⑥ "**매연**"이란 연소할 때에 생기는 유리(遊離) 탄소가 주가 되는 미세한 입자상 물질을 말한다.

⑦ "**검댕**"이란 연소할 때에 생기는 유리(遊離) 탄소가 응결하여 입자의 지름이 1미크론 이상이 되는 입자상 물질을 말한다.

1. 배기가스 허용기준과 차대번호 표기부호

1) 배기가스 허용기준

<table>
<tr><th colspan="2">차 종</th><th colspan="2">제 작 일 자</th><th>매 연</th></tr>
<tr><td colspan="2" rowspan="6">경자동차 및 승용자동차</td><td colspan="2">1995년 12월 31일 이전</td><td>60% 이하</td></tr>
<tr><td colspan="2">1996년 1월 1일부터 2000년 12월 31일까지</td><td>55% 이하</td></tr>
<tr><td colspan="2">2001년 1월 1일부터 2003년 12월 31일까지</td><td>45% 이하</td></tr>
<tr><td colspan="2">2004년 1월 1일부터 2007년 12월 31일까지</td><td>40% 이하</td></tr>
<tr><td colspan="2">2008년 1월 1일부터 2016년 8월 31일까지</td><td>20% 이하</td></tr>
<tr><td colspan="2">2016년 9월 1일 이후</td><td>10% 이하</td></tr>
<tr><td rowspan="26">승합·화물·
특수자동차</td><td rowspan="6">소형</td><td colspan="2">1995년 12월 31일까지</td><td>60% 이하</td></tr>
<tr><td colspan="2">1996년 1월 1일부터 2000년 12월 31일까지</td><td>55% 이하</td></tr>
<tr><td colspan="2">2001년 1월 1일부터 2003년 12월 31일까지</td><td>45% 이하</td></tr>
<tr><td colspan="2">2004년 1월 1일부터 2007년 12월 31일까지</td><td>40% 이하</td></tr>
<tr><td colspan="2">2008년 1월 1일부터 2016년 8월 31일까지</td><td>20% 이하</td></tr>
<tr><td colspan="2">2016년 9월 1일 이후</td><td>10% 이하</td></tr>
<tr><td rowspan="10">중형</td><td colspan="2">1992년 12월 31일 이전</td><td>60% 이하</td></tr>
<tr><td colspan="2">1993년 1월 1일부터 1995년 12월 31일까지</td><td>55% 이하</td></tr>
<tr><td colspan="2">1996년 1월 1일부터 1997년 12월 31일까지</td><td>45% 이하</td></tr>
<tr><td rowspan="2">1998년 1월 1일부터 2000년 12월 31일까지</td><td>시내버스</td><td>40% 이하</td></tr>
<tr><td>시내버스 외</td><td>45% 이하</td></tr>
<tr><td colspan="2">2001년 1월 1일부터 2004년 9월 30일까지</td><td>45% 이하</td></tr>
<tr><td colspan="2">2004년 10월 1일부터 2007년 12월 31일까지</td><td>40% 이하</td></tr>
<tr><td colspan="2">2008년 1월 1일부터 2016년 8월 31일까지</td><td>20% 이하</td></tr>
<tr><td colspan="2">2016년 9월 1일 이후</td><td>10% 이하</td></tr>
<tr><td colspan="2"></td><td></td></tr>
<tr><td rowspan="8">대형</td><td colspan="2">1992년 12월 31일 이전</td><td>60% 이하</td></tr>
<tr><td colspan="2">1993년 1월 1일부터 1995년 12월 31일까지</td><td>55% 이하</td></tr>
<tr><td colspan="2">1996년 1월 1일부터 1997년 12월 31일까지</td><td>45% 이하</td></tr>
<tr><td rowspan="2">1998년 1월 1일부터
2000년 12월 31일까지</td><td>시내버스</td><td>40% 이하</td></tr>
<tr><td>시내버스 외</td><td>45% 이하</td></tr>
<tr><td colspan="2">2001년 1월 1일부터 2004년 9월 30일까지</td><td>45% 이하</td></tr>
<tr><td colspan="2">2004년 10월 1일부터 2007년 12월 31일까지</td><td>40% 이하</td></tr>
<tr><td colspan="2">2008년 1월 1일 이후</td><td>20% 이하</td></tr>
</table>

2) 현대 자동차 제작사별 차대번호(VIN : Vehicle Identification Number)의 표기 부호(산타페 - 2004)

K	M	H	S	B	5	1	A	P	Y	U	1	2	3	4	5	6
①	②	③	④	⑤	⑥	⑦	⑧	⑨	⑩	⑪	⑫	⑬	⑭	⑮	⑯	⑰
제작 회사군			자동차 특성군						제작 일련 번호군							

① **K** : 국제배정 국적표시 - K : 한국, J : 일본, 1 : 미국,

② **M** : 제작사를 나타내는 표시 - M : 현대, L : 대우, N : 기아, P : 쌍용 자동차

③ **H** : 자동차 종별 표시 - H : 승용차, F : 화물트럭, J : 승합차량, C : 특장 - 승합 화물

④ **S** : 차종 - S : 싼타페

⑤ **B** : 디럭스(GL), C-슈퍼디럭스(흰)

⑥ **5** : 세단 5도어 8-왜곤, 9-화물(밴), 0-픽업

⑦ **1** : 안전장치(Restraint system & Brake system)

- 1- 운전석+동승석 : 액티브 벨트, · 2- 운전석+동승석 : 패시브 벨트,
- 3- 운전석 : 액티브 벨트+에어백, · 4- 운전석+동승석 : 액티브 벨트+에어백

⑧ **A** : 엔진형식 : A : 2.0 I4(시리우스 엔진), G : 2.7 V6(델타엔진)

⑨ **P** : 운전석 방향 및 변속기 - P : LHD(왼쪽 운전석), R : RHD(오른쪽 운전석)

⑩ **D** : 제작년도 - M : 1991, N : 1992, P : 1993, R : 1994, S : 1995, T : 1996, V : 1997, W : 1998, X : 1999, Y : 2000, 1 : 2001, 2 : 2002, 3 : 2003 …… 9 : 2009, A : 2010, B : 2011, C : 2012 D : 2013, E : 2014, F : 2015, G : 2016, H : 2017, H : 2018

⑪ **U** : 공장 기호 - A : 아산공장, C : 전주공장, U : 울산공장, M : 인도공장, Z : 터키공장

⑫~⑰ **660620** : 차량 생산 일련 번호

3) 기아 자동차 제작사별 차대번호(VIN)의 표기 부호(쏘렌토-2002)

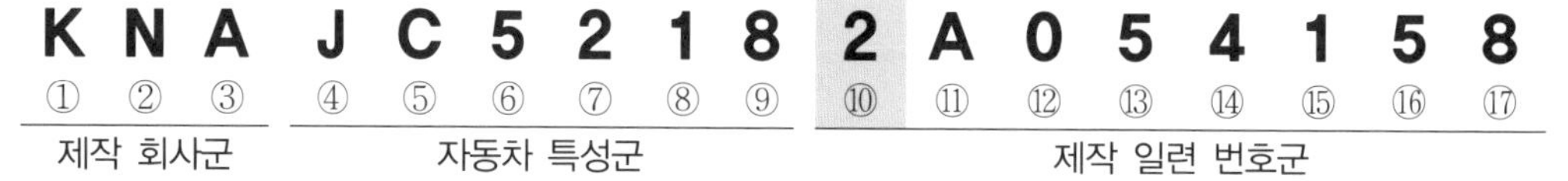

① **K** : 국제배정 국적표시 - K : 한국, J : 일본, 1 : 미국,

② **N** : 제작사를 나타내는 표시 - M : 현대, L : 대우, N : 기아, P : 쌍용 자동차

③ **A** : 자동차 종별 표시 - A : 승용차, C : 화물차, E : 전차종(유럽수출)

④⑤ **JC** : 차종 - JC : (쏘렌토), FE : 세라토, MA : 카니발, GD : 옵티마, FC : 카렌스

⑥⑦ **52** : 차체형상 - 52 : 5도어 스테이션 웨곤, 22 : 4도어 세단, 24 : 5도어 해치백, 62 : 5도어 밴

⑧ **1** : 엔진 형식 - 1 : 쏘렌토 2500cc 커먼레일 엔진

⑨ **8** : 확인란 - 8 : A/T+4륜 구동, 1 : 4단 구동, 2 : 5단 수동, 3 : A/T, 4 : 4단 수동+4륜 구동, 5 : 5단 수동+4륜 구동, 6 : 4단 수동+서브 T/M, 7 : 5단 수동+서브T/M, 9 : CVT

⑩ **2** : 제작년도 - M : 1991, N : 1992, P : 1993, R : 1994, S : 1995, T : 1996, V : 1997, W : 1998, X : 1999, Y : 2000, 1 : 2001, 2 : 2002, 3 : 2003, 4 : 2004, 5 : 2005 … A : 2010, B : 2011 … C : 2012, D : 2013, E : 2014

⑪ **A** : 공장 기호 - 아산(내수), S : 소하리(내수), K : 광주(내수), 6 : 소하리(수출), 5 : 화성(수출), 7 : 광주(수출)

⑫~⑰ **054158** : 차량 생산 일련 번호

4) 자동차 등록증(싼타페-2013)

자 동 차 등 록 증

제 2013-000135호 최초 등록일 : 2014년 05월 27일

① 자동차 등록 번호	02러 3859	② 차 종	중형 승용	③용도	자가용
④ 차 명	싼타페 DM	⑤ 형식 및 연식	DM5UBK-T 2014		
⑥ 차 대 번 호	KMHSU81XDEU123456	⑦ 원동기 형식	D4HA		
⑧ 사 용 본 거 지	경기도 양주시 부흥로 1901 ** 아파트***동 ***호				
소유자 ⑨ 성명(명칭)	김광수	⑩ 주민(사업자) 등 록 번 호	***117-*******		
소유자 ⑪ 주 소	경기도 양주시 부흥로 1901 ** 아파트***동 ***호				

자동차 관리법 제8조등의 규정에 의하여 위와 같이 등록하였음을 증명합니다.

2014 년 05 월 27 일

양 주 시 장

1. 제원

⑫형식승인번호	A08-1-00092-0267-1217		
⑬길 이	4700mm	⑭너 비	1890mm
⑮높 이	1680mm	⑯총 중 량	2335kgf
⑰배 기 량	1995cc	⑱정격 출력	151/3800ps/rpm
⑲승차 정원	5 명	⑳최대적재량	1000kgf
㉑기 통 수	4기통	㉒연료의종류	경유 (연비 12.6km/L)

2. 등록 번호판 교부 및 봉인

㉓구 분	㉔번호판교부일	㉕봉인일	㉖교부대행자확인
신규	2014-05-27	2014-05-27	

2. 저당권 등록

㉗구분(설정 또는 말소)	㉘ 일 자

※ 기타 저당권 등록의 내용은 자동차 등록원부를 열람확인 하시기 바랍니다.

※ 비고

4. 검사 유효기간

㉙연 월 일 부 터	㉚연 월 일 까 지	㉛검 사 시행장소	㉜주행 거리	㉝검사 책임자확인
2014-05-27	2018-05-26	노원검사소		
2018-05-27	2020-05-26	노원검사소		
2020-05-27	2022-05-26	노원검사소		

※ 주의사항 : ㉙항 첫째란에는 신규 등록일을 기재합니다.

33331-00211비
96. 10. 4. 승인

210mm×297mm
(보존용지(1종) 120g/㎡)

2. 자동차 검사 유효기간

구분		검사유효기간
비사업용 승용자동차 및 피견인자동차		2년(신조차로서 법 제43조제5항에 따른 신규검사를 받은 것으로 보는 자동차의 최초 검사유효기간은 4년)
사업용 승용자동차		1년(신조차로서 법 제43조제5항에 따른 신규검사를 받은 것으로 보는 자동차의 최초 검사유효기간은 2년)
경형·소형의 승합 및 화물자동차		1년
사업용 대형 화물자동차	차령이 2년 이하인 경우	1년
	차령이 2년 초과된 경우	6개월
중형 승합자동차 및 사업용 대형 승합자동차	차령이 8년 이하인 경우	1년
	차령이 8년 초과된 경우	6개월
그 밖의 자동차	차령이 5년 이하인 경우	1년
	차령이 5년 초과된 경우	6개월

3. 석영(SY-OM 501) 배기가스 측정기를 이용한 점검 방법

1) 석영(SY-OM 501) 테스터 모습 및 액세서리

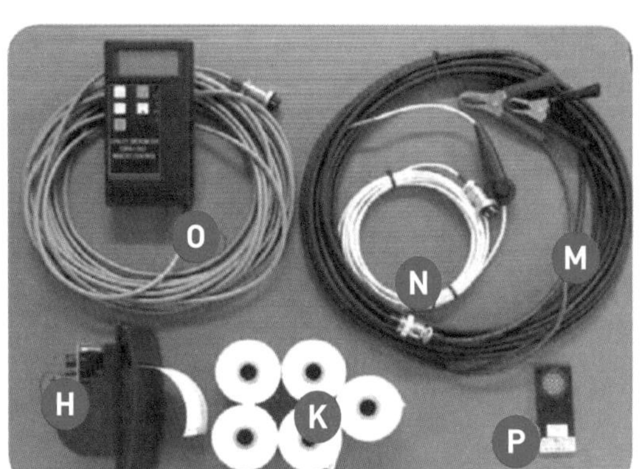

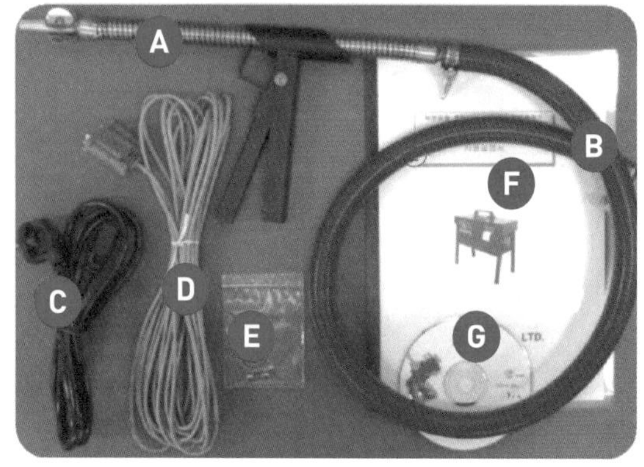

① **부속품 명칭** : 프로브(A), 프로브 호스(B), 파워 케이블(C), ④ RS 232 케이블(D), 퓨즈(E), 사용 설명서(F), 소프트웨어(G), ① 내장 프린터(H), 프린터 종이(K), RPM 센서(M), 오일 온도 센서(N), 휴대용 단말기(O), 기본 필터(P)

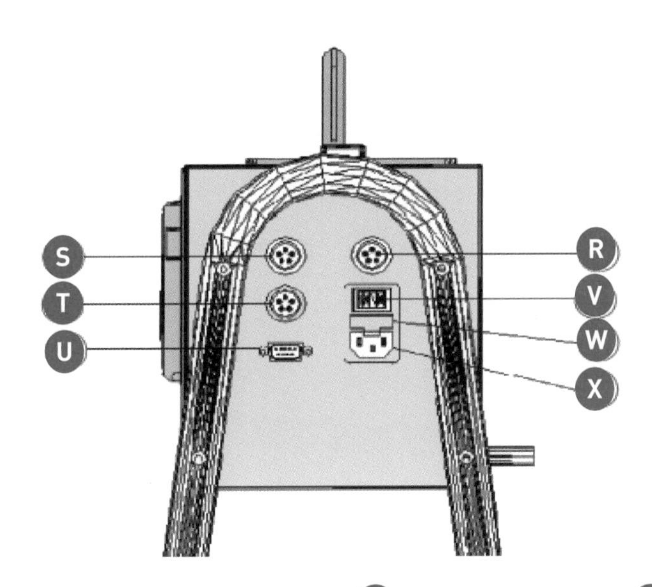

② **측면부 연결 단자 명칭** : 휴대용 단말기 연결구(R), RPM 센서 연결구(S), 오일 온도 센서 연결구(T), RS 232 케이블 연결구(U), 전원 스위치(V), 퓨즈(W), 전원 케이블 연결구(X)

2) 석영(SY-OM 501) 전면 패널 키능키 명칭과 기능

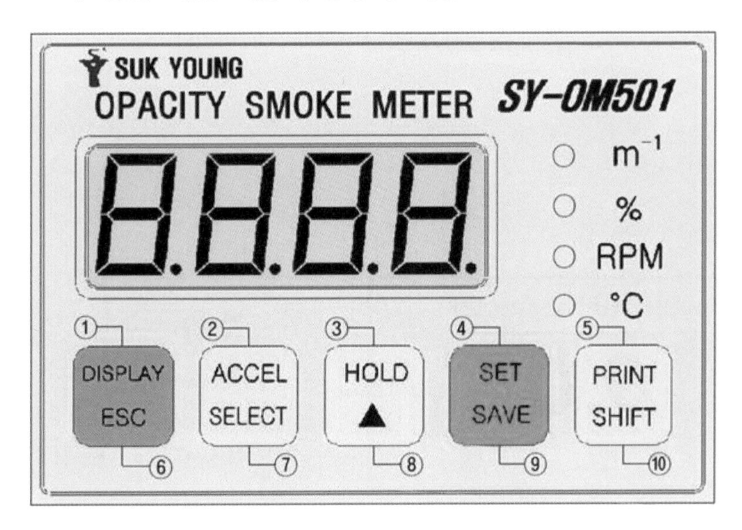

① DISPLAY : 표시 화면을 선택한다.
② ACCEL : 무부하 가속시험을 시작할 때 사용한다.
③ HOLD : 디스플레이 화면을 정지 한다.
- HOLD : HOLD 키를 누르면 표시된 화면이 유지. 한 번 더 누르면 HOLD가 해제된다.
- PEAK HOLD : HOLD 키를 누르면 측정값의 가장 높은 값이 화면에 표시되고 정지된다. 한 번 HOLD키를 누르면 피크 홀드를 해제한다.

④ SET : 측정 모드에서 설정 모드로 이동한다.
⑤ PRINT : 인쇄물 출력한다.
⑥ ESC : 측정 모드에서 자유 가속 시험을 측정 모드로 옮긴다.
⑦ SELECT : 설정 모드에서 다른 설정 화면으로 이동한다.
⑧ ▲ : 설정 모드에서 각 설정 값을 변경한다.
⑨ SAVE : 설정 모드에서 각 설정 값을 저장한다.
⑩ SHIFT : 설정 값을 변경 한다.

3) 석영(SY-OM 501) 작동법

① **워밍업** : 전원을 켜면 약 10초 동안 초기화 프로세스를 수행한다. 3~6분 동안 예열이 수행된다.
② **초기 보정** : 예열이 끝나면 초기 보정이 자동으로 수행된다.

워밍업 표시 모습

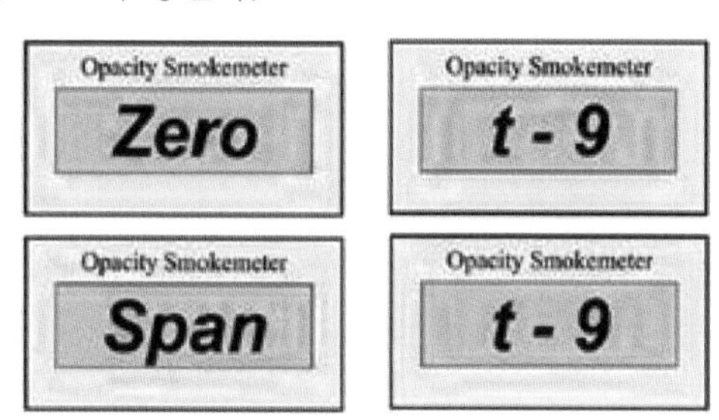

초기 보정 표시 모습

③ **초기 보정 완료** : 초기 보정이 완료되면 측정 준비 상태에 있음을 디스플레이에 위와 같이 표시한다.
④ **측정 준비** : DISPLAY 키 누르면 Smoke (%) → K (m−1)→ RPM → ℃가 순차적 진행된다.

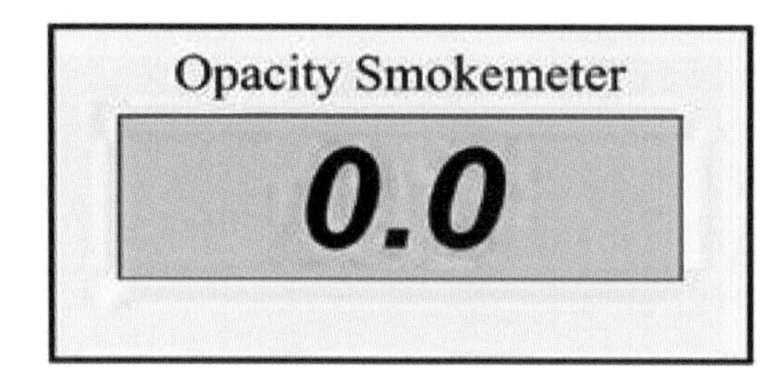

초기 보정 완료 표시 모습

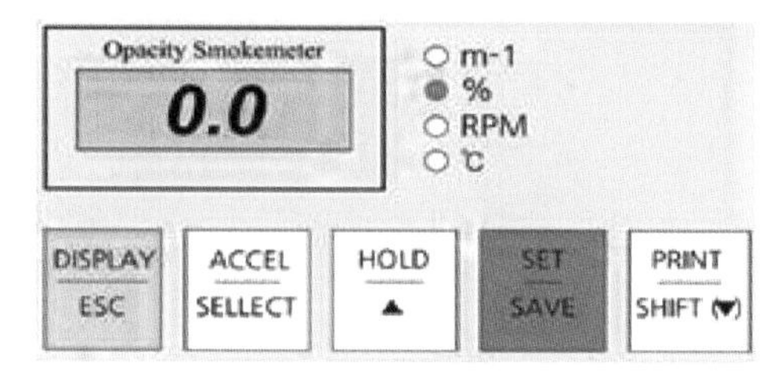

측정 준비 표시 모습

⑤ **가스 샘플링 측정값 표시** : 측정값 숫자를 읽은 다음 인쇄하려면 인쇄키를 눌러 프린트 한다.

⑥ **무부하 가속 시험(검사 모드)** : 디스플레이에 "ACCEL"이 표시되면 ACCEL 키를 누른다.

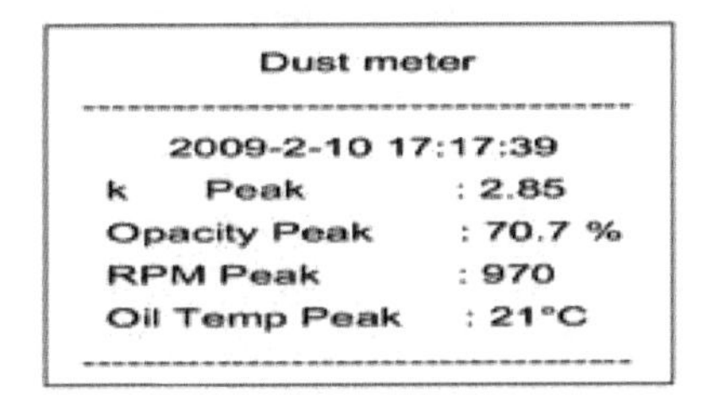

가스 샘플링 측정값 표시 모습

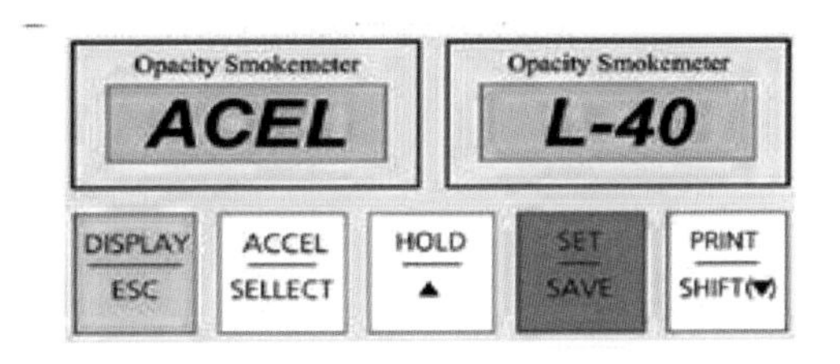

무부하 가속 시험 (검사 모드) 모습

⑦ **첫 번째 시험 이동 표시** : (▲▼) 키 (5% 변경)를 사용하여 한계를 설정하고 (SET) 키를 누르면 디스플레이에 "AC-1"이 표시되고 4개의 LED가 깜박거린다.

⑧ **첫 번째 시험 준비 완료 표시** : 테스트 준비가 되었음을 보여주며, 한 번 더 (SET) 키를 누르면, 하나의 LED가 깜박이고, 버저 소리가 나고 첫 번째 시험을 시작한다.

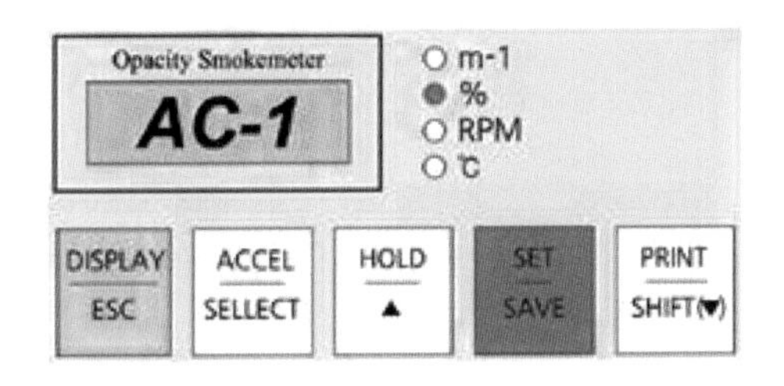

첫 번째 시험 이동 표시 모습

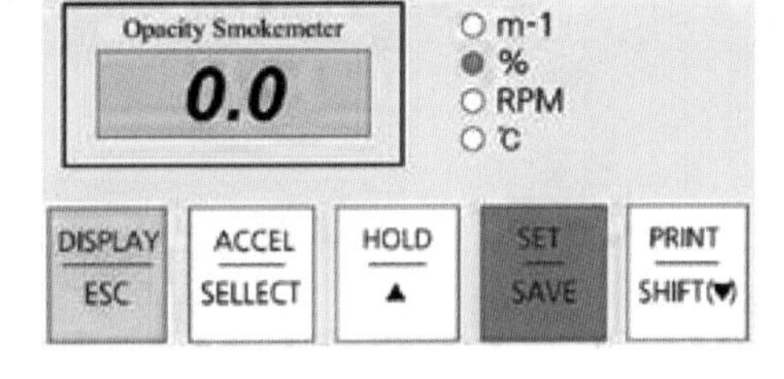

첫 번째 시험 준비 완료 표시 모습

⑨ **두 번째 시험 이동 표시** : 첫 번째 테스트가 끝나면 (SET) 키를 눌러 두 번째 테스트로 이동한다. 디스플레이에 "AC-2"가 표시되고 4개의 LED가 깜박거린다.

⑩ **두 번째 시험 준비 완료 표시** : 테스트 준비가 되었음을 보여주며, 한 번 더 (SET) 키를 누르면, 하나의 LED가 깜박이고, 버저 소리가 나고 두 번째 시험을 시작한다.

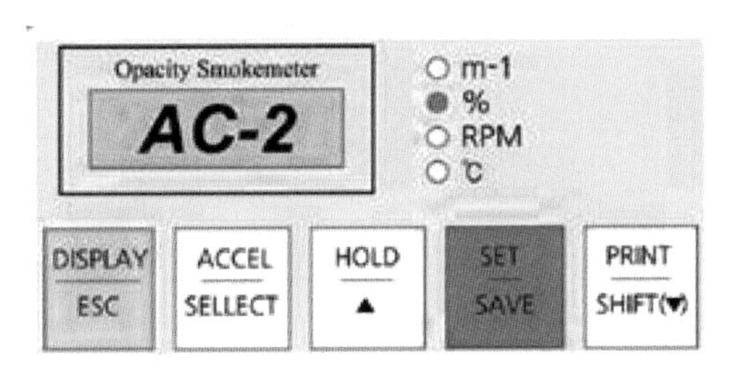

두 번째 시험 이동 표시 모습

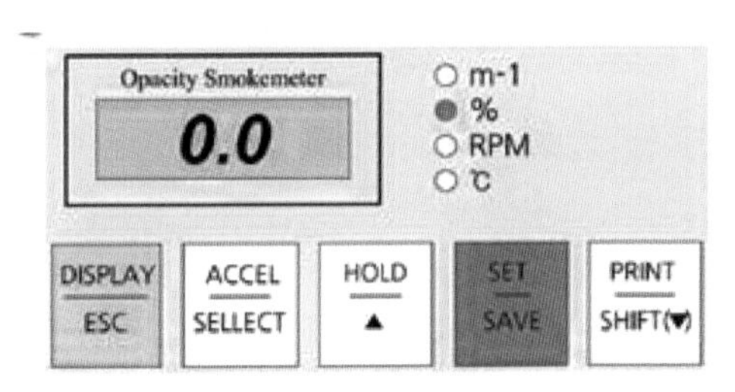

두 번째 시험 준비 완료 표시 모습

⑪ **세 번째 시험 이동 표시** : 두 번째 테스트가 끝나면 (SET) 키를 눌러 세 번째 테스트로 이동한다. 디스플레이에 "AC-3"가 표시되고 4개의 LED가 깜박거린다.

⑫ **세 번째 시험 준비 완료 표시** : 테스트 준비가 되었음을 보여주며, 한 번 더 (SET) 키를 누르면, 하나의 LED가 깜박이고, 버저 소리가 나고 세 번째 시험을 시작한다.

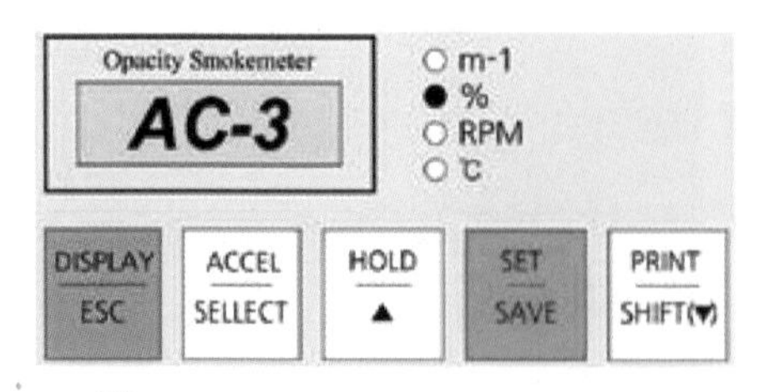

세 번째 시험 이동 표시 모습

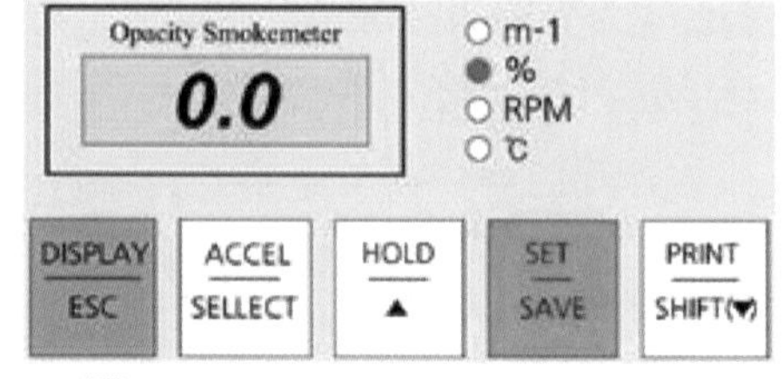

세 번째 시험 준비 완료 표시 모습

⑬ **결과지** : 세 번의 테스트 후에 테스트가 자동으로 종료되며, SET 키를 누를 때마다 평균과 차이의 결과가 보이고, PRINT 키를 누르면 인쇄물이 나온다.

⑭ **SET UP 방법** : 측정 모드에서 (SET) 키를 한 번 눌러 교정 모드를 선택한다.

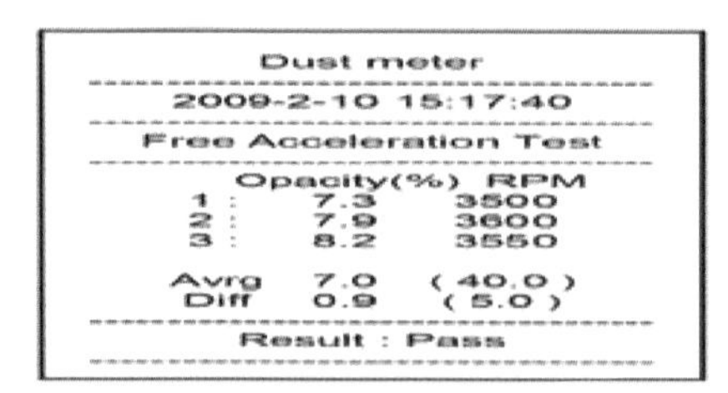

Dust meter

2009-2-10 15:17:40

Free Acceleration Test

	Opacity(%)	RPM
1 :	7.3	3500
2 :	7.9	3600
3 :	8.2	3550
Avrg	7.0	(40.0)
Diff	0.9	(5.0)

Result : Pass

결과지 모습

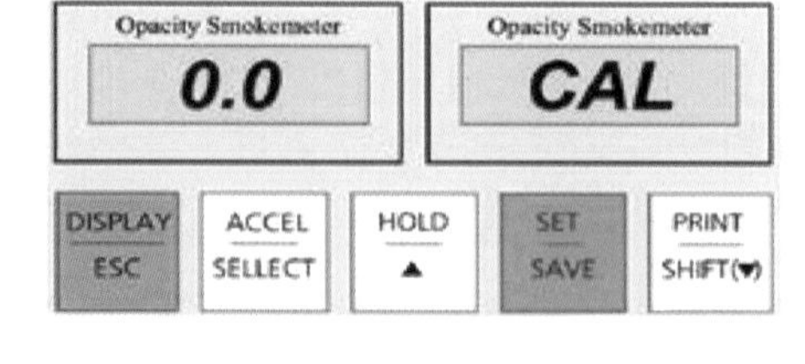

SET UP 방법 모습

⑮ **교정 완료** : SET 키를 누르면 설정 모드로 이동하며, 순차적으로 CAL-YEAR-TIME-HOLD -PRT-CYL-VERSION-TEST-BT-R로 이동한다.

⑯ **차량 점검년도 세팅** : SET 키를 누르면 설정 모드로 이동하며, 순차적으로 CAL-YEAR-TIME-HOLD-PRT-CYL-VERSION-TEST-BT-R로 이동한다.

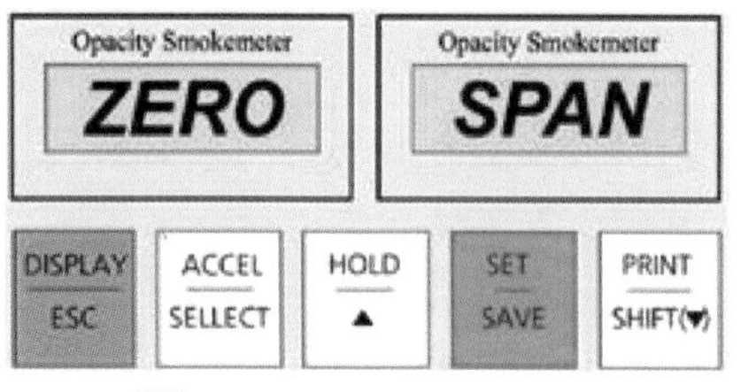

교정 완료 모습

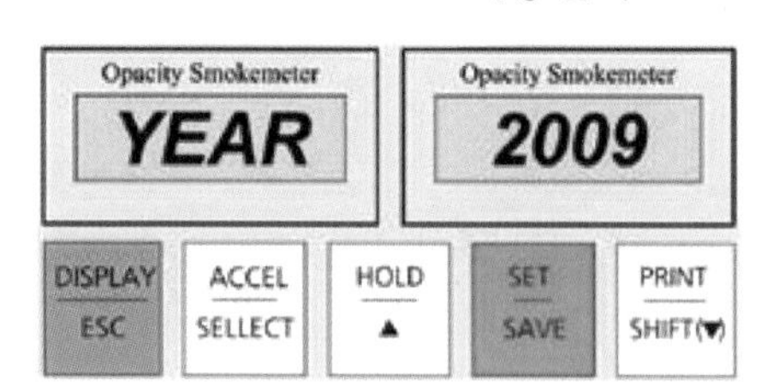

차량 점검년도 세팅 모습

⑰ **점검일자 세팅** : SET 키를 누르면 설정 모드로 이동하며, 순차적으로 CAL-YEAR-TIME-HOLD-PRT-CYL-VERSION-TEST-BT-R로 이동한다.

⑱ **프린터 세팅** : SET 키를 누르면 설정 모드로 이동하며, 순차적으로 CAL-YEAR-TIME-HOLD-PRT-CYL-VERSION-TEST-BT-R로 이동한다.

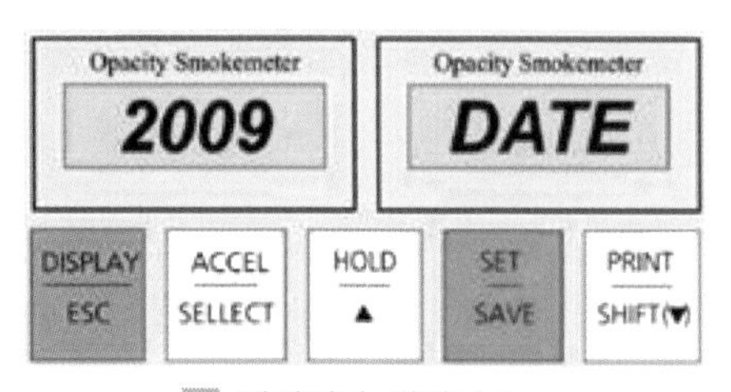

점검일자 세팅모습

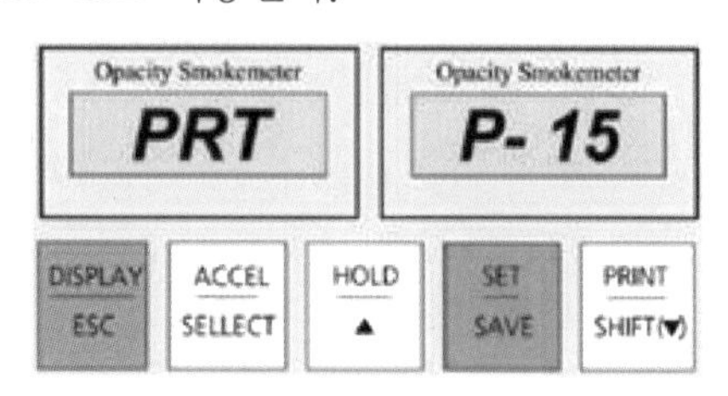

프린터 세팅 모습

⑲ **실린더 세팅** : SET 키를 누르면 설정 모드로 이동하며, 순차적으로 CAL-YEAR-TIME -HOLD-PRT-CYL-VERSIONTEST-BT-R로 이동한다.

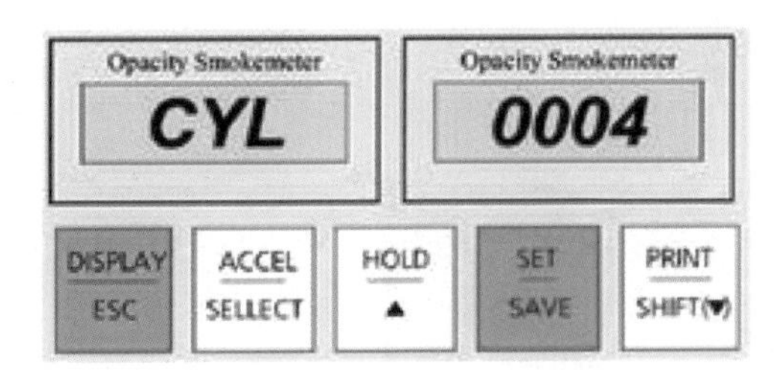

실린더 세팅 모습

4. 디젤 엔진 매연(Diesel Engine Smoke) 점검의 실습현장 사진

1) 석영(SY-OM 501)의 점검방법 - [기능사 답안지 작성법 참조]

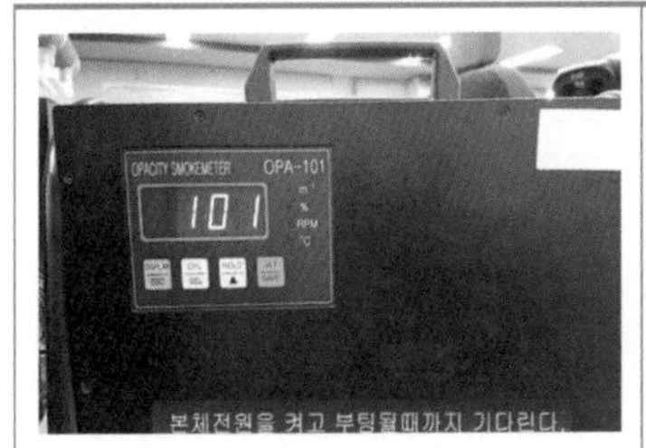		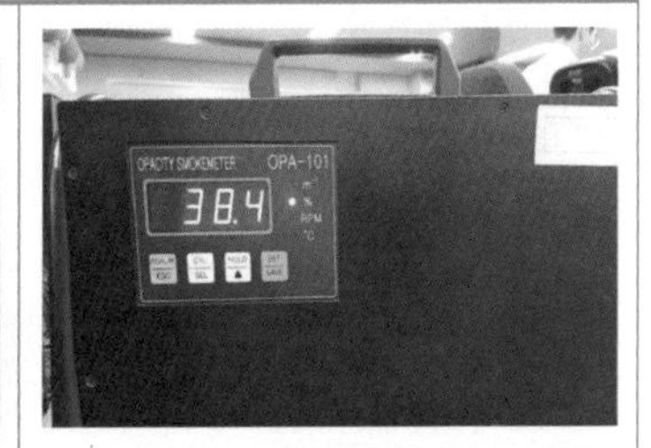
측정하기 위해 세팅이 되어있다. 본체 전원을 켜고 부팅이 될 때까지 기다린다.	Display & Set 버튼을 동시에 2번 눌러서 ZERO, SPAN 10초 진행된다.	엔진을 급가속하면서 3번 측정을 하여 평균값을 계산하면 측정값이다.

2) 헵시바(HEPHZIBAH HQ-550)의 점검방법

	박스는 DIESEI SMOKE TESTER지만 안에는 헵시바 측정기가 설치되어있다.

툴 박스 옆에 보면 측정 프로브가 걸려 있다. 측정 프로브를 배기관으로 삽입한다.

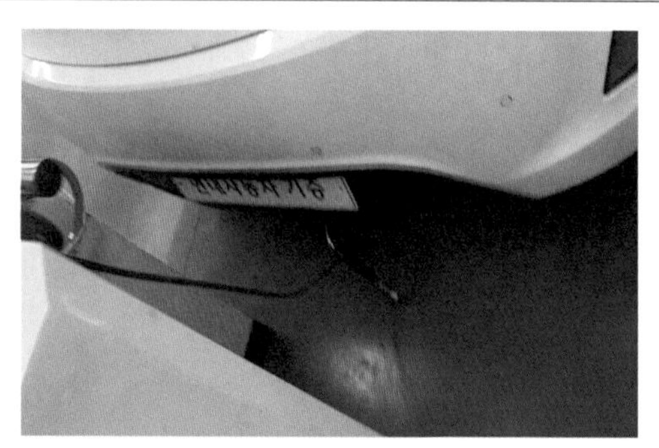

프로브를 배기구에 넣을 때 배기관 흡입구의 끝단에서 벽면으로부터 5mm 이상 떨어지도록 설치하고 5cm 이상의 깊이로 삽입하여 한다.

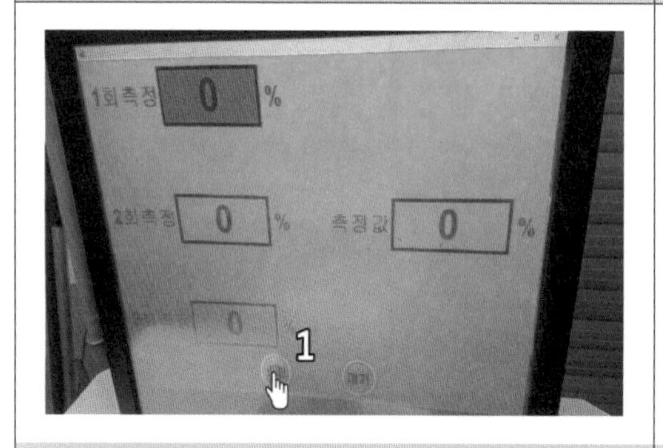

시뮬레이터로 측정을 하도록 하고 있다. 화면의 측정버튼을 한번 누르면 측정된다.

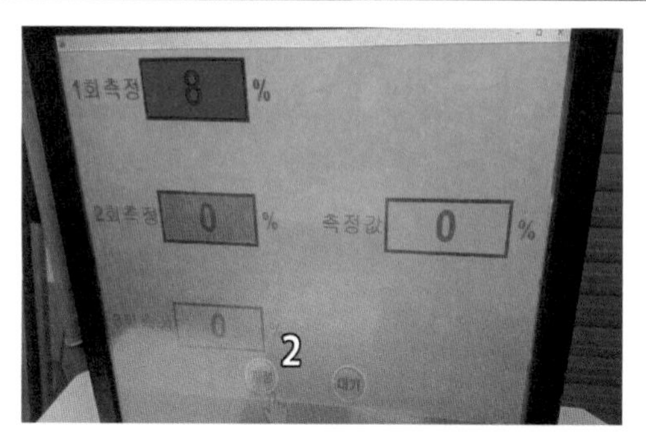

측정 버튼을 2번째 누르면 2회 측정이 되면서 2회 측정화면에 측정값이 나타난다.

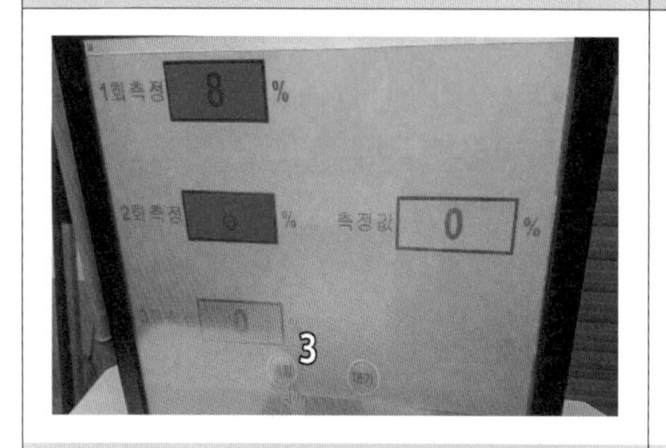

측정 버튼을 3번째 누르면 3회 측정이 되면서 3회 측정 화면에 측정값이 나타난다.

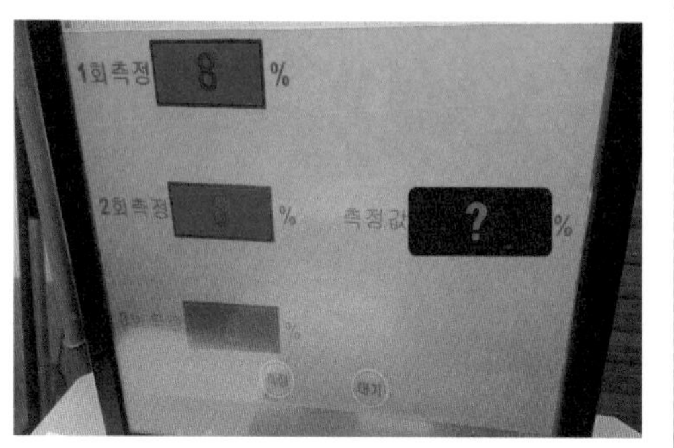

3회 측정값이 되면서 녹색으로 표시된다. 3개를 더해서 평균으로 답을 작성한다.

06 연료 압력(Fuel Pressure)의 측정

연료 압력(Fuel Pressure)의 측정은 연료 압력이 낮아도 높아도 엔진의 성능에 많은 영향을 미친다. 고장의 원인과 정비 및 조치사항을 알 수 있는가를 측정하는 문제이다. 일부이긴 하나 연료 압력계가 설치되어 있는 시뮬레이터에서 그대로 측정하기도 한다. 이것은 비숙련 수검자가 시험용 차량과 측정기를 고장 낼 수 있고 압력계를 설치할 때 잘못하여 휘발유가 누출되면 화재의 위험이 있기 때문이며, 측정하는 방법을 모르면 설치하는 방법은 더욱더 숙련이 되지 않음을 감독관은 알 수 있다. 사실 연료 압력을 측정하기 위하여 연료 압력계를 설치하기 위해서는 사전에 하여야 할 작업이 많다.

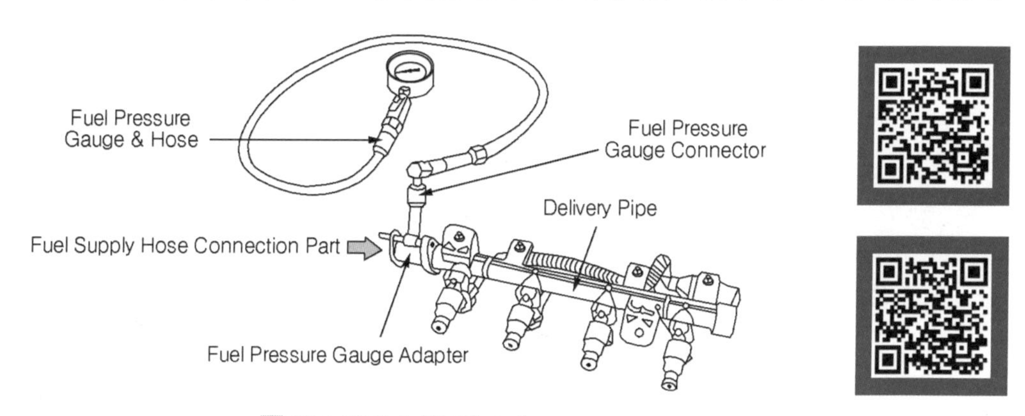

연료 압력계 설치된 모습

■ 연료공급 장치의 고장진단

상태	가능한 원인	원인
압력이 너무 낮다	- 연료 필터가 막힘 - 연료 압력 레귤레이터에 있는 밸브의 밀착이 불량하여 귀화구(Return port)쪽으로 연료가 누설됨	- 연료 필터 교환 - 연료 펌프에 장착된 연료 압력 레귤레이터 교환 - 연료 펌프 교환
연료 압력이 너무 높다	연료 압력 레귤레이터 내의 밸브가 고착됨	- 연료 펌프에 장차된 연료 압력 레귤레이터 교환 - 호스, 파이프를 수리 혹은 교환

■ 연료공급 장치의 제원

항목 \ 엔진		아반떼 XD(1.5)	NF 쏘나타 2.0(쎄타 1 엔진
연료 탱크m용량			70L
연료 필터(연료펌프에 내장됨)		7.0±15%(kΩ)	고압력식
연료압력 레귤레이터(연료펌프에 내장됨) -조정 압력			3.5kgf/㎠
연료펌프	형식	RC10YC4	탱크 내장 전기식
	구동	1.0~1.1mm	전기 모터
연료 공급방식		BKR5ES-11	리턴리스(Returnless) 방식

1. 연료 압력(Fuel Pressure) 측정 방법

1) 연료 라인 내부 압력 제거

① 연료 탱크 커버를 탈거한다.

② 연료 펌프 커넥터를 탈거하고 시동을 걸어 연료 라인 내의 연료가 모두 소모되어 엔진이 멈출 때까지 기다린다.

③ 점화 스위치를 "OFF" 위치로 하고 배터리 ⊖ 단자를 분리한다.

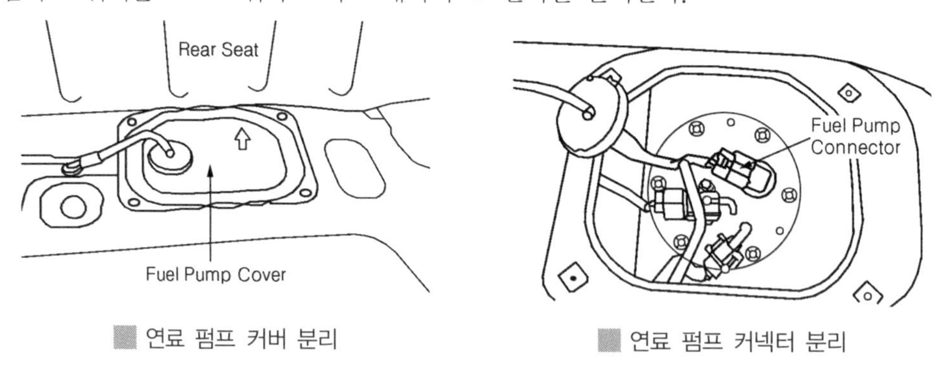

연료 펌프 커버 분리　　　　연료 펌프 커넥터 분리

2) 연료 압력 측정 게이지 장착

① 딜리버리 파이프에서 연료 공급 호스를 분리한다.

딜리버리 파이프를 분해할 때 연료 라인 내의 잔압으로 인하여 연료가 누출될 수 있으므로 호스 연결부에 헝겊을 받쳐대서 흐르지 않도록 한다.

② 연료 압력 게이지 어댑터를 딜리버리 파이프와 연료 공급 호스 사이에 장착한다.

③ 연료 압력 게이지 커넥터를 연료 압력 게이지 어댑터에 연결한다.

④ 연료 압력 게이지 및 호스를 연료 압력 게이지 커넥터에 연결한다.

⑤ 연료 공급 호스를 연료 압력 게이지 어댑터에 연결한다.

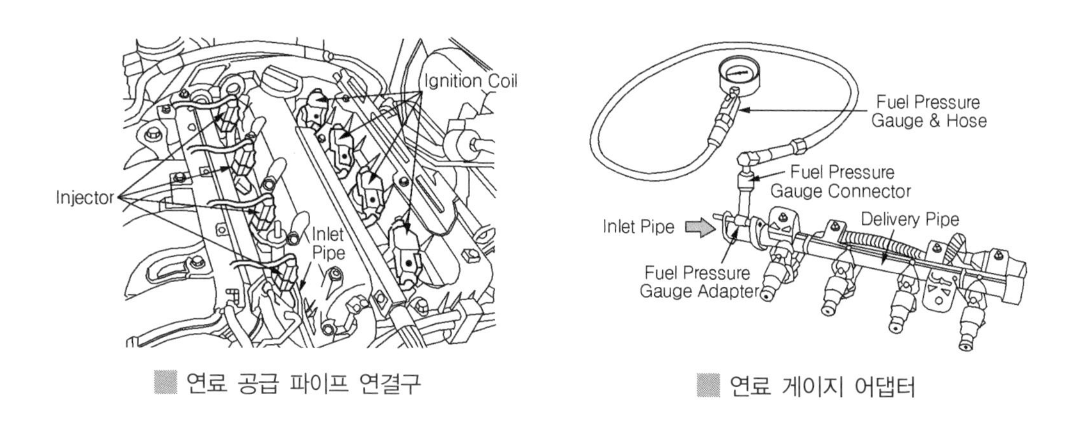

연료 공급 파이프 연결구　　　　연료 게이지 어댑터

3) 연료 라인 내의 누유 점검

① 연료 압력 게이지를 설치하고 연료 라인에서 연료의 누수를 점검한다.

② 배터리 ⊖ 터미널을 연결하고, 연료 펌프 구동 단자에 배터리 전원을 연결하여 연료 펌프를 작동시킨 다음, 각 연결구에서 연료가 누유 되는지 점검하여 누유 된다면 원인을 찾아 조치토록 한다.

4) 연료 압력 점검

① 연료 라인에 누유가 없다면 배터리 ⊖ 터미널을 분리하고 연료 펌프 커넥터를 연결한다.

② 배터리 ⊖ 터미널을 연결한 후 엔진 시동을 걸고 공회전 상태에서 게이지 눈금을 읽는다. 연료의 압력은 대략 3.5kgf/cm^2 이다.

③ 연료 압력이 규정치와 다르다면 해당 부품을 수리 또는 교환한다.

상태	원인	고장 부위
연료 압력 너무 낮음	연료 필터가 막힘	연료 필터
	연료 압력 레귤레이터 밀봉 불량으로 인한 연료 누설	연료 압력 레귤레이터
연료 압력 너무 높음	연료 압력 레귤레이터 내의 밸브가 고착됨	연료 압력 레귤레이터

5) 연료 압력의 변화 점검

① 엔진을 정지시키고 연료 게이지의 지침 변화를 점검한다. 엔진 정지 후 압력은 5분 정도 유지되어야 한다.

② 연료 게이지의 지침이 떨어지면 강하 정도를 점검한 후 원인을 찾아 해당 부품을 수리 또는 교환한다.

상태	원인	고장 부위
엔진 정지 후, 연료 압력이 서서히 강하한다	인젝터에서 연료 누설	인젝터
엔진 정지 후, 연료 압력이 급격히 강하한다	연료 펌프 내의 체크 밸브 열림	연료 펌프

6) 연료 압력 게이지 분리 연료 라인 연결

① 연료 탱크 커버를 탈거한다.

② 연료 펌프 커넥터를 탈거하고 시동을 걸어 연료 라인 내의 연료가 모두 소모되어 엔진이 멈출 때까지 기다린다.

③ 점화 스위치를 "OFF" 위치로 하고 배터리 ⊖ 단자를 분리한다.

④ 연료 압력 게이지를 분리하고 연료 공급 파이프를 딜리버리 파이프에 연결한 후 연료의 누유 여부를 점검한다. 이상이 없으면 연료 펌프 커넥터를 연결하고 원래 위치로 정리한다.

■ 압력의 단위

	kgf/cm^2	bar	Pa	atm	mH_2O	mHg	lbf/in^2(PSI)
kgf/cm^2	1	0.980665	0.980665E5	0.9678	10.000	0.7356	14.22
bar	1.0197	1	1E5	0.9869	10.197	0.7501	14.50
Pa	1.0197E-5	1E-5	1	0.9869E-5	1.0197E-4	7.501E-6	1.450E-4
atm	1.0332	1.01325	1.01325E5	1	10.33	0.760	14.70
mH_2O	0.10000	0.09806	9.80665E3	0.09678	1	0.07355	1.422
mHg	1.3595	1.3332	1.3332E5	1.3158	13.60	1	19.34
lbf/in^2	0.07031	0.06895	6.895E3	0.06805	0.7031	0.05171	1

(注) 1 Pa = 1 N/m^2, 1 bar= 1E5 Pa, 1lbf/in^2= 1 psi, 1 Pa = 7.5 E-3 torr

2. 연료 압력 측정의 실습현장 사진

연료 입력 파이프와 딜리버리 파이프 사이에 연료 압력게이지 어댑터를 설치하기 위해서 분리하여야 한다.

시험장에서는 연료의 누출로 인한 위험이 있기 때문에 연료 게이지를 설치하여 놓고 압력을 측정하는 경우가 대부분이다.

엔진 시동을 걸면 게이지의 눈금이 올라가는 단위가 감독위원이 제시된 압력과 다를 수 있어서 단위 계산도 할 수 있어야 한다.

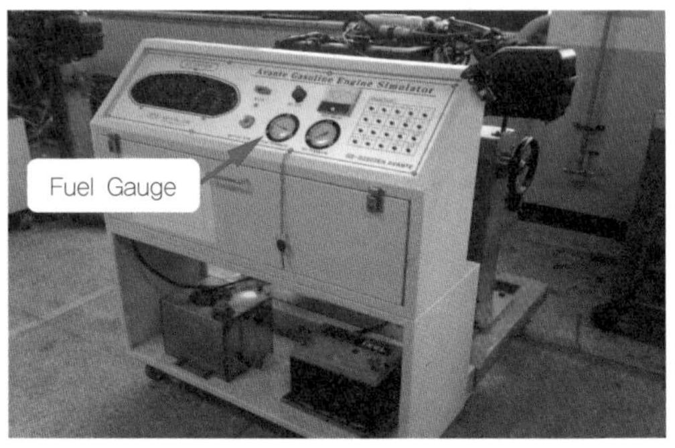

일부 시험장이기는 하나 시뮬레이터 전면 패널에 설치된 연료 압력 게이지를 읽어서 답안지를 작성하는 경우도 있다.

연료 압력 게이지가 지시하는 압력을 감독위원이 주어진 압력과 맞게 답안지를 작성하여 판정하여야 한다.

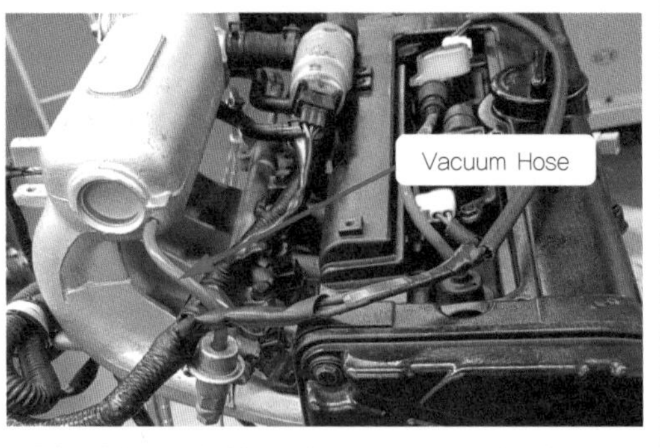

대부분 고장을 내는 곳이 압력 조절 밸브에 연결된 진공 호스를 떼어 놓는 경우가 많이 있음을 기억하자.

07 퍼지 컨트롤 솔레노이드 밸브(Purge Control Solenoid Valve)의 점검

퍼지 컨트롤 솔레노이드 밸브(PCSV : Purge Control Solenoid Valve)의 점검은 엔진 시동의 어려움이 있거나 공회전이 불규칙하거나 갑자기 정지하기도 한다. 퍼지 컨트롤 솔레노이드 밸브의 작동은 온도가 낮거나 공회전시에는 닫혀 있으며, 정상 작동 온도에 도달하면 PCSV가 열려 캐니스터에 저장되어 있는 증발가스를 흡기 다기관으로 보내게 된다. 증발가스 제어장치의 고장 원인과 정비 및 조치사항을 알 수 있는가를 측정하는 문제이다. 일부이긴 하나 단품을 놓고 점검하기도 한다.

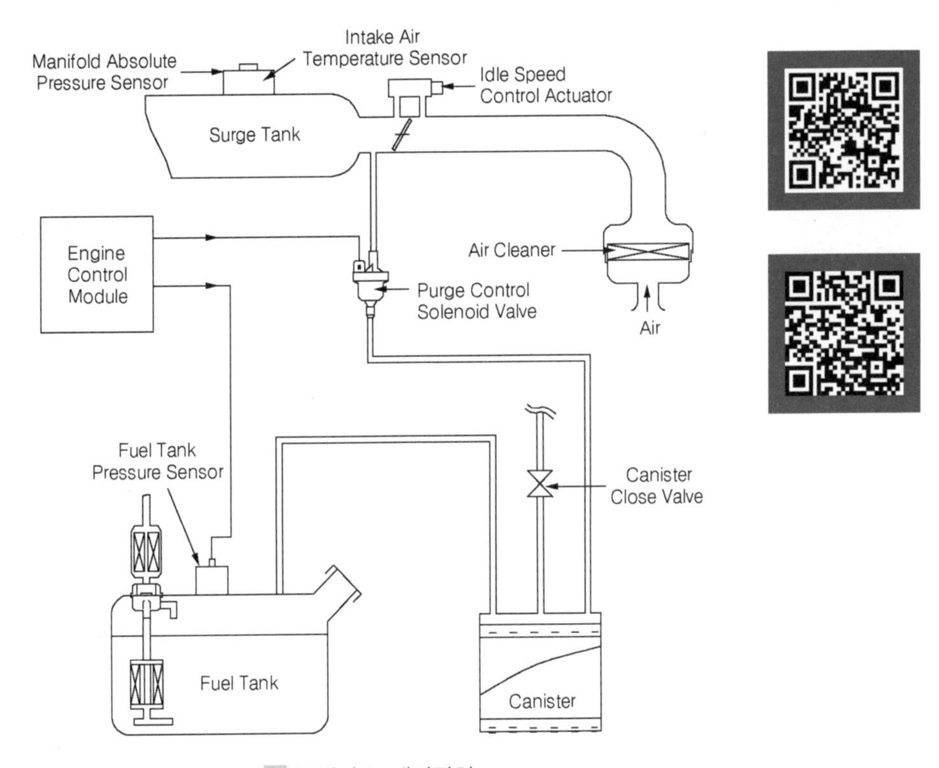

증발가스 제어장치

■ 증발가스 제어장치의 고장진단

현상	가능한 원인	정비
엔진의 시동이 걸리지 않거나 시동을 걸기가 힘들다	진공 호스가 빠지거나 손상됨	수리 혹은 교환
시동 걸기가 힘들다	퍼지 컨트롤 솔레노이드 밸브의 작동이 불량함	수리 혹은 교환
공회전이 불규칙하거나 엔진이 갑자기 정지한다	진공 호스가 빠지거나 작동이 불량함	수리 혹은 교환
	PCV 밸브의 작동이 불량함	교환
공회전시 불규칙하다	퍼지 컨트롤 장치의 작동이 불량함	장치를 점검 : 만일 문제가 있으면 구성부품을 차례로 점검
오일의 소모량이 과도하다	포지티브 크랭크 케이스 통풍 라인이 막힘	포지티브 크랭크 케이스 통풍 라인을 점검

■ 연료공급 장치의 제원

항목 \ 엔진		아반떼 XD(1.5)	NF 쏘나타 2.0(쎄타 1 엔진)
퍼지컨트롤 솔레노이드 밸브의 저항		36~44 (Ω)-20℃	19.0~22.0 Ω-20℃
퍼지컨트롤 솔레노이드 밸브 단자에 전원을	공급 했을 때	진공이 해제됨 (밸브 열림)	진공이 해제됨 (밸브 열림)
	공급하지 않을 때	진공이 유지됨 (밸브 닫힘)	진공이 유지됨 (밸브 닫힘)

1. 퍼지 컨트롤 솔레노이드 밸브(PCSV)의 차상 점검 방법

① 스로틀 보디에서 진공 호스를 분리시키고 핸드 진공 펌프를 연결한다.
② 호스가 분리된 곳의 호스는 플러그로 막는다.
③ 핸드 진공 펌프로 진공을 가하면서 진공 상태를 점검한다.

■ 엔진 냉각시(엔진 냉각수온 〉 60℃)

엔진상태	진공	결과
공회전	$0.5kg/cm^2$	진공이 유지됨
3,000rpm		

■ 엔진 웜업시(엔진 냉각수온 〉 80℃)

엔진상태	진공	결과
공회전	$0.5kg/cm^2$	진공이 유지됨
엔진이 시동되어 3,000rpm이 된 3분 이내	진공을 가함	진공이 해체됨
엔진이 시동되어 3,000rpm이 된 3분이 지난 후	$0.5kg/cm^2$	진공이 순간적으로 유지되다가 곧 해체됨

2. 퍼지 컨트롤 솔레노이드 밸브의 단품 점검 방법

① 퍼지 컨트롤 솔레노이드 밸브 단자 간 저항값을 점검하기도 한다.

■ 차종별 퍼지 컨트롤 솔레노이드 밸브 저항 규정값(Ω/20℃)

차 종		규정값	차 종		규정값
아반떼 RD	1.5 DOHC	26	SM	6(K9K)	
	1.8 DOHC	26		5(M4R)	
베르나 MC	1.4 DOHC	16	투스가니	2.0 DOHC	26
	1.6 DOHC	16		2.7 DOHC	26
NF 쏘나타	2.0 DOHC	19.0~22.0	아반떼 XD	1.5 DOHC	26
	2.4 DOHC	19.0~22.0		1.6 DOHC	26
	2.0 LPI	–		2.0 DOHC	26
EF 쏘나타	1.8 DOHC	20~30	그랜저 XG	2.0 DOHC	24.5~27.5
	2.0 DOHC	40~44		2.5 DOHC	24.5~27.5
트라제 XG	2.0 DOHC	40~44	모닝SA	1.0 SOHC	32
	L2.7 DOHC	–		L1.0 SOHC	–
로체	2.0 DOHC	19.0~22.0	그랜저 TG	2.4 DOHC	19.0~22.0
	L 2.0 DOHC	–		2.7 DOHC	16

3. 퍼지 컨트롤 솔레노이드 밸브(PCSV)의 점검 실습현장 사진

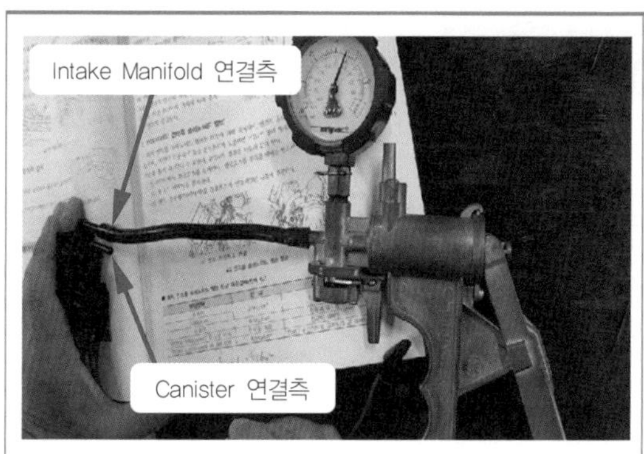

퍼지 컨트롤 솔레노이드 밸브 단품을 갖고 점검하는 시험 준비이다. 대부분이 단품 점검으로 하고 있다.

진공 펌프 호스를 흡기 다기관에서 탈거한 곳에 연결하고 진공을 만들어서 배터리 전원을 인가하면서 점검한다.

<table>
<tr>
<td>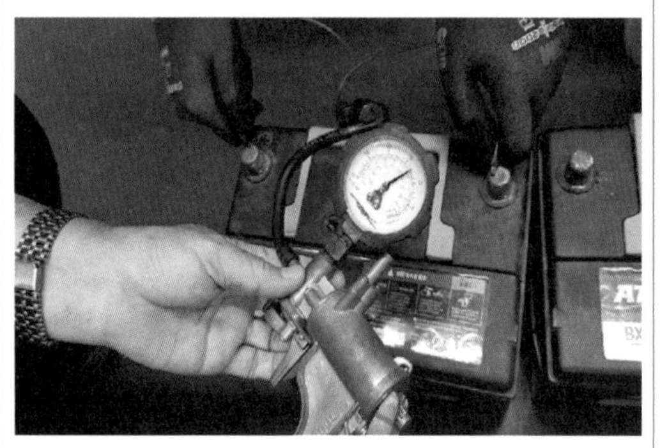
진공 펌프로 진공상태를 만들어 놓은 상태이다. 즉 전원을 인가하지 않아서 밸브가 닫힘으로 진공상태를 유지한다.</td>
<td>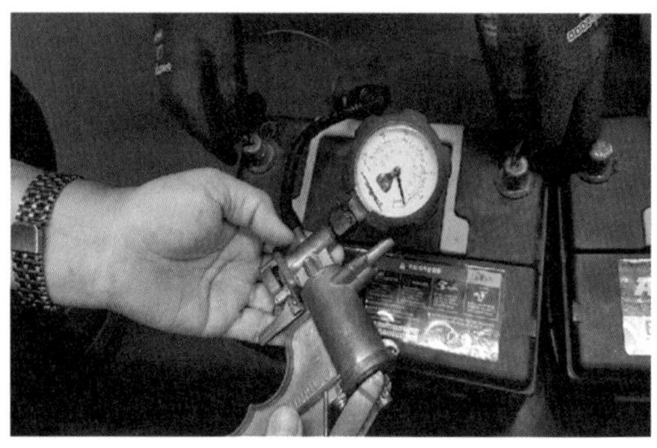
진공 펌프로 진공상태를 만들어 놓은 상태에서 전원을 인가하면 진공이 해지된다. 즉 흡기 다기관으로 증발가스가 유입된다.</td>
</tr>
<tr>
<td>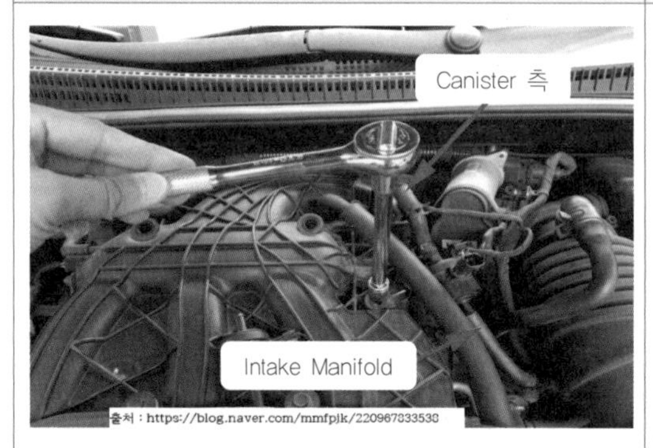

실제 차에서 점검하고자 할 때는 흡기 다기관에서 진공 호스를 분리하고 진공 펌프 호스를 분리한 곳에 연결한 후 엔진 시동을 걸어 점검한다.</td>
<td>

지금은 스캐너로 퍼지 컨트롤 솔레노이드 밸브의 작동상태를 확인할 수 있어서 좀 편리하기는 하다.</td>
</tr>
</table>

Chapter 5

파형의 분석

01 인젝터 파형(Inject Wave)의 분석

인젝터 파형(Inject Wave)의 분석은 연료를 분사하는 인젝터의 성능을 알아보기 위한 점검이다. 인젝터 솔레노이드 코일의 단선, 인젝터 구동 시간, 구동 전압, 인젝터와 ECU간의 접촉상태, 컨트롤 릴레이와 인젝터 사이의 접촉 상태 등을 점검하여 인젝터의 고장 원인과 정비 및 조치 사항을 알 수 있는가를 측정하는 문제이다. 수검자는 반드시 파형을 프린트하여 정상 파형과 비교한 후 서술하여서 답안지에 첨부하여 제출한다.

인젝터 설치위치

■ 인젝터의 제원

항목 \ 엔진	아반떼 XD(1.5)	NF 쏘나타 2.0(쎄타 1 엔진)
인젝터 코일 저항	0.62±10%(Ω)	13.8~15.2(Ω)-20℃

■ 연료장치의 고장진단

점검항목 / 증상	시동성							공회전 불량				주행 불량		엔진이 멎음				기타	
	크랭킹이 안된다	크랭킹이 안된다/스타터는 회전	불완전연소	서서히 크랭킹	보통 시동이 어렵다	냉간시 시동이 어렵다	온간시 시동이 어렵다	부정확한 초기 공회전	저공회전속도	불규칙한 공회전	엔진부조 가속력 떨어짐	서어징	노킹	시동후 엔진이 곧 멎는다	악셀페달을 밟은후 엔진이 멎는다	악셀페달을 뗀후 멎음	에어컨 켜면 엔진이 멎는다	엔진과열	엔진과냉
스타터 릴레이	1																		
스타터	2	1		1															
인히비터&록 스위치	3																		
플라이휠&드라이브 플레이트		2																	
공기흐름센서 회로			1						4	11	8		2	7	1	3			2
연료압력 레귤레이터			3		6	5	5			5	12	1		2	5			1	
냉각수온센서 회로			4		4	1	1	2	1		9			8				12	3
압축압력			5		9					9	6								
피스톤링			6		10					10									
점화시기			7		11					12	15								
타이밍 벨트			8			8	8			13									
인젝터			9		14	9	9	7	5	14	16	4		9	7				
ECU			10		15			8	6	16	17	5		10	8	4	3		
에어컨 회로				2				9									1		
커넥팅로드 베어링				3															
연료실				4															
크랭크 샤프트 베어링						2	2			1	3			1					
크랭크샤프트 포지션센서		3																	
스파크 플러그					2					4	5	3			4			8	
연료펌프					7	6	6			6	13			3					
연료라인					8	7	7			7	14			4	6				
점화회로					12					15			3						
흡기온도센서 회로					13	4	4	4		2	10		1						
엑셀페달 링크								1											
스로틀 포지션 센서 회로								5			7				3				
실린더 헤드										17								10	
클러치											1								
브레이크 끌림											2								
산소센서 회로											11								
연료누유																			
냉각수 누수																		1	
냉각팬																		2	1
냉각팬 스위치																		3	
라디에이터 & 캡																		4	
서모스타트																		5	2
타이밍 벨트																		6	
워터 펌프																		7	
오일펌프																		9	
실린더 블럭																		11	

1. 인젝터 파형(Inject Wave)의 분석 방법

먼저 공전할 때 인젝터의 작동 파형을 보면 인젝터의 분사 시간은 대략 2.2ms정도이며 서지 전압은 75V 정도 나타냄을 볼 수 있다(아반떼의 경우 84~87V 정도 차량마다 조금씩 다르게 나타남). 인젝터 작동 전에는 12V 정도를 유지하다가 인젝터가 작동할 때에는 0V로 떨어지고 다시 ECU에서 연료 분사를 종료하게 되면, 서지 전압이 높게 나타났다가 다시 12V 정도를 유지하게 되는 것이 정상 파형이다.

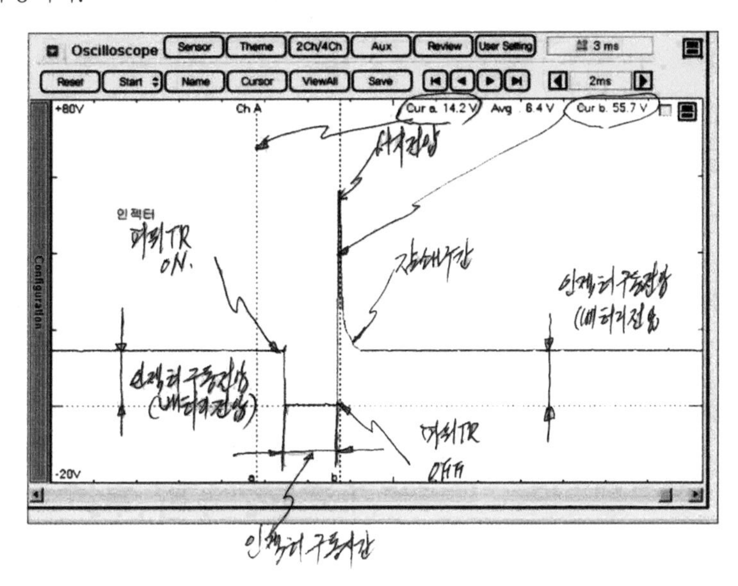

1). 인젝터 구동전압(배터리전압): 인젝터를 구동하기 위한 전압으로 충전전압을 나타낸다 (Cur a : 14.2V). 정상전압이다.

2). 파워TR ON: 인젝터를 구동시키기 위해 ECU에 트랜지스터 베이스단자에 전류가 들어와 인젝터 솔레노이드 코일에 전기가 흐르기 시작한다.

3). 인젝터 구동시간: 인젝터 노즐이 열리면서 연료를 분사하는 시간을 나타낸다. 아이들링 상태에서 2.8~3.2ms 정도이다.

4). 파워TR OFF: 인젝터 구동을 정지한다 ECU에 트랜지스터 베이스 단자에 전원이 차단된다.

5). 서지전압: 인젝터 코일의 자장 붕괴시 역기전력을 나타낸다 일반적으로 84V~87V 정도이다.

6). 파형에 잡음이 없이 깨끗하게 출력되고, 인젝터 구동전압, 인젝터 구동시간, 서지전압이 높아 정상적인 파형으로 볼수있다.

① **인젝터 구동 전원 전압** : 인젝터를 구동하는 전압을 나타낸다. 엔진 ECU에서의 신호가 없을 시에는 전원 전압이 걸린다. 전원 전압이 저하 될 경우에는 무효 분사시간이 길어지게 되어 구동시간도 길어지게 된다.

② TR "ON" : 인젝터를 구동시키기 위해 ECU 내 트랜지스터의 "ON"상태를 나타낸다.

③ **인젝터 구동시간** : 인젝터 노즐이 열리면서 연료를 분사하는 시간을 나타낸다. MAP 센서 등 각종 센서 출력값에 의해 엔진 ECU에서 결정된 연료 분사 시간이다. 일반적으로 아이들링 상태에서 2.8~3.2ms정도이다.

④ TR "OFF" : 인젝터 구동을 중지하기 위하여 ECU 내 트랜지스터의 OFF 상태를 나타낸다. 즉 파워 TR의 베이스 단자에 전원 공급이 차단된다(연료 분사를 중지한다).

⑤ **서지 전압** : 인젝터 코일의 자장 붕괴 시 역 기전력을 나타낸다. 엔진 ECU에서의 신호가 OFF가 되면 인젝터 코일에 역기전력이 발생된다. 일반적인 역 기전력 값은 약 84V ~ 87V 정도이다.

⑥ **감쇄 구간** : 인젝터 코일의 전압 감쇄 구간을 표시한다.

⑦ **배터리 전압** : 다음 분사 전까지 배터리 전압을 나타낸다.

2. 스캐너를 이용한 인젝터 파형의 측정 방법

① 점화 스위치를 OFF시킨다.

② 진단기의 ⊖ 리드선을 배터리 ⊖에 접지시키고 ⊕ 리드선을 인젝터 커넥터 단자에 연결한다.

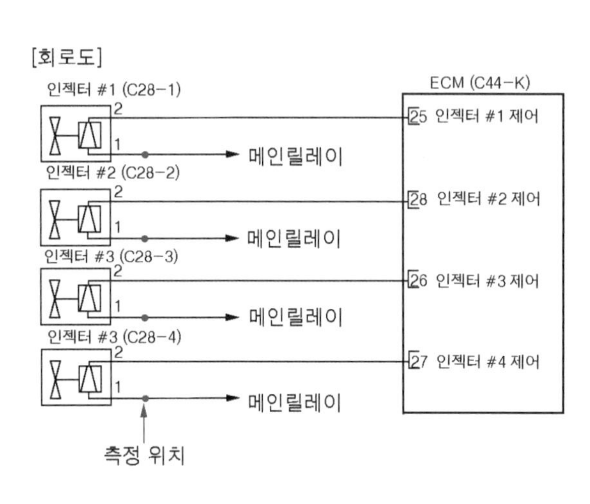

인젝터 #1 (C28-1)

단자	연결 부위	기능
1	메인릴레이	전원(B+)
2	ECM C44-K (25)	인젝터 #1 제어

인젝터 #2 (C28-2)

단자	연결 부위	기능
1	메인릴레이	전원(B+)
2	ECM C44-K (28)	인젝터 #2 제어

인젝터 #3 (C28-3)

단자	연결 부위	기능
1	메인릴레이	전원(B+)
2	ECM C44-K (26)	인젝터 #3 제어

인젝터 #4 (C28-4)

단자	연결 부위	기능
1	메인릴레이	전원(B+)
2	ECM C44-K (27)	인젝터 #4 제어

■ 측정 위치

③ 하이 디에스 스캐너를 "ON" 시키면 제품명 화면이 열린다. Enter↵ 키를 누르면 소프트웨어 화면이 열린다.

④ 소프트웨어 화면에서 Enter↵ 키를 누르고 기능 선택 화면이 열리면, 스코프 / 미터 / 출력을 선택한다.

1단계 : 제품명 화면

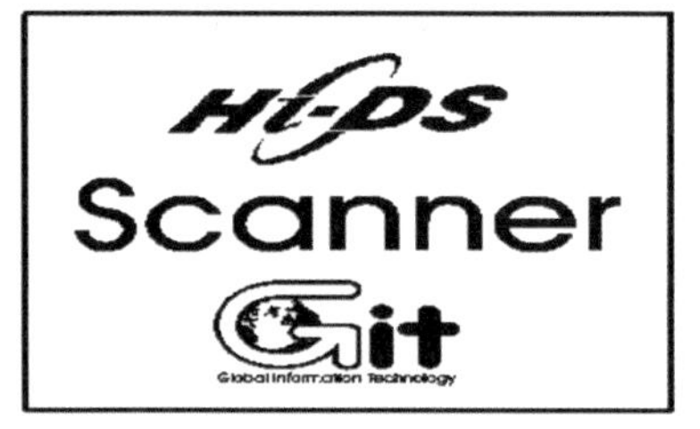

2단계 : 소프트웨어 화면

Hi-DS Scanner
S/W Version : GS120KOR
Release Date : 2001 . 10 . 10
Press any key to continue ...

⑤ 스코프 / 미터 / 출력 화면에서 오실로스코프를 선택하고 전압을 조정한다.

⑥ 엔진 시동을 걸어 파형을 점검한다.

3단계 : 기능을 선택한다.

기능 선택
01. 차량통신
02. 스코프/ 미터/ 출력
03. 주행 DATA 검색
04. PC통신
05. 환경설정
06. 리프로그래밍

4단계 오실로스코프를 선택한다.

스코프/미터/ 출력
01. 오실로스코프
02. 자동설정스코프
04. 멀티미터
05. 액추에이터 구동
06. 센서시뮬레이션
07. 점화파형

⑦ 오실로스코프 화면의 표시

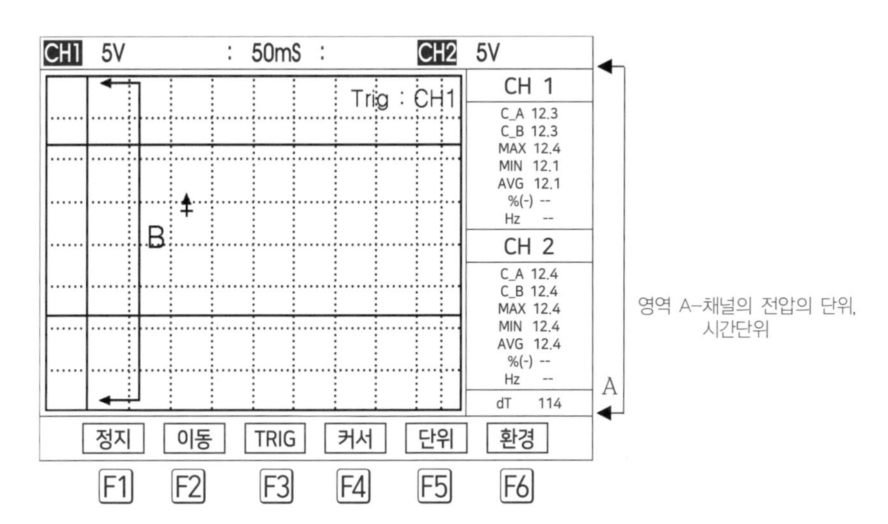

- CH1 5V : 활성화 상태 표시 우측의 5V는 화면에 표시된 격자가(GRID) 한 개의 높이가 5V임을 의미한다.
- 50ms : 현재 화면의 시간 단위, 격자 한 개의 너비가 50ms임을 의미한다.
- 정지 F1 : 화면을 일시 정지
- 기록 F5 : 새로운 데이터를 저장
- 줌 F5 : 기록된 저장 데이터를 시간 단위로 확대·축소
- 저장 F6 : 현재 화면을 원하는 메모리 방에 저장
- 이동 F2 : 영역 A의 채널 전압, 시간, 단위 조정 선택과 영역 B의 채널 그라운드 표시 선택
  - 역상이 영역 A에 있을 때 키패드 중앙의 ▲ 또는 ▼키를 이용하여 조정하면 채널 1/2의 전압 단위와 시간 단위를 설정된 간격으로 증가·감소시킨다.
  - 역상이 영역 B에 있을 때 키패드 중앙의 ▲ 또는 ▼키를 이용하여 조정하면 채널 1/2의 0점(GROUND) 위치를 조정할 수 있다.

- TRIG F3 : 트리거 할 채널과 트리거 방식, 위치 이동
- 커서 F4 : 커서 이동과 DATA창 제거 시 사용
- 단위 F5 : 소전류, 대전류, 압력의 특수기능 프로브 사용 시 선택

3. Hi-DS Scanner를 이용한 인젝터 파형의 고장진단 방법

① **컨트롤 릴레이와 인젝터 사이의 접촉 불량일 경우** : 아래 왼쪽 그림과 같이 인젝터가 작동하기 전 전압과 인젝터가 작동 후의 전압이 차이가 있을 경우 연료 분사 회로도에서 접지 쪽(ECU쪽)은 이상이 없고 컨트롤 릴레이와 인젝터 사이의 접촉이 불량한 것을 뜻한다. 인젝터 구동 전에 전압과 구동 후의 전압에 차이가 있다.

② **인젝터 ⊖ 단자에서 ECU 까지의 접촉 불량** : 아래 오른쪽 그림과 같이 인젝터가 작동하는 구간의 전압이 0.5V 이상 기울기를 갖는 경우에는 연료 분사 회로도에서 해당 인젝터 ⊖단자에서 ECU 단자 입구까지 접속이 불량하다.

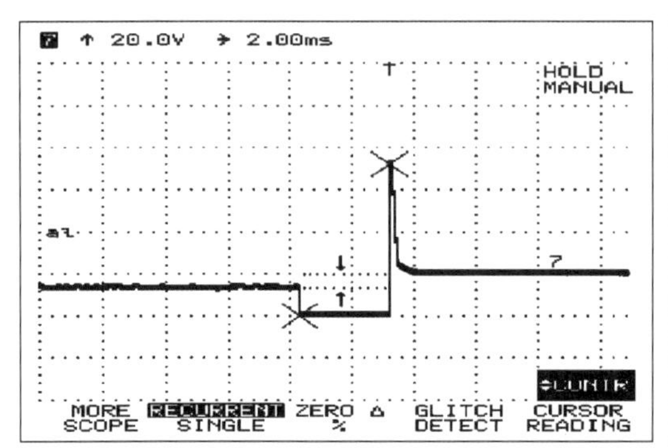

컨트롤 릴레이와 인젝터 사이의 접촉 불량일 경우

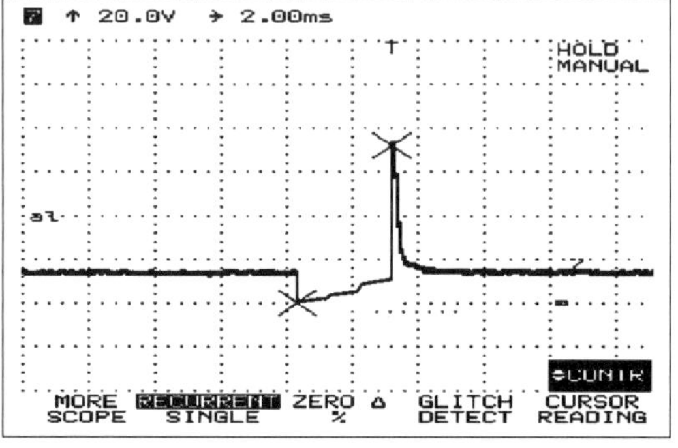

인젝터 ⊖단자에서 ECU까지의 접촉 불량

③ **1번 실린더의 인젝터 파형이 나타나지 않는다. 전압은 12V를 나타낸다.** : 인젝터 전원 공급(12V) 선이 끊어 졌거나 ECU에 전원을 통하게 하는 선이 끊어 졌다. 또는 ECU 내부에 접지시켜 주는 부품 또는 계통의 작동 불량이다. 전압은 12V를 나타내고 있다.

④ **1번 실린더의 인젝터 파형이 나타나지 않는다. 전압은 0V를 나타낸다.** : 인젝터와 ECU 사이의 전원 공급선이 접지와 접촉되고 있다.

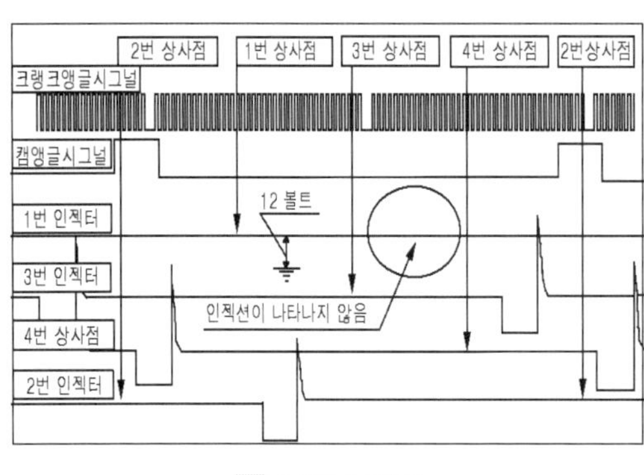

인젝터 단선

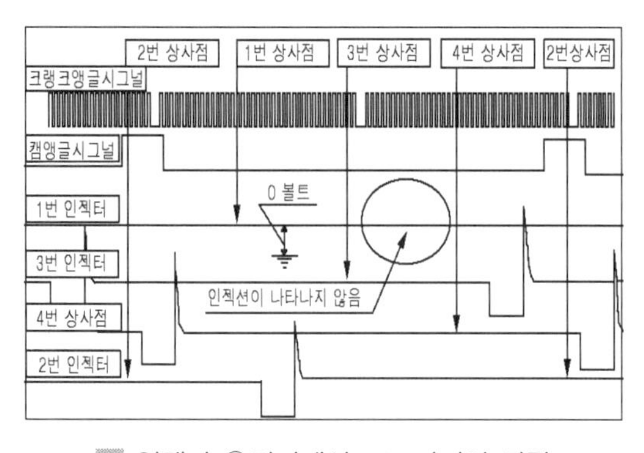

인젝터 ⊖단자에서 ECU까지의 단락

⑤ **급가속 파형** : 급가속 할 때 인젝터 파형은 공회전할 때와 거의 같은 양상을 보이며 단지 분사 시간이 10.2ms 정도로 늘어났다.

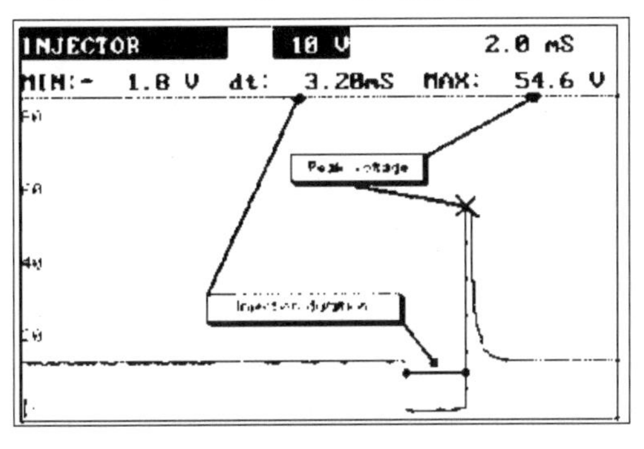

▒ 정상 파형

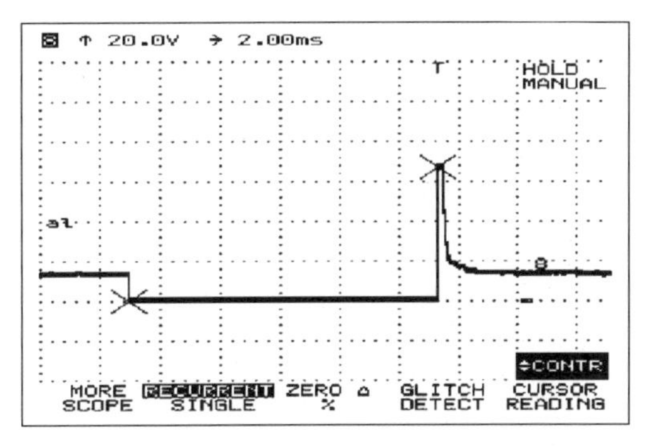

▒ 급가속 파형

4. Hi-DS를 이용한 인젝터 파형의 고장진단 방법

① **배터리 전원선** : 붉은색을 ⊕단자에, 검은색을 ⊖단자에 연결한다.

② **오실로스코프 프로브** : 컬러 프로브를 인젝터 출력 단자에, 흑색 프로브를 차체에 접지한다.

③ 엔진을 워밍업시킨 후 공회전시킨다.

④ Hi-DS 초기 화면에서 차종을 선택하여 차량의 제원을 설정한 후 확인 버튼을 누른다.

⑤ 고객의 정보를 입력하고 오실로스코프 항목을 선택한다.

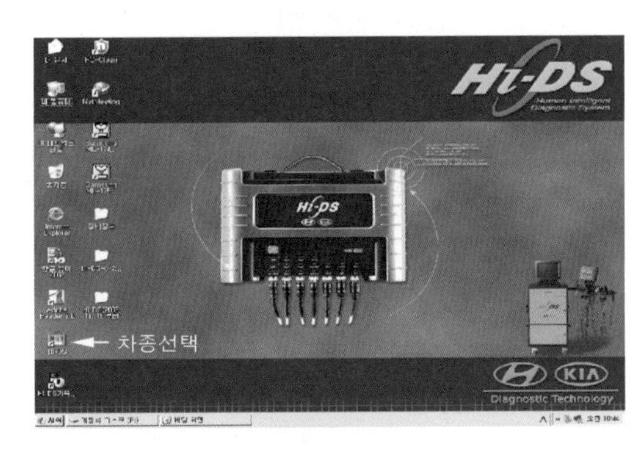

▒ 초기화면

▒ 차종선택 화면

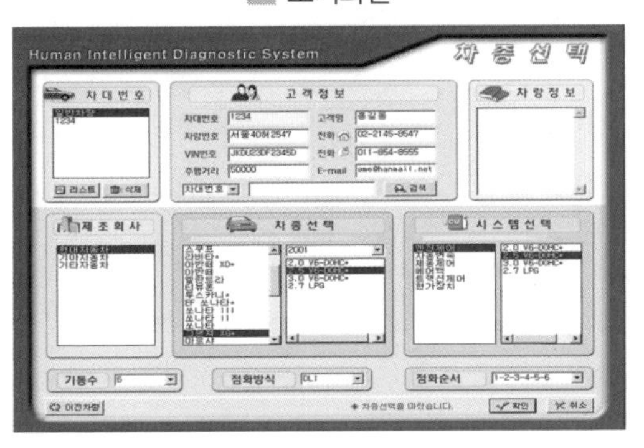

▒ 고객정보 입력화면

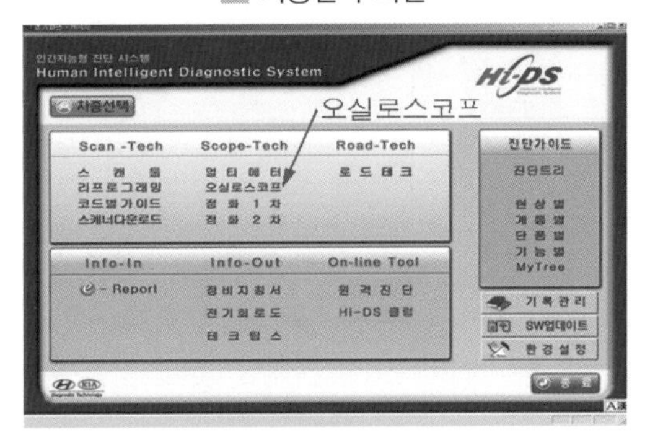

▒ 오실로스코프 선택 화면

④ 환경 설정 버튼 [아이콘] 을 눌러 측정 제원을 설정한다(UNI, 10V, DC 시간축 : 1.0~1.5ms, 일반선택). 모니터 하단의 채널 선택을 인젝터 출력 단자에 연결한 채널 선으로 선택한다.

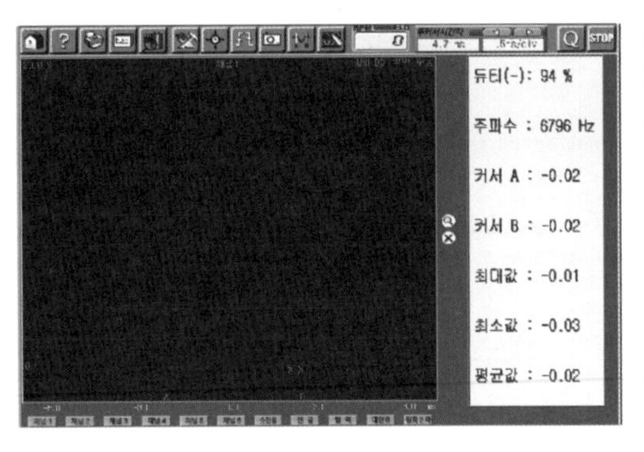

■ 오실로스코프 화면

■ 측정화면

5. 인젝터 파형의 파형분석 시험장 사진

1) 스캐너를 이용한 측정

	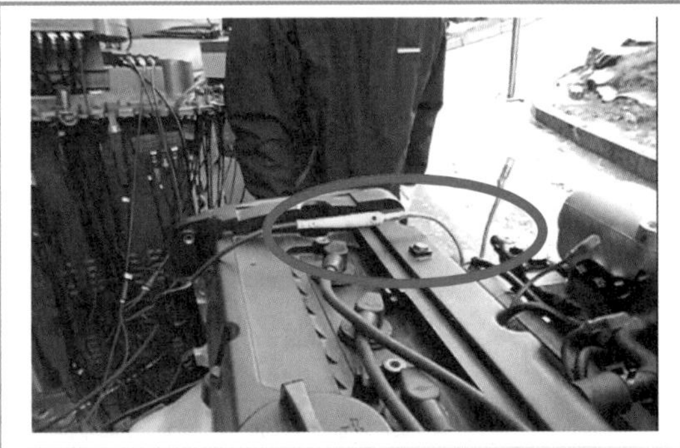
시험장에는 스캐너가 세팅이 되어 있어서 본인이 테스트 리드선을 연결하고 스캐너를 부팅하여 인젝터 파형을 측정한다.	측정 프로브를 ⊖는 배터리 ⊖터미널에 연결하고 ⊕프로브는 파형으로 들어가는 단자에 꽂아서 준비한다.
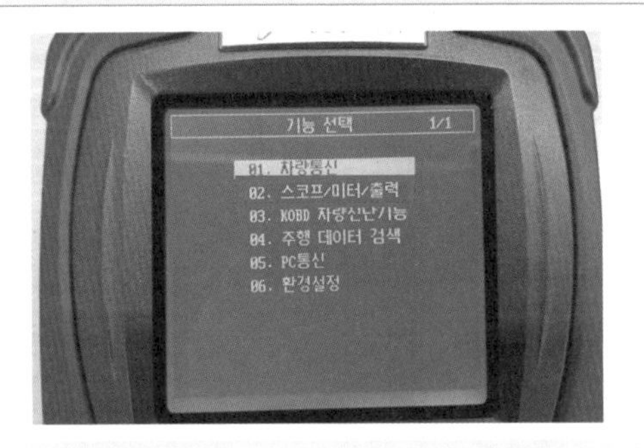	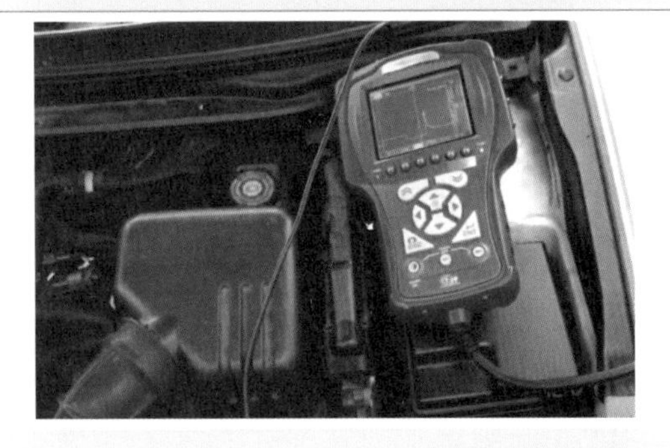
기능선택 화면에서 스코프/ 미터/ 출력으로 들어가서 최고 전압과 시간을 세팅하고 엔진을 시동하여 측정한다.	스코프 화면에 파형이 나오면서 시험문제인 서지 전압과 분사 시간을 측정할 수 있다.

2) Hi-DS를 이용한 측정

시험장에 하이디에스 진단기가 설치되어 있으며 초기 화면과 테스트 리드가 분리된 상태에 있다.

테스트 리드를 감독위원이 지정하는 인젝터 커넥터부분에 찔러서 꽂고 환경 설정을 하고 시동을 걸어서 측정을 한다.

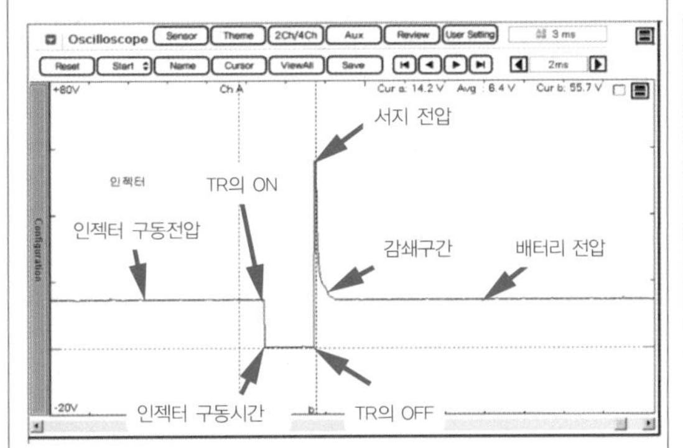

화면에 인젝터 파형이 움직여서 잘 보이지 않는 경우 트리거 버튼을 누르면 파형이 고정되어 띄워진다.

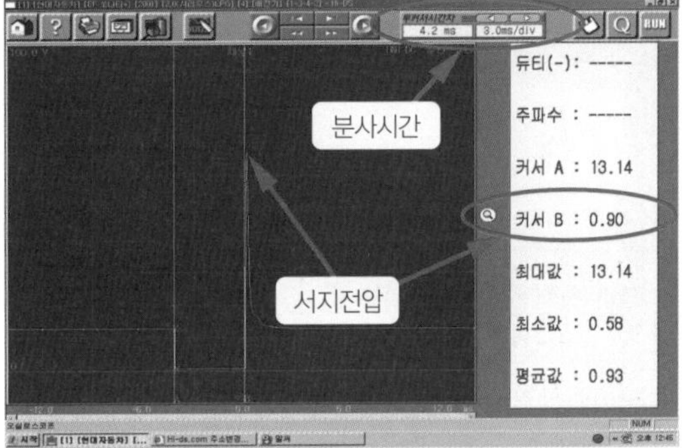

분사 시간은 커서 "A"와 커서 "B"사이의 시간으로 상단에 서지 전압은 커서 "B"에 0.90V로 나타났는데 위치가 안 맞은 상태임.

3) Hi-DS 프리미엄을 이용한 측정

<table>
<tr>
<td></td>
<td>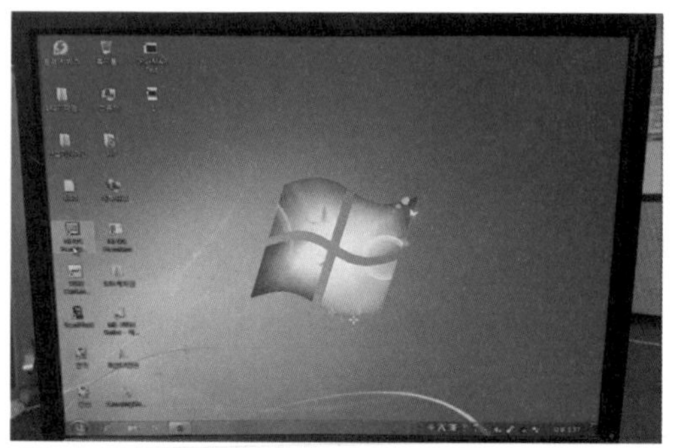</td>
</tr>
<tr>
<td>테스트 리드를 감독위원이 지정하는 인젝터 커넥터부분에 찔러서 꽂고 환경 설정을 하고 시동을 걸어서 측정을 한다.</td>
<td>준비된 진단기 컴퓨터 화면은 초기 화면에 있으며, "Hi-DS Premium"을 클릭하면 측정화면으로 이동하게 된다.</td>
</tr>
<tr>
<td>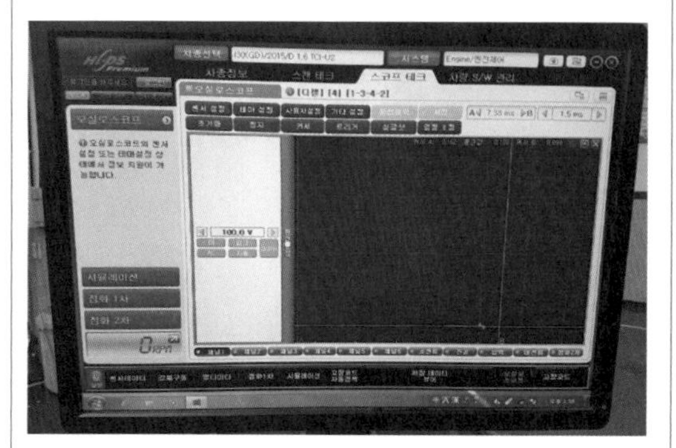</td>
<td>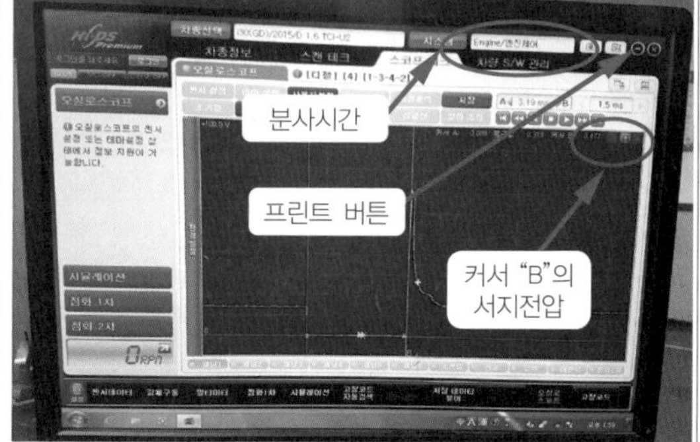
</td>
</tr>
<tr>
<td>환경 설정을 클릭하면 전압 설정 화면이 나온다. 서지전압이 85V 내외이므로 100V로 설정해야 적정하다.</td>
<td>분사 시간은 커서 "A"와 커서 "B"사이의 시간으로 상단에 서지 전압은 커서 "B"에 나타나고, 프린트는 카메라 버튼으로 한다.</td>
</tr>
</table>

02 점화 1차 파형(Ignition Primary Wave)의 분석

점화 1차 파형(Ignition Primary Wave)의 분석은 점화 장치의 성능과 엔진의 상태를 알아보기 위한 점검이다. 점화 코일의 성능, 점화 플러그의 성능, 고압 케이블의 성능, 엔진 압축압력의 성능, 밸브 개폐시기의 성능 등을 점검하여 점화 장치의 고장 원인과 정비 및 조치 사항을 알 수 있는가를 측정하는 문제이다. 수검자는 반드시 파형을 프린트하여 정상 파형과 비교한 후 서술하여서 답안지에 첨부하여 제출한다.

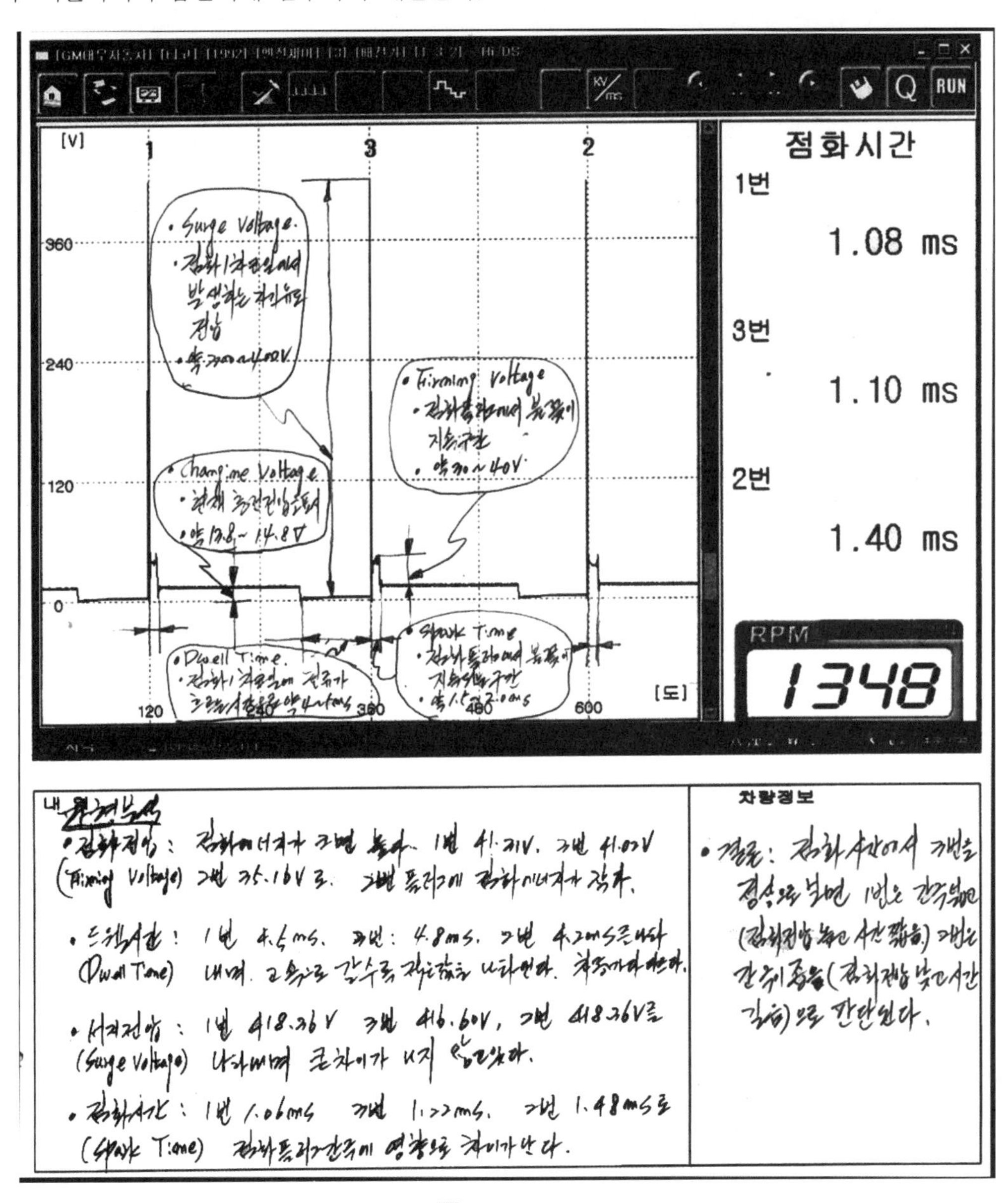

제출용 답지

■ 점화장치의 고장진단

현상	가능한 원인	정비
시동이 걸리지 않거나 어렵다.(크랭킹은 가능)	점화 스위치 불량 점화코일 불량 점화 플러그 불량 와이어링 커넥터의 이탈 또는 파손	점화 스위치 점검 또는 교환 점화코일 점검 또는 교환 점화 플러그 점검 또는 교환 와이어링 수리 또는 교환
공회전이 불안정하거나 엔진이 정지한다	와이어링 커넥터의 이탈 또는 파손 점화코일 불량	와이어링 수리 또는 교환 점화코일 점검 또는 교환
엔진 부조 또는 가속 불량	점화 플러그 불량 와이어링 커넥터의 이탈 또는 파손	점화 플러그 점검 또는 교환 와이어링 수리 또는 교환
연비가 낮다.	점화 플러그 불량	점화 플러그 점검 또는 교환

■ 점화장치의 제원

항목 \ 엔진			아반떼 XD(1.5)	NF 쏘나타 2.0(쎄타 1 엔진
점화 코일	1차 코일 저항		0.62±10%(Ω)	0.62±10%(Ω)
	2차 코일 저항		7.0±15%(KΩ)	7.0±15%(KΩ)
점화 플러그	사양		RC10YC4	FK16HQR11
	플러그 갭		1.0~1.1mm	1.0~1.1mm
	품번	일반	BKR5ES-11	BKR5ES-11
		백금	PFR5N-11	IFR5G11/PFR5N-11
1차파형	점화전압		30~40V	
	드웰시간		3~4ms	
	서지전압		300~400V	
	점화시간		약 1.5ms	

1. 점화 1차 파형(Ignition Primary Wave)의 분석 방법

파형의 측정 중에 가장 기본이 되고 많이 출제되었던 문제 중에 하나이다. 튠업용 차량이나 실제 차량이 놓여 있고 테스터기가 있으며 측정과 진단 및 수리할 수 있는 능력을 갖추어야 한다. 스캐너로의 측정은 일반화 되어있다.

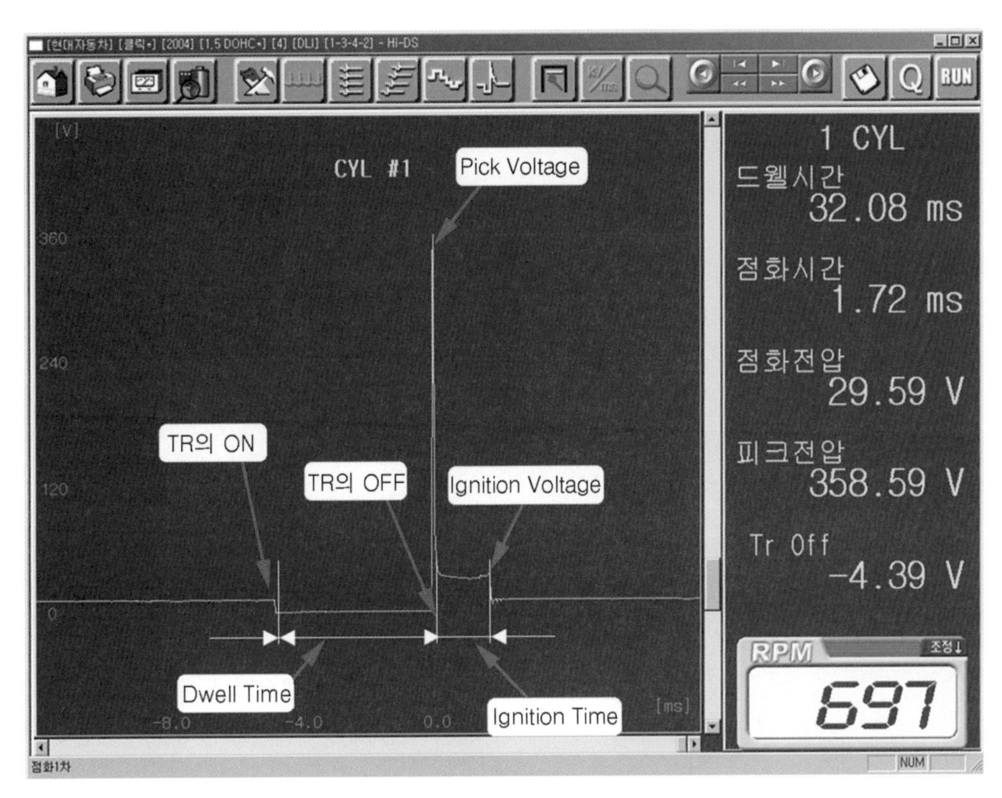

점화 1차 정상 파형

1) 피크 전압(Pick Voltage)

점화 1차 코일에서 발생하는 자기유도 전압(역기전력)의 크기이다. 약 300~400V가 발생한다.

■ 점화 1차 코일의 피크 전압이 너무 낮게 되는 원인

① 점화 1차 코일의 인덕턴스가 기준 값보다 작은 경우(점화 코일의 불량)

② 전류의 변화율이 너무 작은 경우

- 파워 트랜지스터가 1차 전류를 차단하는 순간의 1차 전류의 과소(1차 회로의 저항 과대, 배터리 전압의 과소)
- 파워 트랜지스터가 1차 전류를 차단하여도 순간적으로 1차 전류가 차단되지 않는 경우다.

2) 드웰 구간(Dwell Time)

점화 1차 코일에 전류가 흐르는 구간으로 고속에서는 기간이 짧아지므로 점화 코일의 에너지 축적 기간도 짧아진다. 약 3~4ms이다. 파워 트랜지스터가 "ON"되어 점화 1차 코일에 전류가 흐르는 구간이며, 일반적으로 드웰 구간이라 한다. 기계식 점화 장치 엔진의 경우는 운전 중 드웰 기간은 항상 고정되어 있다(단속기 캠의 형상에 따라).

따라서 공전시나 저속 회전에서는 배전기의 회전이 느리므로 상대적으로 드웰 기간은 충분히 길다고 할 수 있으나 엔진이 고속으로 회전하는 경우는 그 만큼 드웰 기간이 짧아져 점화 코일의 에너지 축척 기간도 짧아지게 된다. 즉, 에너지의 양이 작아진다. 요즘 전자식에서는 ECU를 튜닝하지 않는 한 조정불가 사항이다.

3) 방전 구간(Ignition Time & Firing Time)

점화 플러그에서 불꽃이 지속되는 구간으로 플러그의 간극, 압축비, 플러그 전극의 오염 상태에 따라 달라진다. 약 1~2ms이다.

① **특정 실린더의 점화 플러그 간극이 규정 값보다 큰 경우 즉, 저항이 큰 경우**
- 다른 실린더에 비해서 방전 부분의 전압이 높고 시간은 짧다.
- 오른쪽이 윗부분으로 올라가는 형태의 파형을 나타낸다.
- 방전 완료 후의 감쇠 진동이 길게 된다.

② **점화 플러그 저항이 작은 경우**
- 다른 실린더에 비해서 방전 부분의 전압이 낮고 방전 시간도 길다.
- 오른쪽이 아래로 처지는 형태의 파형이 된다.

③ **점화 플러그 코드의 단선 또는 점화 2차 측이 완전히 단선되어 방전되는 경우** : 방전 부분이 없어지고 다음의 중간 부분의 감쇠 진동과 연결된다.

4) 방전 전압(Ignition Voltage & Firing Voltage)

1차 코일의 전류 에너지가 진동으로 소멸된다. 파워 TR이 ON 되고 있으므로 ⊖단자는 배터리 전압이다. 약 30~40V이다. 이 부분을 중간 부분이라 하며, 점화 2차 파형에서와 같이 점화 1차 코일의 전류 에너지가 진동 전류로서 방출되어 소멸된다.

2. 스캐너를 이용한 점화 1차 파형의 측정 방법

① 점화 스위치를 OFF시킨다.

② 채널 1번 적색 프로브를 점화 코일 (-)단자에 연결하고 채널 1번 흑색 프로브를 배터리 (-)단자에 연결한다.

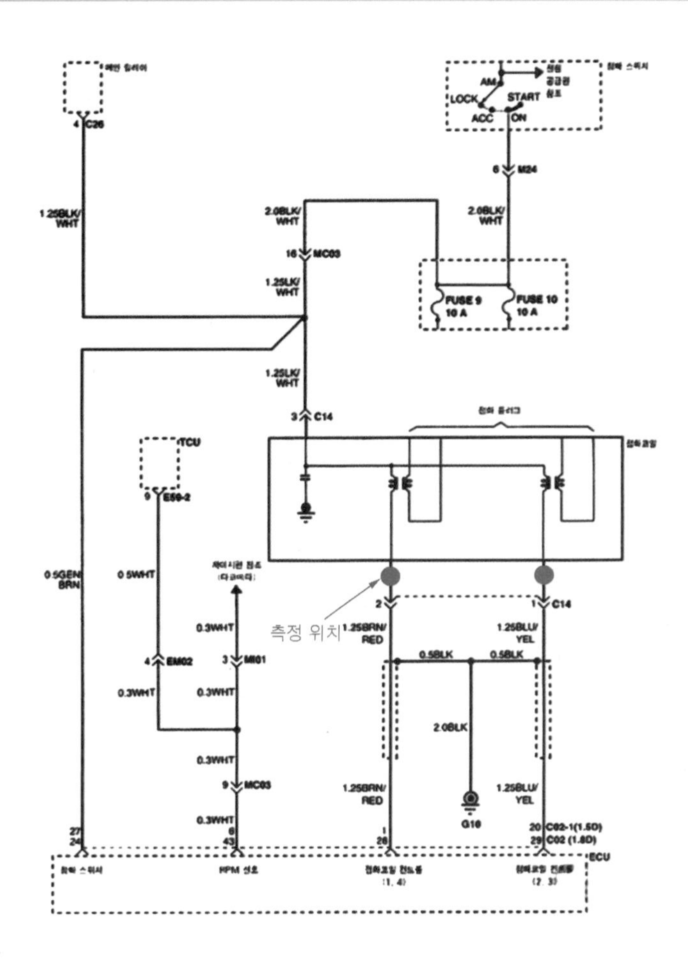

③ 하이 디에스 스캐너를 “ON” 시키면 제품명 화면이 열린다. [Enter↵] 키를 누르면 소프트웨어 화면이 열린다.

④ 소프트웨어 화면에서 [Enter↵] 키를 누르고 기능 선택 화면이 열리면, 스코프 / 미터 / 출력을 선택한다.

1단계 : 제품명 화면

2단계 : 소프트웨어 화면

Hi-DS Scanner

S/W Version : GS120KOR

Release Date : 2001 . 10 . 10

Press any key to continue ...

⑤ 스코프 / 미터 / 출력 화면에서 점화 파형을 선택하고 전압을 조정한다.

⑥ 엔진 시동을 걸어 파형을 점검한다.

3단계 : 기능을 선택한다.

기능 선택

01. 차량통신
02. 스코프/ 미터/ 출력
03. 주행 DATA 검색
04. PC통신
05. 환경설정
06. 리프로그래밍

4단계 점화 파형을 선택한다.

스코프/미터/ 출력

01. 오실로스코프
02. 자동설정스코프
04. 멀티미터
05. 액추에이터 구동
06. 센서시뮬레이션
07. 점화파형

5단계 점화 1차 파형을 선택한다.

스코프/미터/ 출력

01. 점화 1차 파형
02. 점화 2차 파형

6단계 점화 1차 파형 출력.

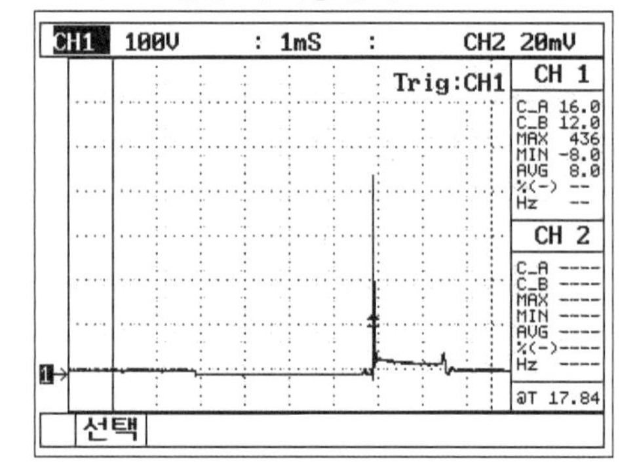

3. Hi-DS Scanner를 이용한 점화 1차 파형의 고장진단 방법

① **점화 플러그 간극이 크다 & 플러그 열가가 높다** : 간극이 크면 점화 전압(방전 전압)이 높아야 불꽃이 건너 뛸 수 있기에 점화 전압이 높고 에너지가 금방 소멸 되므로 점화 시간(방전 시간)은 짧다.

② **점화 플러그 간극이 작다 & 연소실 압축 압력이 낮다** : 간극이 작으면 점화 전압이 낮아도 불꽃이 건너 뛸 수 있으므로 점화 전압은 낮고 에너지가 많으므로 점화 시간이 길다.

③ **점화 플러그 간극 훼손** : 점화 전압(방전 전압)이 낮고 점화 시간이 길고 파형의 감쇄부의 움직임이 거의 없다.

④ **고압 케이블 불량** : 스파크 라인이 높고 간격이 좁다.

⑤ **점화 코일 불량** : 감쇄부의 진동이 거의 없다.

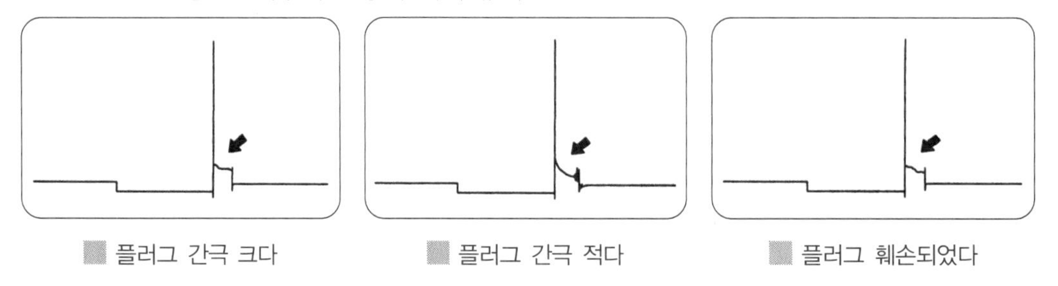

플러그 간극 크다 플러그 간극 적다 플러그 훼손되었다

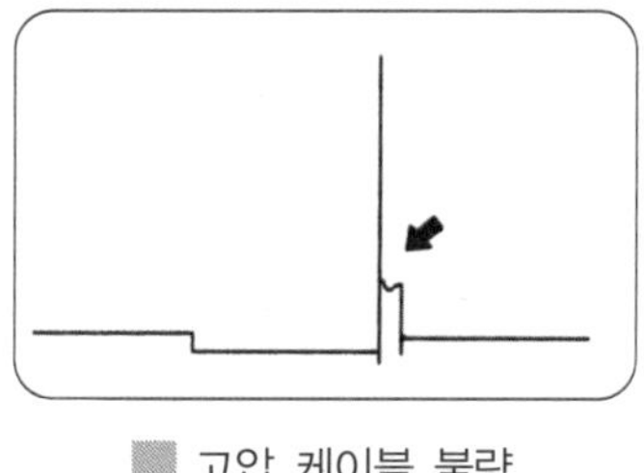

고압 케이블 불량

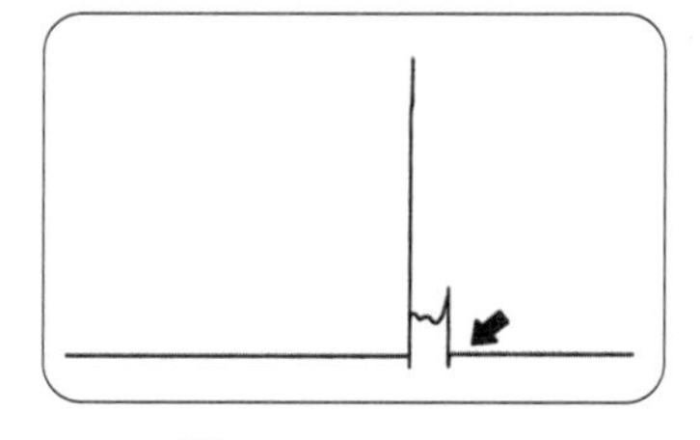

점화 코일 불량

■ 점화 전압에 영향을 주는 요인

점화 전압이 결정되는 요인	점화전압		점화 전압이 결정되는 요인	점화 전압	
	높다	낮다		높다	낮다
*전극 간극	크다	작다	전극의 온도	낮다	높다
압 축	높다	낮다	전극의 형태	소손	신품
혼합비	희박	정상	점화시기	늦다	빠르다

4. Hi-DS를 이용한 점화 1차 파형의 고장진단 방법

① **배터리 전원선** : 붉은색을 ⊕단자에, 검은색을 ⊖단자에 연결한다.

② **오실로스코프 프로브** : 컬러 프로브를 점화 코일의 ⊖단자에, 흑색 프로브를 차체에 접지한다.

③ **트리거 센서 연결** : 점화 1차 파형에서 엔진 RPM 및 실린더별 기준 신호를 잡기 위하여는 트리거 센서를 1번 실린더 고압 케이블에 연결한다.

④ **Hi-DS 실행** : 부팅이 완료된 상태에서 모니터 바탕 화면에 Hi-DS 아이콘을 더블 클릭한다.

⑤ **차종 선택** : 차종 선택 버튼을 클릭하여 차량의 정보를 입력한다.

㉮ 저장되어 있는 차량 : 차대 번호(지공용), 차량 번호(일반용)창에 있는 해당 데이터를 클릭하면 저장되어 있는 정보가 자동 설정된다.

㉯ 새로운 차량 : 차대 번호(지공용) 또는 차량 번호(일반용)창에서 일반 차량을 선택한 후 고객 정보와 차종을 입력한다.

트리거 픽업/ 1차 단자 연결

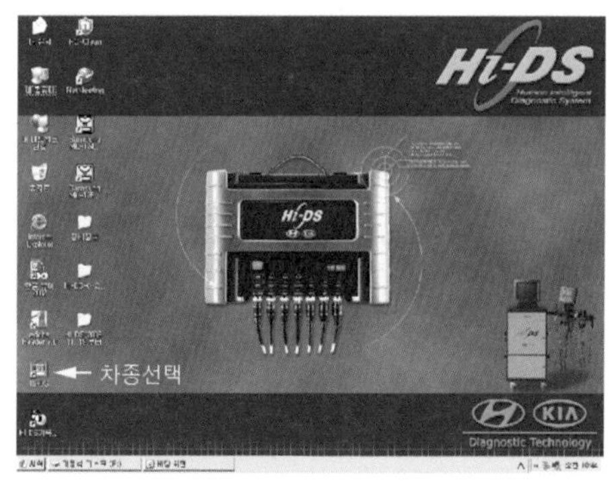

초기화면(아이콘 클릭)

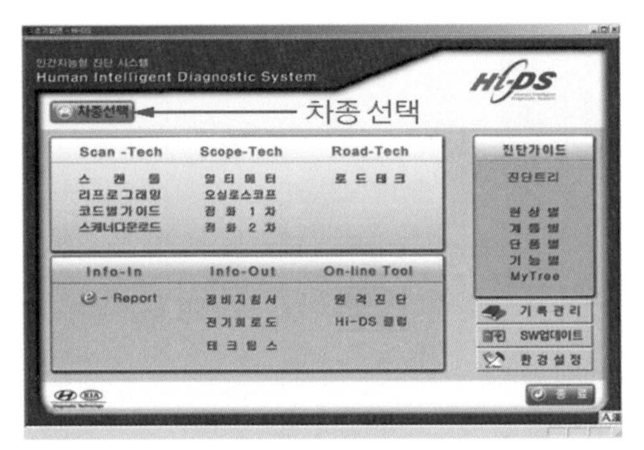

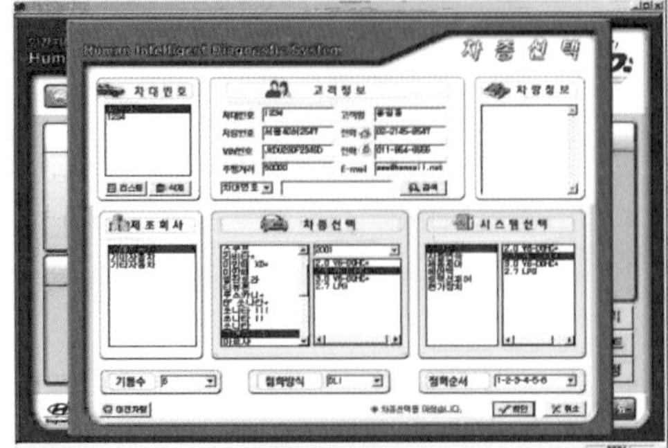

차종선택 화면

차량선택 창

⑥ **점화 1차 선택** : 차종 선택 버튼을 클릭하여 차량의 정보를 입력한다.

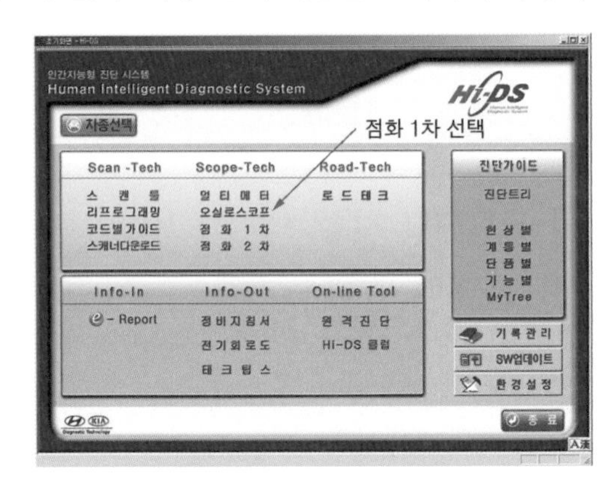

점화 1차 선택 화면

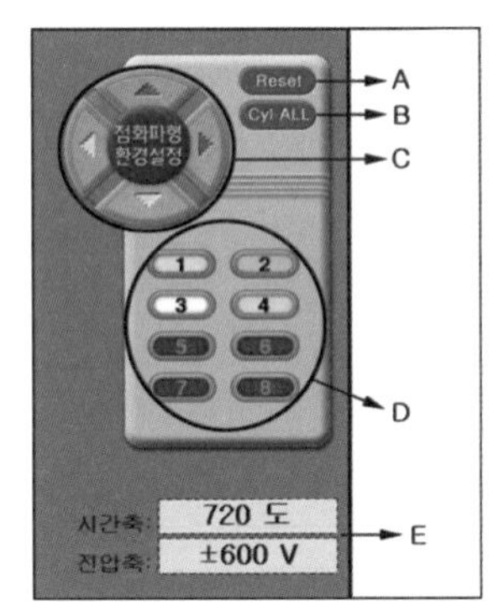

환경 설정 버튼

⑦ 환경 설정 버튼 을 눌러 측정 제원을 설정한다(UNI, 10V, DC 시간축 : 1.0~1.5ms, 일반선택). 모니터 하단의 채널 선택을 점화 코일의 ⊖단자에 연결한 채널 선으로 선택한다.

㉮ A(Reset) : 트랜드를 재 시작할 때 사용한다.

㉯ B(Cyl ALL) : 트랜드 창에 전체 실린더를 선택하는 버튼이다.

㉰ D(1, 2, 3, 4, 5, 6, 7, 8) : 해당 실린더 번호를 나타낸다. 해당 번호를 클릭하면 그 실린더는 선택 화면에서 없어진다.

㉱ 파형 보기에서 개별 파형을 선택하고 환경 설정 버튼에서 감독위원이 지정하는 실린더의 번호를 기입한다.

툴 바

⑧ **측정 데이터값 보기** : 툴바에서 특성치 아이콘( )을 클릭 할 때 마다 점화 시간 → 점화 전압 → 피크 전압 → TR OFF 전압 → 드웰 시간의 순서로 측정 데이터 값이 바뀐다.

■ 측정 데이터 값 보기

⑨ 파형 진단(점화 플러그 간극이 1번 실린더 크고, 3번 실린더 정상, 2번 실린더 작을 때)

㉮ **드웰 시간** : 점화 플러그 간극이 크면 드웰 시간이 길고(9.96ms), 간극이 작으면 드웰 시간이 짧다.(9.26ms), 정상은 9.70ms이다.

㉯ **피크 전압** : 점화 플러그 간극과 피크 전압의 차이는 크지 않지만 크면 약간 높고(363.11V), 간극이 작으면 피크 전압이 약간 낮다.(360.94V), 정상은 362.99V이다.

㉰ **점화 전압** : 점화 플러그 간극이 크면 점화 전압이 높고(38.67V), 간극이 작으면 점화 전압이 낮다(32.23V), 정상은 35.74V이다.

㉱ **점화 시간** : 점화 플러그 간극이 크면 점화 시간이 짧고(1.06ms), 간극이 작으면 점화 시간이 길다.(1.48ms), 정상은 1.22ms이다.

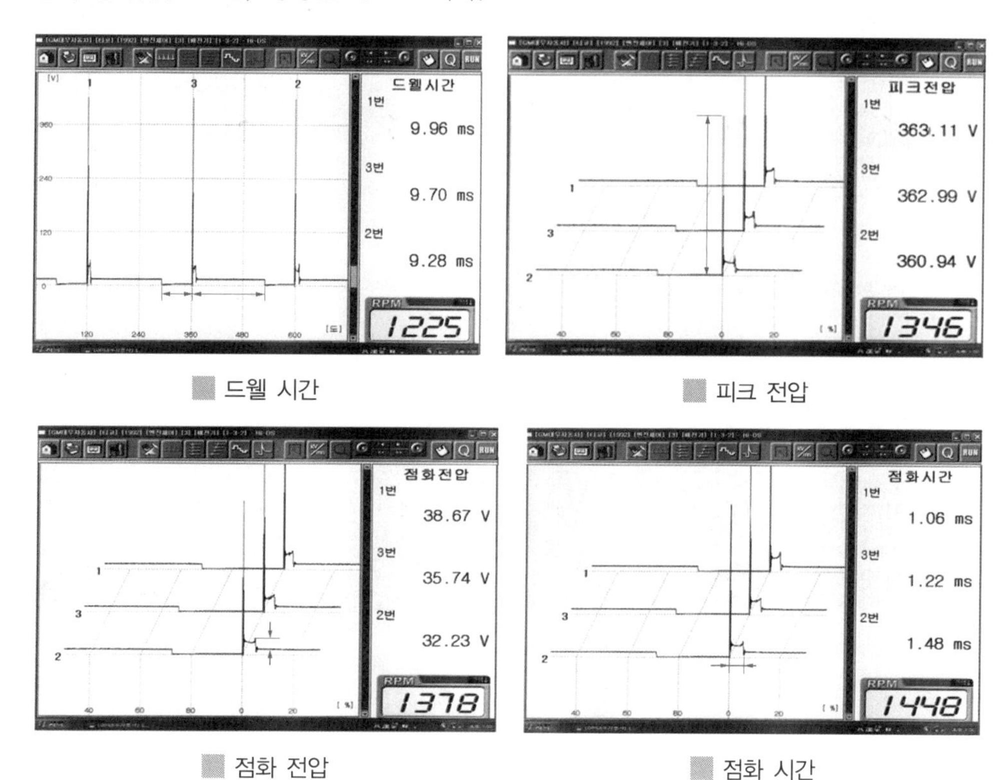

■ 드웰 시간 ■ 피크 전압

■ 점화 전압 ■ 점화 시간

5. 점화 1차 파형의 파형분석 시험장 사진

1) 준비된 시험장 모습

시험장에는 세팅이 되어 있어서 본인이 테스트 리드선을 연결하고 Hi-DS를 부팅하여 점화 1차 파형을 측정한다.

측정 프로브 ⊖는 배터리 ⊖터미널에 연결하고 ⊕프로브는 점화 코일 1차 단자에 꽂아서 준비한다.

컴퓨터가 부팅되어 있으며, 바탕화면에 Hi-DS 폴더를 더블 클릭하면 초기 화면이 뜬다.

초기 화면에서 차종 선택 아이콘을 클릭한 후 오실로스코프를 클릭한다.

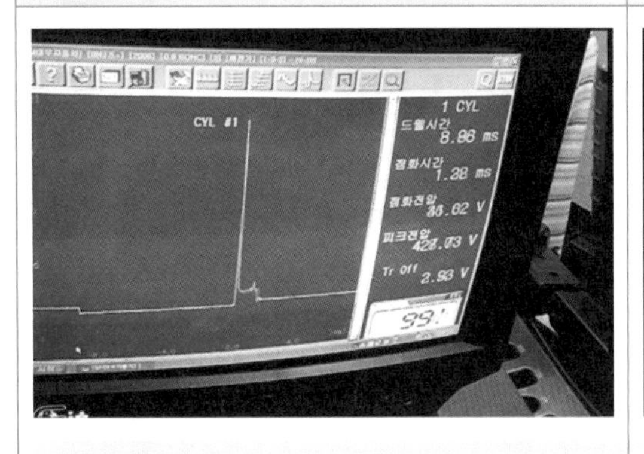

환경 설정 화면에서 실린더 번호를 클릭하면 한 개의 파형이 나타난다.

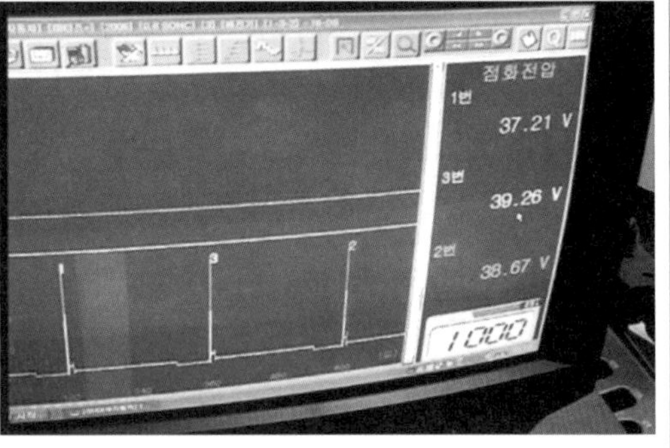

직렬 파형은 실린더간 피크 전압을 비교 평가하기 편리하다.

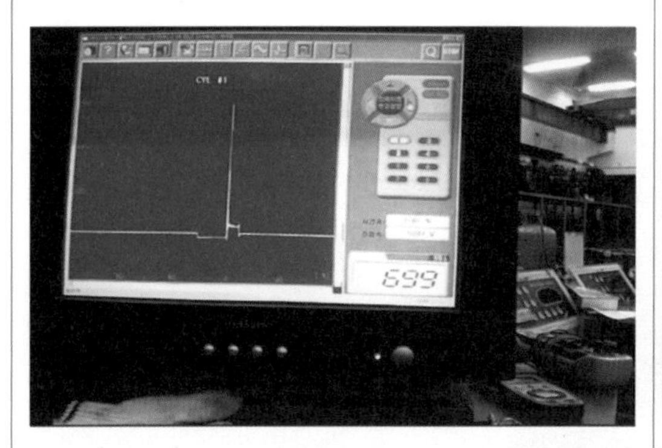

감독위원이 지정하는 개별 파형은 환경 설정을 한다. 시간과 전압을 조정한다.

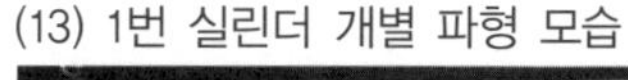
(13) 1번 실린더 개별 파형 모습

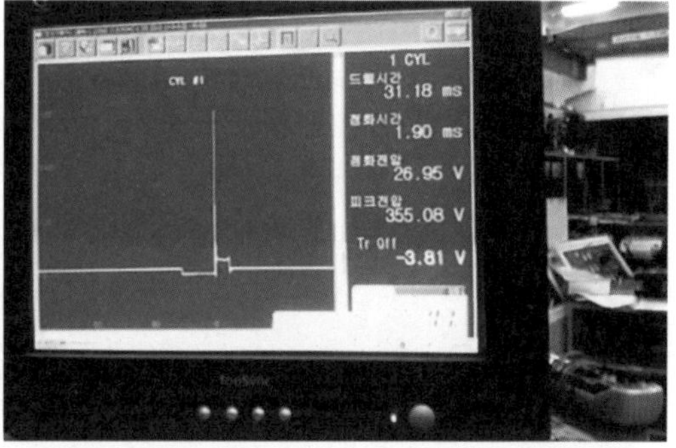

1번 개별 파형에 드웰 시간, 점화 시간, 점화 전압, 피크 전압이 나타난다.

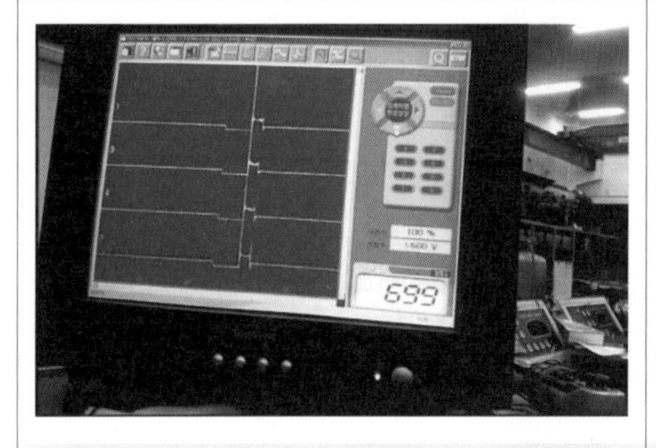

병렬 파형에서 환경 설정을 오른쪽에서 조정할 수 있다.

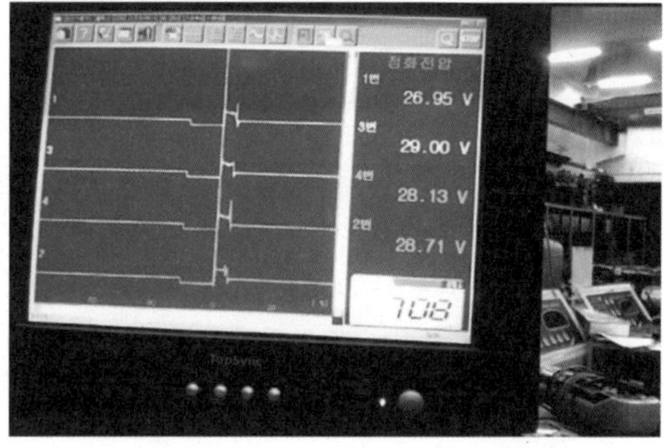

병렬 파형에서 특성치 변화 버튼을 누르면 4개의 실린더 점화 전압의 데이터 값이 나타난다.

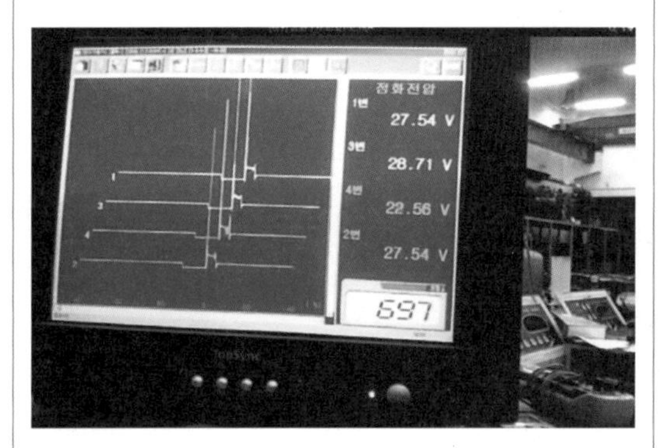

3차원 파형에서 4개 실린더 점화 전압을 비교 평가하기 편리하다.

(21) 측정화면 출력 모습

측정 화면을 프린트 하여 측정치를 그래프에 서술하고 정리한다.

2) 제출용 답지 예시

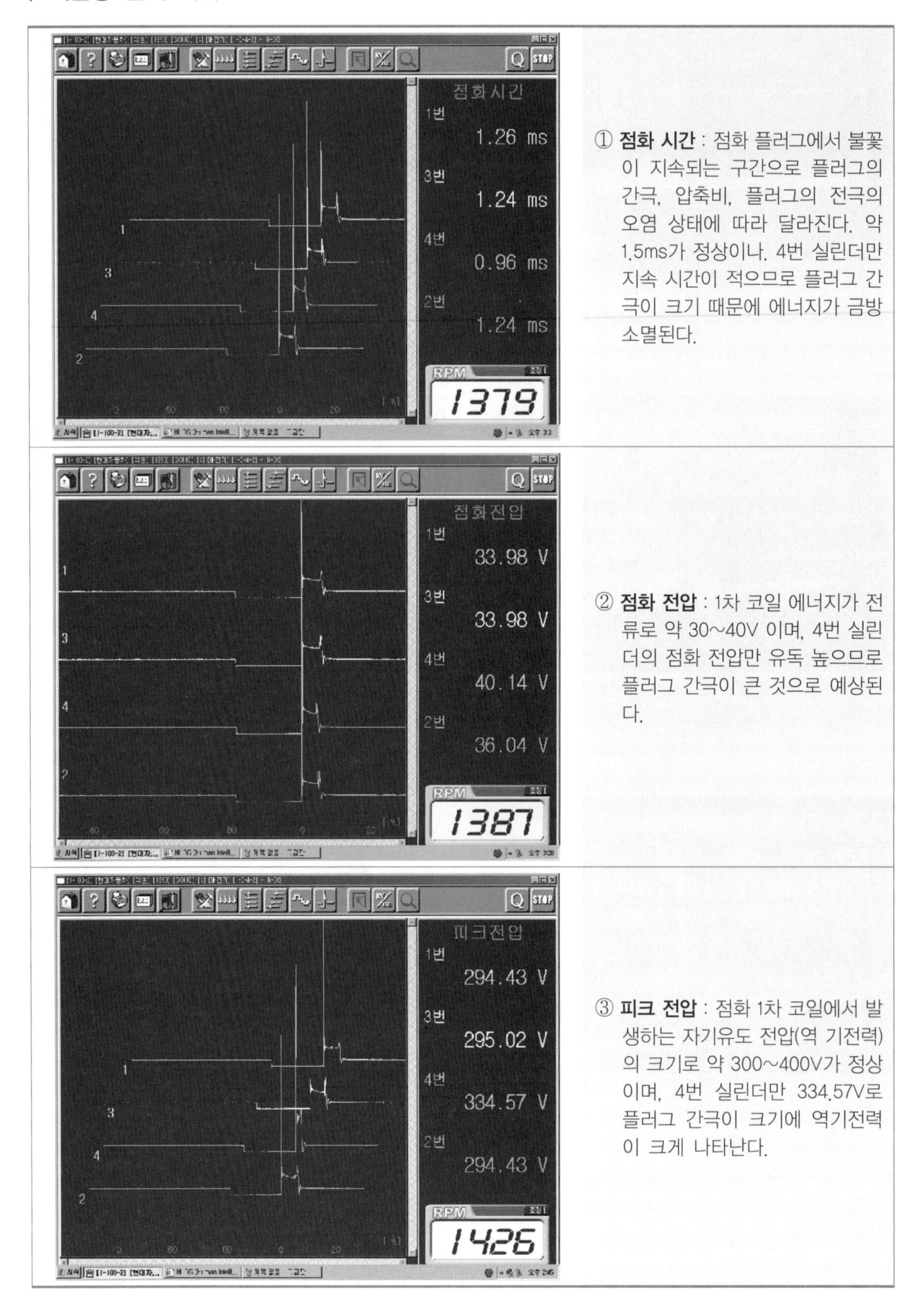

① **점화 시간** : 점화 플러그에서 불꽃이 지속되는 구간으로 플러그의 간극, 압축비, 플러그의 전극의 오염 상태에 따라 달라진다. 약 1.5ms가 정상이나, 4번 실린더만 지속 시간이 적으므로 플러그 간극이 크기 때문에 에너지가 금방 소멸된다.

② **점화 전압** : 1차 코일 에너지가 전류로 약 30~40V 이며, 4번 실린더의 점화 전압만 유독 높으므로 플러그 간극이 큰 것으로 예상된다.

③ **피크 전압** : 점화 1차 코일에서 발생하는 자기유도 전압(역 기전력)의 크기로 약 300~400V가 정상이며, 4번 실린더만 334.57V로 플러그 간극이 크기에 역기전력이 크게 나타난다.

03 맵 센서 파형(MAP Sensor Wave)의 분석

맵 센서 파형(MAPS :Manifold Absolute Pressure Sensor Wave)의 분석은 흡기관 내의 압력을 계측하여 흡입 공기량을 간접적으로 산출하여 ECU로 보내면 기본 연료 분사량을 결정하는데 기능이 정상인지 알아보기 위한 점검이다. 대부분의 차량이 흡기 온도 센서(IATS : Intake Air Temperature Sensor)와 함께 내장되어 있다.

아이들 상태가 아닌 급가속이나 급 감속에서의 측정을 요구하고 있다.
이에 따라 안전에 유의하여야 하기 때문에 실제 차량보다는 튠업용 엔진을 사용하고 있다. 맵 센서의 성능 등을 점검하여 맵 센서의 고장 원인과 정비 및 조치 사항을 알 수 있는가를 측정하는 문제이다. 수검자는 반드시 파형을 프린트하여 정상 파형과 비교한 후 서술하고 답안지에 첨부하여 제출한다.

MAPS 설치위치

■ 맵 센서의 제원

항목 \ 엔진			아반떼 XD(1.5)	NF 쏘나타 2.0(쎄타 1 엔진
맵 센서	형식		Piezo-Resistive Pressure Sensor	Piezo-Resistive Pressure Sensor
	IG ON		-	3.9~4.1 V
	공회전		0.8~1.1 V	0.8~1.6 V
	WOT		4.5~5.0 V	-
	압력	20.0KPa		0.79 V
		46.7KPa		1.84 V
		101.32KPa		4.0 V

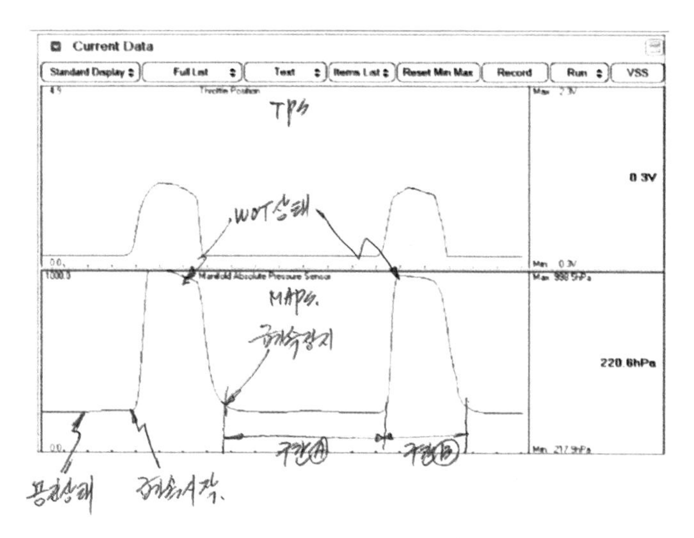

1). MAPS의 점검은 TPS와 연동하여 측정한다.
2). 공전상태에서는 약 1V를 나타내야 하며 일정하게 수평을 이루어야 한다.
3). 급가속을 하면 TPS값과 함께 전압값이 상승하며 WOT(wide open throttle) 상태에서는 약 4V를 나타낸다.
4). 구간Ⓐ는 악셀레이터 페달을 밟고 있는 상태이고 구간Ⓑ에서는 아이들링 상태이다.
5). 정상적인 파형이다.

실제 작성 제출한 파형분석

1. 맵 센서 파형(MAPS : Manifold Absolute Pressure Sensor Wave)의 분석 방법

튠업용 차량이나 실제 차량이 놓여 있고 테스터기가 있으며 측정과 진단 및 수리할 수 있는 능력을 갖추어야 한다. Hi-DS를 이용한 측정은 아직 현장에서 보편화 되지는 못하지만 스캐너로의 측정은 일반화 되어있다. 측정을 하고 답안지를 작성할 때 반드시 측정 차량에 붙어있는 주의사항을 읽어보고 답을 기록하도록 한다. 일부 감독위원은 기록하는 방법을 서술하여 놓는 경우도 있다. 파형을 점검하고 답안지에 작성하는 경우도 있으며, 대부분 파형을 프린트 하여 그곳에 서술하고 답안지에 부착하여야 한다.

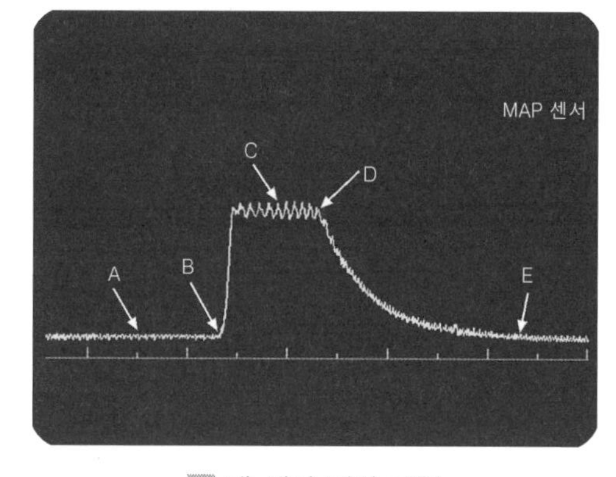

맵 센서 정상 파형

① **공전 상태(A)** : 아이들 상태에서 일정한 전압으로 유지되고 있어야 한다.
② **급가속 시작(B)** : 액셀러레이터 페달을 밟으면서 진공상태가 커지면서 센서의 저항이 감소하여 전압이 급상승한다.
③ **스로틀 밸브 완전 열림(C)** : 스로틀 밸브가 열린 상태에서 최고 전압 약 5V가 나오며 맥동 현상이 발생하는 것은 밸브 서징이나 흡기다기관의 맥동 흐름이다.
④ **스로틀 밸브 닫힘 시작(D)** : 스로틀 밸브가 닫힘에 따라 센서의 저항이 증가하면서 흐르는 전압이 떨어진다.
⑤ **다시 공전 상태(E)** : 스로틀 밸브가 닫힌 상태에서 아이들 상태로 돌아와서 일정한 전압을 나타내야 한다.

2. 스캐너를 이용한 맵 센서(MAPS)의 측정 방법

① 점화 스위치를 OFF시킨다.
② 진단기의 ⊖ 프로브를 배터리 ⊖에 접지시키고 ⊕ 프로브를 감독 위원이 지시하는 맵 센서 커넥터 출력 단자에 꽂는다.

MAPS 설치 위치

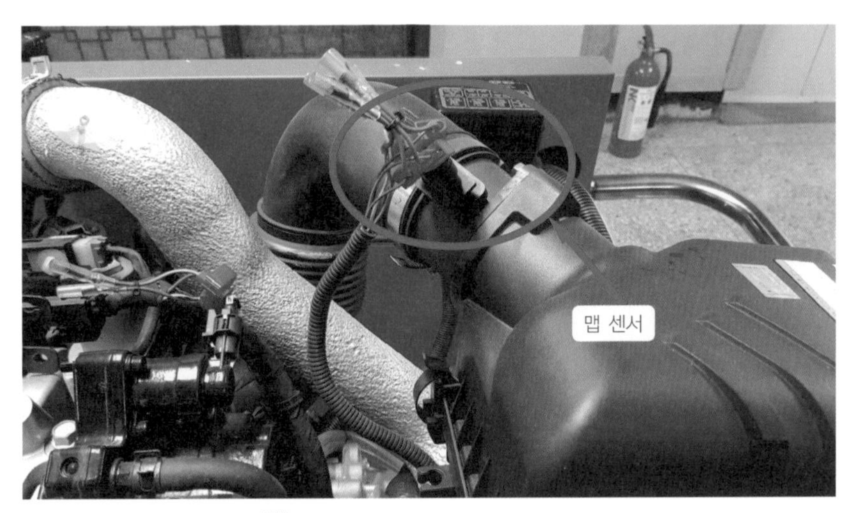

시뮬레이터에서 엔진의 맵 센서

③ 하이 디에스 스캐너를 "ON" 시키면 제품명 화면이 열린다. Enter↵ 키를 누르면 소프트웨어 화면이 열린다.

④ 소프트웨어 화면에서 Enter↵ 키를 누르고 기능 선택 화면이 열리면, 스코프 / 미터 / 출력을 선택한다.

1단계 : 제품명 화면

2단계 : 소프트웨어 화면

Hi-DS Scanner

S/W Version : GS120KOR

Release Date : 2001 . 10 . 10

Press any key to continue ...

⑤ 스코프 / 미터 / 출력 화면에서 오실로 스코프 선택하고 전압조정을 한다.

⑥ 엔진 시동을 걸어 파형을 점검한다.

3단계 : 기능을 선택한다.

기능 선택

01. 차량통신
02. 스코프/ 미터/ 출력
03. 주행 DATA 검색
04. PC통신
05. 환경설정
06. 리프로그래밍

4단계 오실로스코프를 선택한다.

스코프/미터/ 출력

01. 오실로스코프
02. 자동설정스코프
04. 멀티미터
05. 액추에이터 구동
06. 센서시뮬레이션
07. 점화 파형

⑦ 오실로스코프 화면의 표시

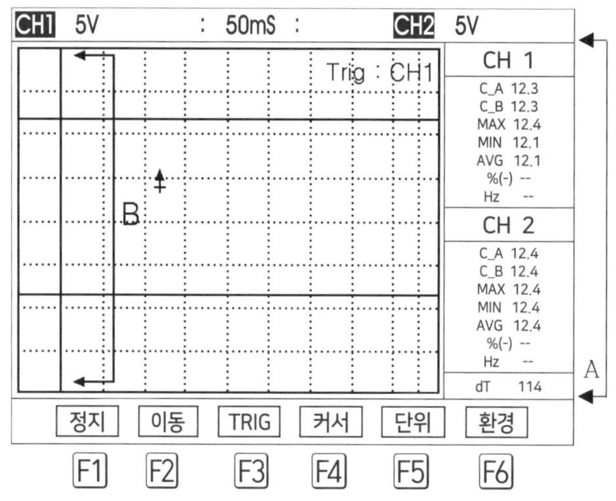

3. Hi-DS를 이용한 맵 센서 파형(MAPS) 측정 방법

① **배터리 전원선** : 붉은색을 ⊕단자에, 검은색을 ⊖단자에 연결한다.

② **오실로스코프 프로브** : 컬러(⊕)프로브를 맵 센서 출력 단자에, 흑색 프로브(⊖)를 배터리(-) 단자 또는 차체에 접지한다.

설치위치

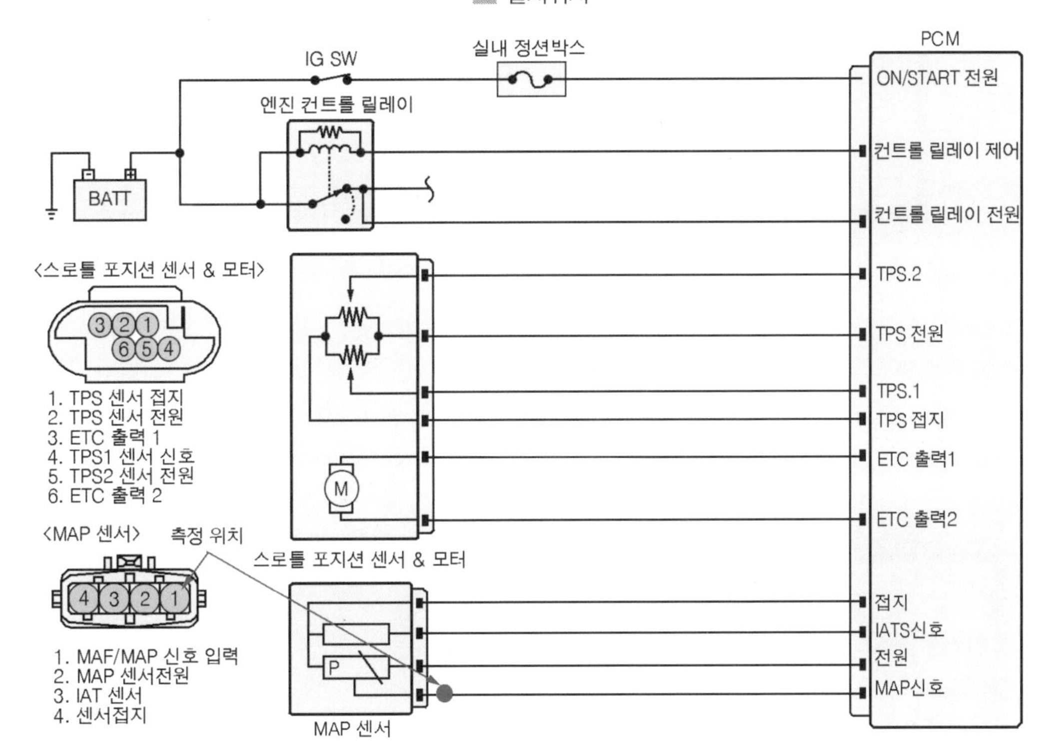

맵 센서 측정 위치

③ **Hi-DS 실행** : 부팅이 완료된 상태에서 모니터 바탕 화면에 Hi-DS 아이콘을 더블 클릭한다.

④ **차종 선택** : 차종 선택 버튼을 클릭하여 차량의 정보를 입력한다.

㉮ 저장되어 있는 차량 : 차대 번호(지공용), 차량 번호(일반용)창에 있는 해당 데이터를 클릭하면 저장되어 있는 정보가 자동으로 설정된다.

㉯ 새로운 차량 : 차대 번호(지공용) 또는 차량 번호(일반용)창에서 일반 차량을 선택한 후 고객 정보와 차종을 입력한다.

프로브 연결

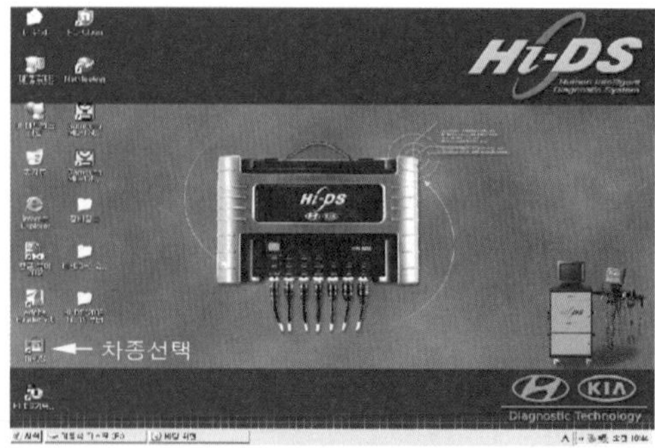

초기 화면(아이콘 클릭)

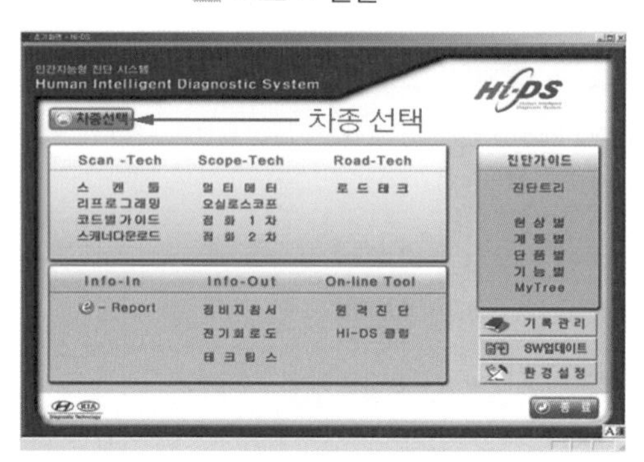

차종선택 화면

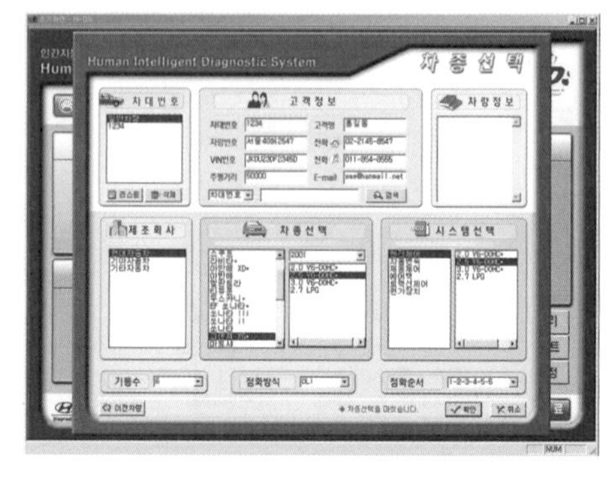

차량 선택 창

⑤ 오실로스코프를 클릭하고 환경 설정 버튼 을 눌러 측정 제원을 설정한다(UNI, 10V, DC 시간축 : 1.0~1.5ms, 일반 선택). 모니터 하단의 채널 선택을 맵 센서 출력 단자에 연결한 채널을 선택한다.

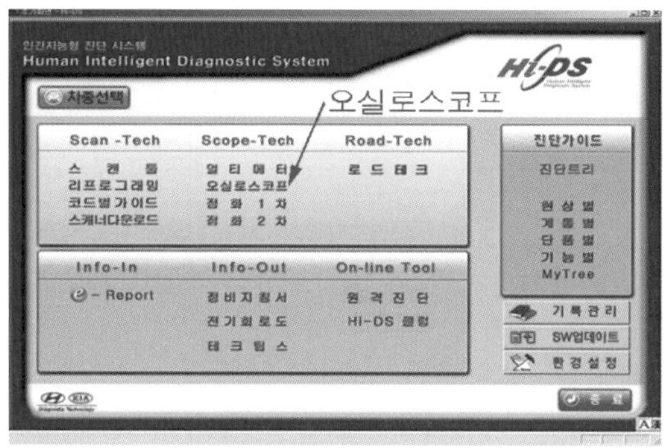

오실로스코프 선택

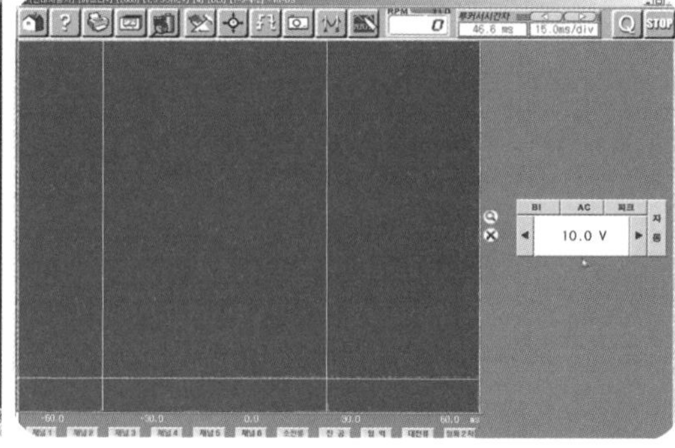

환경 설정

※ **환경 설정 방법**

스코프 상단의 환경 설정 버튼을" "누르면 선택한 채널별로 스코프 우측에 설정창이 나타난다. 측정하고자 하는 파형의 형상을 고려하여 레벨을 변경할 수 있다.

BI	AC	피크	자동
◀	10.0 V	▶	
UNI	DC	일반	수동
◀	0.3 V	▶	

설정 창

ⓐ BI(Bipolar) : 0의 레벨을 기준으로 화면이 (+),(−)영역으로 출력되며 인덕티브 방식의 크랭크각 센서, ABS 휠 스피드 센서, 자동변속기 펄스 제너레이터 A, B와 점화 2차 파형 등의 신호를 측정할 때 이용한다.

ⓑ UNI(Unipolar) : 0의 레벨을 기준으로 (+)영역만 출력되며 대부분의 센서 파형이나 액추에이터 파형, 전원 등을 측정할 때 이용한다.

ⓒ AC(Alternate current) : 자동차의 전원은 직류에 가까운 교류이므로 교류 성분이 엄연히 존재한다. 직류 파형을 교류(AC)로 놓게 되면 전원의 레벨을 0으로 다운시킨 후 파형의 웨이브를 확대하여 출력하게 되며, 발전기의 전원 중 다이오드의 리플 전압 측정시를 제외하고는 거의 사용하지 않는다.

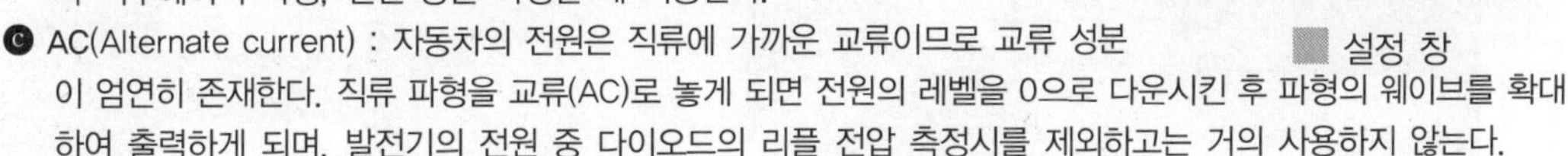

ⓓ DC(Direct current) : 대부분의 파형은 DC에서 측정한다.

ⓔ **수동** : 선택한 채널의 전압이나 전류 혹은 압력·진공의 최고 레벨을 수동으로 변경할 수 있는 모드로서, 사용자가 파형을 정밀하게 확대하거나 축소하여 보고자 할 때 임의적으로 레벨을 변경하여 측정한다.

ⓕ **자동** : 스코프에 입력되는 파형 신호의 레벨이 얼마인지 잘 모를 때 자동으로 설정해 놓고 측정하면 입력되는 파형은 레벨을 자동으로 맞추어 UNI로 출력된다.

ⓖ **피크** : 인젝터, 점화 코일, 각종 솔레노이드 밸브 등 코일로 구성된 부품의 파형 측정 시에는 반드시 피크 모드로 설정해야만 서지 전압을 깨끗하고 정확하게 측정할 수 있다.

ⓗ **일반** : 현재 설정되어 있는 샘플링 속도(Time/div)에 따라 화면에 표시하기 위한 최소한의 데이터를 그리는 모드

⑥ 맵 센서 파형은 TPS 파형과 함께 측정하며 분석한다.

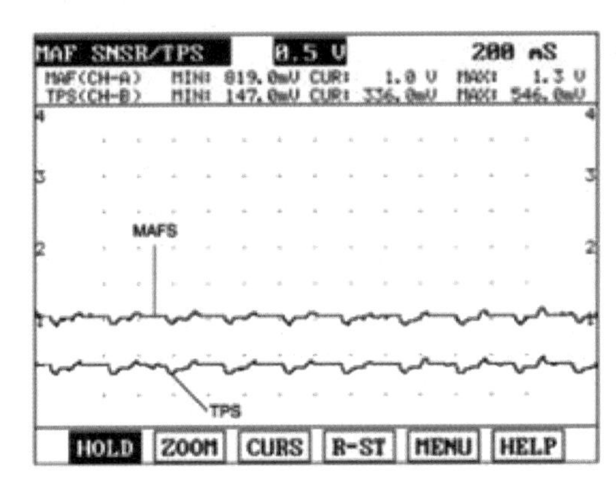

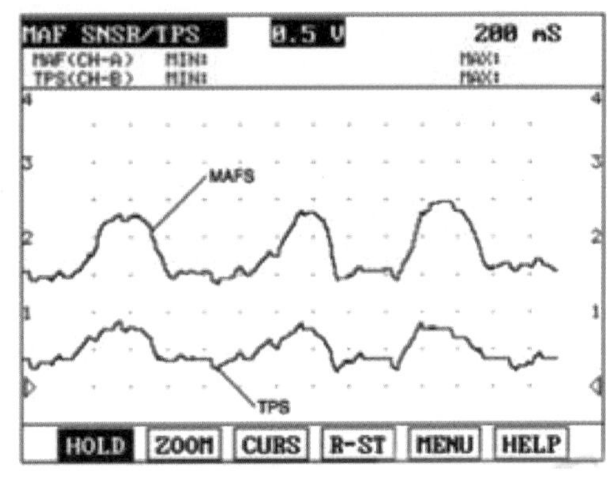

TPS(상) & MAPS(하) 동시출력 화면

- 급가속 구간에 TPS 최대값이 기준 값보다 현저히 높으면 센서의 접지 불량을 확인하는데 약 0.2V이상 시에는 접지를 확인하고 접지가 정상이라면 센서 단품을 확인한다.
- TPS값이 최대로 올라간 전압이 기준 값보다 현저히 낮으면 액셀러레이터 케이블 느슨함 또는 TPS 전원을 확인하고 컴퓨터에서 TPS까지의 신호를 확인해야 한다.
- MAP 급가속 이전의 전압값이 기준 값보다 현저히 높으면 역시 센서의 접지를 확인해야 하며 접지쪽의 전압이 약 0.2V 이상시 접지를 확인하고 접지가 정상이면 센서 단품을 점검해야 한다.
- MAP 출력 전압값이 기준 값보다 현저히 낮으면 MAP 센서의 전원을 확인하고 컴퓨터에서 MAP까지의 신호선을 확인한다. 그리고 MAP, TPS 값의 상승구간에 5ms 이상의 노이즈가 발생 시에는 센서의 불량여부를 확인한다.
- TPS와 MAP 센서가 최고 전압에 도달하였을 때에 반응 시간은 14.4ms이내여야 하며 MAP 센서의 반응이 느릴 경우에는 가속 불량의 원인이 될 수 있다. 정상적인 차량은 TPS와 MAP의 급가속 최대 시점이 거의 차이가 나지 않으며, 보통 10ms정도 차이가 나도 차량 문제가 야기된다.

4. 맵 센서 파형(MAPS)의 파형 분석 시험장 사진

1) Hi-DS스캐너를 이용한 점검

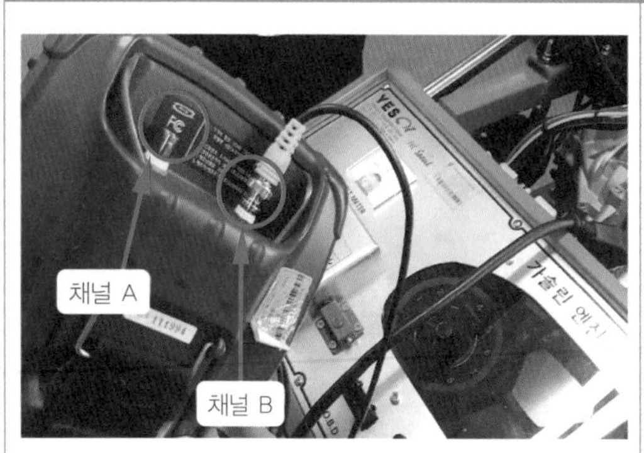

프로브 채널 A와 B에 연결하고 준비를 한다. 일반적인 시험장에서는 설치되어 있는 상태로 준비되어 있다.

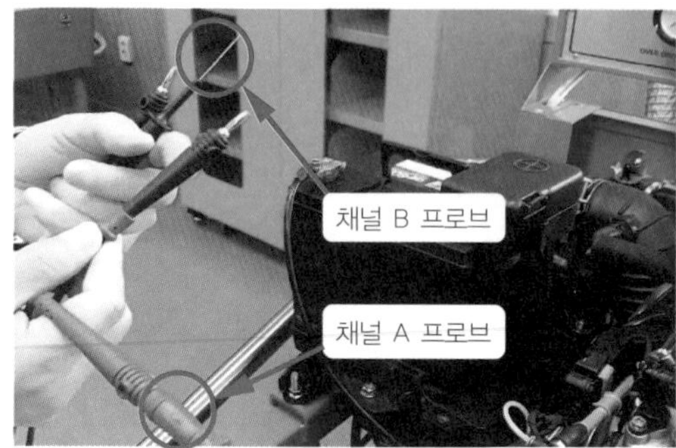

A 채널 프로브를 TPS 연결 커넥터에 B 채널 프로브를 MAPS 연결 커넥터를 출력 단자에 꽂아서 준비한다.

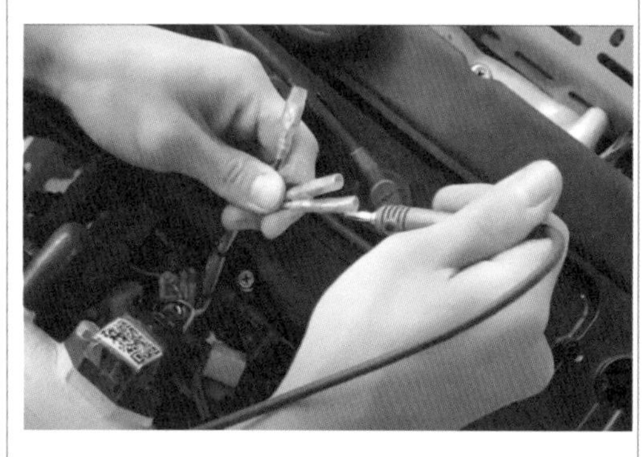

프로브 침이 MAPS 커넥터 출력 단자에 꽂혀져 있는 모습이다. 엔진을 시동하여 측정을 한다.

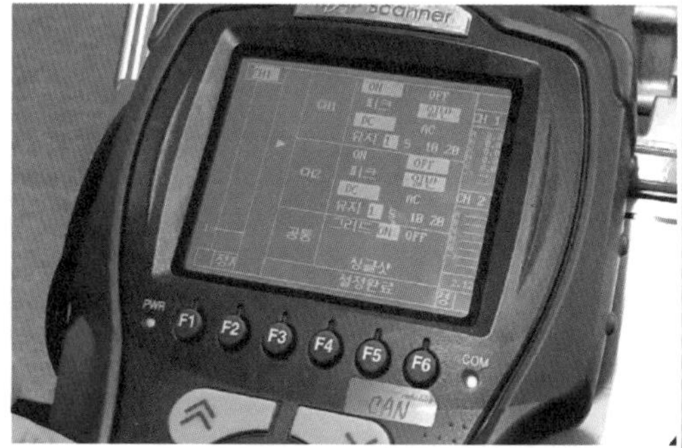

스코프 설정 화면에서 A채널과 B채널의 전압값 등을 설정하고 확인을 눌러서 측정을 한다.

2) Hi-DS를 이용한 파형 점검

측정 대상 차량에서 맵 센서의 설치 위치를 확인하고 Hi-DS 오실로스코프 측정 프로브를 선정한다.

맵 센서에 Hi-DS 테스터의 오실로스코프(⊕) 컬러 프로브를 맵 센서 출력 단자에, 흑색 프로브를 차체에 접지한다.

모니터 바탕 화면에서 Hi-DS 바로가기 아이콘 클릭하고, 엔진을 워밍업시킨 후 공회전 시킨다.

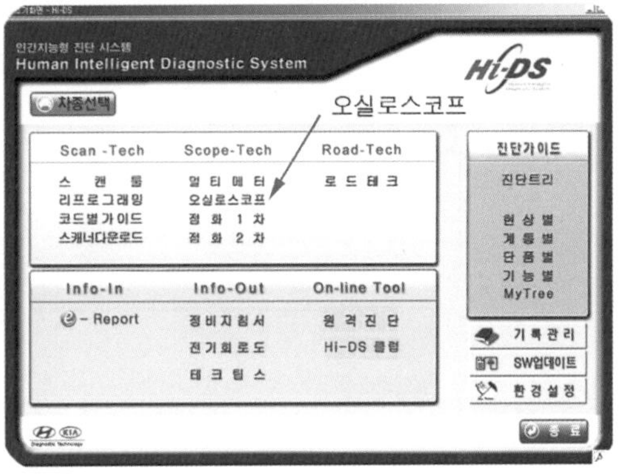

초기 화면에서 차종 선택을 클릭하여 차량의 제원을 설정한 후 확인 버튼을 클릭한다. 오실로스코프 항목을 선택한다.

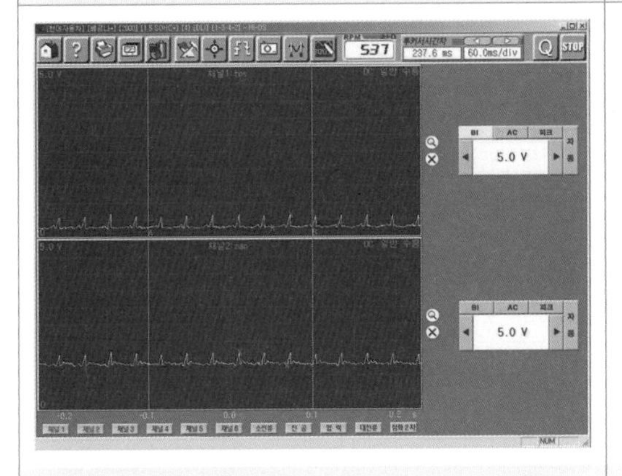

오실로스코프 화면의 상단 환경 설정 버튼 ▣을 클릭하면 우측의 측정 범위 설정 화면이 나타난다.

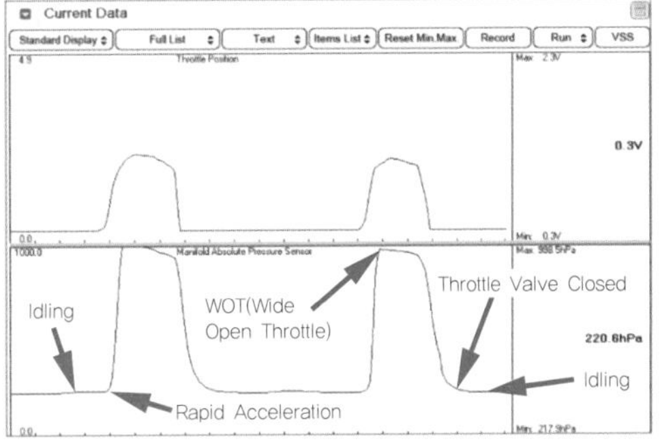

시간축:1.0~1.5ms, 150.0ms/div, 10.0V로 설정하고 화면 하단에서 맵 센서의 출력 단자에 연결한 채널선으로 선택한다.

3) Hi-DS Premium을 이용한 파형 점검

Hi-DS Premium을 활성화 한다. 모니터 바탕 화면에 Hi-DS Premium 바로가기 아이콘을 더블 클릭한다.	로그인 취소 버튼 클릭한다. 시험장에서는 로그인 창이 표출되면 로그인 취소 버튼을 클릭한다.

로그인 취소 버튼을 누르면 사용 제약 경고 문구가 표출된다. 이를 무시하고 확인 버튼을 클릭한다.	오실로스코프 버튼 클릭한다. 오실로스코프 버튼을 클릭하여 차량의 정보를 입력시키는 창을 표출시킨다.
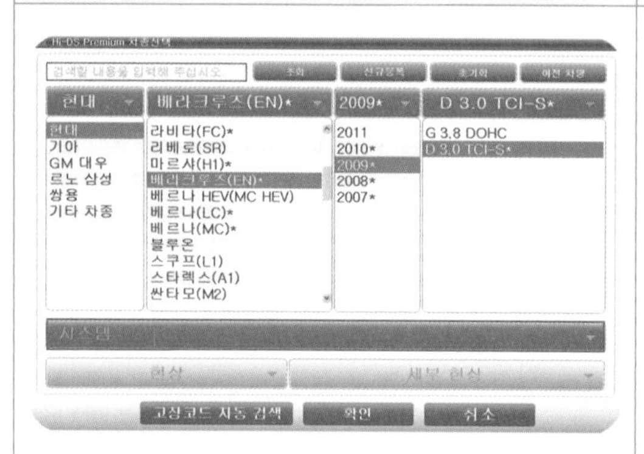	
차량 정보를 입력한다. 제조사, 차종, 연식, 엔진 형식을 순차적으로 선택한 후 시스템 버튼을 클릭한다.	점검할 시스템을 선택한다. 점검할 시스템을 선택 대상 시스템에서 클릭하여 우측에 선택한 후 확인 버튼을 클릭한다.

상단의 센서 설정 버튼 클릭한다. 스코프 화면 상단의 센서 설정 버튼을 클릭하여 센서 설정 창을 표출시킨다.

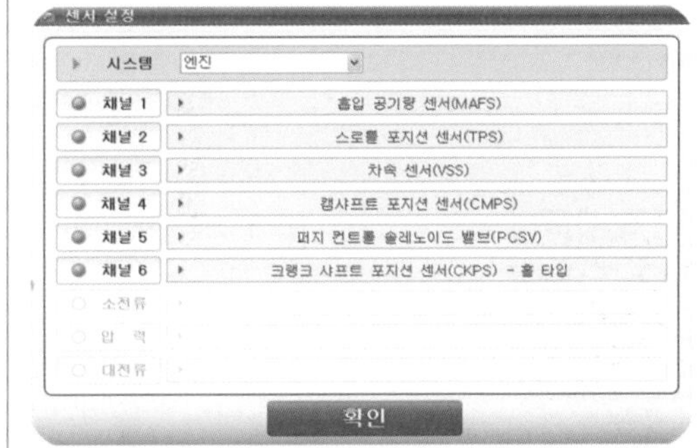

센서 및 액추에이터 설정한다. 진단하고자 하는 센서 및 액추에이터를 설정한 후 하단의 확인 버튼을 클릭한다.

환경 설정 버튼 클릭한다. 초기 화면 상단 바의 환경 설정 버튼을 클릭하여 파형의 환경을 설정한다.

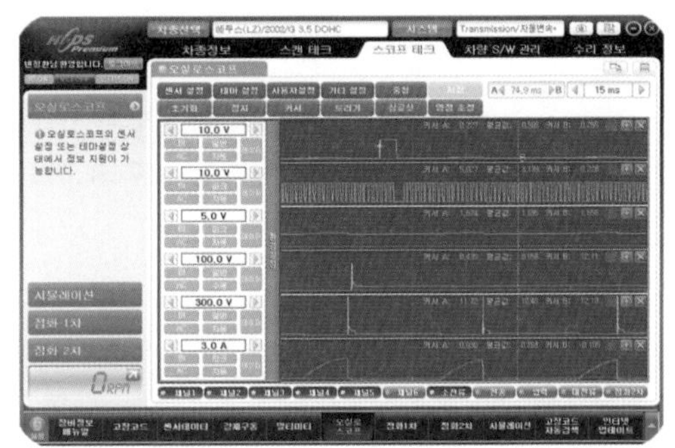

각 채널에 알맞은 환경 설정한다. 각 채널(전압 범위, UNI/BI, 피크/일반, AC/DC, 자동/수동 및 데이터)의 환경을 설정한다.

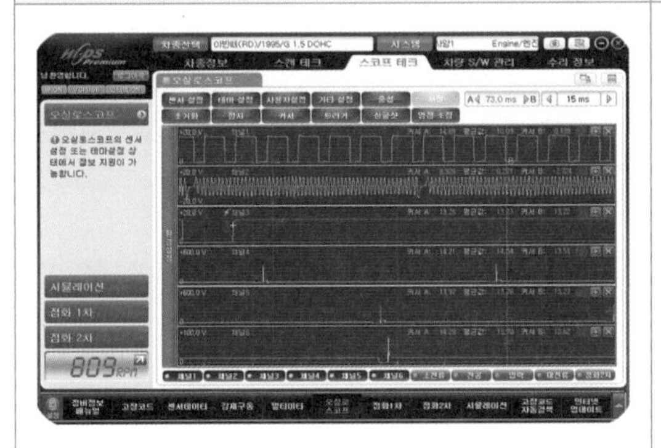

오실로스코프 화면을 전체 화면으로 변경시킨다.

아이콘을 클릭하여 오실로스코프 화면을 전체 화면으로 변경시킨다.

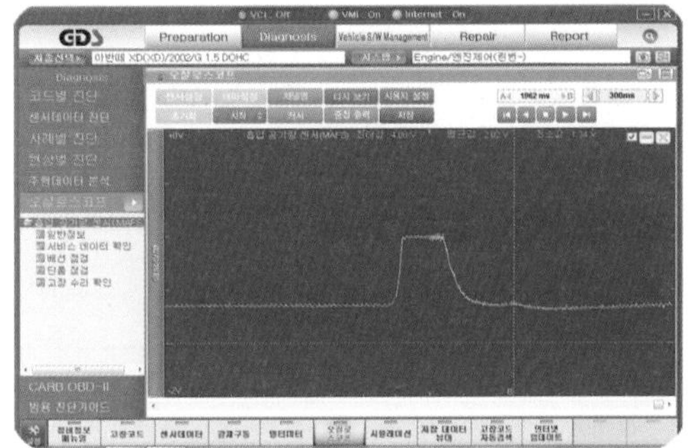

엔진을 급가속한 후 정지시킨 화면의 우측에서 최대값과 최소값 및 파형의 상태를 확인하고 프린터를 클릭하여 출력한다.

04 산소 센서 파형(Oxygen Sensor Wave)의 분석

산소 센서 파형(Oxygen Sensor Wave)은 배기가스 중 함유된 산소의 양을 측정하여 그 출력 전압을 컴퓨터(ECU)로 전달하는 역할을 한다. 컴퓨터는 산소 센서의 신호를 받아 인젝터의 분사 시간을 제어하여 항상 이론 공연비에 가깝도록 자동으로 조정함으로써 배기다기관 이후에 있는 3원 촉매장치를 보호하는 동시에 촉매 작동상의 정화율을 높여주며, 이론 공연비인 14.7 : 1을 유지하기 위해 ECU와 함께 지속적으로 정보를 주고받아 피드백 작동을 하는 센서이다.

산소 센서 파형을 분석하는 이유는 공연비(공기 : 연료 비율) 상태, 엔진 실화(Misfire) 여부, 촉매의 건강 상태, 엔진 파워 밸런스, 엔진 헤드의 흡·배기 밸브 작동 상태, 진공 누설(Air Leak) 여부, 엔진 각 실린더 별 공연비 불량, 연료 펌프 & 인젝터 작동 불량, 흡기 카본 누적 상태, 배기가스 속 매연(HC, CO, Nox) 정보, 점화 계통의 불량(점화 플러그, 점화 코일, 고압 케이블 등), 접지불량, 산소 센서의 단선, 작동 전압 등을 점검하여 산소 센서의 고장 원인과 정비 및 조치 사항을 알 수 있는가를 측정하는 문제이다.

수검자는 반드시 파형을 프린트하여 정상 파형과 비교한 후 서술하여 답안지에 첨부하여 제출한다.

■ 산소 센서 위치

■ 산소 센서의 위치

■ 산소센서의 제원

항목 \ 엔진			아반떼 XD(1.6)	NF 쏘나타 2.0(쎄타 1 엔진)
산소센서	형식		Zirconia (ZrO2)	Zirconia (ZrO2)
	농후(Rich)		0.6~1.0 V	0.6~1.0 V
	희박(Lean)		0.0~0.4 V	0.0~0.4 V
	히터	저항(20℃)	9Ω(20~24℃)	3.1~4.1 Ω

1. 산소 센서 파형의 분석 방법

산소 센서 파형 측정은 엔진이 정상 작동 온도에서 시동이 걸려있는 상태에서 측정이 가능하다. 튠업용 엔진이나 실제 차량이 준비되어 있고 그 옆에는 테스터기가(하이스캔 프로 또는 Hi-DS 스캐너) 책상 위에 놓여 있을 것이다. 농후 파형과 희박 파형의 주기가 일정하게 나타나야 하며, 희박에서 농후로 올라가는 시간은 0.1초 이하이어야 하고, 농후에서 희박으로 내려가는 시간은 0.3초 이내이어야 한다.

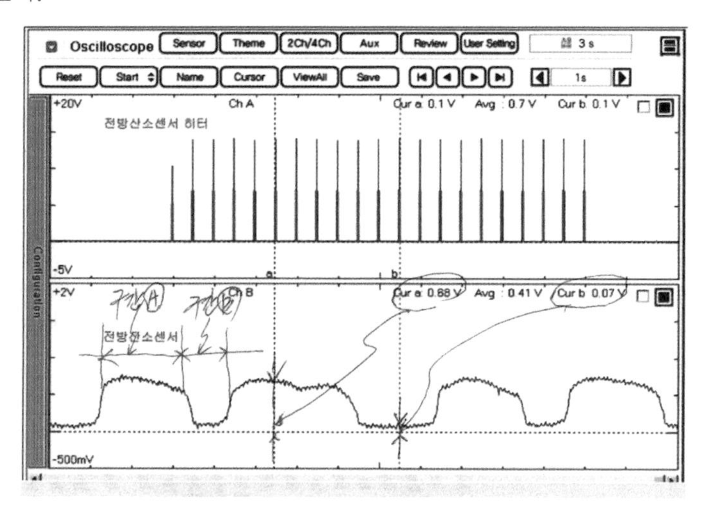

1). 구간Ⓐ는 농후한 상태를 표시하고있고 구간Ⓑ는 희박한 상태를 나타낸다.

2). 농후한 상태의 전압은 0.6~0.8V가 나온다. 커서 a에서 0.68V를 나타내고 희박한 상태의 전압은 0~0.1V가 나온다 커서 b에서 0.07V를 나타내고있어 정상적인 전압을 나타내고 있다.

3). 파형의 듀티비는 50:50이 정상파형이나 농후한 구간Ⓐ가 길고 희박한 구간Ⓑ가 짧음을 반복하고 있어서 전체적인 파형은 농후한 파형을 나타내고 있다.

① **커서 a(Cur a 0.68V)** : 혼합기가 농후한 상태를 전압으로 나타내며 0.68V를 지시하는데 어느 곳에서나 일정한 전압이 나오는 것이 정상이다.

② **커서 b(Cur b 0.07V)** : 혼합기가 희박한 상태를 전압으로 나타내며 0.07V를 지시하는데 어느 곳에서나 일정한 전압이 나오는 것이 정상이다.

③ **농후 구간** : 농후한 혼합기 일 때는 약 0.6~0.8V의 전압을 나타낸다. 즉 배기가스에 산소 농도가 적다는 뜻이다. 모든 파형의 모습이 부드럽게 나타나야 하며, 점화 계통의 고장이 있을 경우 노이즈가 발생한다.

④ **희박 구간** : 희박한 혼합기 일 때는 약 0~0.1V의 전압을 나타낸다. 즉 배기가스에 산소 농도가 많다는 뜻이다.

1) 파형의 분석

산소센서가 열을 받기 전까지는 전압이 서서히 올라간다.(A구간) 이후에는 농후와 희박을 반복하게 되는데(B구간), 산소센서 불량이나 시그널선 단선일 경우는 약 0.4V로 평행선을 그린다.(C구간)

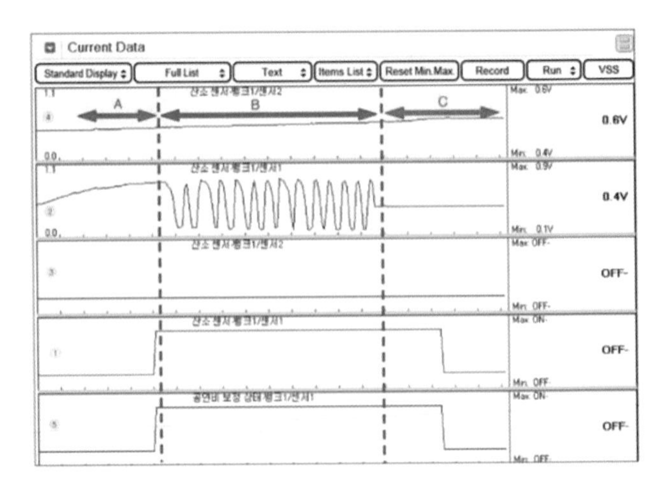

2) 정상파형

산소 센서의 파형은 정상적인 엔진의 온도에서(냉각 팬이 작동할 정도) 엔진의 회전수는 약 2천rpm 정도에서 측정하는 것이 정확한 측정 방법이다. 파형의 듀티비는 50:50정도 일 때 가장 이상적인 연소에 의한 공연비 제어라 할 수 있다.

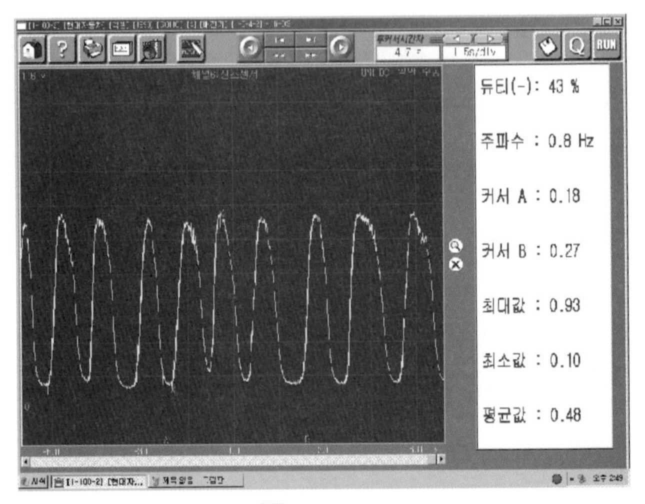

정상 파형

3) 혼합가스가 농후하다

현재 센서의 (-)듀티비는 34% 정도인 것으로 약간 농후한 상태이다. 인젝터 외에서 연료 또는 연료 가스가 과다하게 유입이 된다. 캐니스터 솔레노이드 밸브의 비정상 열림이나 PCV 밸브에서 오일 가스 과다 유입(엔진 오일을 너무 많이 주입한 경우)된 경우로 산소센서의 시그널 전압이 피드백 된 상태에서 0.6V 이상 나오는 시간이 길다(5초 이상)

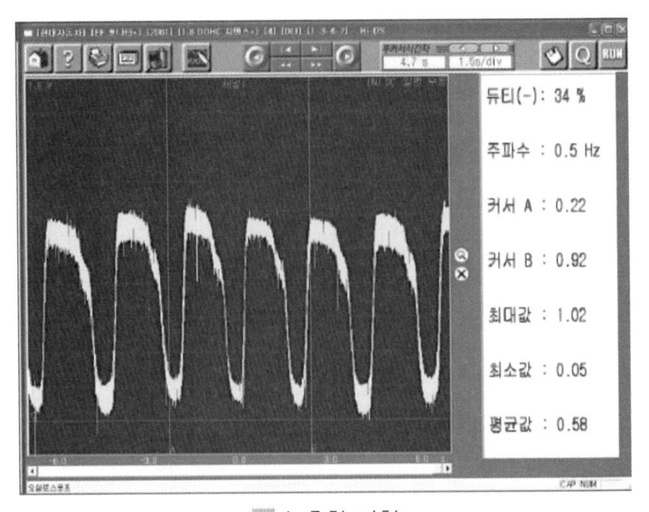

농후한 파형

4) 혼합가스가 희박하다

파형의 듀티비는 50:50정도 일 때 가장 이상적인 연소에 의한 공연비 제어라 할 수 있는데 낮은 전압이 길게 이어지고 있다.

5) 파형이 0.1V 이하가 연속된다

연료가 희박하게 공급되며, 엔진 부조가 일어나고 심한 경우 시동이 꺼진다. 산소 센서의 고장, 시그널 선이 접지 부와 쇼트 된 경우로 판단된다.

희박한 혼합기

6) 파형이 0.45V로 일정하게 연속된다

연료가 농후하게 공급되며, 엔진 부조가 일어나고 심한 경우 시동이 꺼진다. 산소 센서의 고장, 시그널·접지선의 단선으로 판단된다.

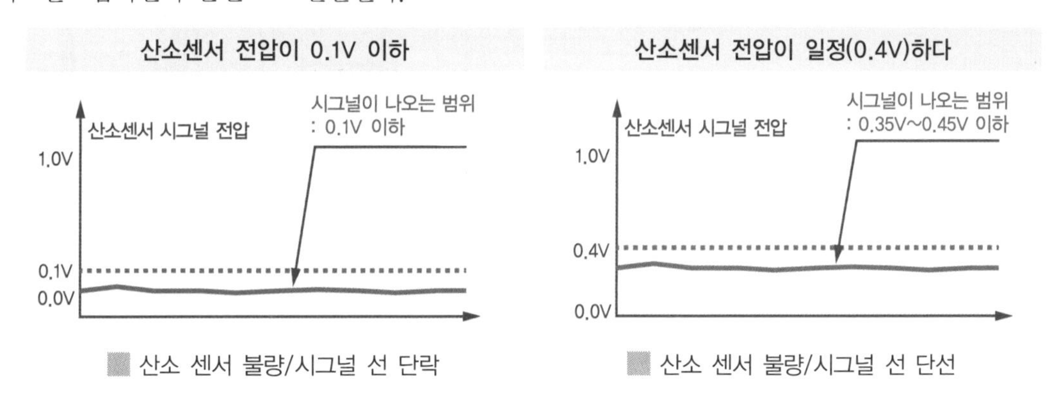

산소 센서 불량/시그널 선 단락

산소 센서 불량/시그널 선 단선

7) 전압이 서서히 상승하고 파형이 0.45V로 일정하게 연속된다

아직 산소 센서가 온도가 낮아 활성화가 되지 않았으며, 이후는 연료가 농후하게 공급되고, 엔진의 부조가 일어나고 심한 경우 시동이 꺼진다. 산소 센서의 고장, 시그널·접지선의 단선으로 판단된다.

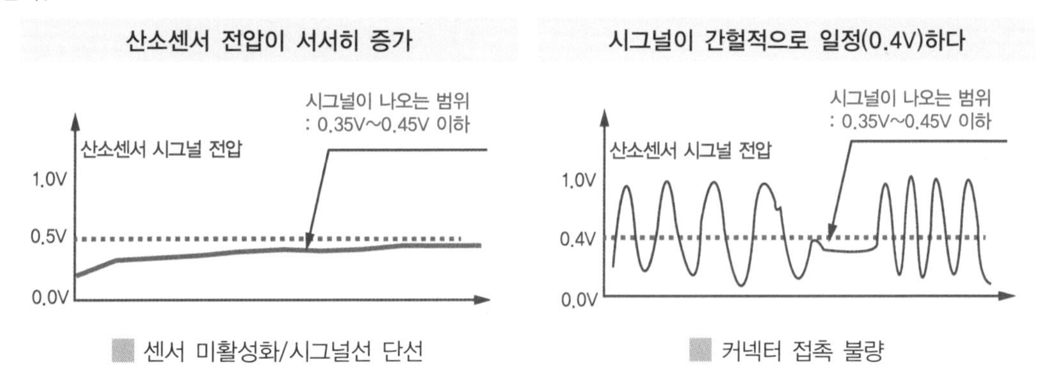

센서 미활성화/시그널선 단선

커넥터 접촉 불량

8) 시그널 전압이 0.2V~0.8V를 주기적으로 반복하다 0.35V~0.45V로 일정하게 연속되다 다시 정상파형으로 돌아온다.

산소 센서는 정상으로 작동하고 있으나 커넥터 연결이나 배선이 단선되어 접촉이 불량하다.

9) 시그널 전압이 1.3V로 이상 일정하다.

산소 센서의 전원 공급선이 접지되어 있다. 레퍼런스 배선의 단락으로 판단된다.

10) 산소 센서의 시그널 전압이 간헐적으로 0.1V 이하에서 일정하다

연료 펌프의 불량, 연료 라인의 막힘, 연료량 부족, 배기계통의 공기 유입, 시그널 선의 일시적 단락으로 판단할 수 있다.

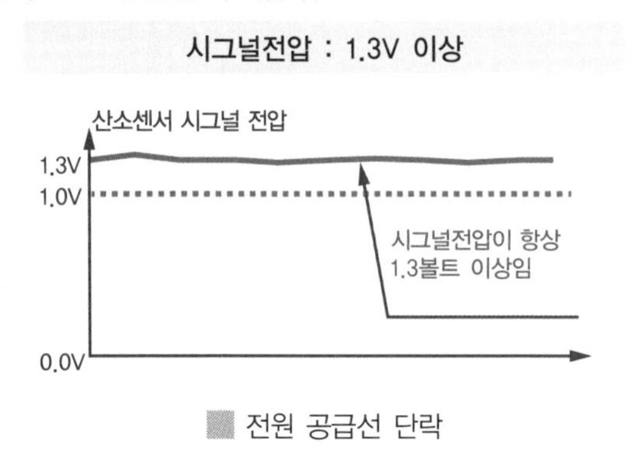

전원 공급선 단락

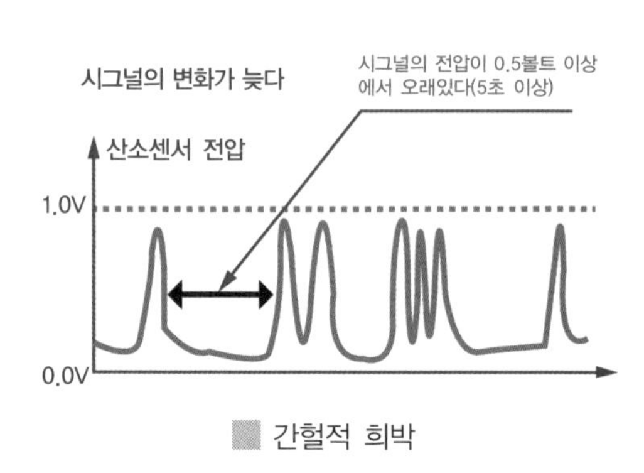

간헐적 희박

11) 시그널 전압이 피이드백이 된 상태에서 0.6V 이상 나오는 시간이 길다(5초 이상)

연료의 과다 유입으로 PCV 밸브에서 블로바이 가스가 과다하게 유입, 퍼지 컨트롤 솔레노이드 밸브 불량으로 퍼지 가스가 과다하게 유입됨을 판단할 수 있다.

12) 스위칭의 빠름

산소 센서 시그널의 스위칭이 빠른 경우는 연소실에 유입되는 공기가 일정치 않아 혼합비가 기통별로 다르게 되어 발생 한다. 과도한 오일 가스 유입, 밸브의 열림 불량, 캐니스터 닫힘 불량 등으로 판단할 수 있다.

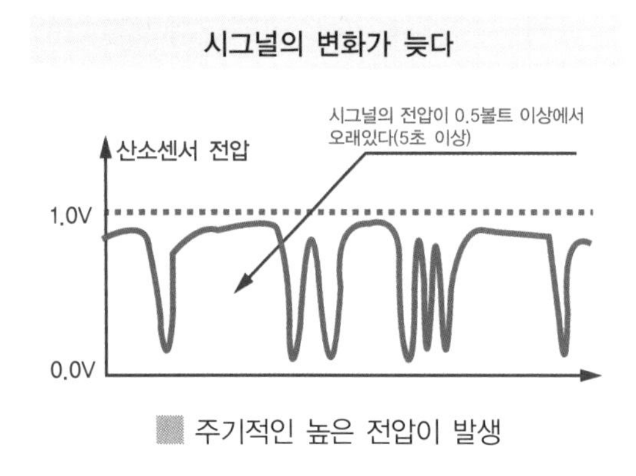

주기적인 높은 전압이 발생

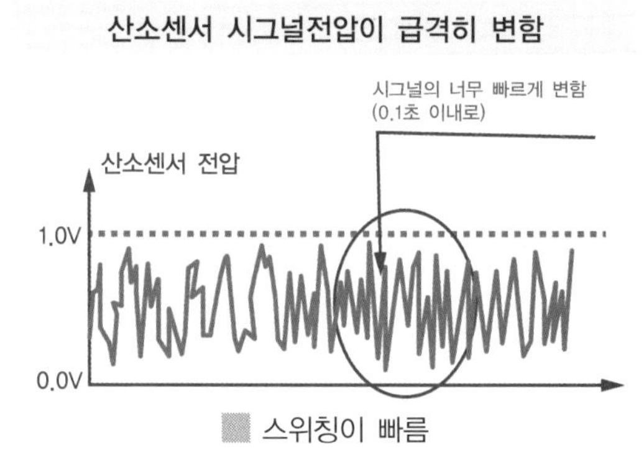

스위칭이 빠름

2. 스캐너를 이용한 산소 센서 파형(Oxygen Sensor Wave)의 측정 방법

① 점화 스위치를 OFF시킨다.

② 진단기의 ⊖리드 선을 배터리 ⊖에 접지시키고 ⊕ 리드선을 산소 센서의 출력 단자에 연결한다.

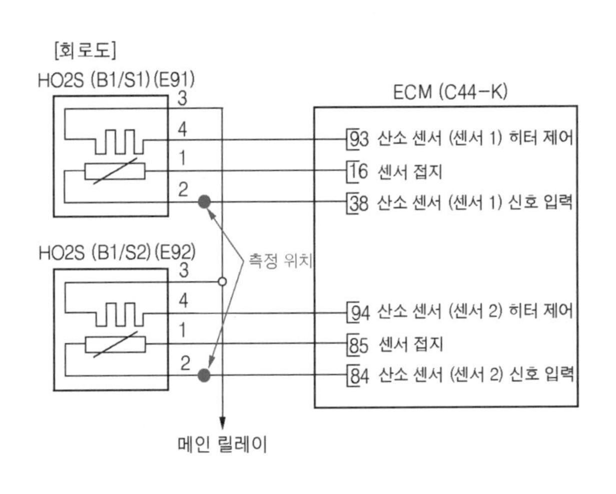

[커넥터 정보]

HO2S (B1/S1)

단자	연결 부위	기능
1	ECM C44-K (16)	센서 접지
2	ECM C44-K (38)	HO2S (B1/S1) 신호
3	메인릴레이	히터 전원 (B+)
4	ECM C44-K (93)	히터 제어

HO2S (B1/S2)

단자	연결 부위	기능
1	ECM C44-K (85)	센서 접지
2	ECM C44-K (84)	HO2S (B1/S2) 신호
3	메인릴레이	히터 전원 (B+)
4	ECM C44-K (94)	히터 제어

③ 하이 디에스 스캐너를 "ON" 시키면 제품명 화면이 열린다. Enter↵ 키를 누르면 소프트웨어 화면이 열린다.

④ 소프트웨어 화면에서 Enter↵ 키를 누르고 기능 선택 화면이 열리면, 스코프 / 미터 / 출력을 선택한다.

1단계 : 제품명 화면

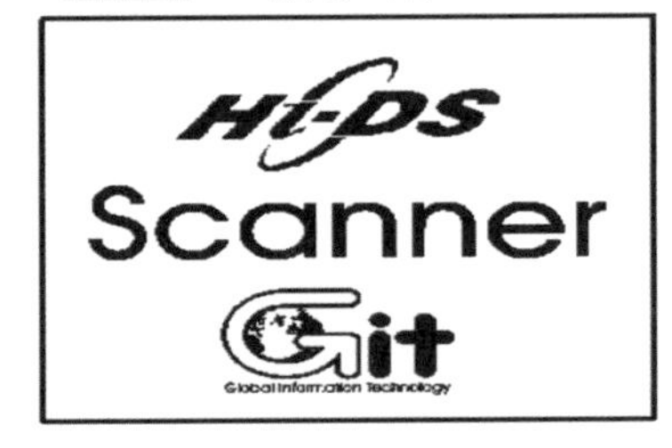

2단계 : 소프트웨어 화면

S/W Version : GS120KOR
Release Date : 2001 . 10 . 10
Press any key to continue ...

⑤ 스코프 / 미터 / 출력 화면에서 오실로스코프 선택하고 전압을 조정한다.

⑥ 엔진을 시동하고 파형을 점검한다.

3단계 : 기능을 선택한다.

기능 선택

01. 차량통신
02. 스코프/ 미터/ 출력
03. 주행 DATA 검색
04. PC통신
05. 환경설정
06. 리프로그래밍

4단계 점화 파형을 선택한다.

스코프/미터/ 출력

01. 오실로스코프
02. 자동설정스코프
04. 멀티미터
05. 액추에이터 구동
06. 센서시뮬레이션
07. 점화 파형

3. Hi-DS를 이용한 산소 센서 파형의 고장진단 방법

① **배터리 전원선** : 붉은색을 ⊕단자에, 검은색을 ⊖단자에 연결한다.

② **오실로스코프 프로브** : 컬러 프로브를 산소 센서의 출력 단자에, 흑색 프로브를 차체에 접지한다.

③ 엔진을 워밍업시킨 후 공회전시킨다.

④ Hi-DS 초기 화면에서 차종을 선택하여 차량 제원을 설정한 후 확인 버튼을 누른다.

⑤ 오실로스코프 항목을 선택한다.

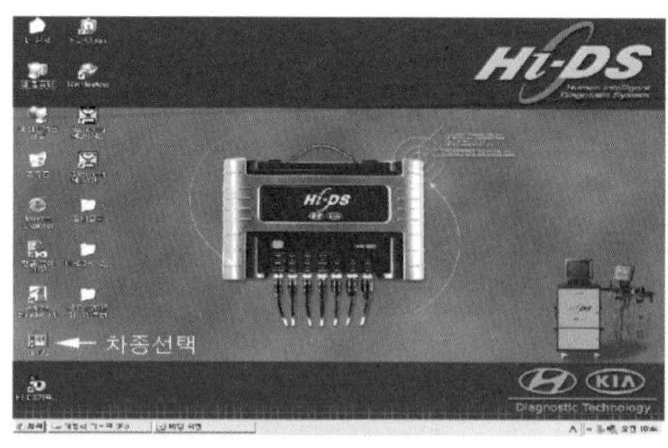

■ 초기화면

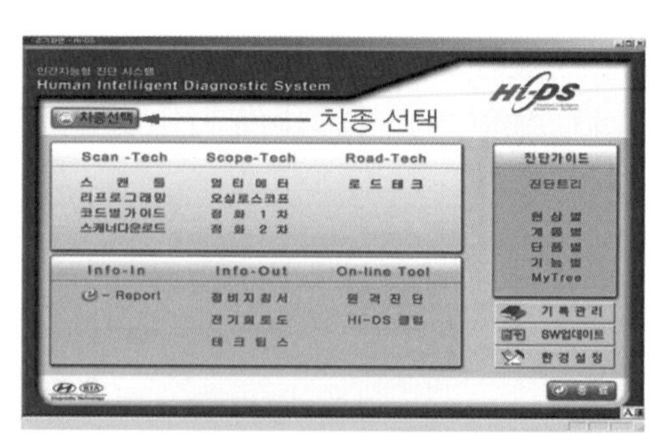

■ 차종 선택 화면

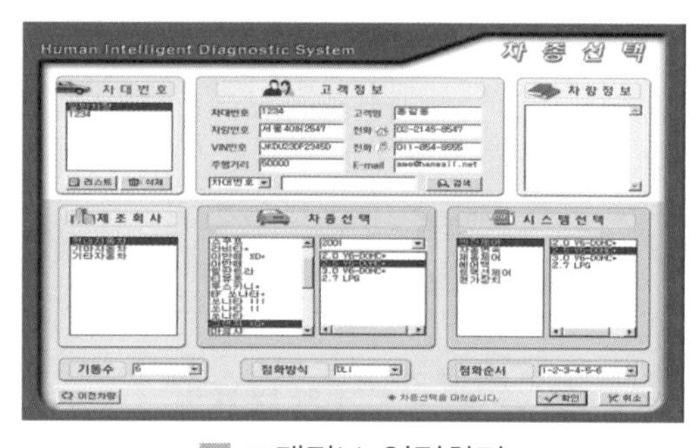

■ 고객정보 입력화면

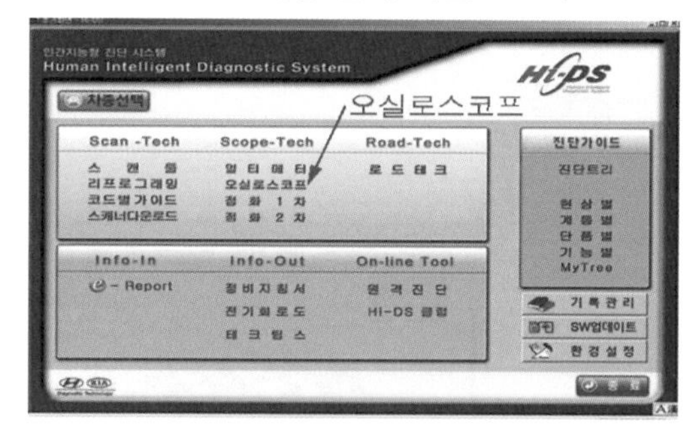

■ 오실로스코프 선택 화면

④ 환경 설정 버튼 [버튼 그림] 을 눌러 측정 제원을 설정한다(UNI, 10V, DC 시간축 : 1.0~1.5ms, 일반선택). 모니터 하단의 채널 선택을 산소 센서의 출력단자에 연결한 채널 선으로 선택한다.

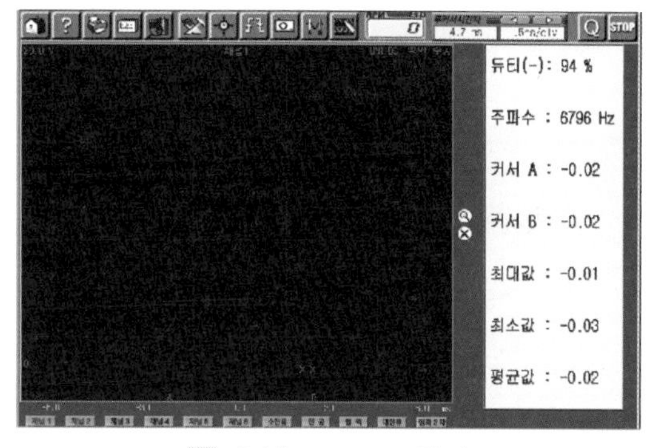

■ 오실로스코프 화면

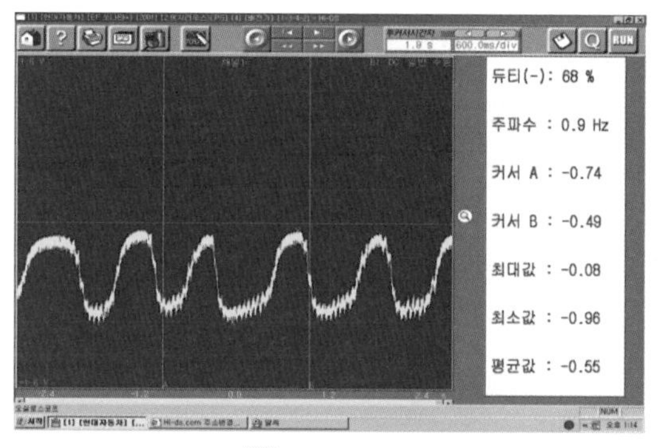

■ 측정 화면

4. 산소 센서 파형의 파형분석 시험장 사진

1) 스캐너를 이용한 측정

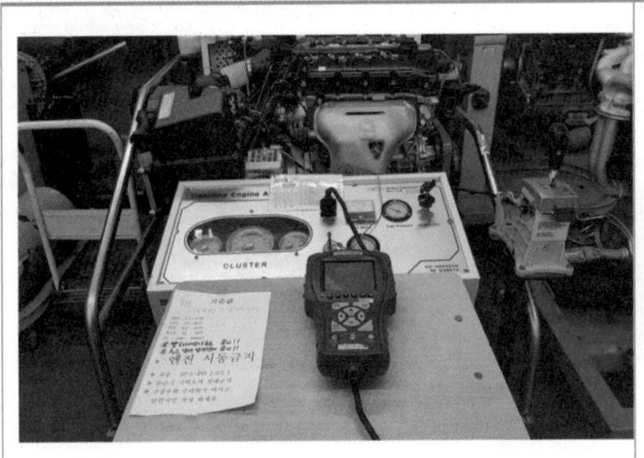

시험장에는 세팅이 되어 있어서 본인이 테스트 리드선을 연결하고 스캐너를 부팅하여 산소 센서의 파형을 측정한다.

측정 프로브의 ⊖는 배터리 ⊖터미널에 연결하고 ⊕프로브는 산소 센서의 출력 단자에 꽂아서 준비한다.

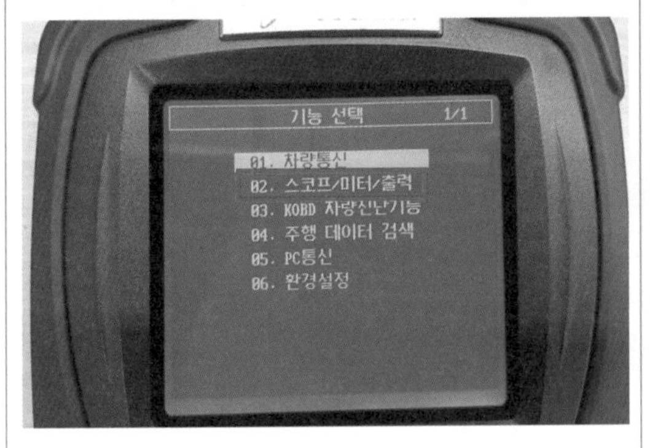

기능 선택 화면에서 스코프/ 미터/ 출력으로 들어가서 최고 전압과 시간을 세팅하고 엔진의 시동을 걸어서 측정한다.

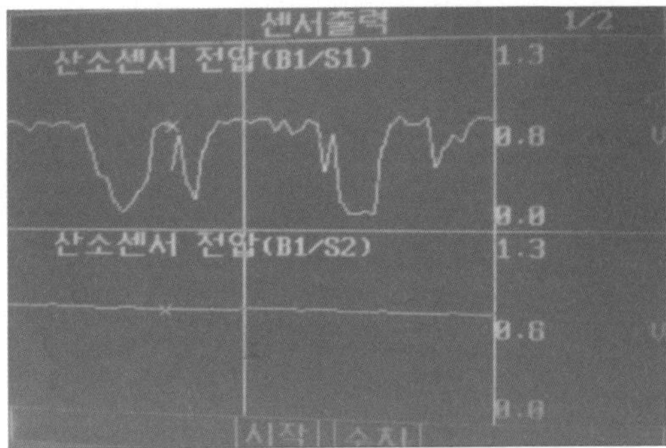

스코프 화면에 파형이 나오면서 시험문제인 산소 센서의 파형 상태를 서술형식으로 기입한다.

2) Hi-DS를 이용한 측정

시험장에 하이디에스 진단기가 설치되어 있으며 컴퓨터는 초기 화면에 테스트 리드가 분리된 상태에 있다.

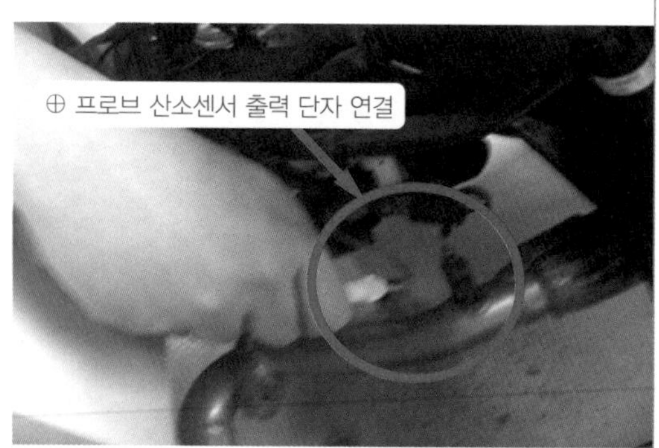

테스트 리드를 산소 센서의 출력 단자 커넥터 부분에 찔러서 꽂고 환경 설정을 하고 시동을 걸어서 아이들 상태에서 측정을 한다.

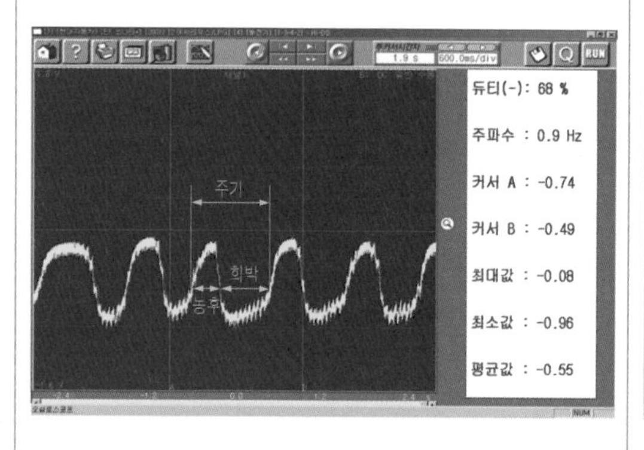

화면에 산소 센서의 파형이 움직여서 잘 보이지 않으면 트리거 버튼을 누른 후 화면에서 커서를 누르면 파형이 고정되어 띄워진다.

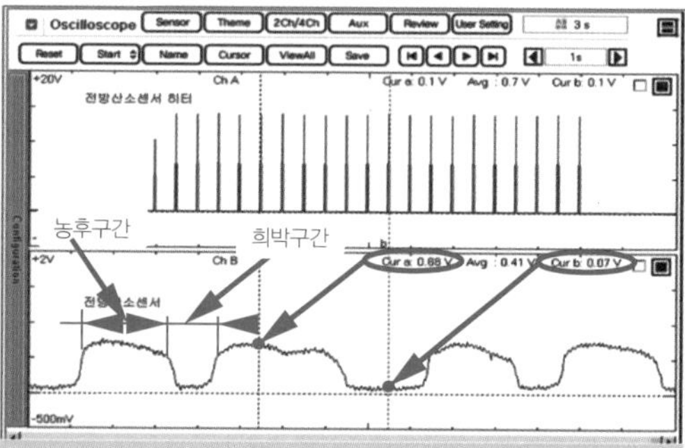

한 주기 중에서 농후 부분이 간헐적으로 오래 지속되고 있어 연료 공급이 많거나 흡기계통의 막힘 등을 점검한다.

05 공기 유량 센서 파형(MAFS : Mass Air Flow Sensor Wave)의 분석

공기 유량 센서 파형(MAFS : Mass Air Flow Sensor Wave)의 분석은 에어플로 센서의 성능 등을 파형으로 점검하여 센서의 고장 원인과 정비 및 조치 사항을 알 수 있는가를 측정하는 문제이다. 에어플로 센서는 에어 클리너와 스로틀 바디 사이에 위치해 있으며, 엔진으로 유입되는 공기의 양을 감지하여 ECU에 보낸다. 대부분의 차량이 흡기 온도 센서(IATS : Intake Air Temperature Sensor)과 함께 내장되어 있다.

아이들 상태가 아닌 급가속이나 급 감속에서의 측정을 요구하고 있다. 이에 따라 안전에 유의하여야 하기에 실제 차량보다는 튠업용 엔진을 사용하고 있다. 수검자는 반드시 파형을 프린트하여 정상 파형과 비교한 후 서술하여 답안지에 첨부하여 제출한다.

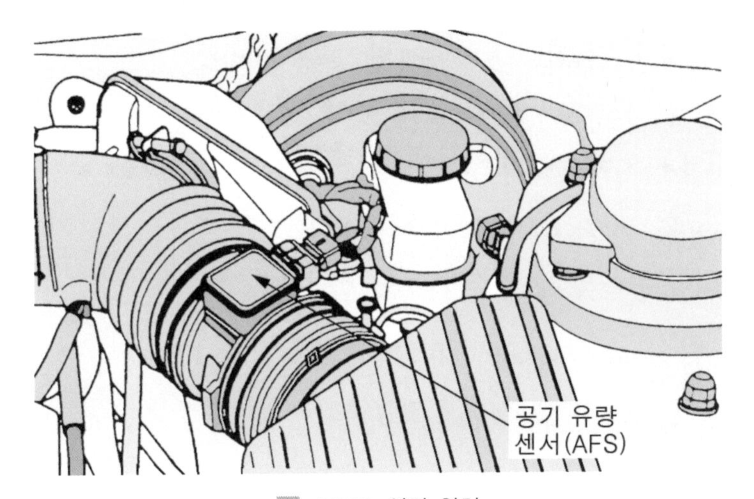

MAFS 설치 위치

■ 공기 유량 센서의 제원

항목 \ 엔진		아반떼 RD (1.5)-1995	NF 쏘나타 2.0(2.0 DOHC)-2007
공기 유량 센서 (MAFS : Mass Air Flow Sensor)	형식	Hot Film Type	Hot Film Type
	공회전	0.7~1.1 V	0.6~1.0 V(공기량 11.66~19.85kg/h)
	3000rpm	1.3~2.0 V	1.7~2.0 V(공기량 43.84~58.79kg/h)

1. 공기 유량 센서 파형(MAFS)의 분석 방법

튠업용 차량이나 실제 차량이 놓여 있고 테스터기가 있으며 측정과 진단 및 수리할 수 있는 능력을 갖추어야 한다. Hi-DS로 측정은 아직 현장에서 보편화 되지는 못하지만 스캐너로의 측정은 일반화 되어있다. 측정을 하고 답안지를 작성할 때 반드시 측정 차량에 부착되어 있는 주의사항을 읽어보고 답을 기록하도록 한다. 일부 감독위원은 기록 방법을 서술하여 놓는 경우도 있다. 파형을 점검하고 답안지에 작성하는 경우도 있으며, 대부분 파형을 프린트 하여 그것을 답안지에 부착하여야 한다.

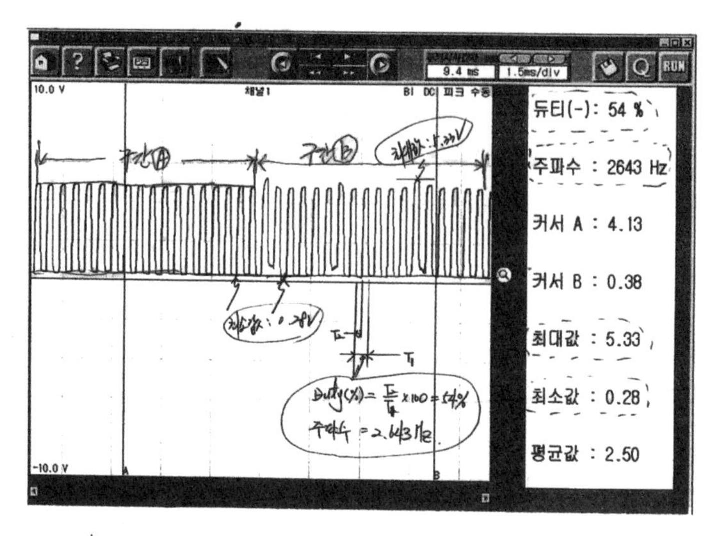

1). 파형이 구간 Ⓐ에서는 주기적이지만 구간 Ⓑ에서는 간헐적으로 최대값이 높게 나타나고 있어서 흡입라인에 공기유입에 저항이 변화가 있는것으로 판단됨.

2). 최대전압은 약 5V이고 최소전압은 0V가 정상이나 약간의 차이는 있으나 정상치로 볼수있음.

3). 듀티값은 50:50이어야 하나 (-)가 54%이므로 조금 높으나 정상치로 볼수 있음.

MAFS 답안지 작성 예시

① **공전 상태(Idling)** : 가능하면 공기 유량 센서는 스로틀 포지션 센서와 함께 비교 분석하는 것이 바람직하므로 채널을 2개로하여 함께 측정한다. 가속시에 스로틀 포지션 센서와 공기 유량 센서의 출력값이 동시에 증가하는지 확인한다. 반대로 감속 시에는 동시에 감소해야 정상이다.

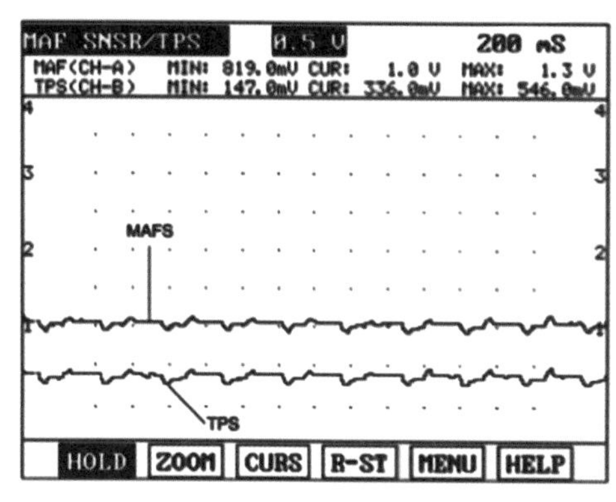

아이들링 상태에서의 파형

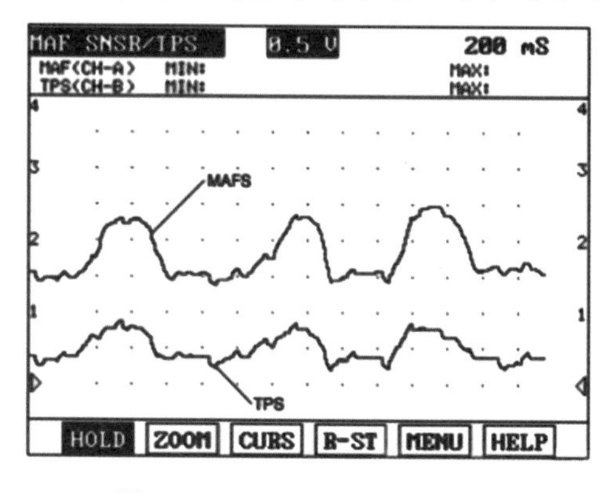

가속 / 감속 상태에서의 파형

② **시그널이 일정하게 높거나 낮게 나온다** : 센서의 고장 또는 센서 배선(시그널 선, 접지 선, 레퍼런스 선) 중에 단선 , 또는 단락이 있다.

③ **공회전시 시그널 전압이 높게 나온다** : 배기 파이프가 막혀 내부 EGR이 증가하면서 공기 유량 센서의 시그널이 높게 나왔거나 ECU의 고장으로 볼 수 있다.

④ **시동이 가끔 꺼지는 경우**

- 시동이 된 상태에서 공기 유량 센서 하니스를 흔들어 본다.
- 엔진이 정지되면 공기 유량 센서 커넥터의 접촉 불량으로 판단할 수 있다.

⑤ **점화 스위치 ON(엔진 정지 상태)상태에서 공기 유량 센서 주파수가 0Hz아닌 경우** : 공기 유량 센서 또는 ECU의 결함으로 판단할 수 있다.

⑥ **공기 유량 센서 출력 전압(또는 주파수)이 규정값을 벗어난 상태에서 엔진이 공회전하는 경우**

- 공기 흐름이 방해를 받는 경우(흡입 호스의 분리 또는 공기 여과기의 막힘 등)
- 불완전 연소가 되는 경우(점화 플러그 결함, 점화 코일의 결함, 인젝터의 결함, 불안전한 압축압력 등)
- 흡기 매니폴드에서 공기가 누설되는 경우
- EGR 밸브의 접촉이 불량한 경우

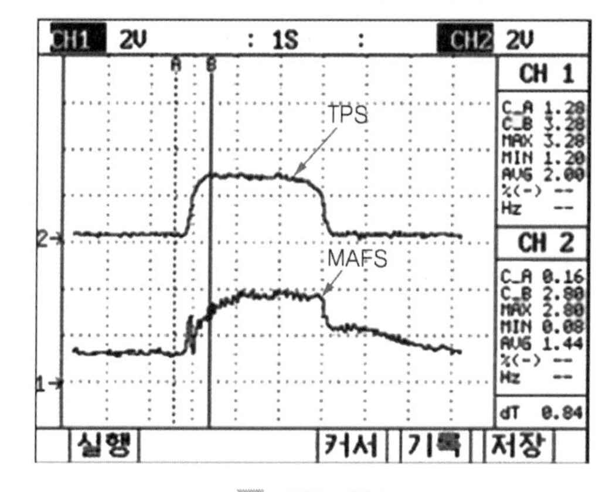

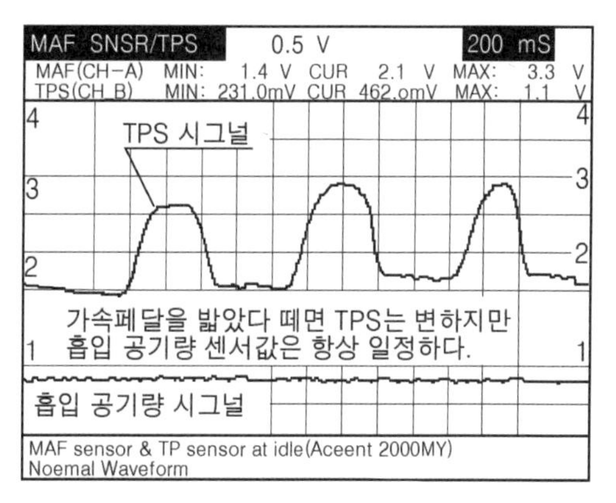

 정상 파형

■ 센서 고장/ 배선의 단선, 단락 파형

■ 규정값(아반떼 XD 1.5)

점검 항목	데이터 표시	점검조건	엔진상태	규정값
AFS	흡기관 내 부압	· 엔진 냉각수 온도 · 각종램프, 전기 냉각 팬, 부장품 : 모두 OFF · 트랜스 액슬 : 중립(A/T 경우 P 위치) · 스티어링 휠 : 중립	800rpm(공회전)	9.0~12.0 kg/h
			2000rpm	21.0~27.0 kg/h
			3000rpm	32.0~40.0 kg/h
			주행	주행과 함께 증가

■ 전압계 사용

점검항목	엔진상태	규정값
AFS 출력값	800rpm	0.7~1.1V
AFS 출력값	3000rpm	1.3~2.0V

2. Hi-DS를 이용한 공기 유량 센서 파형(MAFS) 측정 방법

① **배터리 전원선** : 붉은색을 ⊕단자에, 검은색을 ⊖단자에 연결한다.

② **오실로스코프 프로브** : 컬러(⊕)프로브를 공기 유량 센서 출력 단자에, 흑색 프로브(⊖)를 차체에 접지한다.

측정 위치

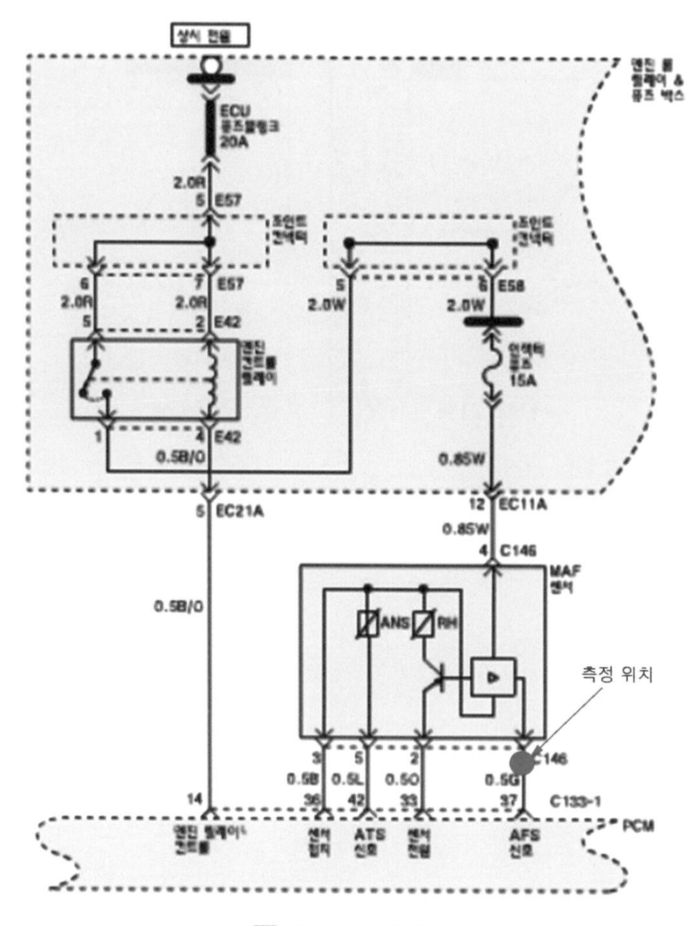

회로도 측정 위치

③ **Hi-DS 실행** : 부팅이 완료된 상태에서 모니터 바탕 화면에 Hi-DS 아이콘을 더블 클릭한다.

④ **차종 선택** : 차종 선택 버튼을 클릭하여 차량의 정보를 입력한다.

㉮ **저장되어 있는 차량** : 차대 번호(지공용), 차량 번호(일반용)창에 있는 해당 데이터를 클릭하면 저장되어 있는 정보가 자동으로 설정된다.

㉯ **새로운 차량** : 차대 번호(지공용) 또는 차량 번호(일반용)창에서 일반 차량을 선택한 후 고객정보와 차종을 입력한다.

MAFS 커넥터에 프로브 연결

초기화면(아이콘 클릭)

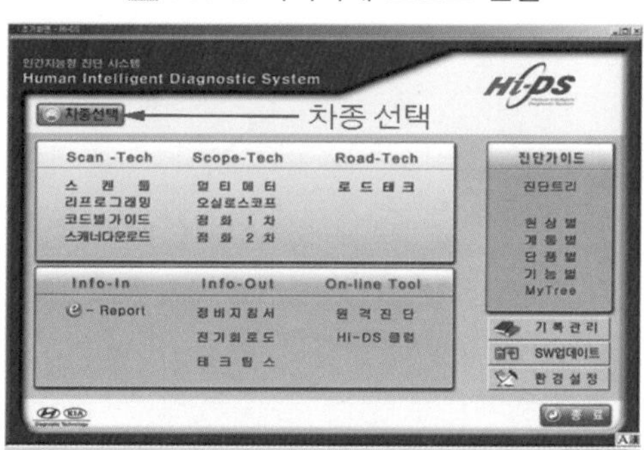

차종선택 화면

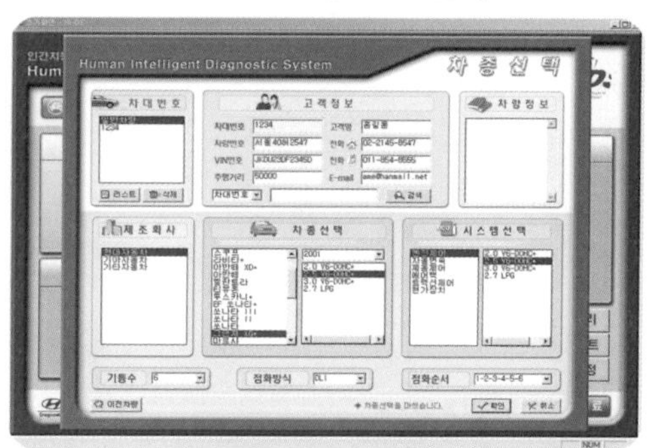

차량 선택 화면

⑥ **오실로 스코프를 클릭하고** 환경 설정 버튼 을 눌러 측정 제원을 설정한다(UNI, 10V, DC 시간축 : 1.0~1.5ms, 일반선택). 모니터 하단의 채널 선택을 공기 유량 센서 출력 단자에 연결한 채널을 선택한다.

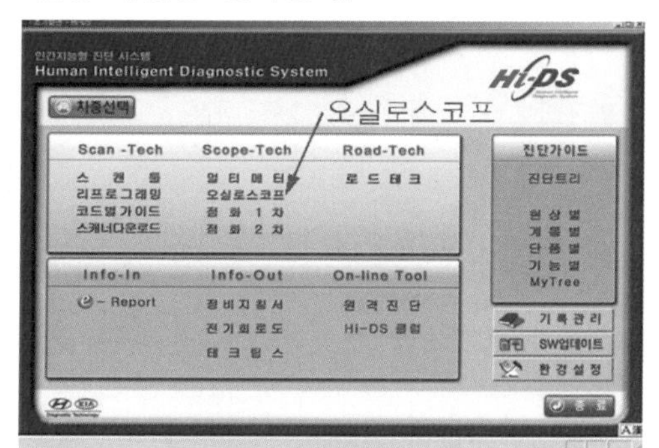

오실로 스코프 선택

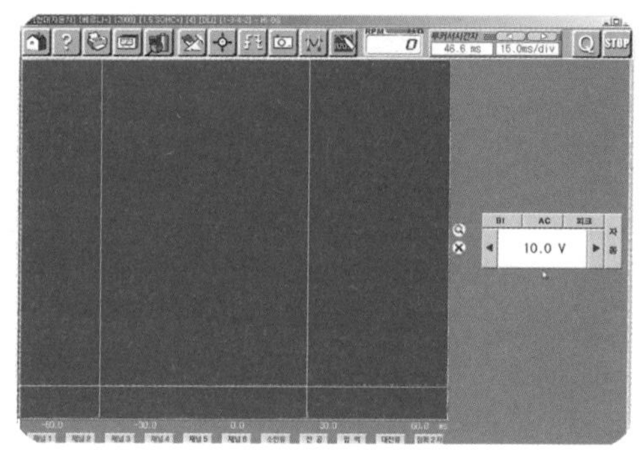

환경 설정

3. 공기 유량 센서 파형(MAFS)의 파형분석 실습 현장 사진

1) 스캐너를 이용한 측정

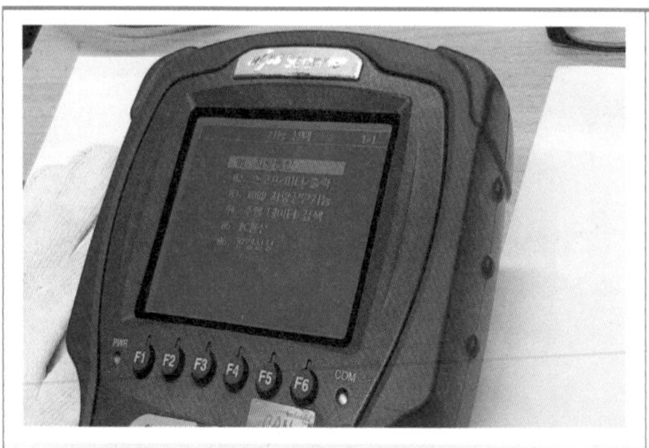

프로브 채널 A와 B에 연결하고 준비를 한다. 일반적인 시험장에서는 설치되어 있는 상태로 준비되어 있다.

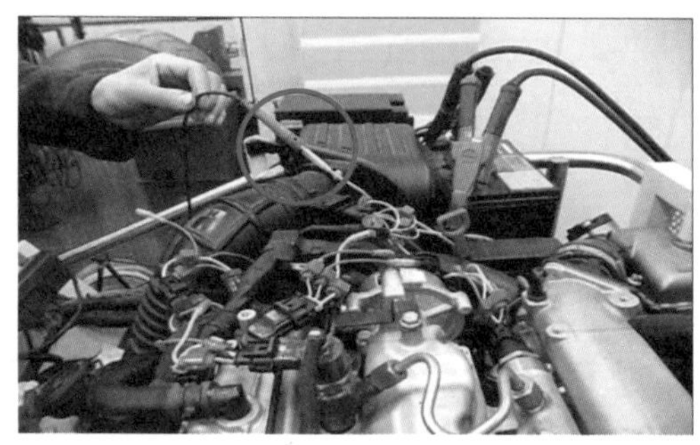

A 채널 프로브를 MAFS 출력단자 꽂는다. 시뮬레이터는 측정할 수 있게 단자를 가지치기해 놓았다.

프로브 침을 MAFS 커넥터 출력단자에 꽂았을 때 몸체와 접촉이나 프로브끼리 접촉되지 않도록 한다.

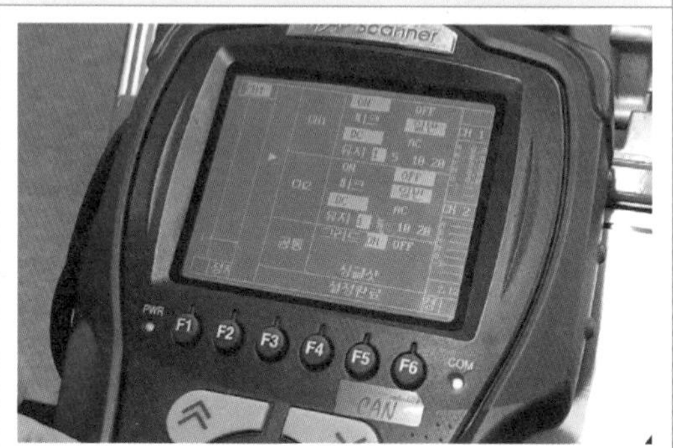

스코프 설정 화면에서 A채널과 전압값, 시간 등을 설정하고 확인을 눌러서 측정을 한다.

2) Hi-DS를 이용한 측정

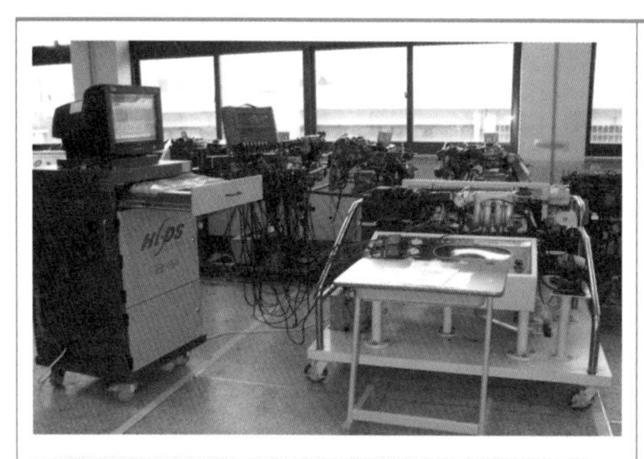

시험장에 하이디에스 진단기가 설치되어 있으며 초기화면과 프로브가 센서에서 분리된 상태에 있다.

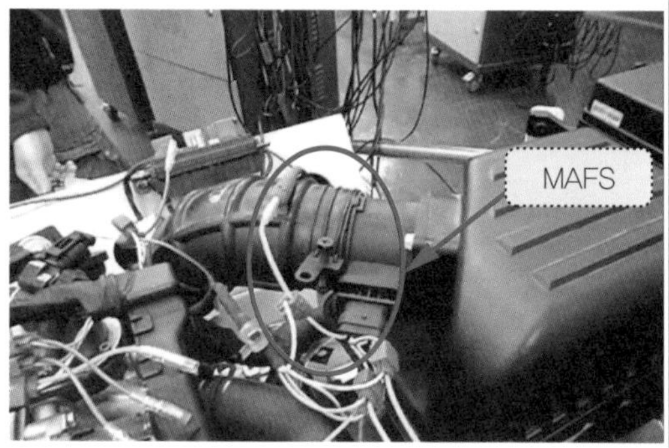

채널 프로브(+)를 MAFS 커넥터 출력 단자에 꽂고 몸체에 단락이나 접촉이 되지 않도록 한다.

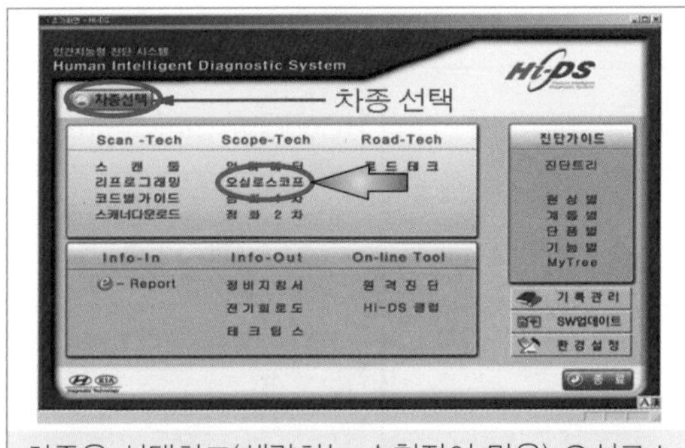

차종을 선택하고(생략하는 수험장이 많음) 오실로스코프를 클릭하여 화면을 띄운다.

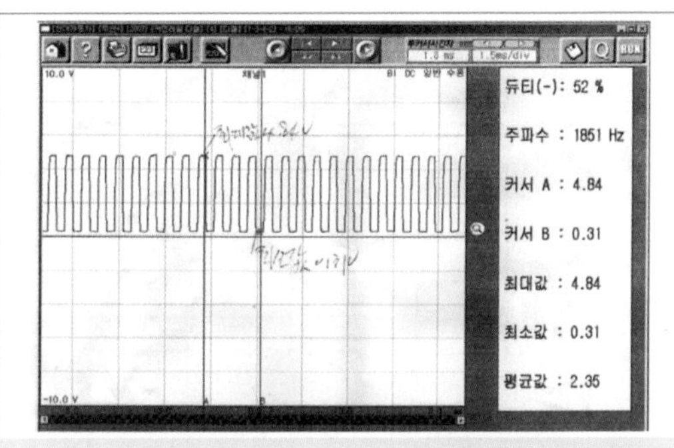

측정 화면을 정지시키고 분석한 다음 출력하여 파형의 내용을 기록한 후 답안지 뒷면에 풀로 붙여서 제출한다.

06 스텝 모터 & ISCA 파형(Step Motor & ISA Wave)의 분석

스텝 모터 파형(Step Motor Wave) & ISCA : Idle Speed Control Actuator Wave)의 분석은 스텝 모터의 성능 등을 점검하여 스텝 모터의 고장 원인과 정비 및 조치사항을 알 수 있는가를 측정하는 문제이다.

아이들 스피드를 조정하기 위한 공기량을 가감하는 장치로 ECU의 디지털 신호에 의해 스텝 모터가 좌, 우로 회전함에 따라서 마그넷(전자석) 축에 스크루로 연결된 핀틀의 길이가 감소되거나 증가되어 바이패스 포트를 제어하기 때문에 바이패스 되는 흡입 공기량을 조절하여 공전 속도를 제어한다. 수검자는 반드시 파형을 프린트하여 정상 파형과 비교하고 서술한 후 답안지에 첨부하여 제출한다.

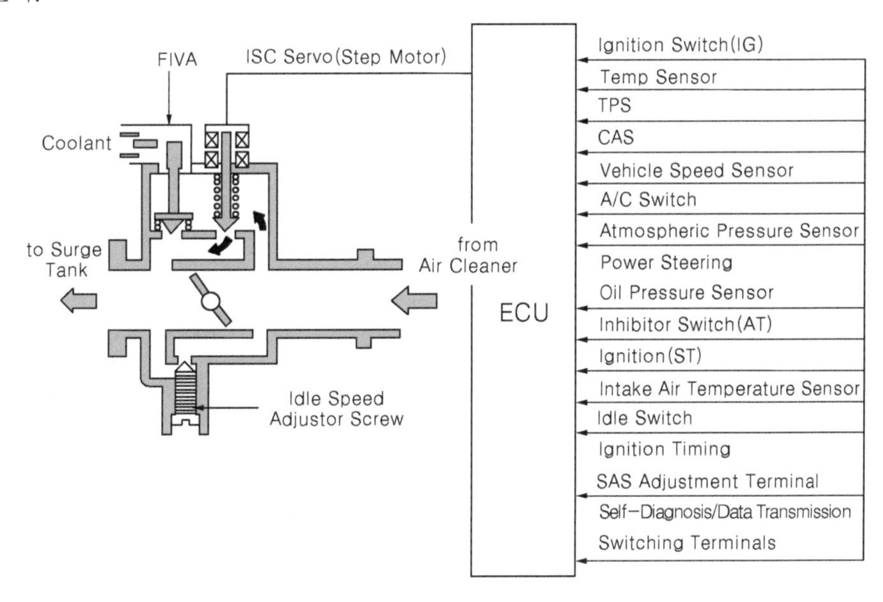

스텝 모터 방식의 공전 조절 시스템

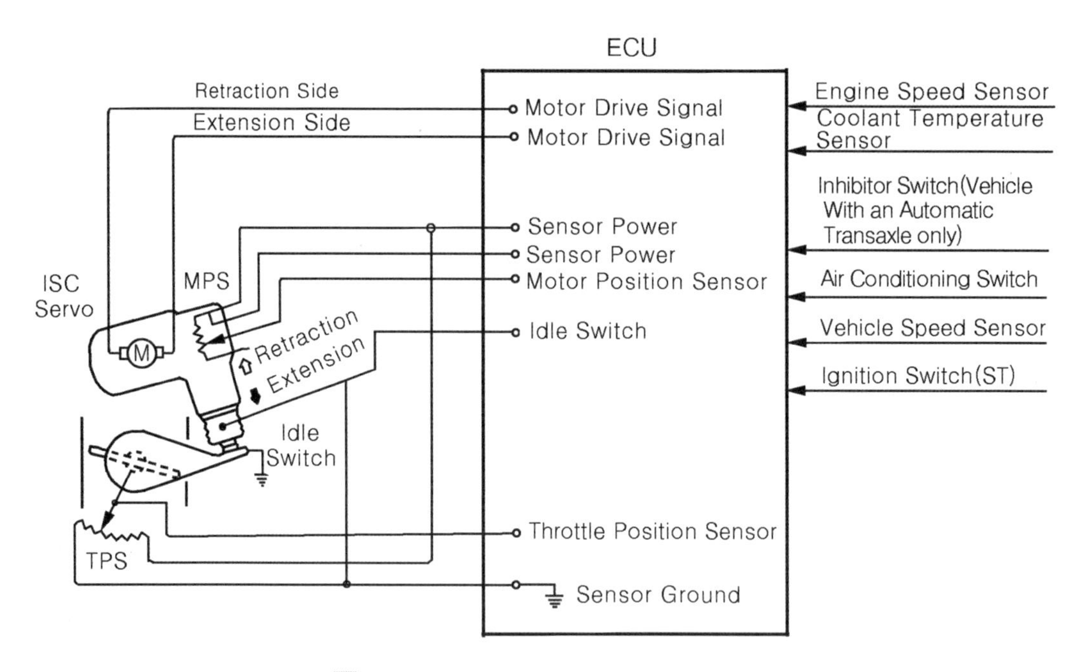

ISC 서보 방식의 공전 조절 시스템

■ 스텝 모터 & ISCA의 제원

항목 \ 엔진		아반떼 RD (1.5)-1995	NF 쏘나타 2.0(2.0DOHC)-2007
공전 속도 조절 서보 (ISCA : Idle Speed Control Actuator)	열림 코일	14.9~16.1 Ω(20℃)	11.1~12.7 Ω(20℃)
	닫힘 코일	17.0~18.2 Ω(20℃)	14.6~16.2 Ω(20℃)

1. 스텝모터 & ISCA 파형의 분석 방법

스텝모터 ISCA의 파형 측정은 엔진 시동이 걸려있는 상태에서 측정이 가능하다. 튠업용 엔진이나 실제 차량이 준비되어 있고 그 옆에는 테스터기가 책상 위에 놓여 있을 것이다. 엔진의 시동을 걸고 테스터기를 연결하여 파형을 보고 감독 위원에게 고장 난 부분과 수리방법을 답안지에 기록하여야 하나 파형을 프린트하여 그것을 답안지에 부착하여야 한다. 시동이 걸려 있는 엔진에서 측정하여야 하기 때문에 안전에 각별히 유의하여야 하며 작업복이나 긴 머리카락 등이 회전체에 닿지 않도록 신중을 기한다.

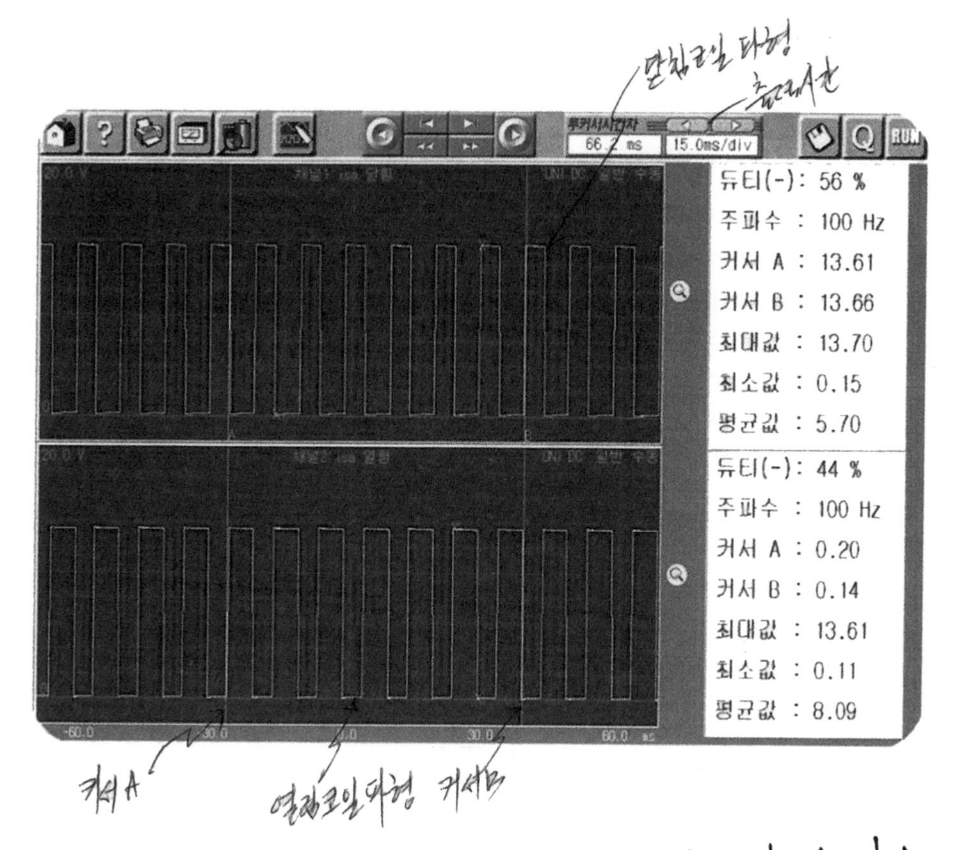

1. 닫힘코일: 듀티(-) 56% 이고, 주파수 100Hz, 커서 A에서의 전압은 13.61V. B에서의 전압은 13.66V으로 충전전압을 나타내고 있고 파형이 주기적이고 노이즈도 없으며 정상파형임.

2. 열림코일: 듀티(-) 44%, 주파수 100Hz, 커서A에서 단순전압은 0.20V, B에서의 단순전압은 0.14V로 0V에 가까우므로 파형이 주기적이고 노이즈가 없으므로 정상파형임.

답안지 작성 예시

1) 정상 파형

공전속도 조절 밸브(ISCA : Idle Speed Control Actuator)는 열림측(1)과 닫힘측(2)의 코일로 구성되어 있으며 가속시 등 스로틀 밸브가 많이 열리는 상태에서는 열림측 작동 듀티가 닫힘측보다 높다. 두 코일의 작동 듀티는 산술적으로 합할 때 100%가 되어야 한다.

① ㉮는 ISC 밸브 열림 구간으로 1주기를 100%로 볼 때 약 34%가 열려 있음을 나타내고 있다. 이는 전체 열림 중에서 34%를 열었음을 표시한다.

② ㉯는 ISC 밸브 닫힘 구간을 나타내며 이 구간은 ECU에서 제어하지 않는 구간을 표시한다.

③ ㉰는 1주기의 시간이 10ms으로 주파수는 100Hz로 제어되고 있다. 100Hz의 빠른 주기로 반복 작용하기 때문에 정지 상태에서 미세하게 움직이는 동작처럼 작용을 한다.

④ ㉱는 공급 전원으로 알터네이터 전원을 표시한다.

⑤ ㉲는 동작 전원을 나타내며 ECU의 TR ON 전원으로 접지 전원(0V)에 가까워야 한다.

⑥ ㉳와 ㉴는 공급 전원 및 접지 전원을 나타내며, 일직선으로 깨끗해야 한다. 모양이 깨끗하지 못하면 배선 및 ECU 구동 회로를 확인한다.

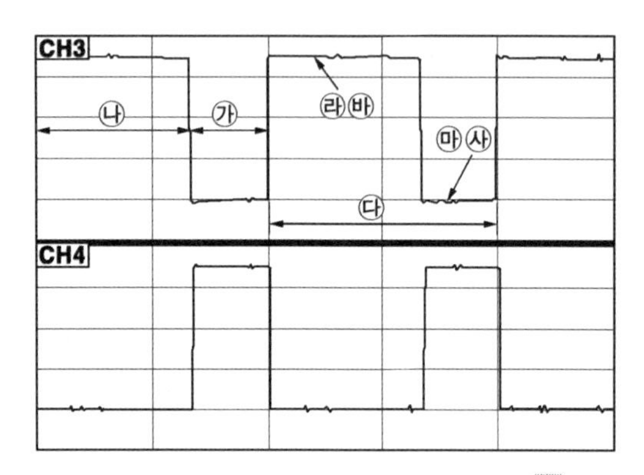

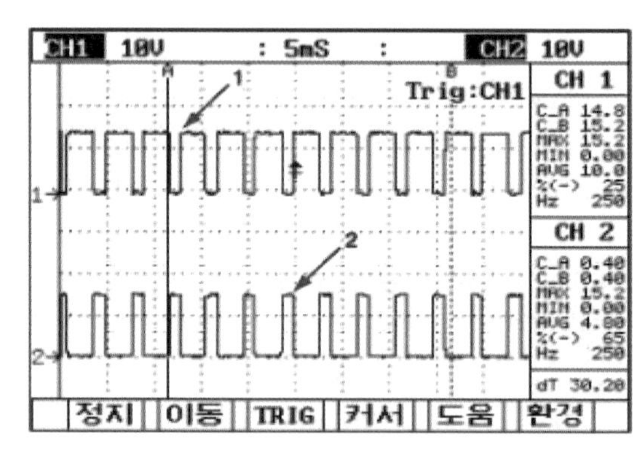

ISA 방식 정상파형

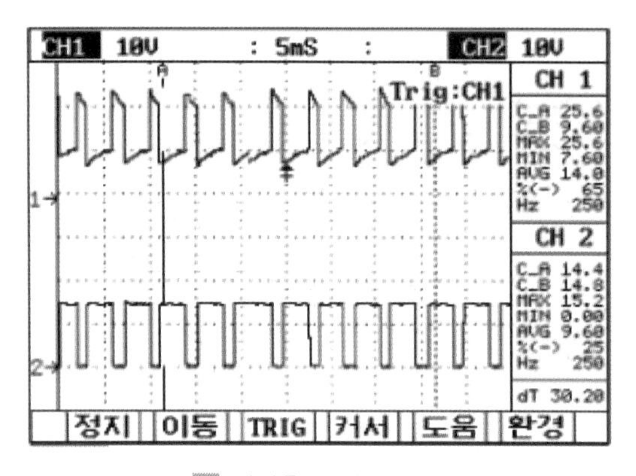

열림측 코일의 단선

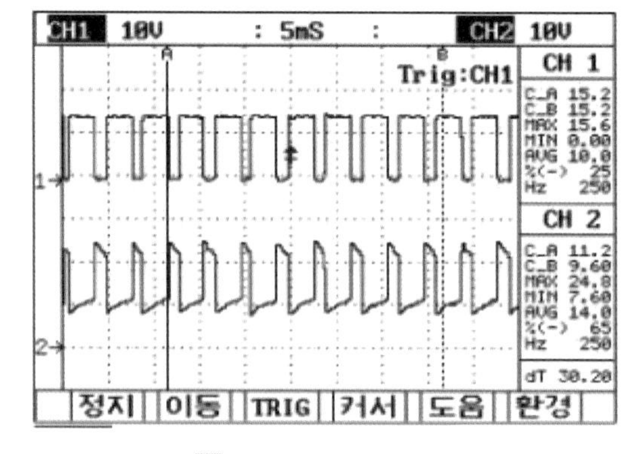

닫힘측 코일의 단선

2. 스캐너를 이용한 스텝 모터 & ISCA 파형의 측정 방법

① 점화 스위치를 OFF시킨다.

② 진단기의 ⊖리드선을 배터리 ⊖에 접지시키고 ⊕ 리드선을 스텝 모터의 커넥터 단자에 연결한다.

ISCA 설치 위치

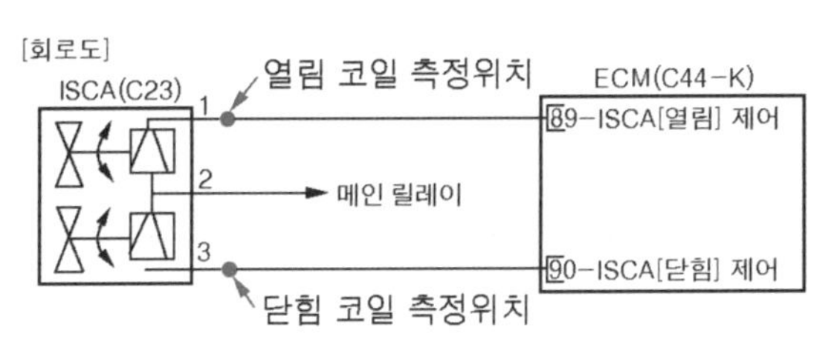

[커넥터 정보]

단자	연결 부위	기능
1	ECM C44-K (89)	ISCA (열림) 제어
2	메인릴레이	전원 (B+)
3	ECM C44-K (90)	ISCA (닫힘) 제어

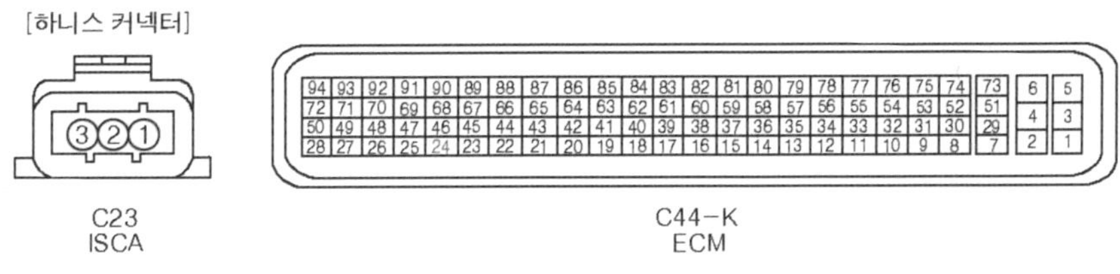

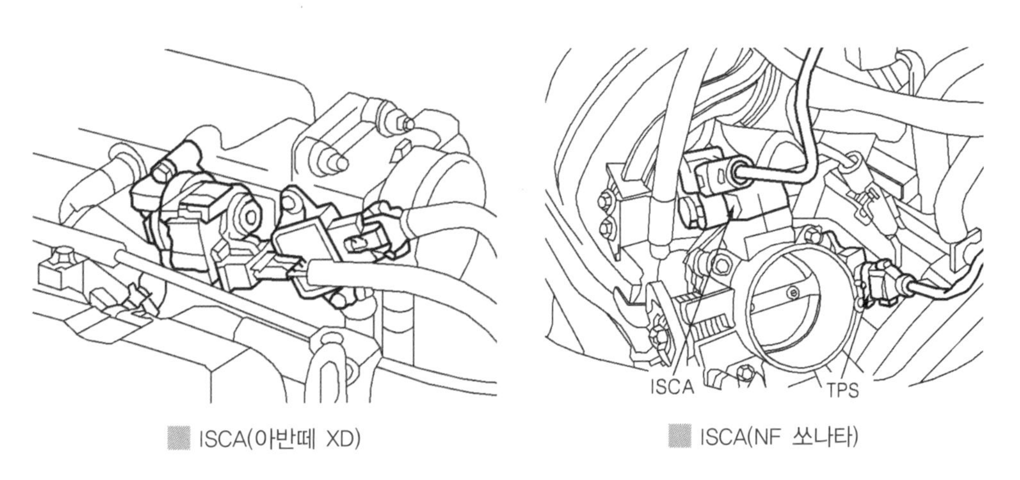

ISCA(아반떼 XD)

ISCA(NF 쏘나타)

③ 하이디에스 스캐너를 "ON"시키면 제품명 화면이 열린다. Enter↵ 키를 누르면 소프트웨어 화면이 열린다.

④ 소프트웨어 화면에서 Enter↵ 키를 누르고 기능 선택 화면이 열리면, 스코프 / 미터 / 출력을 선택한다.

1단계 : 제품명 화면

2단계 : 소프트웨어 화면

Hi-DS Scanner

S/W Version : GS120KOR

Release Date : 2001 . 10 . 10

Press any key to continue ...

⑤ 스코프 / 미터 / 출력 화면에서 오실로스코프를 선택하고 전압을 조정한다.

⑥ 엔진 시동을 걸어 파형을 점검한다.

3단계 : 기능을 선택한다.

기능 선택

01. 차량통신
02. 스코프/ 미터/ 출력
03. 주행 DATA 검색
04. PC통신
05. 환경설정
06. 리프로그래밍

4단계 점화 파형을 선택한다.

스코프/미터/ 출력

01. 오실로스코프
02. 자동설정스코프
04. 멀티미터
05. 액추에이터 구동
06. 센서시뮬레이션
07. 점화파형

⑦ 오실로스코프 화면의 표시

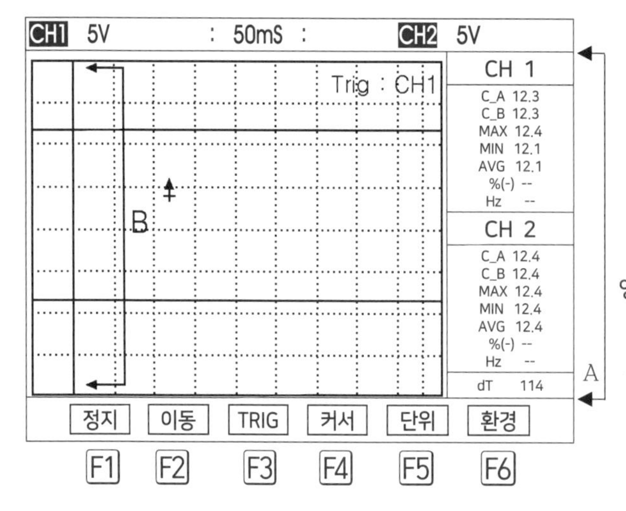

3. Hi-DS를 이용한 스텝 모터 & ISCA 파형의 측정 방법

① **배터리 전원 선** : 붉은색을 ⊕단자에, 검은색을 ⊖단자에 연결한다.

② **오실로스코프 프로브** : 컬러(⊕)프로브를 스텝 모터 & ISCA 출력 단자에, 흑색 프로브(⊖)를 차체에 접지한다.

▒ 측정 위치

③ **Hi-DS 실행** : 부팅이 완료된 상태에서 모니터 바탕 화면에 Hi-DS 아이콘을 더블 클릭한다.

④ **차종 선택** : 차종 선택 버튼을 클릭하여 차량의 정보를 입력한다.

㉮ **저장되어 있는 차량** : 차대 번호(지공용), 차량 번호(일반용)창에 있는 해당 데이터를 클릭하면 저장되어 있는 정보가 자동으로 설정된다.

㉯ **새로운 차량** : 차대 번호(지공용) 또는 차량 번호(일반용)창에서 일반 차량을 선택한 후 고객정보와 차종을 입력한다.

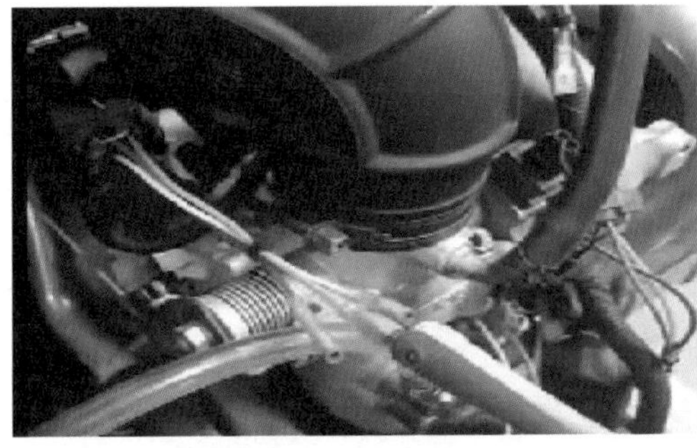

▒ 테스트 리드의 접속

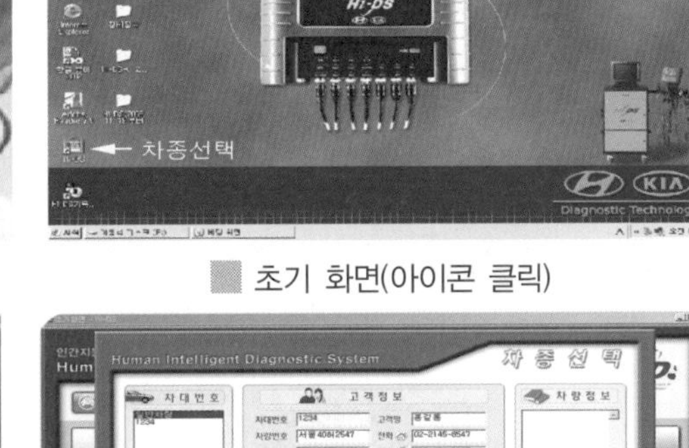

▒ 초기 화면(아이콘 클릭)

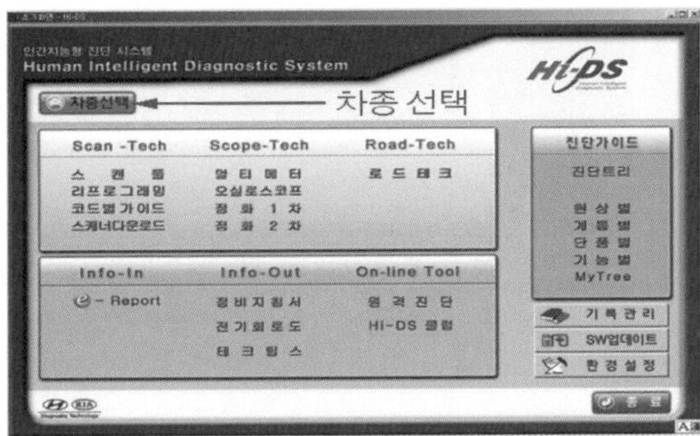

▒ 차종 선택 화면

▒ 차량 선택 화면

⑥ **오실로 스코프를 클릭하고** 환경 설정 버튼 을 눌러 측정 제원을 설정한다(UNI, 10V, DC 시간축 : 1.0~1.5ms, 일반선택). 모니터 하단의 채널 선택을 스텝 모터 & ISCA 출력 단자에 연결한 채널을 선택한다.

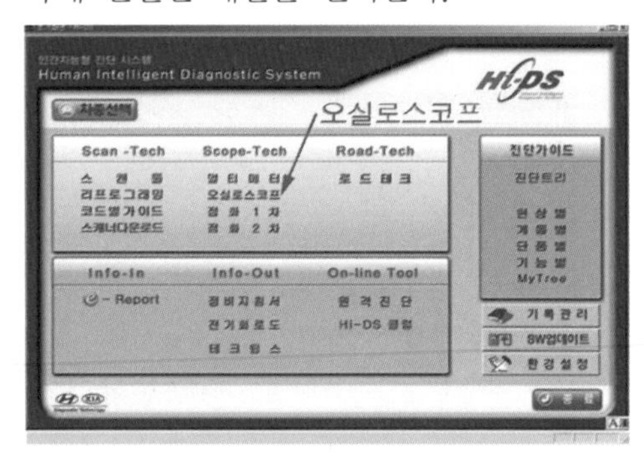

오실로 스코프 선택

환경 설정

4. 스텝 모터 & ISCA의 파형측정 실습 현장 사진

1) 스캐너를 이용한 측정

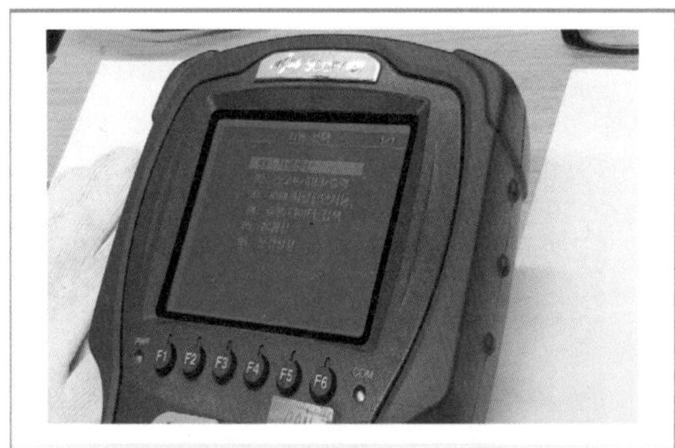	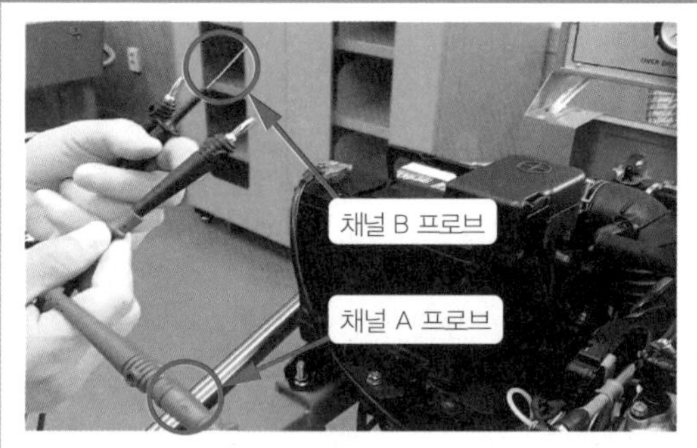
프로브 채널 A와 B에 연결하고 준비를 한다. 일반적인 시험장에서는 설치되어 있는 상태로 준비되어 있다.	A 채널 프로브를 닫힘 코일 연결 커넥터에 B 채널 프로브를 열림 코일 연결 커넥터 출력 단자에 꽂아서 준비한다.
	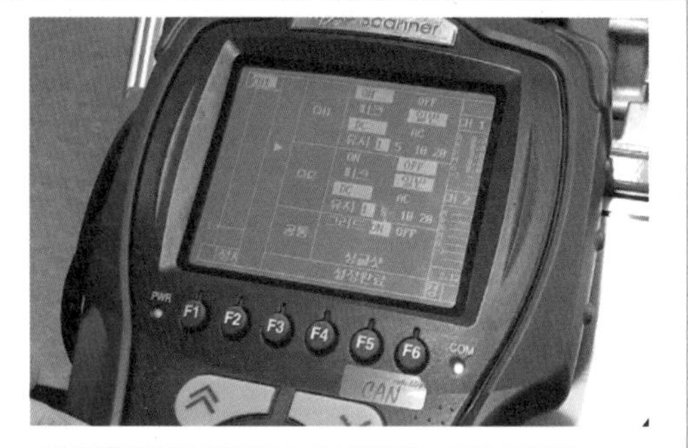
프로브 침이 ISCA 커넥터 닫힘 코일과 열림 코일 출력 단자에 꽂고 몸체와 접촉이나 프로브끼리 접촉되지 않도록 한다.	스코프 설정 화면에서 A채널과 B채널의 전압값 등을 설정하고 확인을 눌러서 측정을 한다.

2) Hi-DS를 이용한 측정

시험장에 하이디에스 진단기가 설치되어 있으며 초기화면과 프로브가 센서에서 분리된 상태에 있다.

채널 프로브(+)를 ISCA 커넥터 열림 코일과 닫힘 코일 출력 단자에 꽂고 몸체에 단락이나 접촉이 되지 않도록 한다.

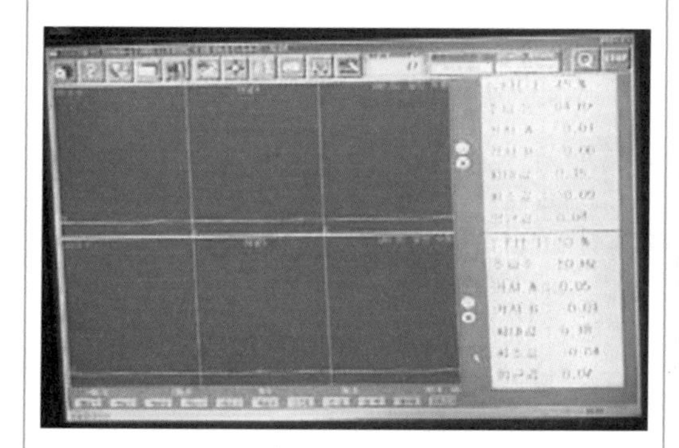

오실로스코프 화면을 띄우고 환경설정 버튼을 눌러서 2개 채널 모두 전압(10V)과 측정시간(150ms)을 입력한다.

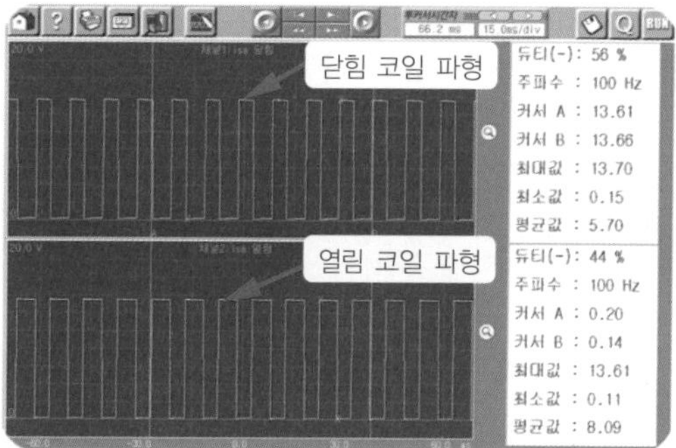

측정 화면을 정지시키고 분석한 다음 출력하여 파형의 내용을 기록한 후 답안지 뒷면에 풀로 붙여서 제출한다.

07 TDC & 캠각 센서 파형(Camshaft position Sensor Wave)의 분석

TDC & 캠각 센서 파형(Camshaft position Sensor Wave)의 분석은 1번 실린더 상사점 위치를 감지하여 연료를 분사할 실린더를 결정하는 캠각 센서의 성능을 알아보기 위한 점검이다. 캠샤프트 앵글(Camshaft angle) 센서를 줄여서 흔히 캠 앵글 센서라고 말한다. 또 캠각 센서나 캠 포지션(Camshaft position) 센서라고도 하며, 피스톤의 상사점을 감지한다고 하여 상사점 센서 또는 TDC 센서라고도 한다. 약어로 주로 CMPS를 사용한다.

캠 앵글 센서는 캠축의 위치를 검출하는 센서로, 크랭크 앵글 센서와 동일 기준점으로 하여 크랭크 앵글 센서에서 확인이 불가능한 개별 피스톤의 위치를 확인할 수 있게 한다. 고장 시는 엔진 가속 성능 저하, 연료 소모 과다, 배기가스 불량 등의 원인이 된다. 캠각 센서의 작동 전압, 크랭크각 센서와의 위상 등을 함께 점검하여 캠각 센서의 고장 원인과 정비 및 조치사항을 알 수 있는가를 측정하는 문제이다. 수검자는 반드시 파형을 프린트하여 정상 파형과 비교하고 서술한 후 답안지에 첨부하여 제출한다.

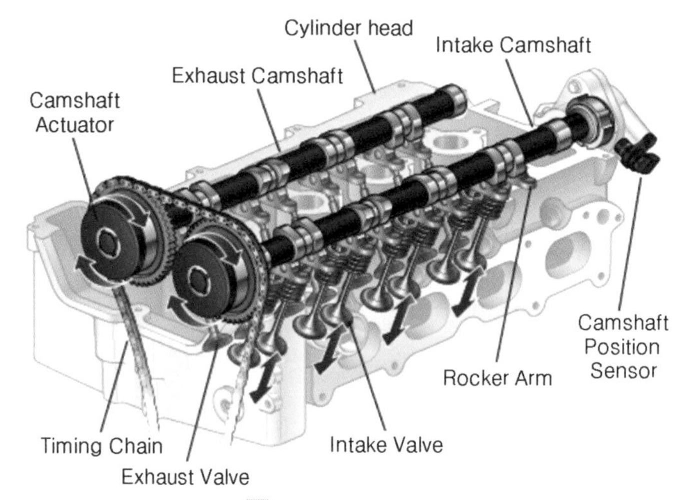

캠각 센서의 위치

■ TDC & 캠각 센서 파형의 제원

항목 \ 엔진		아반떼 RD (1.5)-1995	NF 쏘나타 2.0(2.0DOHC)-2007
캠각 센서(CMPS : Cam Shaft Position Sensor) or #1 TDC Sensor	형식	Hall Effect Type	Hall Effect Type
	전압	0~5V	0~5V
	파형	크랭크각 센서 파형 미싱 투스 3~5개 전에 ON or OFF 신호 표출	크랭크각 센서 파형 미싱 투스 3~5개 전에 ON or OFF 신호 표출
크랭크각 센서 (CKPS : Crank Shaft Position Sensor)	형식	Magnetic Type	Hall Effect Type
	전압	0~5V(주파수 600~800Hz)	0~5V
	파형	캠각 신호 반주기 동안 미싱 투스 포함 60개의 ON or OFF 신호 표출	캠각 신호 반주기 동안 미싱 투스 포함 60개의 ON or OFF 신호 표출

1. TDC & 캠각 센서 파형(CMPS)의 분석 방법

캠각 센서 파형의 분석은 크랭크각 센서와 함께 보아야 정확한 분석을 할 수 있으므로 채널을 2개로하여 함께 측정한다. 파형의 출력 전압, 파형의 빠짐, 노이즈, 빠름과 느림 등을 자세히 기록한다.

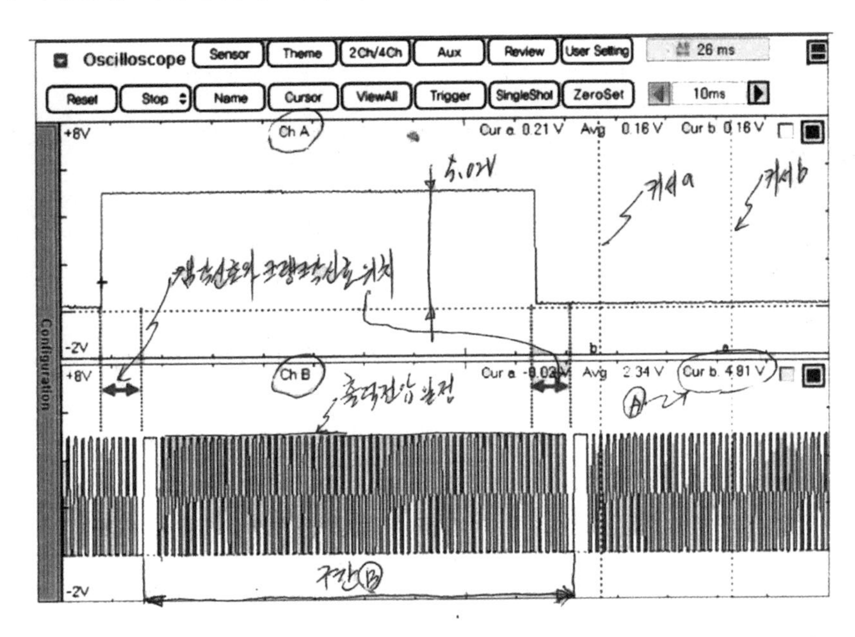

1. chA : 캠각센서(CMPS: Cam shaft position sensor) 파형으로 출력전압은 5.02V가 나오며 노이즈가 없으므로 정상파형임.

2. chB : 크랭크각 센서(CKPS: Crank shaft position sensor) 파형으로 출력전압이 4.91V(Ⓐ)로 일정하게 반복되고 구간Ⓑ에서는 미싱투스 포함 60개의 돌기가 빠짐이 없고 노이즈가 없으므로 정상파형임.

3. chA와 chB : 캠각 센서 상승(하강) 신호와 크랭크각 센서 미싱투스 사이에는 3~5개의 돌기 신호가 포함되어야 하는데 5개이므로 정상파형임.

4. 일반적으로 캠각센서의 점검은 크랭크각 센서와 함께 측정하여 보면서 고장진단을 하여야 한다.

① 센서의 신호가 규칙적인지 확인한다. – 톤 휠과 센서의 간극 불량 등을 점검한다.

② 가·감속 시 파형의 빠짐이 있는지 또는 노이즈(Noise : 소음, 잡음, 시끄러움)가 있는지 확인한다. – 센서 부위의 이물질 부착, 배선의 접촉 불량 등 점검한다.

③ 최고 전압과 최저 전압의 차이와 불규칙 등을 확인한다 – 톤 휠이 휘거나 깎임 등을 점검한다.

④ CMPS와 CKPS의 동기신호가 맞는지 확인한다 – 타이밍 벨트의 타이밍 마크 불량 조립을 점검한다.

⑤ CKPS와 CMPS 신호가 나오는지 확인한다 – CKPS나오면 타이밍 벨트의 끊어짐을 점검한다.

2. 스캐너를 이용한 TDC & 캠각 센서 파형(CMPS)의 측정 방법

① 점화 스위치를 OFF시킨다.

② 진단기의 ⊖ 프로브를 배터리 ⊖에 접지시키고 ⊕ 프로브를 감독 위원이 지시하는 캠각 센서 (흡기 또는 배기) 연결 커넥터의 출력 단자에 꽂는다.

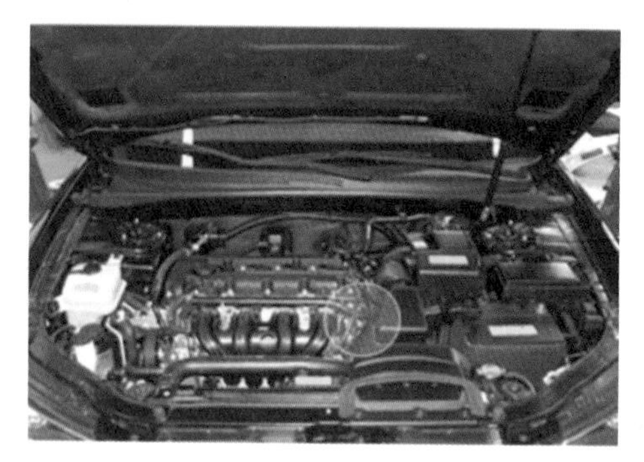

캠각 센서 설치 위치

[회로도]

CMPS #1 (C05-1)

2 — 83-센서 접지

3 — 62-CMPS#1 신호

1 → 메인 릴레이

CMPS #2 (C05-2)

2 — 37-센서 접지

3 — 15-CMPS#2 신호

1 → 메인 릴레이

ECM(C44-K)

[연결 정보]

CMPS#1

단자	연결 부위	기능
1	메인릴레이	전원 (B+)
2	ECM C44-K (83)	센서 접지
3	ECM C44-K (62)	CMPS#1 신호

CMPS#2

단자	연결 부위	기능
1	메인릴레이	전원 (B+)
2	ECM C44-K (37)	센서 접지
3	ECM C44-K (15)	CMPS#2 신호

[하니스 커넥터]

Co5-1.2
CMPS

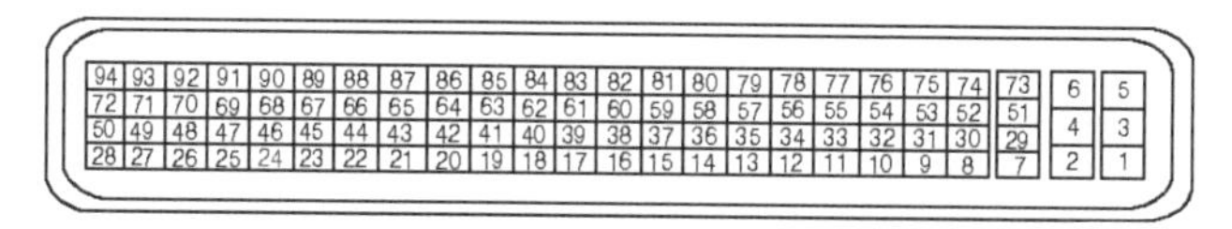

C44-K
ECM

커넥터(흡기)

커넥터(배기)

③ 하이디에스 스캐너를 "ON"시키면 재품명 화면이 열린다. [Enter↵] 키를 누르면 소프트웨어 화면이 열린다.

④ 소프트웨어 화면에서 [Enter↵] 키를 누르고 기능 선택 화면이 열리면, 스코프 / 미터 / 출력을 선택한다.

1단계 : 제품명 화면

2단계 : 소프트웨어 화면

Hi-DS Scanner

S/W Version : GS120KOR

Release Date : 2001 . 10 . 10

Press any key to continue ...

⑤ 스코프 / 미터 / 출력 화면에서 오실로스코프를 선택하고 전압을 조정한다.

⑥ 엔진 시동을 걸어 파형을 점검한다.

3단계 : 기능을 선택한다.

기능 선택

01. 차량통신
02. 스코프/ 미터/ 출력
03. 주행 DATA 검색
04. PC통신
05. 환경설정
06. 리프로그래밍

4단계 점화 파형을 선택한다.

스코프/미터/ 출력

01. 오실로스코프
02. 자동설정스코프
04. 멀티미터
05. 액추에이터 구동
06. 센서시뮬레이션
07. 점화파형

⑦ 오실로스코프 화면의 표시

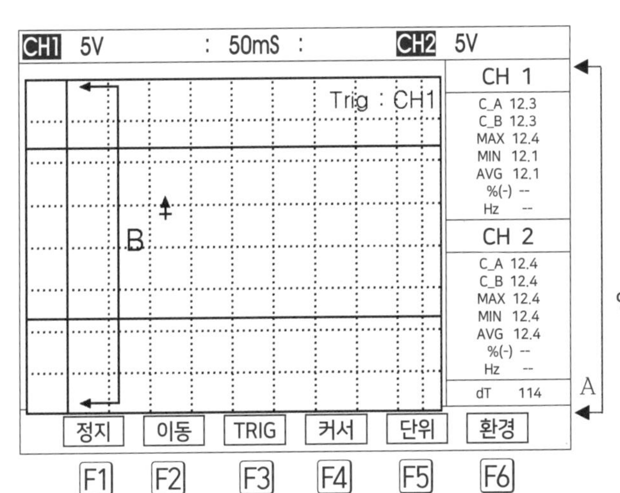

영역 A-채널의 전압의 단위, 시간단위

3. Hi-DS Scanner를 이용한 TDC & 캠각 센서 파형(CMPS)의 고장진단 방법

① **정상 파형** : 캠 신호의 1/2 주기 동안 크랭크각 신호는 미싱 투스 포함 60개의 돌기 신호가 표출되어야 한다.
캠각 센서 하강(상승) 신호와 미싱 투스 사이에는 3~5개의 크랭크각 센서의 돌기 신호가 표출되어야 한다.
각 신호의 잡음, 파형의 빠짐, 동기 신호의 이상 등을 점검한다.

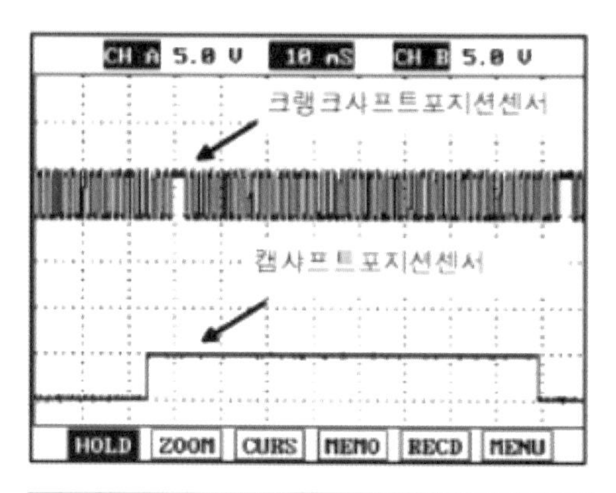

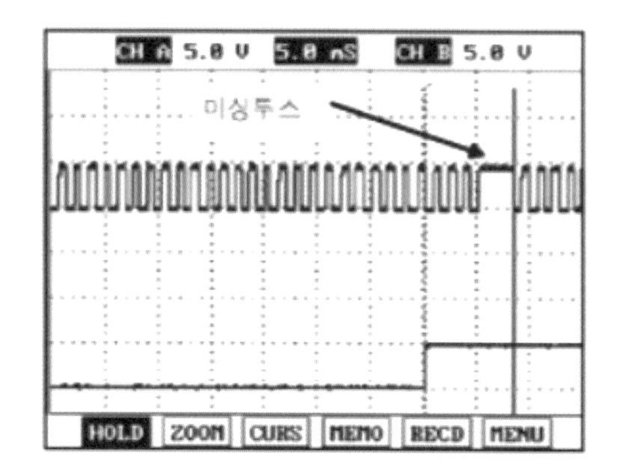

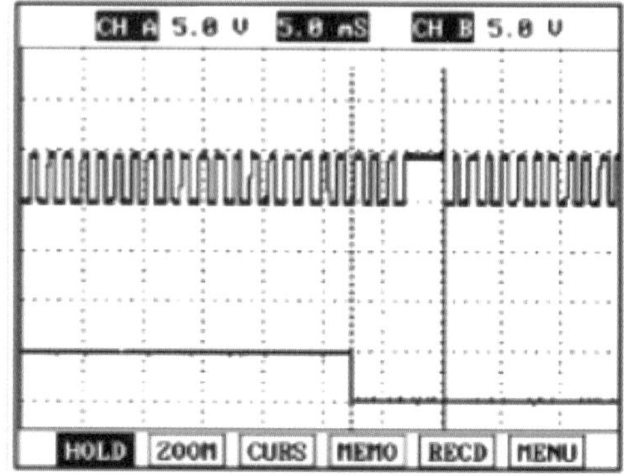

▒ 정상 파형

4. Hi-DS를 이용한 TDC & 캠각 센서 파형(CMPS)의 고장진단 방법

① **배터리 전원 선** : 붉은색을 ⊕단자에, 검은색을 ⊖단자에 연결한다.

② **오실로스코프 프로브** : 컬러 프로브를 TDC & 캠각 센서 출력 단자에, 흑색 프로브를 차체에 접지한다.

③ 엔진을 워밍업시킨 후 공회전시킨다.

④ Hi-DS 초기 화면에서 차종을 선택하여 차량 제원을 설정한 후 확인 버튼을 누른다.

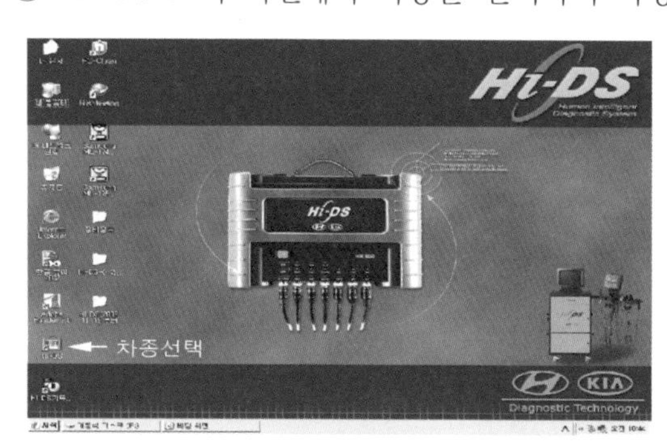

▒ 초기화면

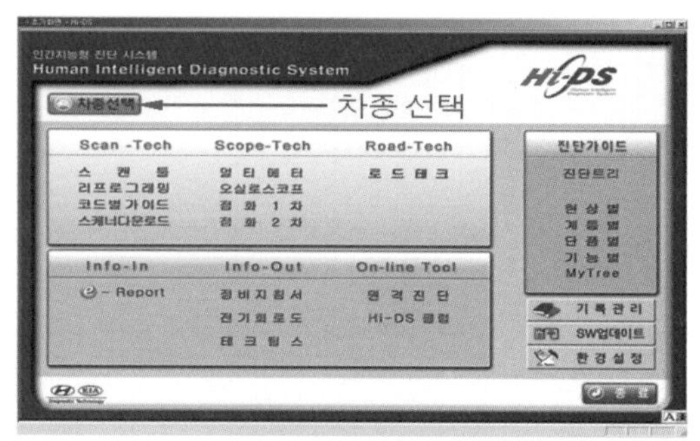

▒ 차종선택 화면

⑤ 오실로스코프 항목을 선택한다.

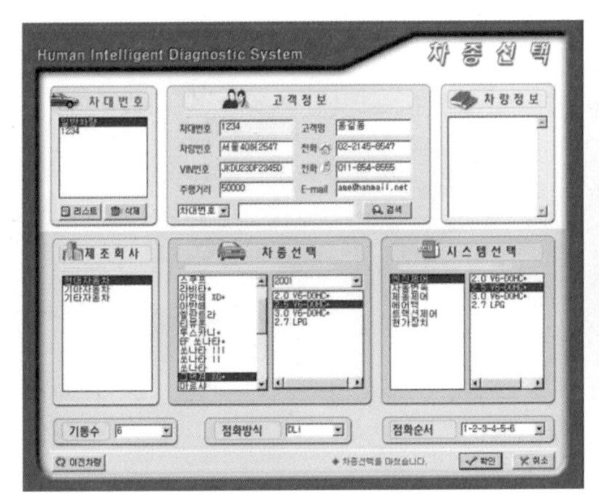

▒ 고객정보 입력화면

▒ 오실로스코프 선택 화면

④ 환경 설정 버튼 [ ] 을 눌러 측정 제원을 설정한다.

(UNI, 10V, DC 시간축 : 1.0~1.5ms, 일반 선택)

모니터 하단의 채널 선택을 TDC & 캠각 센서 출력 단자에 연결한 채널 선으로 선택한다.

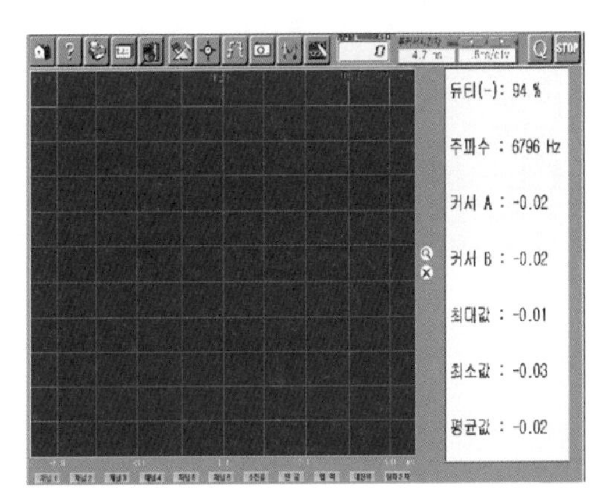

▒ 오실로스코프 화면

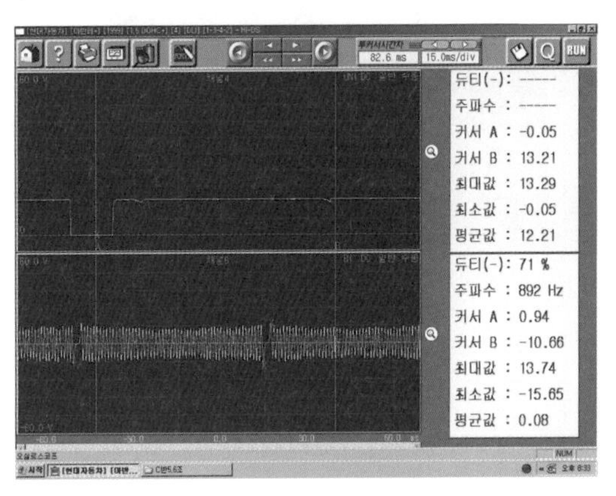

▒ 측정 화면

5. TDC & 캠각 센서 파형(CMPS)의 파형분석 실습 현장 사진

1) 스캐너를 이용한 측정

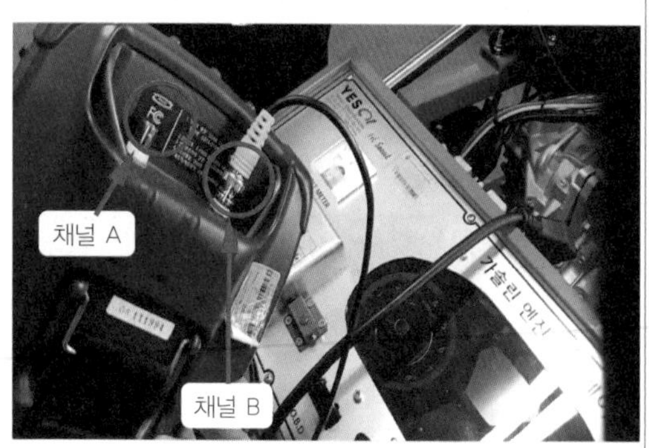

프로브 채널 A와 B에 연결하고 준비를 한다. 일반적인 시험장에서는 설치되어 있는 상태로 준비되어 있다.

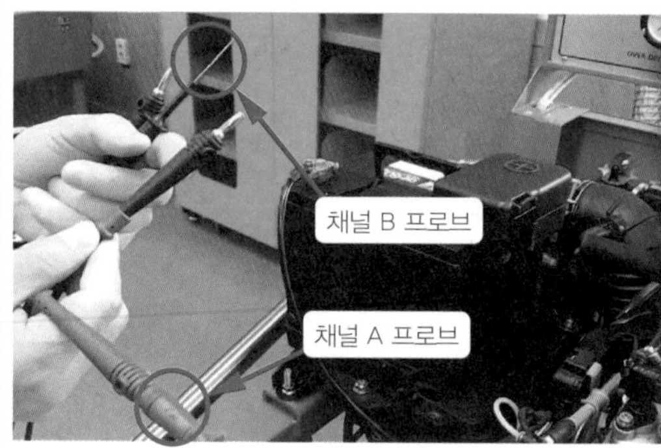

A 채널 프로브를 CMPS 연결 커넥터에 B 채널 프로브를 CKPS 연결 커넥터 출력 단자에 꽂아서 준비한다.

프로브 침이 CMPS 커넥터 출력 단자에 꽂혀져 있는 모습이다. 엔진의 시동을 걸고 측정을 한다.

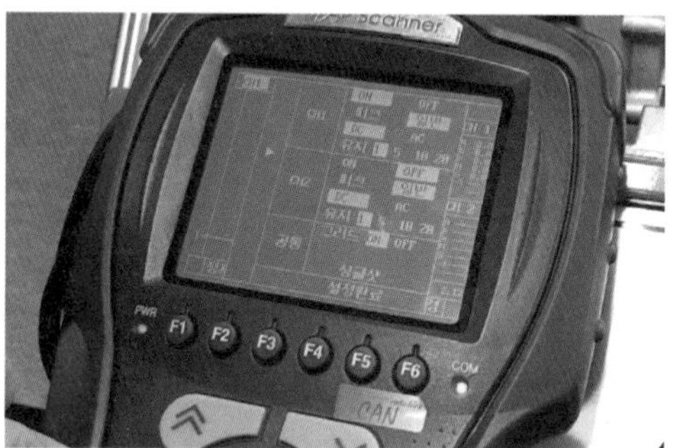

스코프 설정 화면에서 A채널과 B채널의 전압값 등을 설정하고 확인을 눌러서 측정을 한다.

2) Hi-DS를 이용한 측정

시험장에 하이디에스 진단기가 설치되어 있으며 초기화면과 프로브가 센서에서 분리된 상태에 있다.

프로브를 CKPS와 CMPS 커넥터 출력 단자에 찔러 꽂고 환경 설정을 하고 시동을 걸어서 측정을 한다.

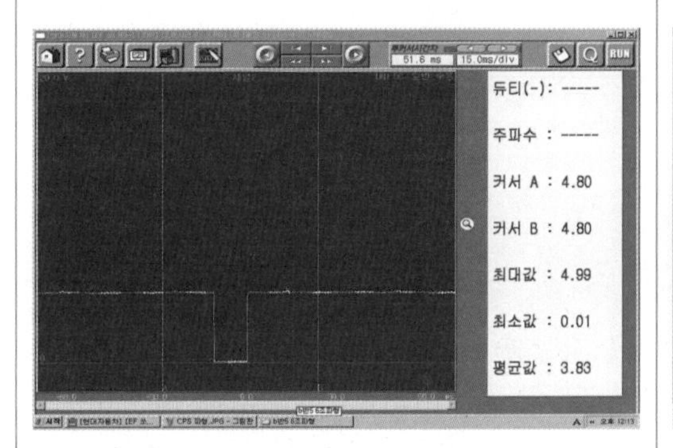

화면에 CMPS 파형만 보이지만 채널을 하나만 선택한 모습이다. CKPS 채널도 선택해서 같이 보도록 한다.

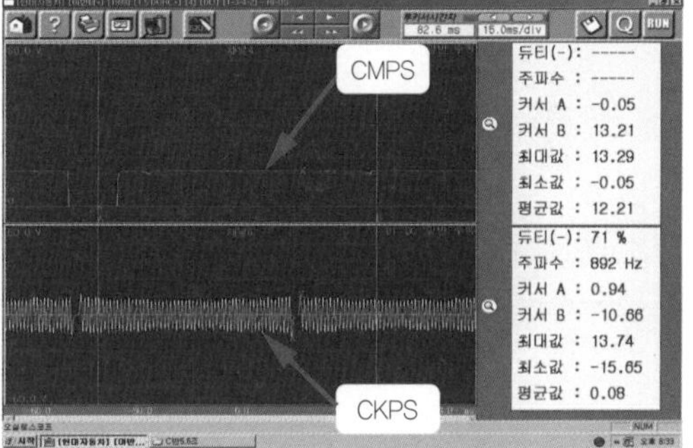

커서를 움직여서 캠각 센서와 크랭크각 센서의 동기 부분, 출력 전압 등을 분석하고 출력하여 파형의 내용을 기록한다.

3) Hi-DS 프리미엄을 이용한 측정

(+) 프로브를 캠각 센서 커넥터 출력 단자에 꽂고 준비를 한다. 이때 크랭크각 센서도 같이 준비한다.

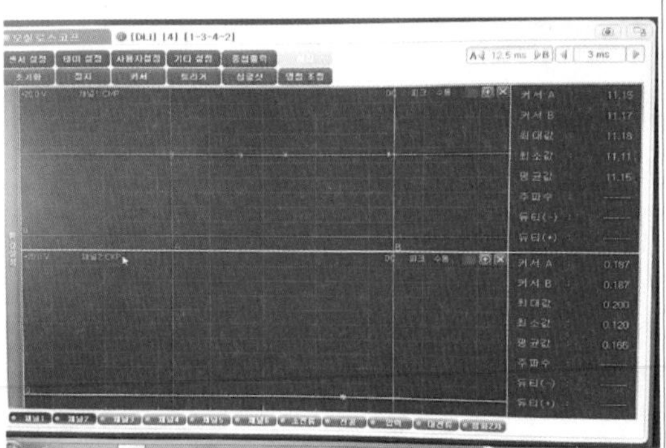

오실로스코프 화면으로 위가 CMPS 출력, 아래가 CKPS 출력 화면이다. 전압 설정이 잘못되면 환경 설정에서 조정한다.

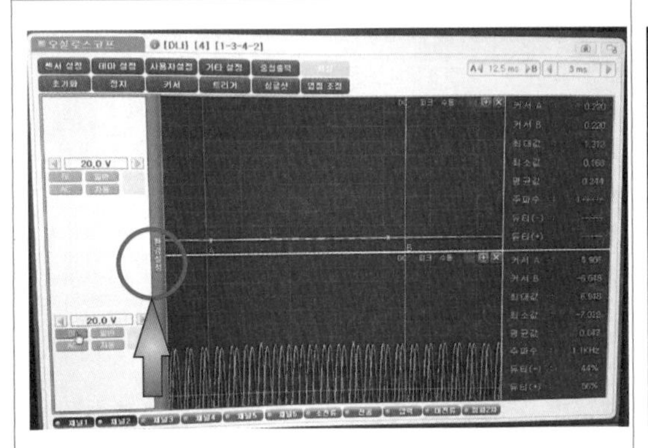

환경 설정을 클릭하면 전압 설정 화면이 나온다. B1을 클릭하고 전압을 설정하면 화면이 정상적으로 보인다.

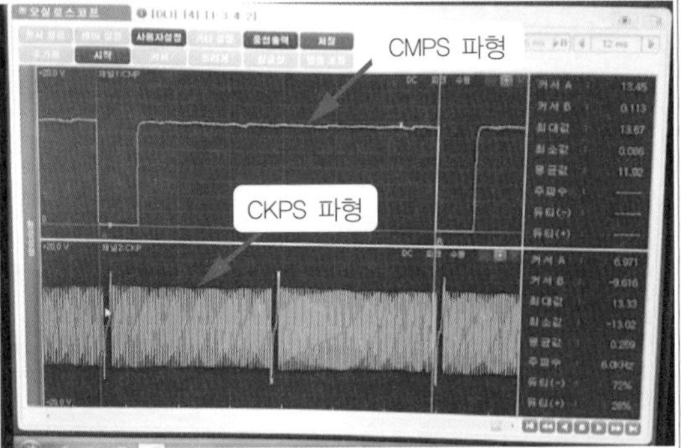

가장 잘 나온 상태에서 화면을 정지하고 오른쪽 위에 프린트 아이콘을 눌러서 출력하여 파형을 분석하고 출력물에 서술하여 답안지에 부착한 후 제출한다.

Chapter 6

디젤 엔진

01 실습장에 많이 보유중인 현대 디젤 엔진의 종류

1. 현대 D 엔진

시험장에 실습용으로 가장 많이 사용되고 있는 엔진이 싼타페 엔진이다. 국내 최초의 CRDi 디젤 엔진은 2000년 11월에 싼타페 1세대(SM)와 현대 트라제 XG에 최초로 장착되었다. 완전한 순수 국내 개발은 아니지만 당시의 첨단 기술이 모두 적용된 획기적인 엔진이었다. 이후 2000년부터 2009년까지 2.0L급 현대·기아 승용형 디젤 엔진이었으며 터빈을 VGT로 개량한 버전과, 보어를 늘려 2.2L 버전도 출시되었다.

2009년에 R 엔진이 후속으로 나와 단종 되었으며, 2021년 기준 유로 3 사양의 경우 배출가스 5등급에 해당하며 DPF를 사제로 장착하지 않으면 단속대상이 된다. 조기 폐차하거나 매연 저감장치를 장착해야 운행이 가능하다.

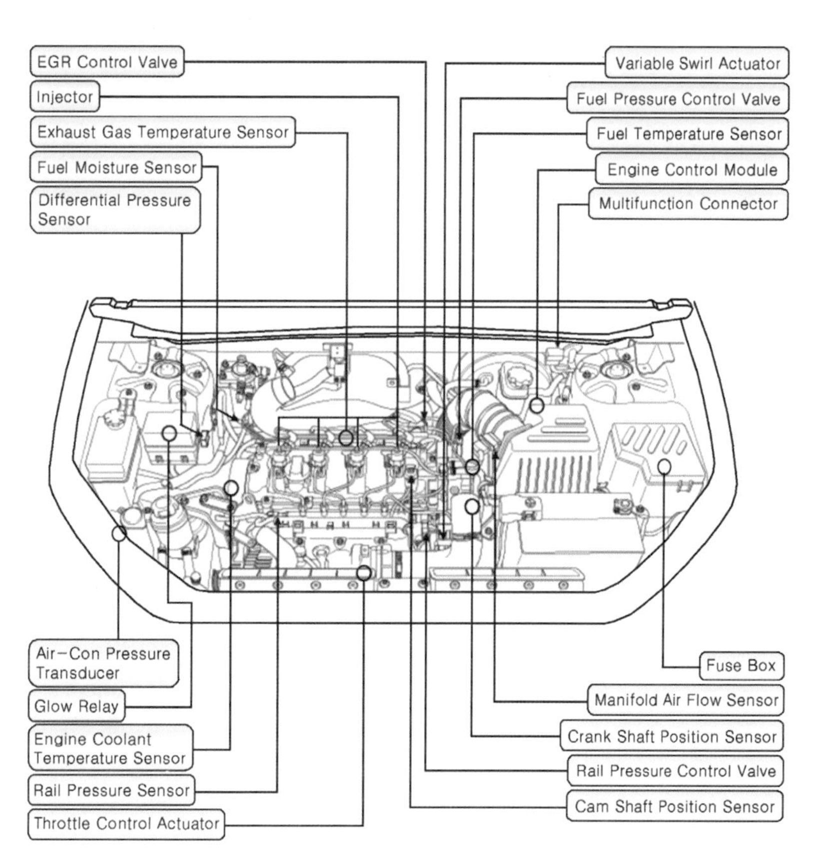

구성 부품 설치 위치(현대 D 엔진 2.0)

■ D 엔진 제원 및 사용차량

형식명	배기량 (cc)	보어 × 스트로크 (mm)	사양	출력 (PS/RPM)	토크 (kg·m/RPM)	차종
D4EA	1,991	83 × 92	2.0	싼타페 SM 2.0		싼타페(SM,CM), 트라제XG, 카렌스, 투싼(JM), 로체, 스포티지(KM), 쏘나타(NF)
				115/5000	26.5/2000	
D4EB	2,188	87 × 92	2.2	싼타페 CM 2.2		싼타페(CM), 그랜저(TG)
				200/3,800	43.0/1,800~2,500	

■ 싼타페 생산 년도

세대 \ 년도		00	01	02	03	04	05	06	07	08	09	10	11	12	13	14	15	16	17	18	19	20	21	22	23
1세대 (SM)	2.0 D엔진	■	■	■	■	■	■																		
2세대 (CM)	2.0 TCI-D엔진							■	■	■	■														
	2.2 TCI-D엔진							■	■	■	■														
	2.0 TCI-R엔진											■	■	■											
	2.2 TCI-R엔진											■	■	■											
	2.7 L MPI											■	■	■											
	2.4 MPI											■	■	■											
3세대 (DM)	2.0 TCI-R엔진														■	■	■	■	■	■					
	2.2 TCI-R엔진														■	■	■	■	■	■					
	2.0 T-GDI																	■							
4세대 (TM)	2.0 TCI-R엔진																				■	■			
	2.2 TCI-R엔진																				■	■			
	2.0 T-GDI																				■	■			
	2.2 TCI-NEW R																						■	■	
	2.5 T-GDI 세타Ⅲ																						■	■	

■ 싼타페 세대별 엔진의 종류-1

세대 구분	1세대(SM)	2세대(CM)
출시 일자	2000년 6월	2005년 11월
엔진 & 배기량(cc)	•현대 D4EA(1991)-115 •미쓰비시 4G63(1997)-126 •현대 L6BA/G6BA(2656)-160	•현대 D4EA(1991)-151 •현대 D4EB(2188)-153 •현대 D4HA(1995)-151 •현대 D4HB(2199)-158 •현대 L6EA(2656)- (뮤 엔진) •현대 G4KE(2359)-179(세타Ⅱ 엔진)

■ 싼타페 세대별 엔진의 종류-2

세대 구분	3세대(DM)	4세대(TM)	
출시 일자	2012년 4월	2018년 2월	
엔진(배기량-cc)-출력(PS)	• D4HA(1995)-184 • D4HB(2199)-200 • G4KH(1998)-235	• D4HA(1995)-186 • G4KH(1998)-235 • G4KP(2497)-281	• D4HB(2199)-202 • D4HF(2151)-202 • G4FT(1598)-230

■ 1세대(SM) 제원

엔진타입	직렬 4기통 디젤	구동방식	전륜구동 / 4륜구동
전장(mm)	4500	변속기	5단 수동/4단 자동
전폭(mm)	1845	배기량 (cc)	1991
전고(mm)	1740	공인연비	13.9(수동) / 11.6(자동)
휠 베이스(mm)	2620	최대 출력 (PS/rpm)	115/5000
공차 중량(kgf)	1695	최대 토크 (kgf·m/rpm)	26.5/2000
타이어	225/70R16	최고 속력	165

186PS 41.0kg·m
e-VGT R2.0
DIESEL ENGINE
배기량 1,995cc
최고출력 41.0kg·m/1,750~2,750rpm
연비 13.8km/l
변속기 6단 자동변속기
배출가스기준 EURO 6

202PS 45.0kg·m
e-VGT R2.2
DIESEL ENGINE
배기량 2,199cc
최고출력 202PS/1,750~2,750rpm
최대토크 45.0kg·m/1,750~2,750rpm
연비 13.4km/l
변속기 6단 자동변속기
배출가스기준 EURO 6

2. 현대 R 엔진

기존의 D 엔진을 바탕으로 만들어진 엔진으로 2009년 기아의 2세대 쏘렌토에 처음 적용되었다.

당시 2.0L로 184PS 40kgf·m, 2.2L로 200PS 44.5kgf·m[1]이라는 출력이 나왔으며, 출시 당시 기준으로 높은 연비를 가지는 동시에 유로 5 배기가스 기준을 만족하여 당시 자동차 관련 커뮤니티 등지에 엄청난 이슈를 몰고 왔다.

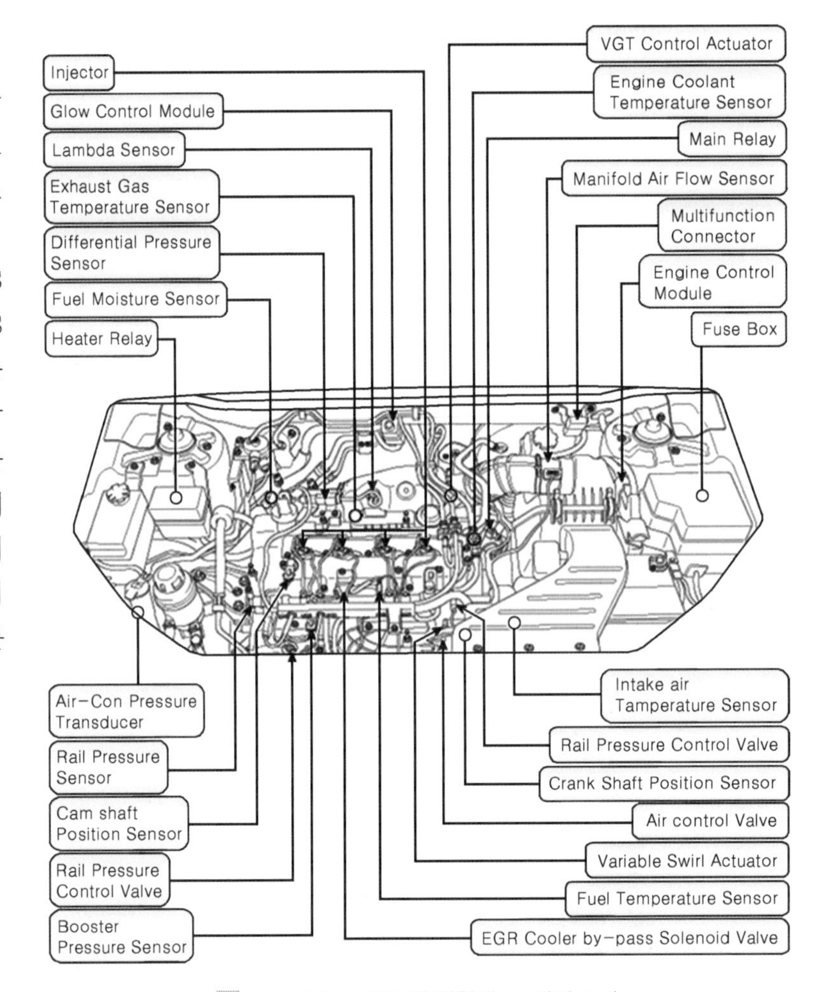

구성 부품 설치 위치(현대 R 엔진 2.0)

■ R 엔진 제원 및 사용차량

형식명	배기량 (cc)	보어 × 스트로크 (mm)	사양	출력 (PS/RPM)	토크 (kg•m/RPM)	차종
D4HA	1,995	84 × 90	2.0	올뉴 투싼 2.0 기준		투싼 2.0, 싼타페 2.0, 스포티지 2.0, 쏘렌토 2.0
				186/4,000	41.0/1,750~2,750	
D4HB	2,199	85.4 × 96	2.2 2.2 FR	팰리세이드 2.2 기준		스타리아 2.2, 싼타페 2.2, 팰리세이드 2.2, K7 2.2 디젤, G70 2.2 디젤, G80 2.2 디젤
				202 / 3,800	45.0 / 1,750~2,750	
D4HC				G70 2.2 기준		
				202 / 3,800	45.0 / 1,750~2,750	

■ 커먼레일 엔진 고장진단

현상	가능한 원인	
시동 불능	연료부족 스터터 결함 연료 공급라인 단선 고압연료 회로 누유 시동회로 퓨즈 고장 레일 압력센서 출력신호 왜곡 CKPS & CMPS 동시고장 배터리 전압 낮음 이모빌라이저 결함 연료압력 레귤레이터 밸브 오염, 고착, 막힘 레일압력 레귤레이터 밸브 오염, 고착, 막힘 연료 품질 불량 & 연료내 수분 유입 저압 연료 회로의 공급&리턴라인 바뀜	연료 필터 이상 저압 연료회로 막힘 연료 필터 막힘 연료라인 연결부 간헐적 이상 전압 연료회로 공기 유입 고압 연료 펌프측 리턴회로 막힘 압축압력 낮음 인젝터 누유 저압 연료 펌프 결함 고압 연료 펌프 결함 인젝터 열림 고착 ECM 프로그램 또는 하드웨어 이상 그로우 시스템 결함
시동 어려움 & 또는 시동 직후 멈춤	인젝터측 연료 리턴 라인 단선 고압 연료 회로 누유 시동회로 퓨즈 고장 에어 필터 막힘 제네레이터&레귤레이터 결함 인젝터 연료 보정 안됨 냉각 수온 센서 출력신호 미감지 레일 압력 센서 출력 신호 미감지 배터리 전압 낮음 EGR 컨트롤 밸브 열림 고착 연료압력 레귤레이터 밸브 오염, 고착, 막힘 레일압력 레귤레이터 밸브 오염, 고착, 막힘 연료 품질 불량 & 연료내 수분 유입 전압 연료 회로의 공급&리턴라인 바뀜	저압 연료 회로의 막힘 연료 필터의 막힘 오일량 과다 & 과소 촉매 막힘 & 손상 연료라인 연결부 간헐적 이상 저압 연료 회로 공기 유입 고압 연료 펌프측 리턴회로 막힘 글로우 시스템 결함 압축압력 낮음 인젝터측 연료 린턴 호스 막힘 인젝터내 카본 누적 인젝터 니들 고착 연료내 가솔린 유입 ECM 프로그램 또는 하드웨어 이상
엔진 웜업시 시동 어려움	인젝터 연료량 보정 안됨 레일 압력센서 출력 신호 미감지 EGR 컨트롤 밸브 열림 고착 연료압력 레귤레이터 밸브 오염, 고착, 막힘 레일압력 레귤레이터 밸브 오염, 고착, 막힘 에어 필터 막힘 전압 연료 회로 공기 유입 연료 품질 불량 & 연료내 수분 유입	저압 연료 회로의 막힘 연료 필터의 막힘 압축압력 낮음 연료라인 연결부 간헐적 이상 인젝터내 카본 누적 인젝터 니들 고착 연료내 가솔린 유입 ECM 프로그램 또는 하드웨어 이상
가속시 악셀 페달 반응 느림	흡기 회로 누기 전기장치 이상 APS 이상 터보 차져 손상 & 진공 호스 라인 누기 연료 필터 막힘 EGR 컨트롤 밸브 열림 고착	압축압력 낮음 고압 연료 회로 누유 연료압력 레귤레이터 밸브 오염, 고착, 막힘 레일압력 레귤레이터 밸브 오염, 고착, 막힘 인젝터 니들 고착 ECM 프로그램 또는 하드웨어 이상

현상	가능한 원인	
배기가스 색깔 이상 (흑색, 청새 &백색 스모그)	인젝터 연료량 보정 안됨 냉각 수온 센서 출력 신호 미감지 레일 압력센서 출력 신호 미감지 연료압력 레귤레이터 밸브 오염, 고착, 막힘 레일압력 레귤레이터 밸브 오염, 고착, 막힘 오일량 과다 & 과소 촉매 막힘 & 손상 연료 품질 불량 & 연료내 수분 유입 에어 필터 막힘	글로우 시스템 결함 압축압력 낮음 인젝터 플랜지 너트 조임 불량 인젝터 이상 인젝터내 카본 누적 인젝터 열림 고착 엔진 오일 유입 EGR 컨트롤 밸브 열림 고착 인젝터 와셔 불량(장착 불량, 미장착)
공회전 속도 높거나 낮음	냉각 수온 센서 출력 신호 미감지 전기장치 이상 제네레이터 & 레귤레이터 이상	ECM 프로그램 & 하드웨어 이상 EGR 컨트롤 밸브 열림 고착 악셀 페달 관련 고장
엔진 덜거덕 거림, 소음	인젝터 연료량 보정 안됨 냉각 수온 센서 출력 신호 미감지 레일 압력센서 출력 신호 미감지 EGR 컨트롤 밸브 닫힘 & 열림 고착 인젝터측 리턴호스 막힘 글로우 시스템 결함	압축압력 낮음 인젝터 이상 인젝터내 카본 누적 인젝터 열림 고착 인젝터 니들 고착 인젝터 와셔 불량(장착 불량, 미장착)
폭발음 발생	인젝터 연료량 보정 안됨 연료 라인 연결부 간헐적 이상 배기 시스템 막힘 레일 압력센서 출력 신호 미감지	연료압력 레귤레이터 밸브 오염, 고착, 막힘 레일압력 레귤레이터 밸브 오염, 고착, 막힘 ECM 프로그램 & 하드웨어 이상
악셀 페달 반응 느림	APS 이상 EGR 컨트롤 밸브 열림 고착 연료 라인 연결부 간헐적 이상	엔진 오일 유입 레일 압력센서 출력 신호 미감지 ECM 프로그램 & 하드웨어 이상
엔진 멈춤	연료 부족 연료 공급 라인 단선 고압 연료 회로 누유 퓨즈 고장 연료 품질 불량 & 수분 유입 저압 연료 회로의 막힘 에어 필터 막힘 CKPS 출력 신호 미감지 EGR 컨트롤 밸브 열림 고착	연료압력 레귤레이터 밸브 오염, 고착, 막힘 레일압력 레귤레이터 밸브 오염, 고착, 막힘 제네레이터 & 레귤레이터 이상 연료 라인 연결부 간헐적 이상 촉매 막힘 & 손상 저압 연료 펌프 결함 고압 연료 펌프 결함 연료내 가솔린 유입 ECM 프로그램 & 하드웨어 이상
변속시 엔진 속도 급격히 증가	APS 이상 인젝터 연료량 보정 안됨 연료 라인 연결부 간헐적 이상 클러치 세팅 상태 불량	엔진 오일 유입 터보 차저 손상 인젝터 이상 ECM 프로그램 & 하드웨어 이상

현상	가능한 원인	
연료 냄새 발생	연료 공급 라인 단선 인젝터측 연료 리턴라인 단선 연료 압력 레귤레이터 밸브측 누유	연료 온도 센서측 누유 스페이서측 누설 고압 연료 회로 누유
엔진 진동 발생	연료 부족 인젝터측 연료 리턴라인 단선 전기장치 이상 인젝터 연료량 보정 안됨 EGR 컨트롤 밸브 열림 고착 연료 품질 불량 & 연료내 수분 유입 연료 필터 이상 저압 회로 공기 유입 연료 라인 연결부 간헐적 이상 하니스 저항 증가 연료 필터 막힘	글로우 시스템 결함 압축압력 낮음 인젝터측 연료 린턴 호스 막힘 밸브 간극 이상 저압 연료 펌프 결함 인젝터 와셔 불량(장착 불량, 미장착) 인젝터내 카본 누적 인젝터 니들 고착 인젝터 열림 고착 연료내 가솔린 유입 ECM 프로그램 & 하드웨어 이상
엔진 출력 부족	인젝터 연료량 보정 안됨 APS 이상 전기장치 이상 EGR 컨트롤 밸브 열림 고착 흡기 회로 누기 연료 필터 막힘 엔진 오일량 과다 & 과소 촉매 막힘 & 손상 터보 차저 진공라인 누기 터보 차저 손상	연료 필터 막힘 인젝터 누유 고압 연료 펌프측 리턴회로 막힘 인젝터측 리턴호스 막힘 압축압력 낮음 인젝터 이상 인젝터내 카본 누적 밸브 간극 이상 냉각수 온도 높음 연료 온도 높음
엔진 출력 과다	인젝터 연료량 보정 안됨 엔진 오일 유입	ECM 프로그램 & 하드웨어 이상
연료 소비 과다	인젝터측 연료 리턴라인 단선 연료 압력 레귤레이터 밸브측 누유 연료 온도 센서측 누유 스페이서측 누설 고압연료 회로 누유 흡기 회로 누기 에어 필터 막힘 인젝터 연료량 보정 안됨 EGR 컨트롤 밸브 열림 고착	전기장치 이상 엔진 오일량 과다 & 과소 연료 품질 불량 & 연료내 수분 유입 촉매 막힘 & 손상 터보 차저 손상 압축압력 낮음 인젝터 이상 ECM 프로그램 & 하드웨어 이상
배기가스 냄새 발생	EGR 컨트롤 밸브 누기 에닌 오일 유입 터보 차저 손상 엔진 오일량 과다 & 과소 인젝터 연료량 보정 안됨 촉매 막힘 & 손상 인젝터 플랜지 너트 조임 불량	인젝터 와셔 불량(장착 불량, 미장착) 인젝터 이상 인젝터내 카본 누적 인젝터 니들 고착 인젝터 열림 고착 ECM 프로그램 & 하드웨어 이상

현상	가능한 원인	
엔진 정지 안됨	터보차저 윤활회로 고착 & 마모 엔진 오일 과다 주입	진공호스 누설 ECM 프로그램 & 하드웨어 이상
가속시 스모그 발생(흑색, 청색& 백색 스모그)	인젝터 연료량 보정 안됨 EGR 컨트롤 밸브 열림 고착 에어 필터 막힘 연료 품질 불량 & 연료내 수분 유입 오일량 과다 & 과소 터보 차져 손상 촉매 막힘 & 손상 엔진 오일 유입 에어 히터 고장 압축압력 낮음	연료라인 연결부 간헐적 이상 인젝터 플랜지 너트 조임 불량 인젝터 와셔 불량(장착 불량, 미장착) 인젝터 이상 인젝터내 카본 누적 인젝터 열림 고착 연료내 가솔린 유입 ECM 프로그램 & 하드웨어 이상 인젝터 니들 고착 고압 연료 회로 누유
악셀 페달 놓을 때 엔진 정지	APS 이상 전기장치 이상 에어 필터 막힘 저압 연료 회로의 공급&리턴라인 바뀜 연료필터 이상 연료 품질 불량 & 연료내 수분 유입 전압 회로내 공기 유입 연료 필터 막힘	촉매 막힘 & 손상 연료라인 연결부 간헐적 이상 레일 압력센서 출력 신호 미감지 연료압력 레귤레이터 밸브 오염, 고착, 막힘 레일압력 레귤레이터 밸브 오염, 고착, 막힘 연료내 가솔린 유입 ECM 프로그램 & 하드웨어 이상
기계적 소음 발생	인젝터 작동음 클립 파손(진동, 공진, 소음) 전기장치 이상 촉매 막힘 & 손상	흡기회로 누기 인젝터 플랜지 너트 조임 불량 터보 차져 손상 밸브 간극 이상

02 인젝터(Injector)의 탈 · 부착

인젝터(Injector)의 탈·부착은 연료장치 부품 중에 한 가지인 인젝터를 탈거 및 장착하여 시동을 걸기 위한 지식이 있는가를 알아보기 위한 항목이라고 볼 수 있다.

CRDI 엔진의 인젝터는 그동안 보았던 일반 디젤 엔진보다 크기가 매우 크다. 차이점이 있다면 노즐을 열어 주는 전기 커넥터와 클램프가 노즐을 잡고 있으며 이것을 분해하기 위해서는 육각렌치가 있어야 하고, 특수 공구 인젝터 리무버와 인젝터 리무터 어댑터를 이용하여 당겨서 탈거한다. 공구통에서 필요한 공구만을 부품대에 올려놓고 작업을 하여야 한다.

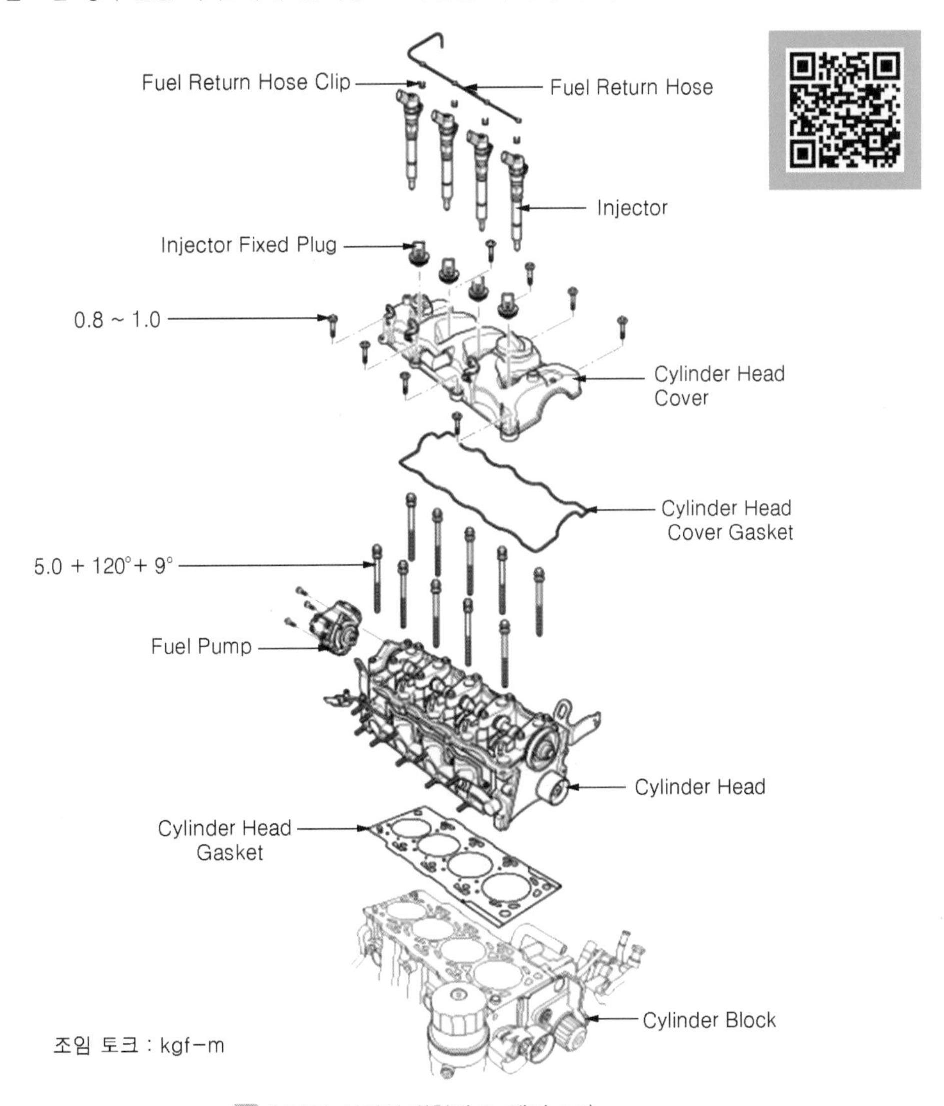

인젝터 설치위치(현대 D 엔진 2.0)

■ 인젝터 관련 제원

항목 \ 엔진		싼타페 CM(2.0 TCI-D)	싼타페 CM(2.0 TCI-R)
형식		직렬, SOHC	직렬, DOHC
연료 분사 시스템		커먼레일 직접 분사방식 (Common Rail Direct Injector)	커먼레일 직접 분사방식 (Common Rail Direct Injector)
실린더 수		4	4
압축비		17.3 : 1	16 : 1
점화순서		1-3-4-2	1-3-4-2
실린더 내경 × 행정		83 × 92mm	84mm × 90mm
배기량		1,991cc	1,995cc
공회전		790±100rpm	800rpm
연료 탱크 용량		75L	70L
고압 연료 펌프	형식	기계식 플런저 펌핑 형식	기계식 플런저 펌핑 형식
	구동방식	캠 샤프트	타이밍 체인
저압 연료 펌프	형식	탱크 내장 전기식	탱크 내장 전기식
	구동방식	전기 모터	전기 모터
인젝터	형식	전자제어 인젝터	Piezo Injector
	저항	0.255±0.04Ω(20℃)	150~210kΩ(20℃)
	구동 전압	80V	110~156V
	최대 압력	1,600bar	1,800bar
	인젝터 제어방식	전류 제어	-
	피크 전류	18±1A	-
	홀드인 전류	12±1A	-
	재충전 전류	7A	-

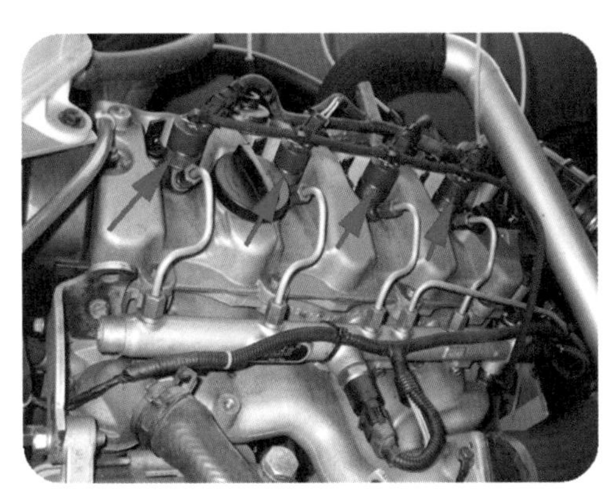

인젝터 설치위치(현대 D 엔진 2.0)

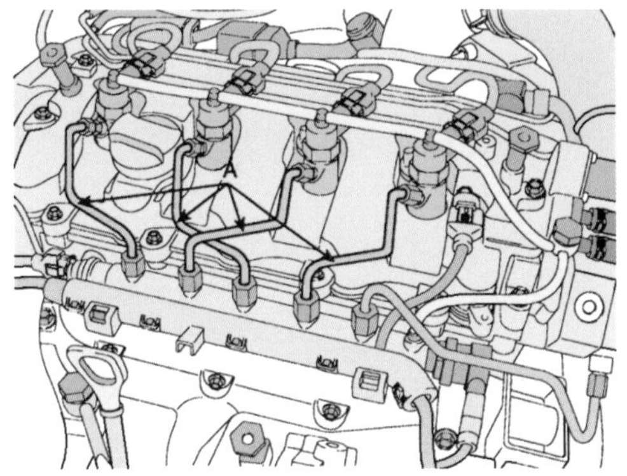

인젝터 설치위치(현대 D 엔진 2.2)

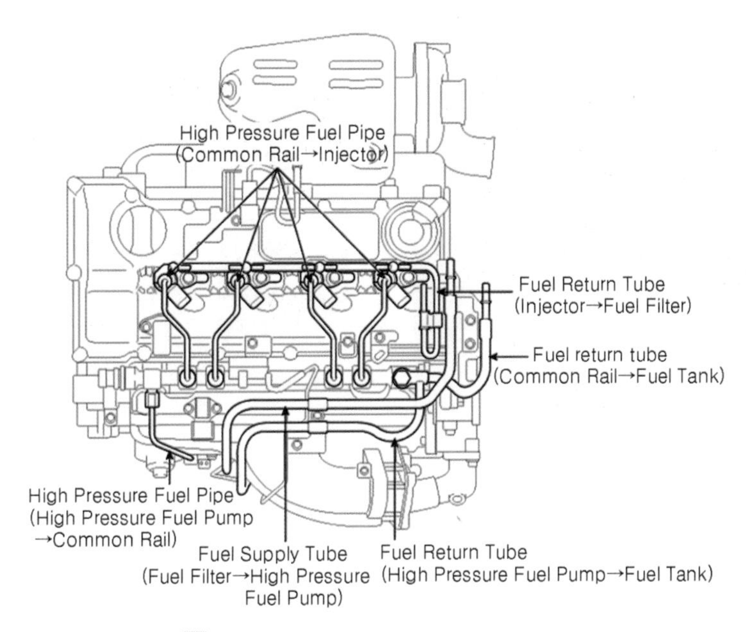

인젝터 설치위치-1(현대 R 엔진 2.0)

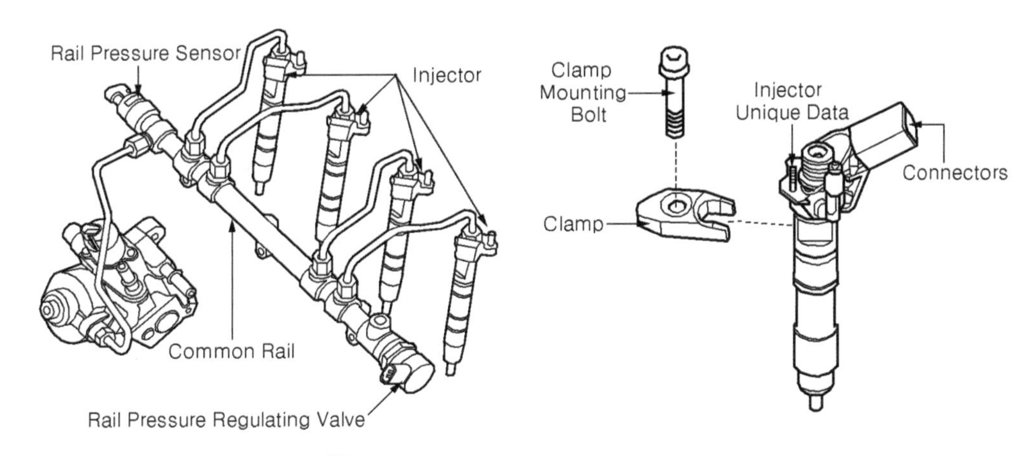

인젝터 설치위치-2(현대 R 엔진 2.0)

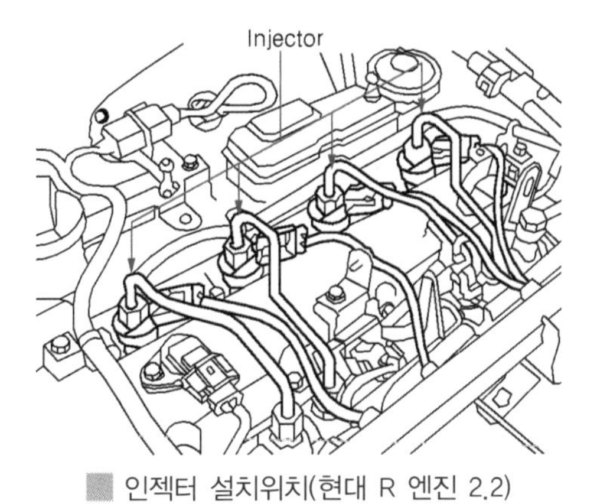

인젝터 설치위치(현대 R 엔진 2.2)

1. 인젝터 탈 · 부착 방법(현대 D 엔진 2.0)

현대 D 엔진 2.0

1) 분리

① 배터리(-) 단자를 분리한다.

② 인터쿨러 어셈블리를 탈거하고, 캠 샤프트 포지션 센서와 인젝터에서 록킹 레버를 눌러서 커넥터를 분리한다.(이때 와이어링 하니스를 당기지 말고 몸체를 잡고 당긴다)

③ 오일 세퍼레이터와 연료 리턴 호스를 고정하는 클립을 분리한다.

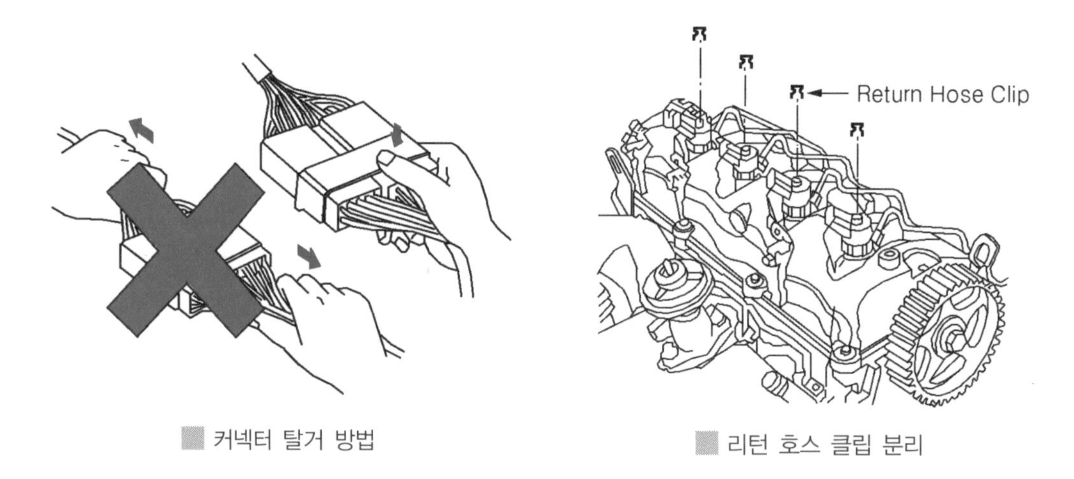

커넥터 탈거 방법 　　 리턴 호스 클립 분리

④ 고압 연료 파이프를 탈거한다.

⑤ 인젝터 클램프 고정 볼트 플러그(A)를 탈거한다.

- 약 1mm 정도 플러그를 잡아당긴다.
- 잡아당긴 상태로 시계방향으로 돌려서 그림의 (B)와 같이 위치시킨다.
- 드라이버를 헤드 커버와 플러그 사이에 집어넣고 플러그를 탈거한다.

⑥ 5mm 육각 렌치를 사용하여 인젝터 클램프 볼트를 탈거한다.

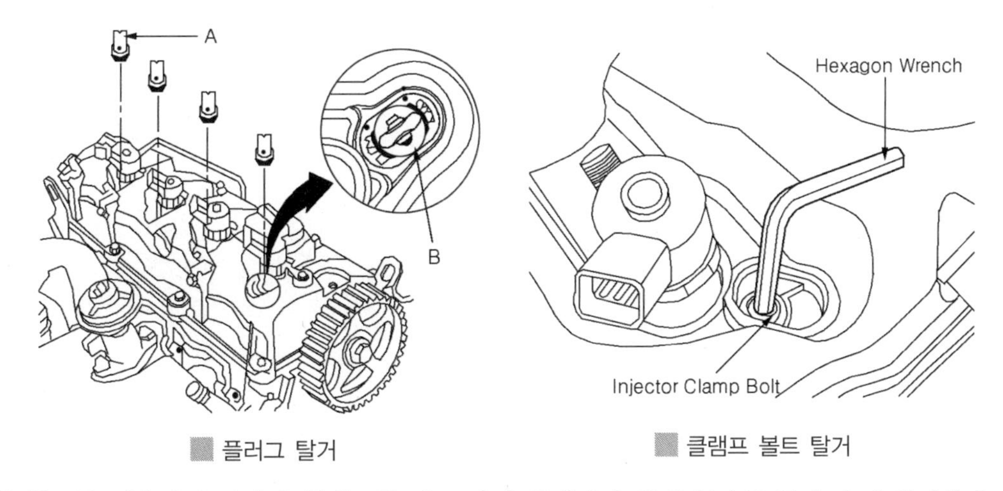

■ 플러그 탈거　　■ 클램프 볼트 탈거

⑦ 볼트를 이용하여 인젝터 클램프를 뒤로 당긴 상태에서 인젝터(A)를 들어 올려 탈거한다.

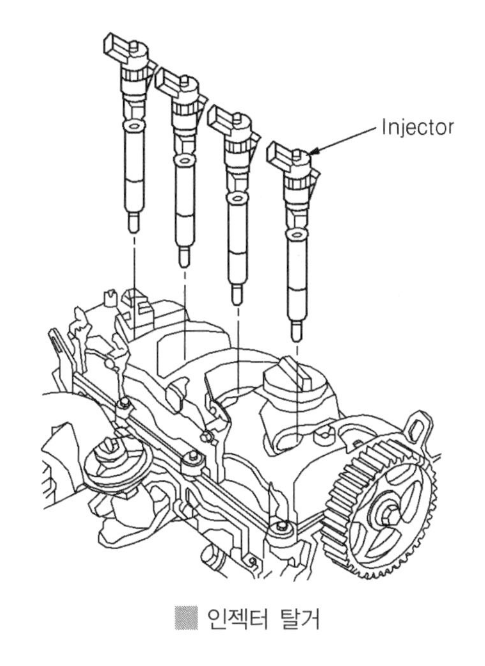

■ 인젝터 탈거

2) 설치

① 실린더 헤드와 인젝터 설치 면을 청소한다.

② 인젝터 설치 전에 표면에 적은 양의 그리스를 도포한다.

③ 새것의 구리 가스켓을 설치하고 인젝터를 밀어 넣는다.

④ 슬라이딩 클램프를 밀어서 인젝터를 잡을 수 있도록 하고 고정 볼트를 조인다.

⑤ 인젝터에 고압 파이프를 설치한다.

⑥ 인젝터에 백리크 레일을 연결한다.

⑦ 인젝터 전기 커넥터를 연결하다

⑧ 배터리 (-) 단자를 연결한다.

3) 인젝터 고유번호 입력 방법 및 압축압력 테스트, 아이들 속도 비교 테스트, 분사 보정 목표량 비교 테스트를 실시한다. (생략)

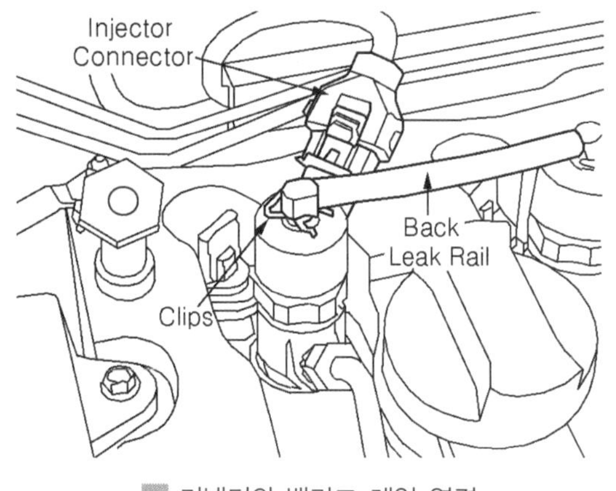

■ 커넥터와 백리크 레일 연결

■ 고압 파이프 연결

2. 인젝터 탈 · 부착 방법(현대 D 엔진 2.2)

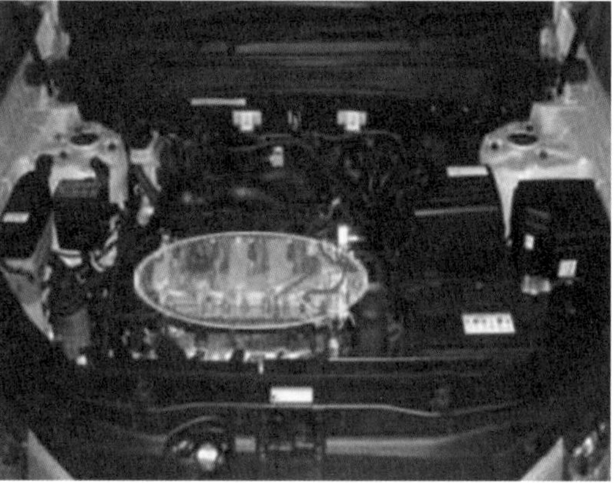

■ 현대 D 엔진 2.0/ 2.2

1) 분리

① 배터리 (-) 단자를 분리한다.

② 인젝터에서 커넥터를 분리한다.

③ 클립을 제거한 후 인젝터에서 리턴 호스를 분리한다.

④ 인젝터와 커먼레일에 연결되어 있는 고압 파이프(A)를 분리한다.

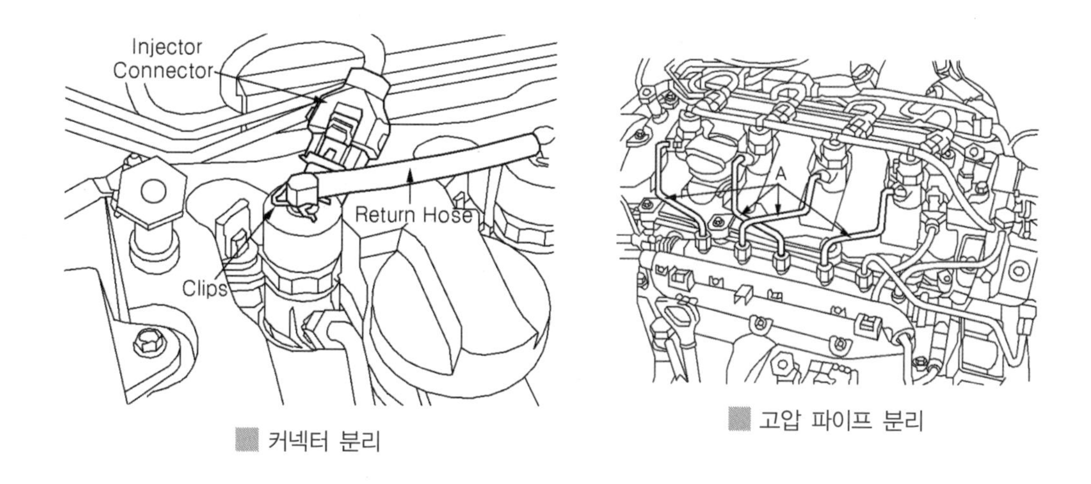

커넥터 분리

고압 파이프 분리

⑤ 고정 볼트 캡 레버를 시계방향으로 돌려서 탈거한다.

⑥ 클램프 마운팅 볼트(A)를 약간 풀고 특수공구인 인젝터 리무버와 인젝터 리무버 어댑터를 이용하여 클램프를 뒤로 당긴 다음 인젝터를 상부로 들어서 탈거한다.

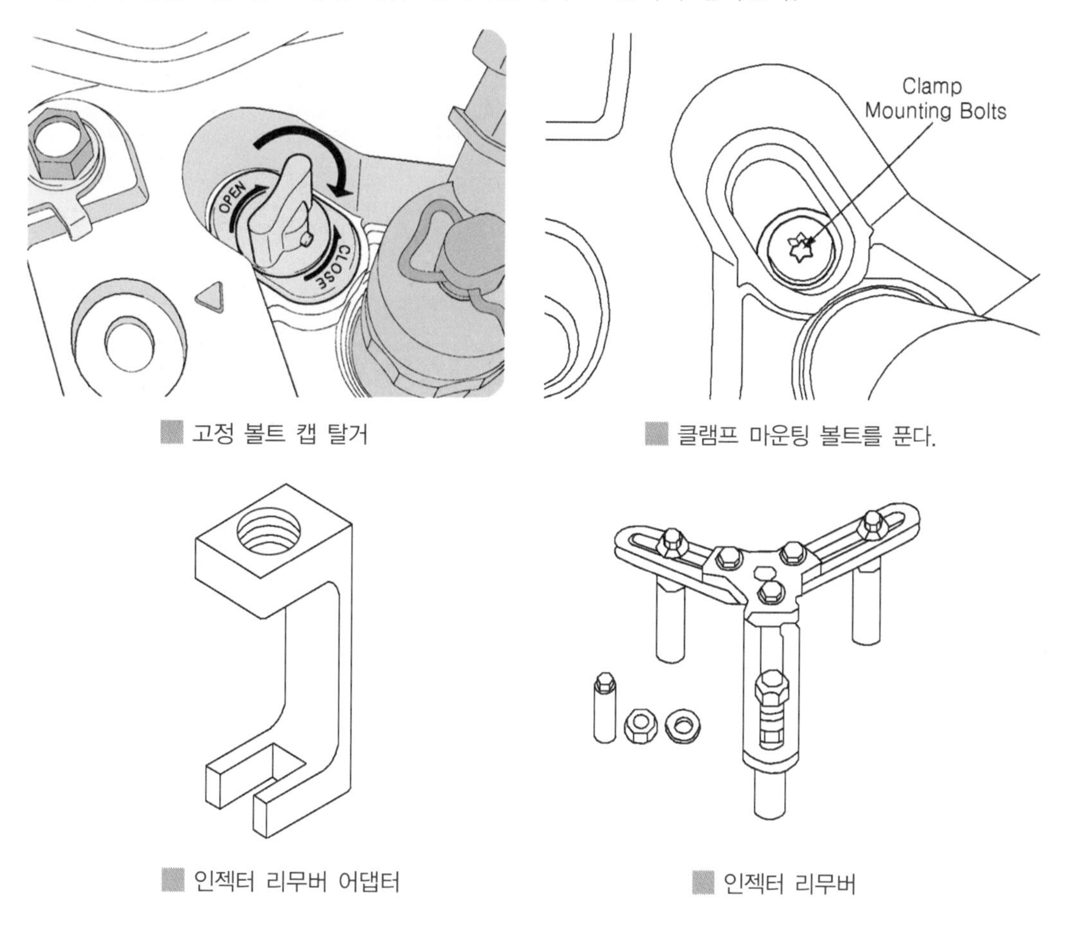

고정 볼트 캡 탈거

클램프 마운팅 볼트를 푼다.

인젝터 리무버 어댑터

인젝터 리무버

2) 장착

① 장착은 분해의 역순이며, 구리 실링(가스켓)은 반드시 교체하고 면에 그리스를 약간 발라서 떨어지지 않게 하고 삽입한다.

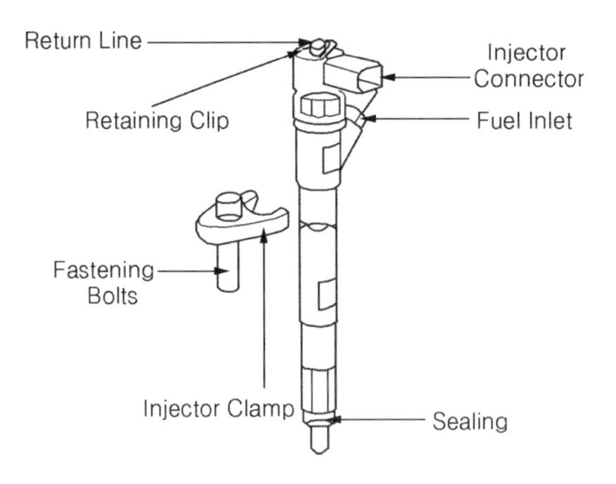

구리 실링(가스켓)의 위치

3) 인젝터 고유번호 입력 방법

① 진단 장비를 자기진단 단자(DLC)에 연결한다.
② 점화 스위치를 "ON" 으로 한다.
③ "엔진제어 디젤" 항목을 선택한다.
④ "인젝터 데이터 입력"을 선택한다.

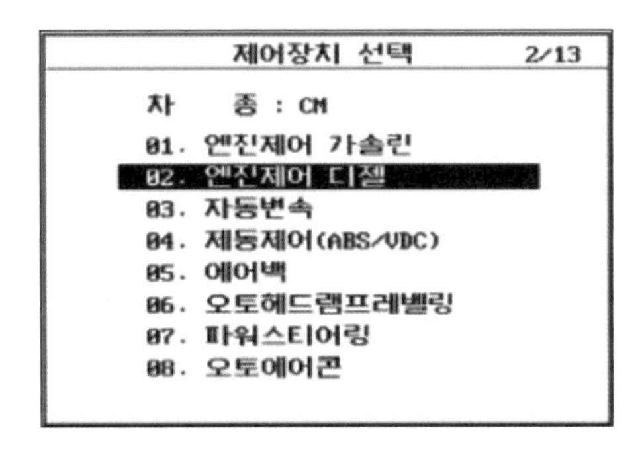

엔진제어 디젤 선택

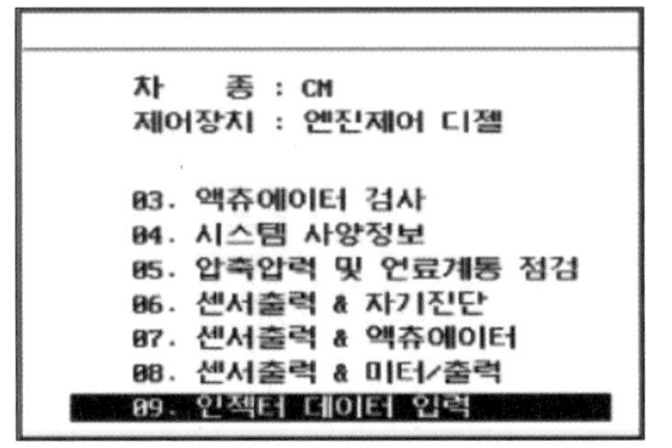

인젝터 데이터 입력

⑤ F1~F4 키와 방향 전환 키를 이용하여 각 실린더 인젝터 데이터 7자리를 입력한다.
⑥ 입력 완료 후 엔터키를 누르고 완료 메시지가 나오면 10초 이상 대기한 후 점화 스위치를 "OFF"로 한다.

* 조건: 시동키 ON(엔진정지상태)
1.인젝터 교환시 ECM의 정상적인 연료 컨트롤을 위해서 인젝터 고유 데이터 입력이 반드시 이루어져야 합니다.
2.입력방법은 F1~F4키로 원하는 실린더를 선택하고 방향키로 원하는 입력값을 입력후[ENT]키를 누릅니다
3.입력완료후 IG OFF후 10초이상대기한 후 다시 진단 하십시오

[ENTER]키를 누르시오.

■ 입력 조건 설명창

인젝터 데이터 입력창		
1번 실린더	6AE3XPD	
2번 실린더	GPSV1KI	전기통을 한번에
3번 실린더	COPTZI2	입력해야 합니다
4번 실린더	8QLW2IC	

- 입력방법은 F1~F4키로 원하는 실린더를 선택하고 방향키로 원하는 입력값을 입력후[ENT]키를 누릅니다

CYL1 CYL2 CYL3 CYL4

■ 데이터 입력창

3) 압축압력 테스트, 아이들 속도 비교 테스트, 분사보정 목표량 비교 테스트

① 인젝터 데이터 입력 후에는 압축압력 테스트, 아이들 속도 비교 테스트, 분사 보정 목표량 비교 테스트를 반드시 하여 이상 유무를 확인하여야 한다.

3. 인젝터 탈 · 착 방법(현대 R 엔진 2.0/ 2.2)

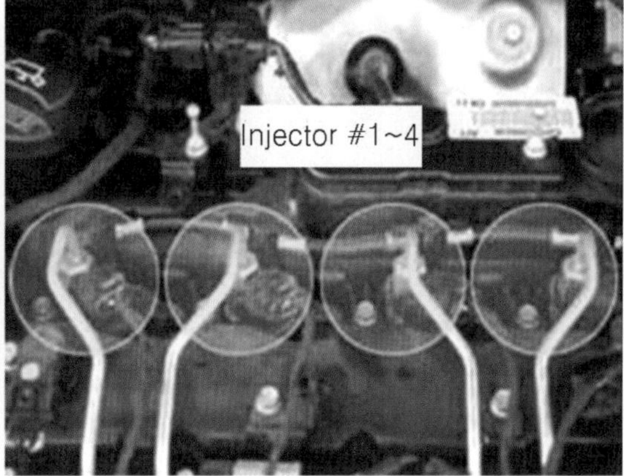

■ 현대 R 엔진 2.0

1) 분리

① 점화 스위치를 "OFF"하고, 배터리 (-) 단자를 분리한다.

② 인젝터에서 커넥터를 분리한다.

③ 리턴 라인을 분리한다.

- 플러그 손잡이를 누른 상태에서 플러그 부시를 수직 방향으로 들어 올린다.
- 플러그의 양쪽의 리턴 라인을 잡고 니플로부터 수직으로 분리한다.

④ 인젝터 클램프 볼트를 풀고, 인젝터를 탈거한다.

2) 장착

① 장착은 분해의 역순이며, 구리 실링(가스켓)은 반드시 교체하고 면에 그리스를 약간 발라서 떨어지지 않게 하여 삽입한다.

② 플러그 부시가 완전히 들려있는 상태에서, 플러그를 "딸깍" 소리가 날 때까지 인젝터 니플에 수직 방향으로 눌러서 장착한다.

3) 인젝터 고유번호 입력 방법 및 압축압력 테스트, 아이들 속도 비교 테스트, 분사보정 목표량 비교 테스트를 실시한다.

4. 인젝터(Injector)의 탈 · 부착 실습장 사진

현대 2,0 D엔진은 외면상 여러 가지로 알 수 있지만 연료 파이프 3번과 4번 사이에 연료 공급 파이프가 연결 되어 있다.	현대 2,2 D엔진은 외면상 여러 가지로 알 수 있지만 연료 파이프가 2번과 3번이"X"자 형태로 연결 되어 있다.

이 엔진은 시험장의 시뮬레이터 엔진이며, 분해 조립용은 부속이 많이 탈거된 상태이다. 화살표는 인젝터 설치위치이다.	인젝터 커넥터를 분리할 때 록킹 레버를 눌러서 탈거한다. 이때 와이어링 하니스를 당기지 말고 커넥터의 몸체를 잡고 당긴다.

인젝터에서 오픈 엔드 렌치를 이용하여 고압 파이프를 분리, 이때 딜리버리 파이프의 설치 너트를 풀어서 파이프가 움직이게 한다.	인젝터 클램프 고정 볼트 캡을 "OPEN" 방향으로 돌려서 탈거한다. 감독위원이 지정하는 인젝터를 탈거한다.

인젝터 클램프 고정 볼트를 풀어 뒤로 밀어서 인젝터를 클램프로부터 이탈시킨다. 이때 볼트를 분리해야 클램프가 밀린다.	클램프 아래면 슬라이딩 홈과 가이드 핀의 모습이다. 클램프 인젝터 고정부는"ㄷ"자형으로, 반드시 수평으로 밀어야 한다.
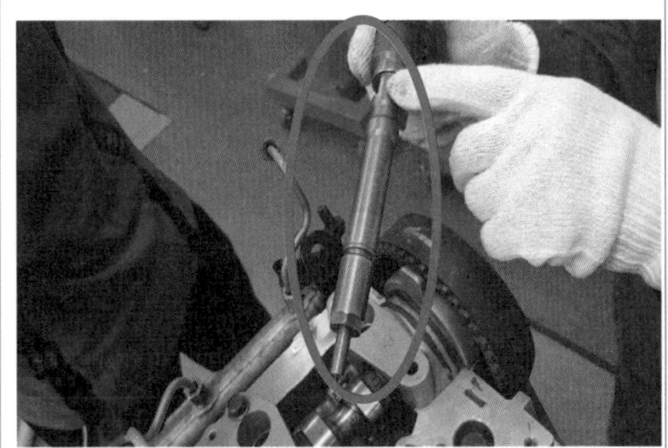	
인젝터를 실린더 헤드에서 위로 들어 올려 탈거한다. 이때 인젝터 아래 부분에 동 와셔(가스켓)는 새것으로 교환하여 조립한다.	커넥터를 조립할 때 커넥터의 연결 방향을 맞춰서 조립해야 한다. 거꾸로 조립하는 일이 없어야 한다.

03 연료 압력 센서(RPS : Rail Pressure Sensor)의 탈·부착

연료 압력 센서(또는 레일 압력 센서(RPS : Rail Pressure Sensor) 탈·부착은 연료장치 부품 중에 한 가지인 연료 압력 센서를 탈거 및 장착 하여 시동 걸기 위한 지식이 있는가를 알아보기 위한 항목이라고 볼 수 있다.

연료 압력 센서는 커먼레일의 끝부분(또는 중간)에 설치되어 있고 커먼레일 안의 순간적인 연료 압력을 측정하는 기능을 한다. 센서에 내장되어 있는 감지 반도체 장치는 연료의 압력을 전기적인 신호로 변환하여 ECU에 보내면 이 신호 값으로 연료량 및 분사시기를 결정하여 목표 레일 압력으로 제어하기 위해 레일 압력 조절 밸브를 조절하게 된다.

고장 증상으로는 자동차 시동의 어려움과 엔진 성능 저하, 연비 저하 및 연료 소비량 증가 등이 있다.

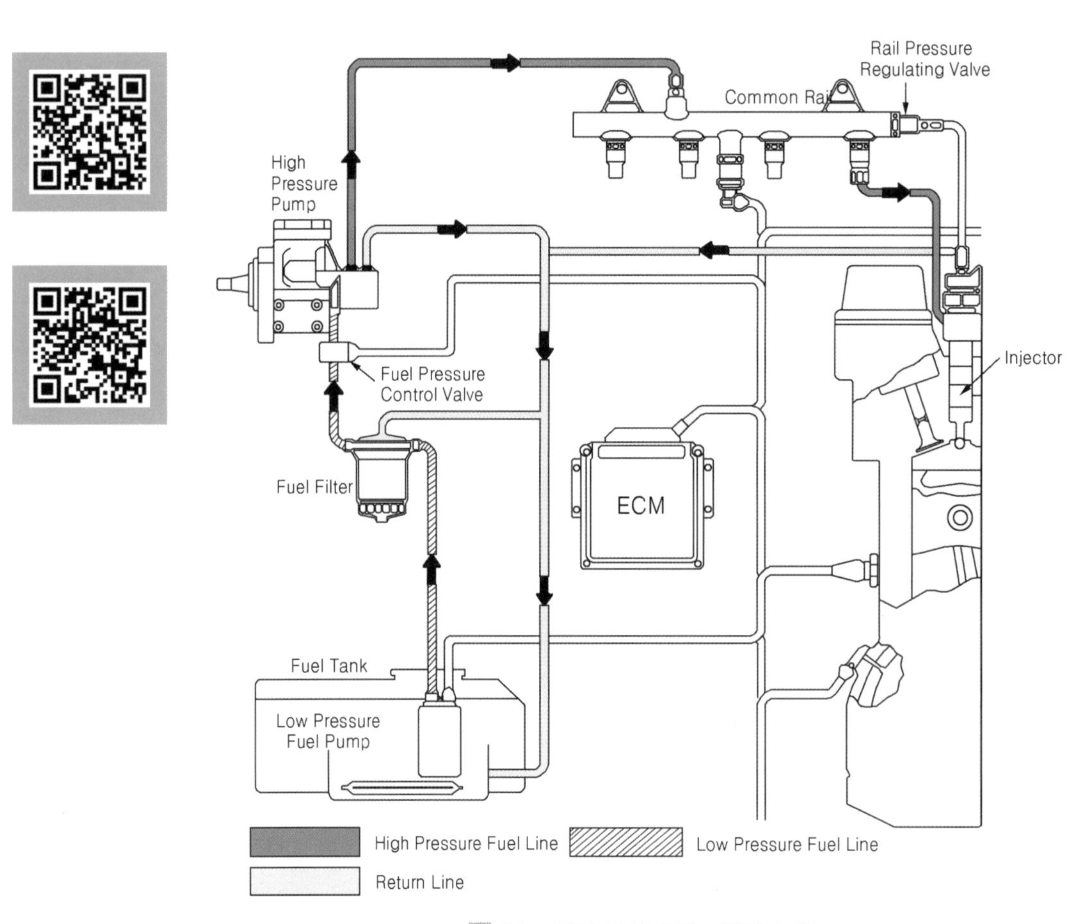

연료 장치 구성부품(D 엔진 2.0)

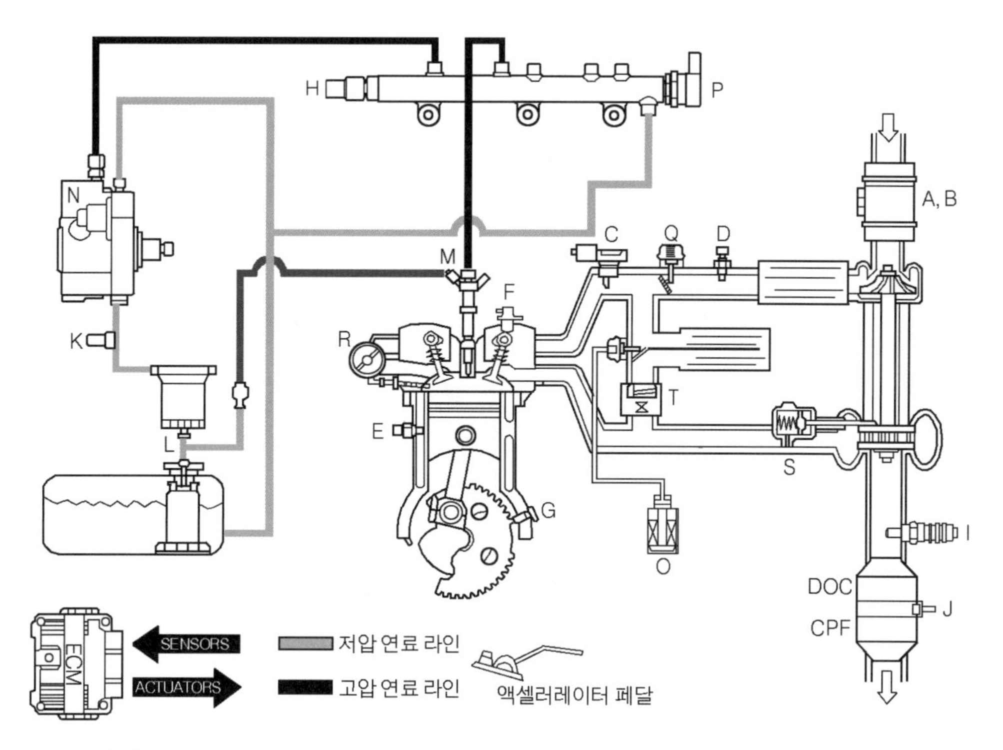

A. Manifold Air flow Sensor (MAFS)
B. Intake Air Temperature Sensor #1 (IATS) #1
C. Booster Pressure Sensor (BPS)
D. Intake Air Temperature Sensor #2 (IATS) #2
E. Engine Coolant Temperature Sensor (ECTS)
F. Cam Shaft Position Sensor (CMPS)
G. Crank Shaft Position Sensor (CKPS)
H. Rail Pressure Sensor (RPS)
I. Lambda Sensor
J. Exhaust Gas Temperature Sensor
K. Fuel Temperature Sensor (FTS)
L. Fuel Moisture Sensor
M. Injector
N. Fuel Pressure control Valve
O. EGR Cooler By-pass Solenoid Valve
P. Rail Pressure control Valve
Q. Air control Valve
R. Variable Swirl Actuator
S. Electronic VGT Control Actuator
T. Electronic EGR Control Valve

▩ 연료 장치 구성부품(R 엔진 2.2)

■ 레일 압력 센서 관련 제원

항목 \ 엔진	싼타페 CM(2.0 TCI-D)	싼타페 CM(2.0 TCI-R)
형식	직렬, SOHC	직렬, DOHC
연료 분사 시스템	커먼레일 직접 분사방식 (Common Rail Direct Injector)	커먼레일 직접 분사방식 (Common Rail Direct Injector)
실린더 수	4	4
압축비	17.3 : 1	16 : 1
점화순서	1-3-4-2	1-3-4-2
실린더 내경 × 행정	83 × 92mm	84mm × 90mm

항목 \ 엔진			싼타페 CM(2.0 TCI-D)	싼타페 CM(2.0 TCI-R)
배기량			1,991cc	1,995cc
공회전			790±100rpm	800rpm
연료 탱크 용량			75L	70L
고압 연료 펌프		형식	기계식 플런저 펌핑 형식	기계식 플런저 펌핑 형식
		구동방식	캠 샤프트	타이밍 체인
저압 연료 펌프		형식	탱크 내장 전기식	탱크 내장 전기식
		구동방식	전기 모터	전기 모터
연료 압력 센서	형식		피에조 압전 소자 형식	피에조 압전 소자 형식
	레일 압력	공회전	220~320 bar	200~300 bar
		WOT	약 1,800 bar	1,600~1,800 bar
	출력 전압	공회전	1.7V 이하	1.1V 이하
		WOT	약 4.5V	약 4.5V

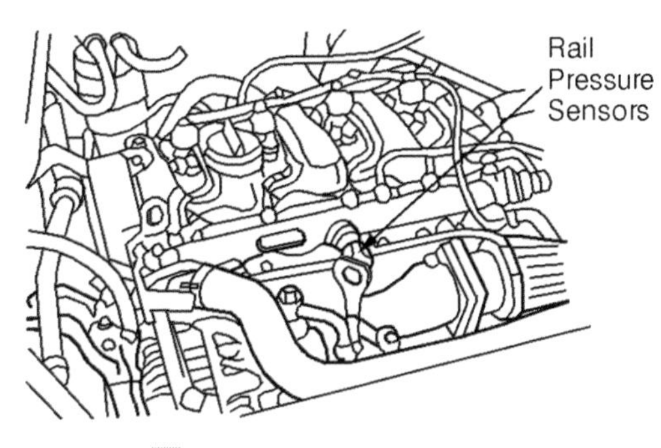

레일 압력 센서 위치(2.0 D)

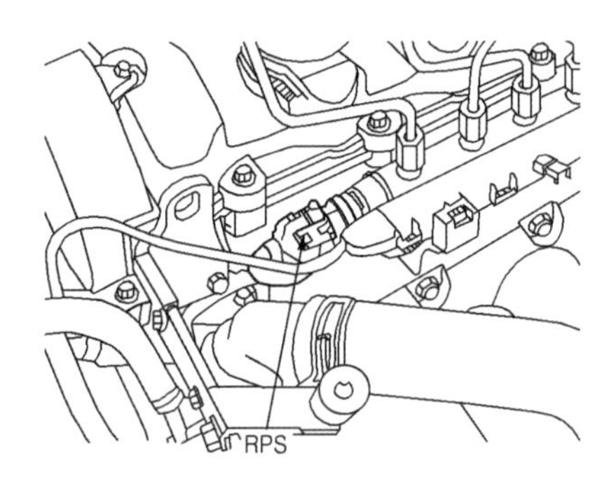

레일 압력 센서 위치(2.2 D)

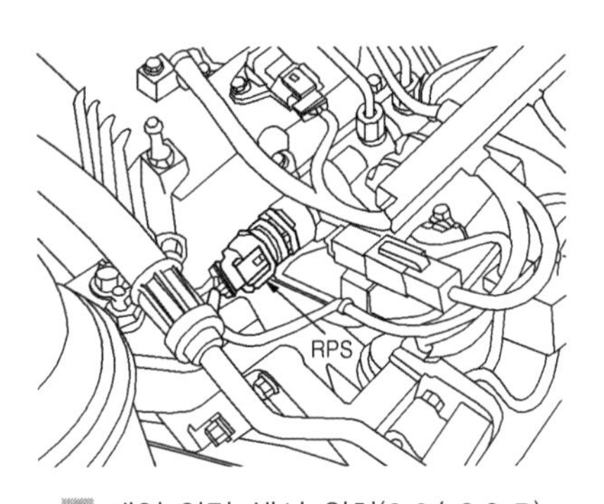

레일 압력 센서 위치(2.0/ 2.2 R)

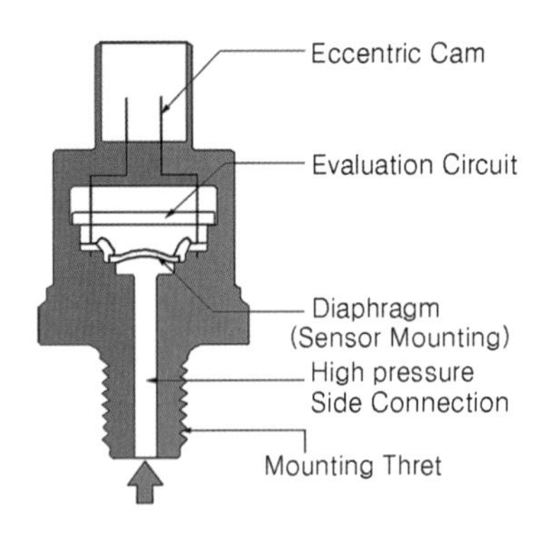

연료 압력 센서 내부 구조

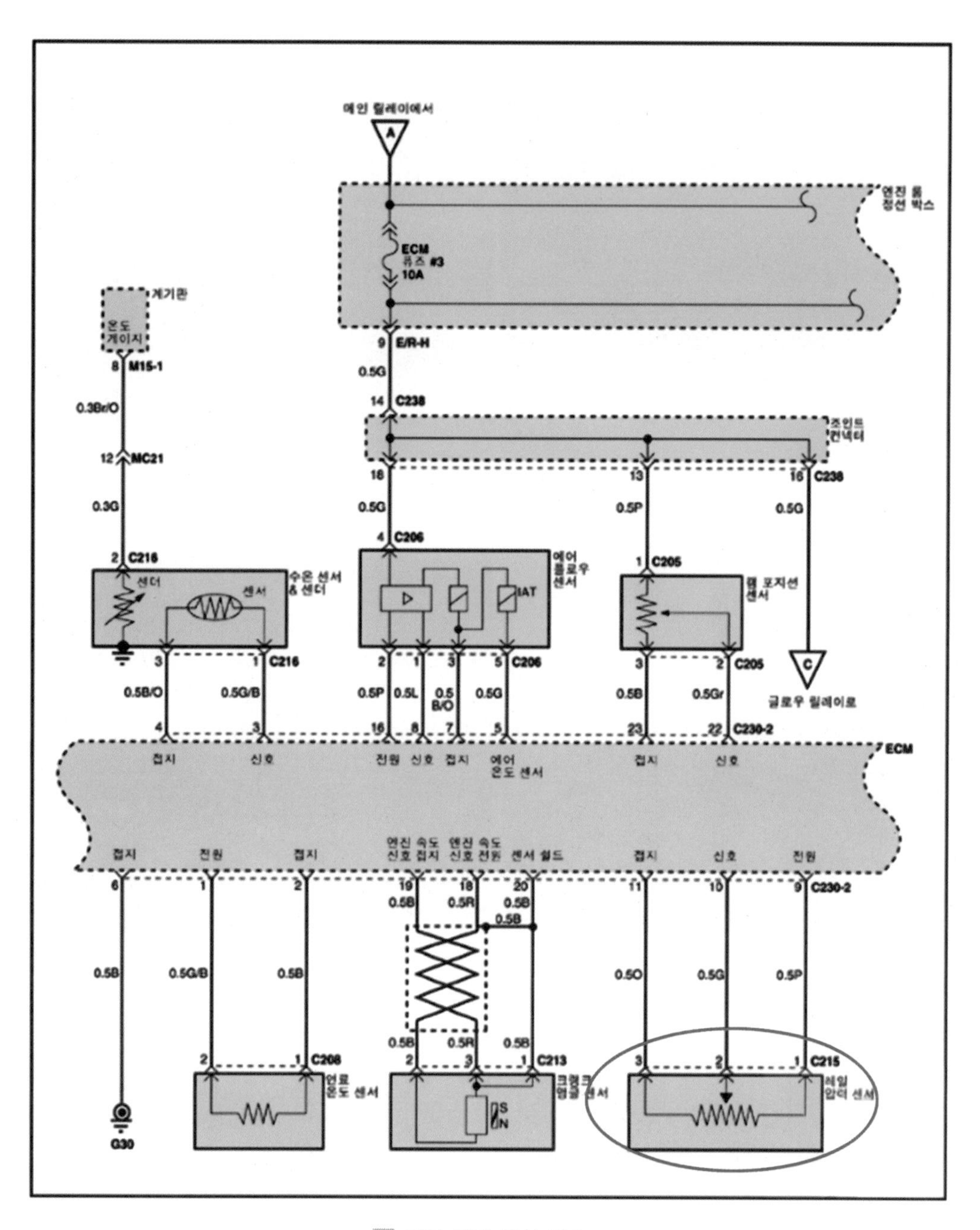
메인 릴레이에서
A
엔진 룸 정션 박스
ECM 퓨즈 #3 10A
계기판
온도 게이지
8 M15-1
0.3Br/O
12 MC21
0.3G
2 C216
센더
센서
수온 센서 & 센더
3 1 C216
0.5B/O
0.5G/B
9 E/R-H
0.5G
14 C238
조인트 컨넥터
18 13 16 C238
0.5G
0.5P
0.5G
4 C206
에어 플로우 센서
IAT
2 1 3 5 C206
0.5P 0.5L 0.5 B/O 0.5G
1 C205
3 2 C205
0.5B
0.5Gr
C
글로우 릴레이로
4 3 16 8 7 5 23 22 C230-2
ECM
접지
신호
전원
신호
접지
에어 온도 센서
접지
신호
접지
전원
접지
엔진 속도 신호 접지
엔진 속도 신호 전원
센서 쉴드
접지
신호
전원
6 1 2 19 18 20 11 10 9 C230-2
0.5B
0.5G/B
0.5B
0.5B 0.5R 0.5B
0.5B
0.5O
0.5G
0.5P
0.5B 0.5R 0.5B
2 1 C208
연료 온도 센서
2 3 1 C213
S
N
3 2 1 C215
레일 압력 센서
G30

레일 압력 센서 회로도

1. 연료 압력 센서(레일 압력 센서) 탈•부착 방법(현대 D 엔진 2.0/ 2.2)

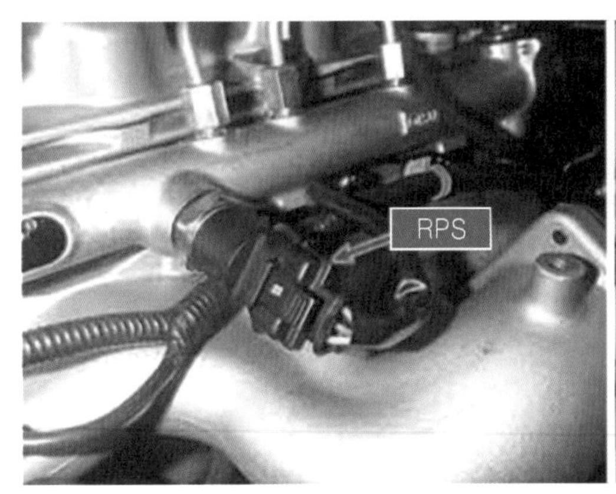

연료 압력 센서(레일 압력 센서) – 현대 D 엔진 2.0

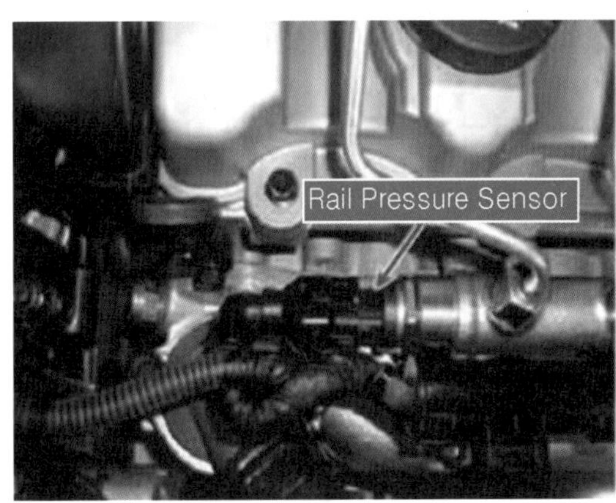

연료 압력 센서(레일 압력 센서) – 현대 D 엔진 2.2

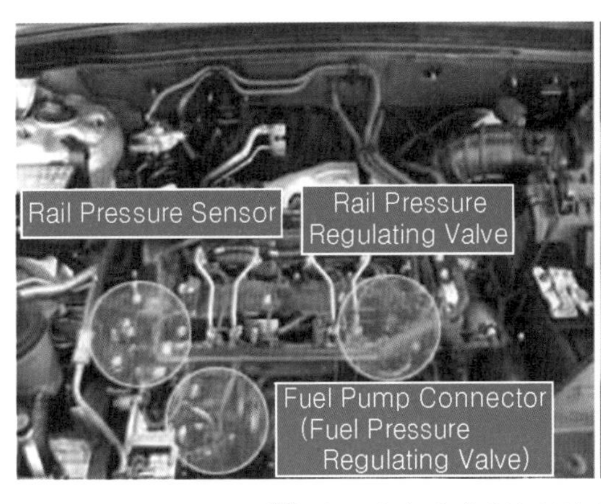

연료 압력 센서(레일 압력 센서) – 현대 R 엔진 2.0/ 2.2

1) 탈거

① 배터리 (-) 단자를 분리한다.

② 연료 압력 센서(레일 압력 센서)에서 록킹 레버를 눌러서 커넥터를 분리한다. (이때 와이어링 하니스를 당기지 말고 몸체를 잡고 당긴다)

③ 연료 압력 센서를 커먼 레일에서 탈거한다.

2) 장착

① 장착은 탈거의 역순으로 하고 학습값을 초기화 하여야 한다.

- 점화 스위치를 "OFF"로 한다.
- 자기진단 커넥터에 진단기기를 연결한다.
- 점화 스위치를 "ON" 상태로 한다.
- "엔진 제어 디젤"을 선택한다.
- "부품 교환 후 학습값 리셋"을 선택한다.
- "레일 압력 센서(RPS) 교환"을 선택한다.
- "ENTER"키를 누른다.
- 점화 스위치를 "OFF"로 하고 10초 대기후 시동을 걸어 확인한다.

제어장치 선택 2/13

차 종 : CM

01. 엔진제어 가솔린

02. 엔진제어 디젤

03. 자동변속

04. 제동제어(ABS/VDC)

05. 에어백

06. 오토헤드램프레벨링

07. 파워스티어링

08. 오토에어콘

엔진제어 디젤 선택

차 종 : CM

제어장치 : 엔진제어 디젤

07. 센서출력 & 액츄에이터

08. 센서출력 & 미터/출력

09. 인젝터 데이터 입력

10. CPF 재생 기능

11. 부품교환 후 학습값리셋

12. 주행데이터 검색

13. 단위변환

부품 교환 후 학습값 리셋

01 ECU 교환

02 람다(LUS)교환

03 레일압력센서(RPS)교환

04 공기유량센서(MAF)교환

05 CPF 교환

06 차압센서(DPS)교환

07 스월 ACT(VSA)교환

레일 압력 센서(RPS) 교환

신품이 장착됨에따라,현재 ECU내의 고품에 의한 학습치를 초기합니다.

실행:ENTER 취소:ESC

-RESET 후 IG OFF후 10초 이후에 재시동 하십시오

학습치 초기화면

2. 연료 압력 센서(RPS : Rail Pressure Sensor)의 탈·부착 실습장 사진

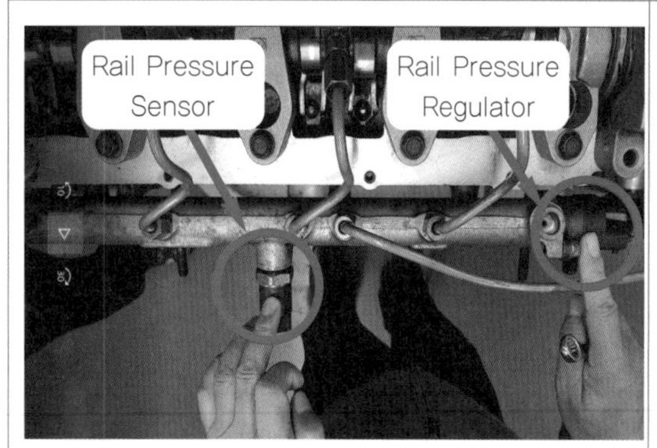 현대 2.0 D엔진은 외면상 여러 가지로 알 수 있지만 연료 파이프 3번과 4번 사이에 공급 파이프가 연결되어 있다.	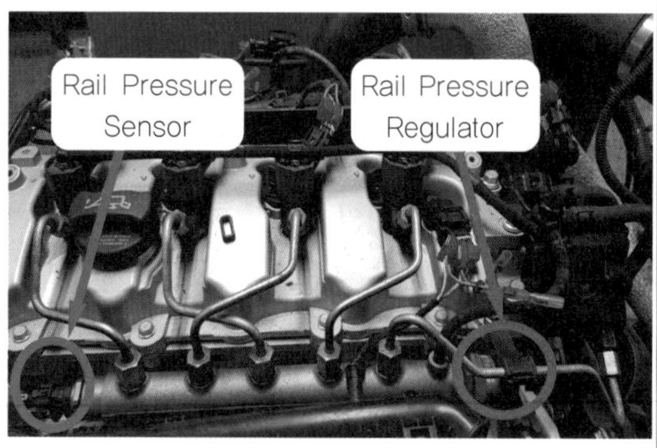 현대 2.2 D엔진은 외면상 여러 가지로 알 수 있지만 연료 파이프 2번과 3번이 "X"자로 연결되어 있다.
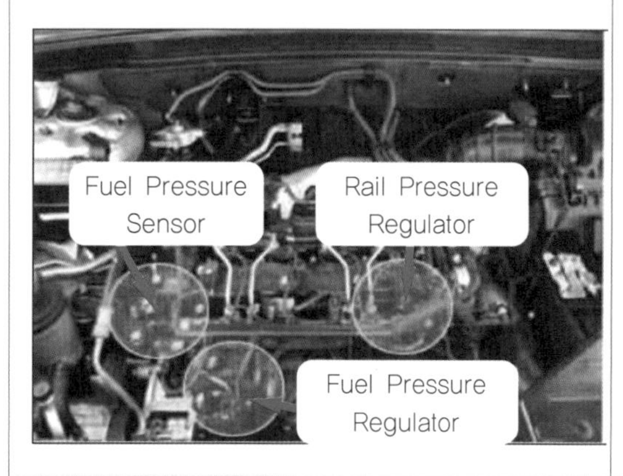 이 엔진은 시험장 시뮬레이터 엔진이며, 분해 조립용은 부속이 많이 탈거된 상태이다. 인젝터 설치 위치이다.	 인젝터 커넥터를 분리할 때 록킹 레버를 눌러서 탈거한다. 이때 와이어링 하니스를 당기지 말고 몸체를 잡고 당긴다.

04 연료압력조절밸브(DRV: Diesel Rail Pressure Regulator Valve)의 탈·부착

연료 압력 조절 밸브(DRV : Diesel Rail Pressure Regulator Valve)의 탈·부착은 연료장치 부품 중에 한 가지인 연료 압력 조절 밸브를 탈거 및 장착하여 시동 걸기 위한 지식이 있는가를 알아보기 위한 항목이라고 볼 수 있다.

연료 압력 조절 밸브는 커먼레일의 끝부분에 설치되어 있고 고압 펌프에서 송출된 고압 연료의 리턴량을 조절하여 커먼레일의 연료 압력을 조절한다(R 엔진은 연료 압력 조절 밸브가 별도로 있어서 고압 펌프에서 오는 연료의 압력을 조절한다). 이는 레일 압력 센서와 엔진 회전수, 액셀러레이터 포지션 센서의 정보를 입력 받은 ECM에 의해 현제 운행 조건에 맞는 연료 압력으로 조절하기 위해 듀티 제어한다.

레일 압력 조절기는 약 100bar의 스프링 장력에 의해 볼 밸브 시트를 막고 있는 구조로 고압의 연료가 볼 밸브의 이 스프링의 장력을 이기고 리턴 되는 것을 솔레노이드의 듀티 제어를 통해 볼 밸브 시트를 더욱 밀착시켜 연료 리턴량을 줄이게 되어 연료 압력이 상승한다. 즉 솔레노이드 제어 듀티가 증가할수록 화살표 방향으로 가해지는 힘이 강해지며 연료 압력이 상승한다.

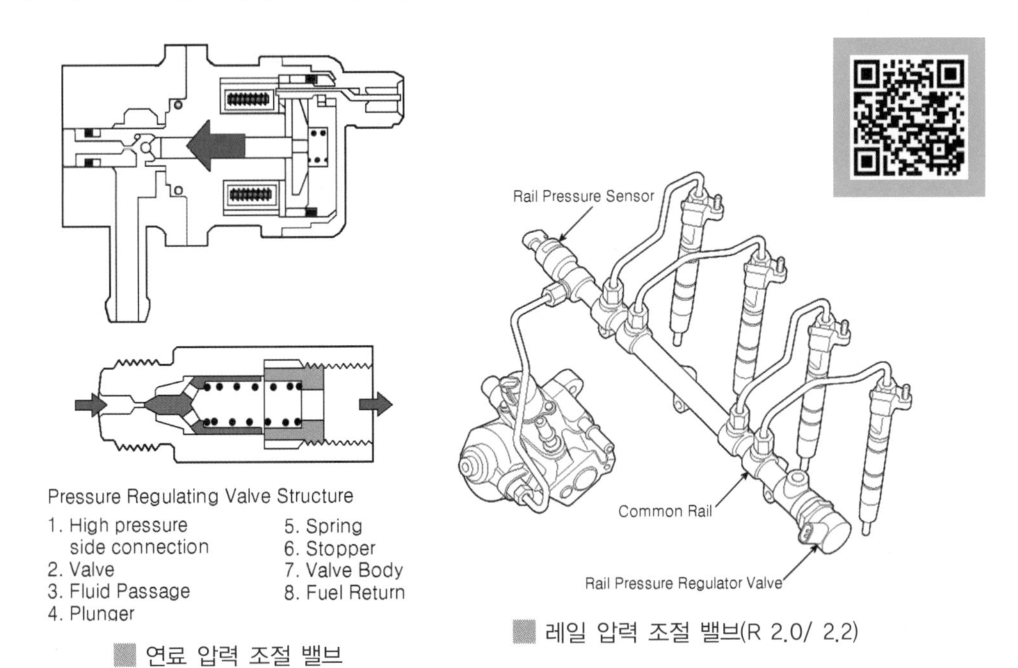

연료 압력 조절 밸브

레일 압력 조절 밸브(R 2.0/ 2.2)

■ 연료 압력 조절 밸브의 제원

차종	레일 압력-아이들	저항값(Ω)	전압값(V)-아이들	듀티값(공회전)
2.0 D	250bar	2.07~2.53	1.2~1.4	15±5%
2.2 D	29MPa	2.9~3.15	배터리 전압	17±5%
2.0 R	29MPa	3.42~3.78	0.15~1.8(A)	19%
2.2 R	29MPa	3.42~4.4	배터리 전압	19%

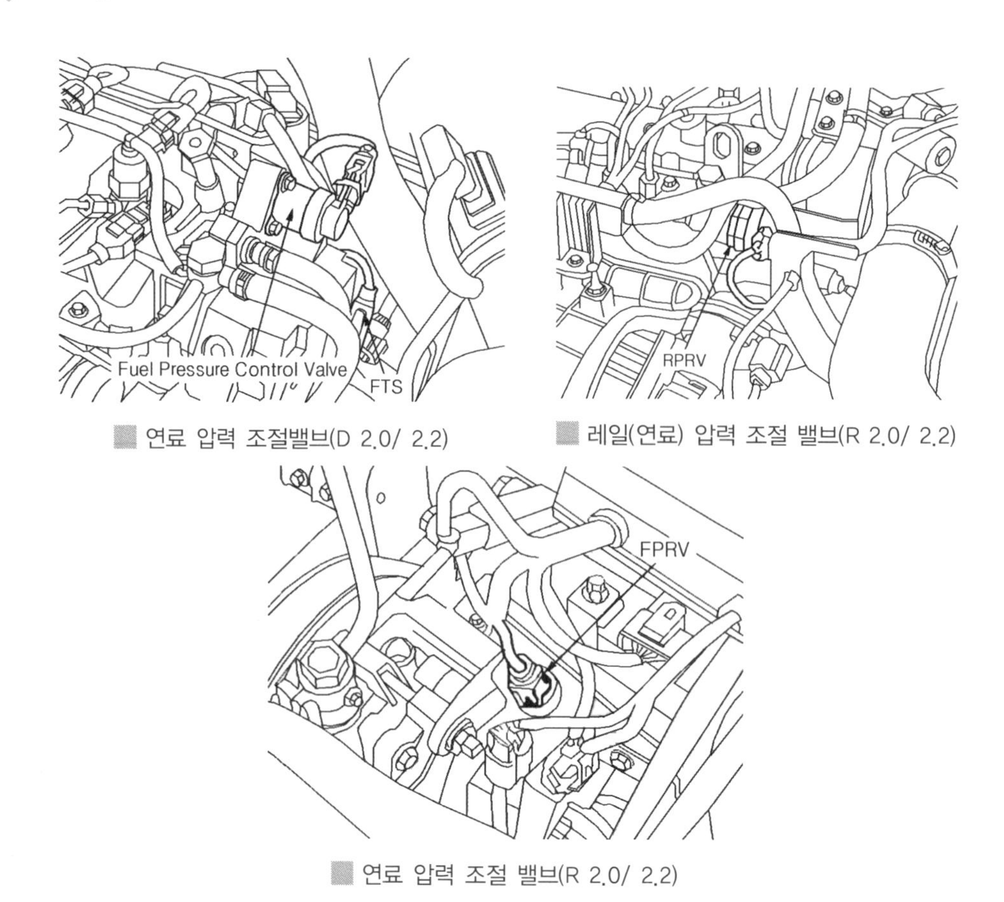

연료 압력 조절밸브(D 2.0/ 2.2)

레일(연료) 압력 조절 밸브(R 2.0/ 2.2)

연료 압력 조절 밸브(R 2.0/ 2.2)

[회로도]
연료 압력 조절 밸브 (C228)

ECM (C230-A)

2 — 49 밸브 제어

1 — 19 전원 공급

[연결 정보]

단자	연결 부위	기능
1	ECM C230-A (19)	배터리 전원 (B+)
2	ECM C230-A (49)	밸브 제어

1. 연료 압력 조절 밸브(레일 압력 조절 밸브) 탈 · 부착 방법(현대 D 엔진 2.0/ 2.2)

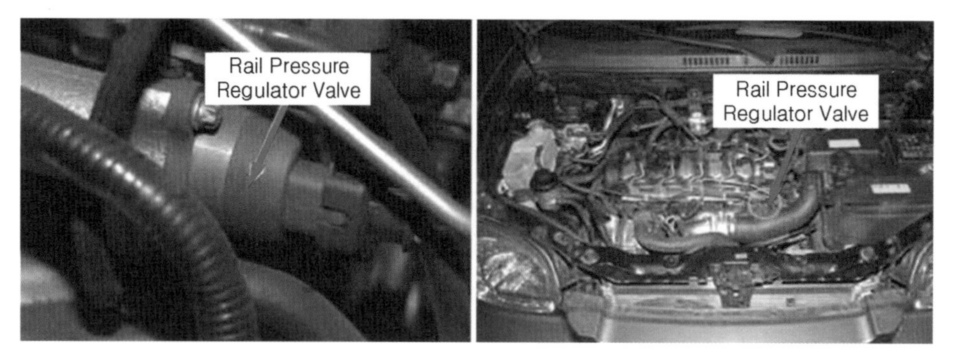

연료 압력 조절 밸브(레일 압력 조절 밸브) – 현대 R 엔진 2.0/ 2.2)

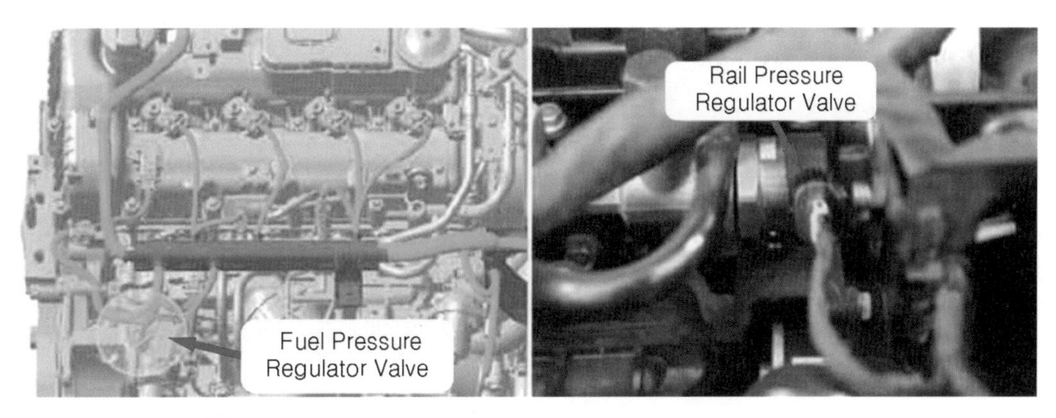

연료 압력 조절 밸브(레일 압력 조절 밸브) – 현대 D 엔진 2.0

1) 탈거

① 배터리 (–) 단자를 분리한다.

② 연료 압력 조절 밸브 록킹 레버를 눌러서 커넥터를 분리한다.(이때 와이어링 하니스를 당기지 말고 몸체를 잡고 당긴다)

③ 연료 압력 조절 밸브 설치 볼트를 풀고 커먼레일에서 탈거한다.

2) 장착

① 장착은 탈거의 역순으로 한다.

2. 연료 압력 센서(RPS : Rail Pressure Sensor)의 탈·부착 실습장 사진

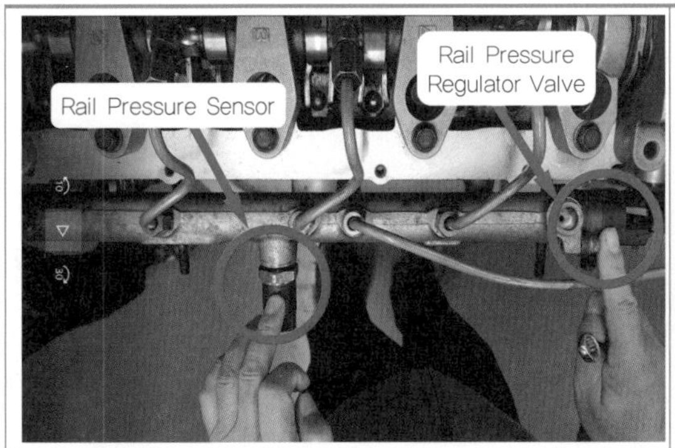	
현대 2.0 D엔진은 외면상 여러 가지로 알 수 있지만 연료 파이프 3번과 4번 사이에 공급 파이프가 연결 되어 있다.	현대 2.2 D엔진은 외면상 여러 가지로 알 수 있지만 연료 파이프 2번과 3번이"X"자로 연결되어 있다.

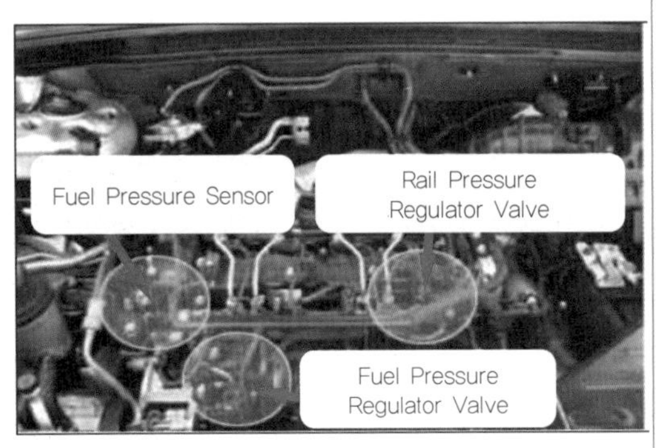	
이 엔진은 R 2.0/ 2.2 엔진이며, 분해 조립용은 부속이 많이 탈거된 상태이다. 레일 압력 조절 밸브의 설치위치이다.	레일 압력 조절 밸브 커넥터를 분리하고 (커넥터 몸체를 잡고 당긴다)설치 볼트를 분리한 후 탈거한다.
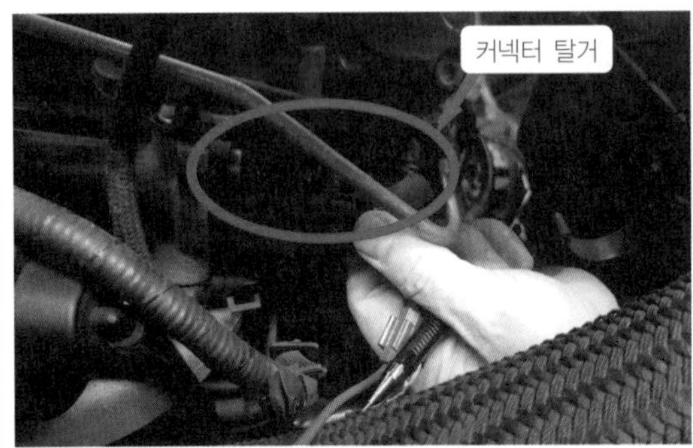	
커넥터 탈거는 커넥터 몸체를 잡고 록킹 레버를 누르면서 당기면 탈거가 된다. 시험장에 있는 것은 많이 분해 조립해서 쉽다.	설치 볼트 탈거는 옵셋 복스 렌치를 먼저 풀고 드라이버로 돌리면 빠르게 분해 조립을 할 수 있다.

분해된 레일 압력 조절 밸브를 감독위원에게 가지고 가서 새것으로 받아와 조립한다. 그냥 조립하라고 할 때가 대부분이다.	조립할 때는 아래위가 바뀌지 않도록 하고 반드시 가스켓을 달라고 하여 설치해야 좋은 점수를 받을 수 있다.

05 연료 압력(고압) 점검

연료 압력(고압) 점검은 연료 압력이 정상으로 나와야 엔진의 성능을 발휘할 수 있기에 성능이 떨어지면 반드시 점검한다.

연료 압력의 점검으로 연료 라인에 각종 센서 및 부품의 고장을 진단할 수 있다. 연료 압력이 연료 압력이 고압이고 수검자가 게이지를 설치하기 위하여 시간이 많이 걸리므로 아주 압력 게이지를 설치하여 놓고 수검자는 시동을 걸고 측정하기만 한다, 요즘은 스캐너로 측정하여 아주 편리하게 점검할 수 있어서 많이 사용하고 있다.

연료 압력이 불량이면 시동불능, 시동직후의 멈춤, 공회전시 불안정, 배기가스 매연 과다노출, 가속시 페달 반응 느림, 엔진 멈춤, 엔진 진동 발생, 출력 부족, 연료소비 과다, 변속시 엔진속도 급격히 상승, 악셀 페달 놓을 때 엔진 정지 등이 일어날 수 있다.

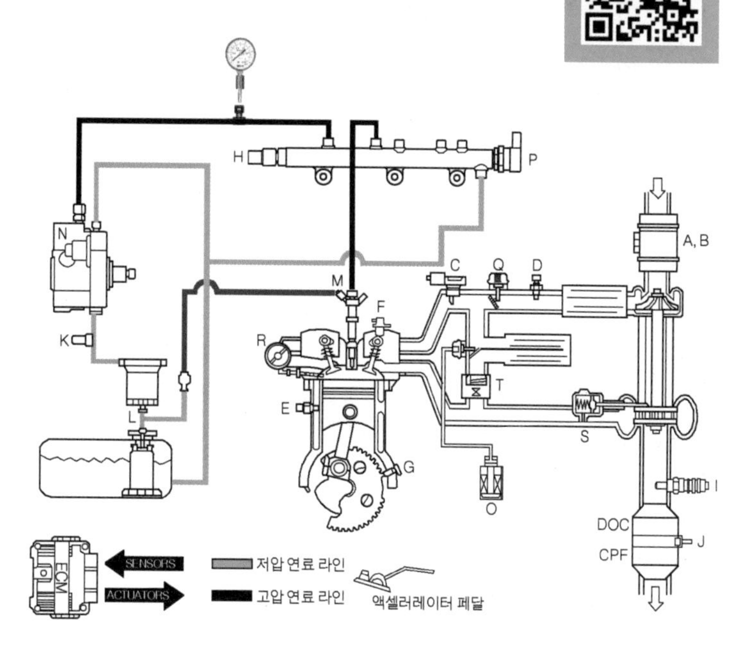

A. Manifold Air flow Sensor (MAFS)
B. Intake Air Temperature Sensor #1 (IATS) #1
C. Booster Pressure Sensor (BPS)
D. Intake Air Temperature Sensor #2 (IATS) #2
E. Engine Coolant Temperature Sensor (ECTS)
F. Cam Shaft Position Sensor (CMPS)
G. Crank Shaft Position Sensor (CKPS)
H. Rail Pressure Sensor (RPS)
I. Lambda Sensor
J. Exhaust Gas Temperature Sensor
K. Fuel Temperature Sensor (FTS)
L. Fuel Moisture Sensor
M. Injector
N. Fuel Pressure control Valve
O. EGR Cooler By-pass Solenoid Valve
P. Rail Pressure control Valve
Q. Air control Valve
R. Variable Swirl Actuator
S. Electronic VGT Control Actuator
T. Electronic EGR Control Valve

■ 레일 압력 제원

차종	레일 압력		공회전 속도	비고
	아이들	최대압력(WOT)		
싼타페 2.0 D	220~320bar	1,800bar	790±100rpm	1 bar=1.019716kg/㎠
싼타페 2.2 D	220~320bar	1,800bar	790±100rpm	
싼타페 2.0 R	200~300bar	1,800bar	790±100rpm	
싼타페 2.2 R	200~300bar	1,800bar	790±100rpm	

1. 연료 압력(고압) 측정 방법(현대 D 엔진 2.0/ 2.2)

1) 연료 압력계로 측정하는 방법

① 엔진 시동을 걸고 정상 작동온도가 되도록 한다.

② 연료 압력계가 지시하는 값을 읽는다.

2) 스캐너로 측정하는 방법

① 자기진단 커넥터에 스캐너를 연결한다.

② 엔진을 정상작동 온도까지 워밍업 한다.

③ 전기장치 및 에어컨을 "OFF"한다.

④ 스캐너가 표시하는 값을 읽는다.

1단계 제품명 화면

2단계 소프트웨어 화면

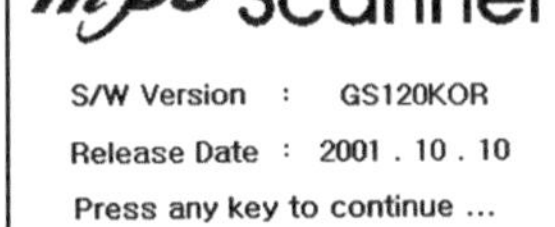

S/W Version : GS120KOR
Release Date : 2001 . 10 . 10
Press any key to continue ...

3단계 기능을 선택한다.

기능 선택
01. 차량통신
02. 스코프/ 미터/ 출력
03. 주행 DATA 검색
04. PC통신
05. 환경설정
06. 리프로그래밍

4단계 제조사를 선택한다.

제조회사 선택
01. 현대자동차
02. 기아자동차
03. 대우자동차
04. 쌍용자동차
05. 르노삼성차

5단계 차량을 선택한다.

차종 선택 12/34
61.트라제 XG
62.싼타페 CM(F/L)
63.싼타페 CM
64.싼타페
65.투싼 IX
66.투싼

6단계 제어장치 선택한다.

제어장치 선택
차종 : 싼타페
01. 엔진제어 가솔린
02. 엔진제어 디젤
03. 엔진제어 LPG
04. 자동변속
05. 제동제어
06. 에어백

7단계 사양을 선택한다.

사양 선택 1/8
차 종 : 싼타페
제어장치 : 엔진제어 디젤
01. WGT
02. VGT

8단계 자기진단 선택한다.

진단기능 선택 2/8
차 종 : 싼타페
제어장치 : 엔진제어 디젤
사 양 : VGT
01.자가진단
02.센서출력
03.액추에이터 검사
04.시스템 사양정보
05.압축압력 및 연료계통

9단계 출력 화면이다

센서출력		3/66
✔ 엑셀페달센서	0.0	%
✔ 연료분사량	9.0	mm3
✔ 레일압력	27.5	MPa
✔ 목표레일압력	27.5	MPa
✔ 레일압력조절기(레일)	16.5	%
✔ 레일압력조절기(펌프)	34.1	%
✔ 실린더당흡입공기량	488.2	mg/st
✔ 엔진회전수	849	RPM
이그니션스위치	ON	
배터리전압	14.1	V

고정 | 분할 | 전체 | 파형 | 기록 | 도움

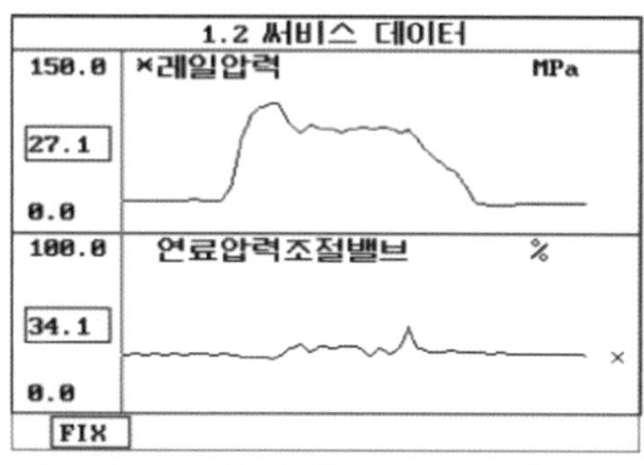

그림1 가속 및 감속시 레일압력과 연료압력조절밸브 듀티 변화를 나타낸다. 연료압력조절밸브 듀티 증가시 레일 압력이 상승한다.

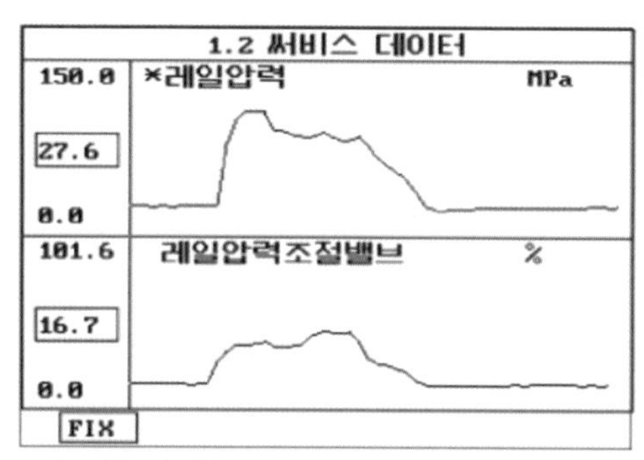

그림2 가속 및 감속시 레일압력과 연료압력조절밸브 듀티 변화를 나타낸다. 레일압력조절밸브 듀티 증가시 레일 압력이 상승한다

2. 연료 압력 고장진단

1) 연료 압력이 낮은 원인

① 연료 압력 조절 밸브가 열린 상태로 고장

② 레일 압력 센서 전원, 제어선 단선

③ 레일 압력 센서 낮은 전압으로 설정(ECU 고장)

④ 레일 압력 센서 커넥터 탈거

2) 연료압력이 높은 원인

① 연료 압력 조절 밸브가 닫힌 상태로 고장

② 연료 압력 조절 밸브 커넥터 탈거

③ 연료 압력 조절 밸브 전원, 제어선 단선

④ 레일 압력 센서 커넥터 탈거

⑤ 레일 압력 센서 전원, 제어선 단선

⑥ 연료 리턴 파이프의 굴곡, 막힘

3. 연료 압력(고압) 측정 실습장 사진

시험장에는 세팅되어 있어서 본인이 자기진단 커넥터를 연결하고 스캐너를 부팅하여 레일압력 값을 측정한다.

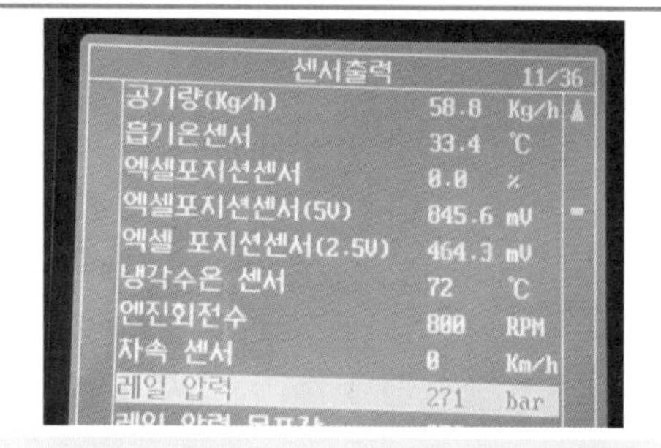

레일 압력은 대부분 스캐너를 이용하여 측정하고 있으며 순서에 따라 선택하고 센서 출력에서 찾는다.

06 연료 리턴량(Back Leak) 측정

백 리크(Back leak) 점검이란 연료가 인젝터 내부에서 누설되는 것을 점검하는 것으로 리턴 되는 연료량을 점검하여 엔진 시동의 지연과 가속 시 시동의 꺼짐, 시동의 불능, 매연의 발생 등을 파악할 수 있다.

점검 방법은 시동이 안 걸릴 때와 시동이 가능할 때 두 가지 방법이 있는 시험장에서는 시동이 가능한 상태에서 실시한다. 백 리크 점검할 시기는 시동 지연, 흑연, 백연, 매연 과다, 엔진 부조, 주행 중 시동 꺼짐, 출력 부족 시 1차 고장코드에 의한 점검, 조치 후 동일 현상 발생 시와 연료 장치, 연료 펌프, 압력 레귤레이터, 압력 센서, 연료 점검 후 정상인 경우 인젝터의 연료 리턴량을 점검한다. 스캐너로 측정하는 방법도 있는데 "분사 보정 목표량 비교 테스터"로도 진단할 수 있다.

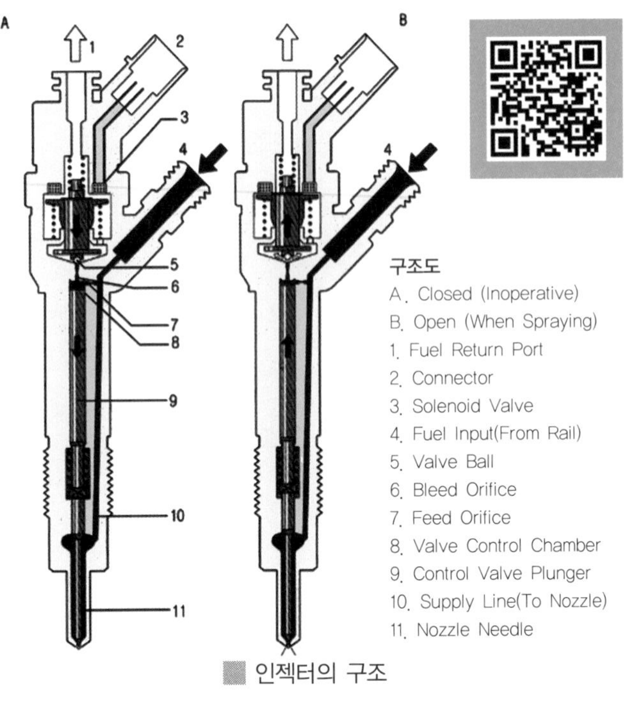

인젝터의 구조

■ 백 리크량 시험장 일반적인 제원

인젝터 백 리크량	판정	비고
20~25ml/30초	정상	–
25ml 이상/30초	인젝터 고장	25ml 이상을 초과한 인젝터 교환
25ml 이하/30초	고압계통(고압펌프 고장)	고압라인 점검

1. 연료 압력(고압) 측정 방법(현대 D 엔진 2.0/ 2.2)

1) 백 리크 테스터기로 측정하는 방법

① 엔진을 정상 작동 후 정지한다.(측정 온도 약 80℃)

② 인터쿨러 어셈블리를 탈거한다.(기타 전기장치 OFF)

③ 리턴 호스 고정 핀을 탈거하고 인젝터에서 리턴 호스를 모두 탈거한다.

- 플러그 손잡이를 누른 상태에서 플러그 부시를 수직방향으로 들어 올린다.
- 플러그 양쪽의 리턴 라인을 잡고, 니플로부터 수직방향으로 분리한다.

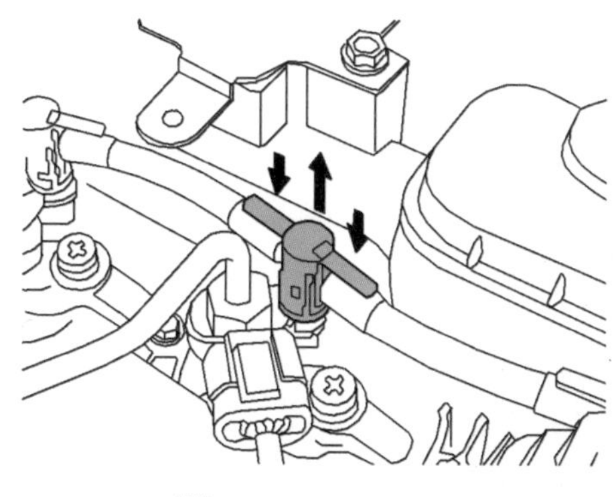

■ 플러그 부시 탈거

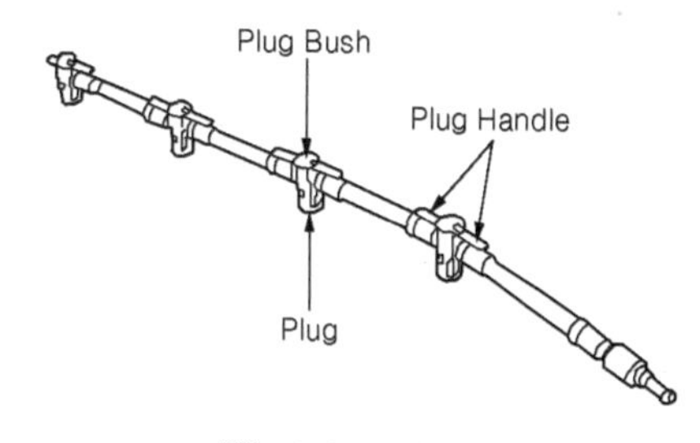

■ 리턴 라인 모습

④ 탈거한 리턴 호스의 끝부분에 리턴 호스에 플러그 설치하여 분리된 연료 리턴 호스에 테스터에 부속되어 있는 플러그를 설치하여 연료가 유출되지 않도록 한다. 현장에서는 바이스 플라이어 등으로 막기도 한다.

⑤ 인젝터의 리턴 호스를 탈착한 상단부에 인젝터 리턴 호스 어댑터, 투명 튜브, 플라스크 & 홀더를 조립한 후 인젝터 리턴 홀에 설치한다.

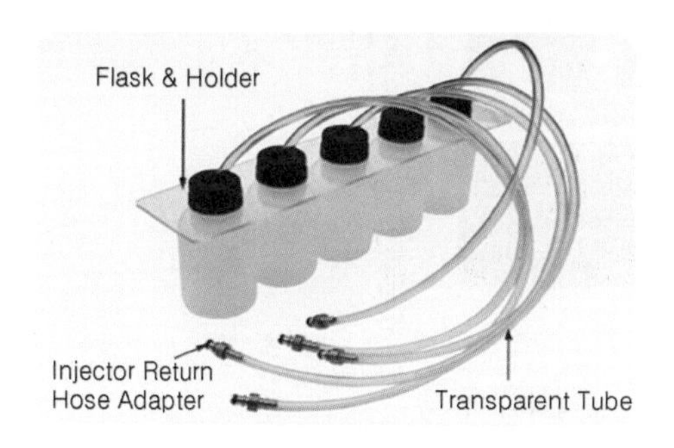

■ 투명 튜브 연결구

■ 리턴량 측정된 모습

⑥ 변속레버를 P위치에서 엔진의 시동을 건다.(테스터기가 움직일 수 있으므로 고정한다)

⑦ 엔진을 시동하여 공회전 상태로 1분간 유지시켜 안정되도록 한다.

⑧ 액셀러레이터 페달을 밟아 엔진을 가속하여 3000rpm을 30초 정도 유지시킨 후 엔진을 정지시킨다.(시험장에서는 안전을 위하여 아이들 상태로 측정하는 경우가 대부분이다)

⑨ 플라스크 측면에 연료 리턴량을 표시하는 눈금을 판독하여 기록지에 연료의 리턴량을 기록한다.

※ 시동 불량이나 불능일 때 점검 방법

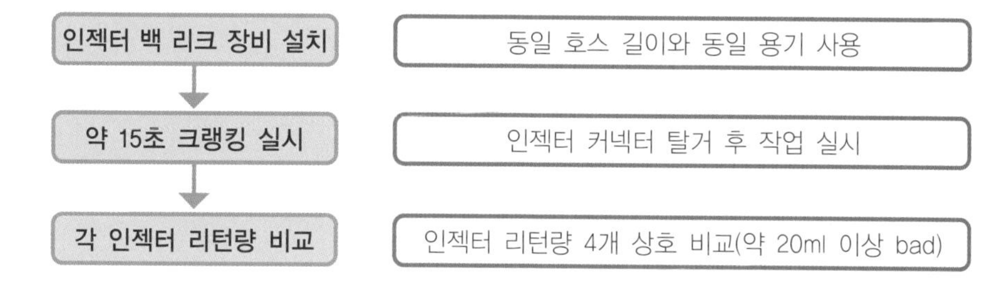

2) GDS 장비를 이용한 분사 보정 목표량 비교 테스트 측정 방법

① 엔진을 정상 작동 후 정지한다.
(측정 온도 약 80℃)

② 점화 스위치를 “OFF”로 한다.

③ GDS 장비를 자기진단 커넥터(DLC : Data Link Connector)에 연결한다.

④ 점화 스위치를 “ON”으로 한다.

⑤ 차종, 연식, 엔진 사양, 시스템을 선택한다.

⑥ “Vehicle S/W Management”를 선택한다.

⑦ “압축압력 및 연료계통 점검”을 선택한다.

⑧ “분사 보정 목표량 비교 테스터”를 선택한다.

⑨ 메시지에 따라 테스터를 실시한다.

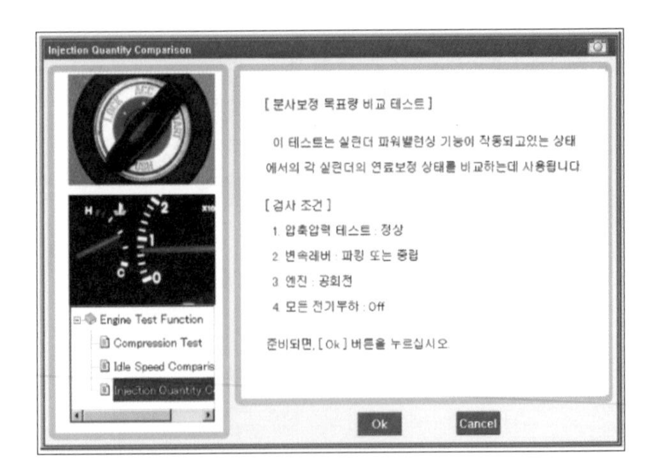

■ 검사 준비 화면

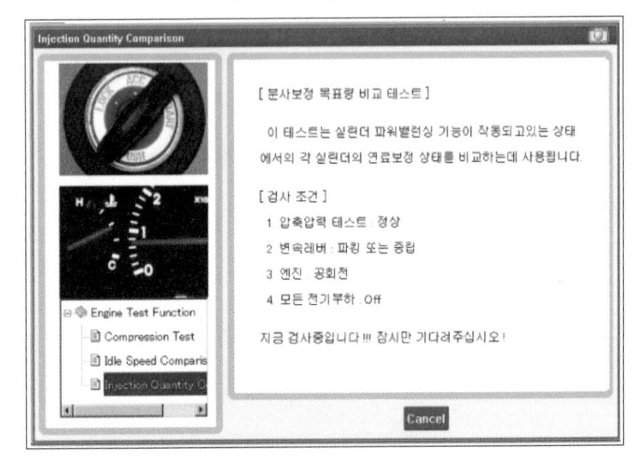

■ 검사 중 화면

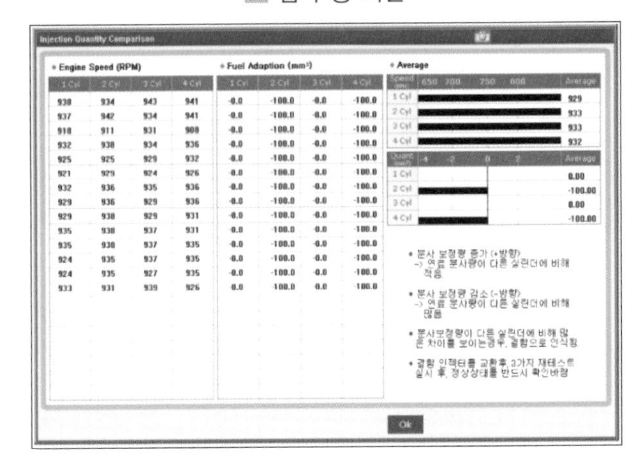

2. 연료 압력(고압) 측정 실습장 사진

<table>
<tr>
<td>
시험장에는 인젝터 리턴 호스 클립을 분리하고 리턴 호스가 끊어지지 않도록 조심하여 수직으로 들어 올려 탈거한다.</td>
<td>
리턴 파이프가 탈거된 모습이다. 여기에 인젝터 리턴 호스 어댑터를 플라스크 병 번호에 맞춰서 연결한다.</td>
</tr>
<tr>
<td>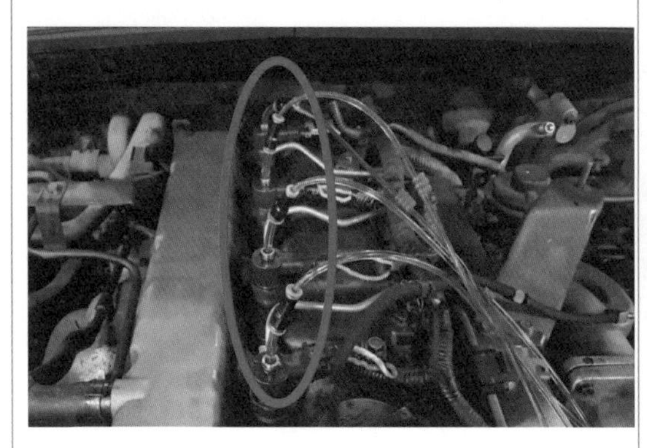
시험장에는 세팅이 되어 있어서 본인이 시동을 걸어 30초간(감독위원이 주어진 시간동안) 측정하여 답안지를 작성한다.</td>
<td>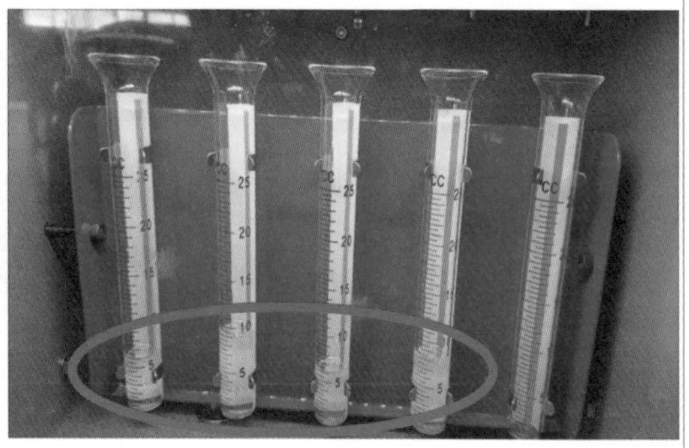
측정하고 난 후 매스 실린더에 담겨진 백 리크양을 답안지에 작성하고 판정하여 정비 및 조치할 사항을 기입한다.</td>
</tr>
</table>

07 공전 속도(Idle Speed) 점검

공전속도(Idle Speed) 점검이란 말 그대로 공전속도를 측정하는 것인데 그동안 디젤 엔진에서는 디젤 타이밍 라이트를 이용하였으나 전자제어 디젤 엔진(CRDI : Common Rail Direct Injection)에서는 스캐너나 HI-DS 진단기를 이용하여 측정한다.

점검 방법은 엔진이 정상 작동 온도가 웜업(Worm-up)을 한다. 스캐너의 자기진단 커넥터를 DLC(Data Link Connector) 커넥터에 연결하고 센서 출력에서 측정한다. 시험장에서는 웜업이 되어 있는 상태라고 바로 측정할 것을 권유한다.

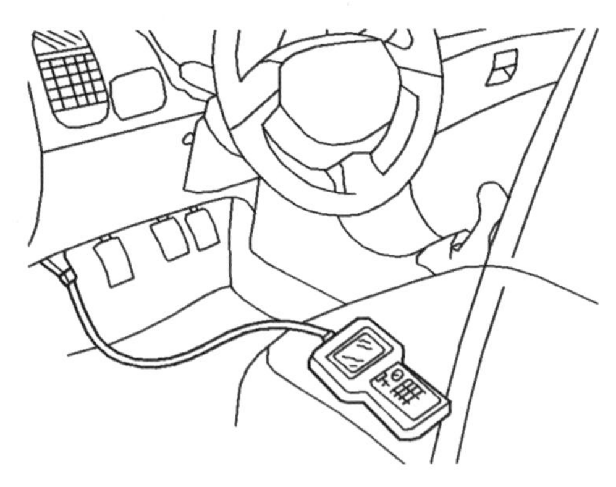

자기진단기 DLC 커넥터 연결

■ 차종별 공전속도 기준값(웜업 상태 - N & P 위치)

차종	엔진형식	생산년도	공전속도(A/C - OFF)	공전속도(A/C - ON)
아반떼(HD)	D 1.6 TCI-U	2006~2010	830±100RPM	830±100RPM
트라제 XG(FO)	D 2.0 TCI-D	2000~2007	780±40RPM	780±40RPM
싼타페 CM	D 2.2 TCI-D	2006~2009	790±100RPM	790±100RPM
	D 2.0 TCI-D	2008~2009		
	D 2.0 TCI-R	2010~2012		
	D 2.0 TCI-R	2010~2012		
쏘렌토 BL	D 2.5 TCI-A(WGT)	2002~2006	750±100RPM	750±100RPM
	D 2.5 TCI-A(VGT)	2007~2009	750±100RPM	800±100RPM
스포티지 KM	D 2.0 TCI-D(WGT)	2004~2009	720±40RPM	720±40RPM
	D 2.5 TCI-D(VGT)	2006~2010	700±100RPM	700±100RPM

1. 공전속도 측정방법(현대 D 엔진 2.0/ 2.2)

1단계 제품명 화면

2단계 소프트웨어 화면

Hi-DS Scanner

S/W Version : GS120KOR

Release Date : 2001 . 10 . 10

Press any key to continue ...

3단계 기능을 선택한다.

기능 선택

01. 차량통신
02. 스코프/ 미터/ 출력
03. 주행 DATA 검색
04. PC통신
05. 환경설정
06. 리프로그래밍

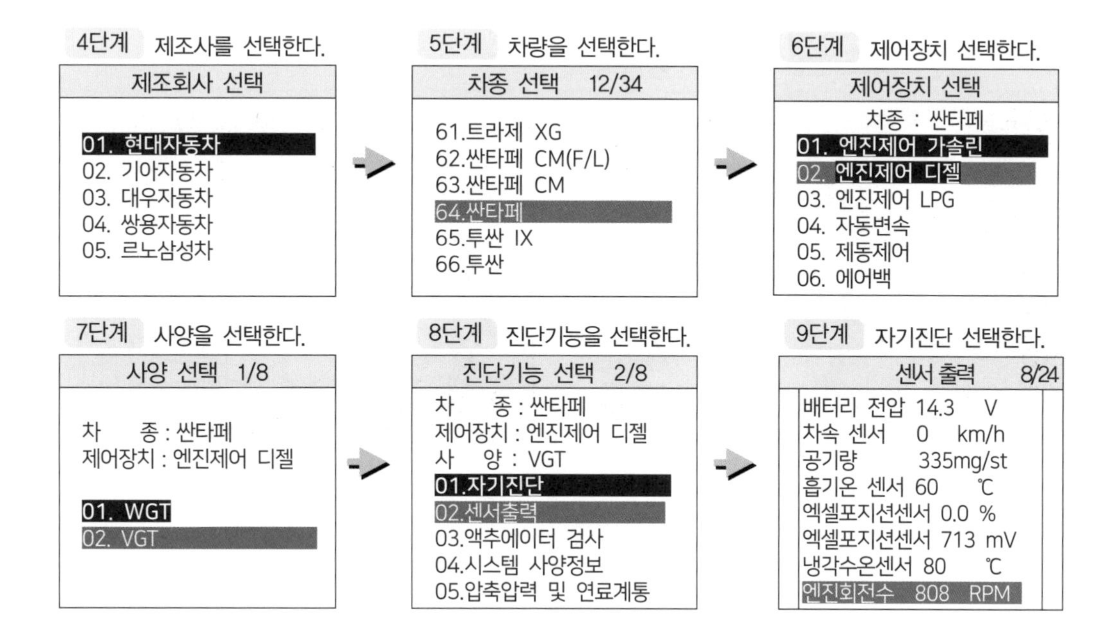

2. 고장진단

1) 공회전 불안정

① 인젝터측 연료 리턴라인 단선
② 인젝터 연료량 보정 안됨
③ 레일 압력 센서 출력 미감지
④ 하니스 저항 증가(단선 또는 접촉 불량)
⑤ 저압 연료회로 공기 유입
⑥ 연료 품질 불량 또는 연료 내 수분 유입
⑦ 연료 필터 막힘
⑧ 에어 필터 막힘
⑨ 인젝터측 연료 리턴호스 막힘
⑩ 고압 연료 회로 누유
⑪ 글로우 시스템 결함
⑫ 압축압력 낮음
⑬ 인젝터 플랜지 너트 조임 상태 불량
⑭ 고압 연료 펌프 고장
⑮ 인젝터 이상
⑯ 인젝터 내 카본 누적(분사 홀 막힘)
⑰ 인젝터 니들 고착(고압에서만 작동 됨)
⑱ 인젝터 열림 고착
⑲ 전자식 EGR 컨트롤 밸브 고착

2) 공회전 높거나 낮음

① 냉각수온 센서 신호 미감지
② 차량 전기장치 이상
③ 제너레이터 또는 전압 레귤레이터 결함
④ ECM 프로그램 또는 하드웨어 이상
⑤ 전자식 EGR 컨트롤 밸브 열림 고착
⑥ 액셀러레이터 페달 관련 고장(엔진 회전수 : 1,250rpm 고정)

3. 연료 압력(고압) 측정 실습장 사진

	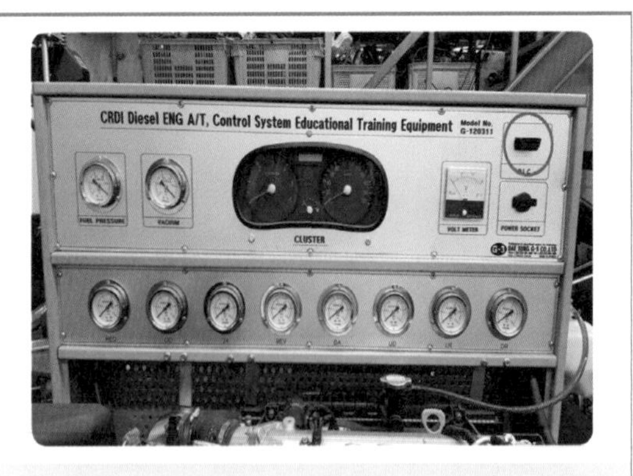
시험장에는 대부분 시뮬레이터를 이용하여 시험을 수행하고 있지만 실제 차량에서 측정하는 시험장도 있다.	DLC(Data Link Connector) 위치는 시뮬레이터 제작사, 차종마다 다르나 전면 패널에 설치되어 있다.
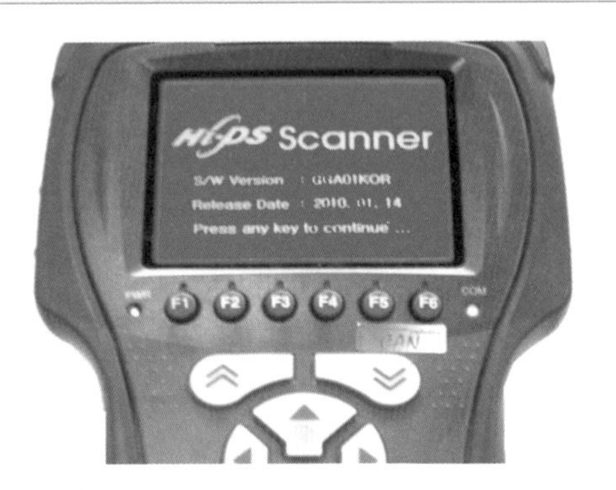	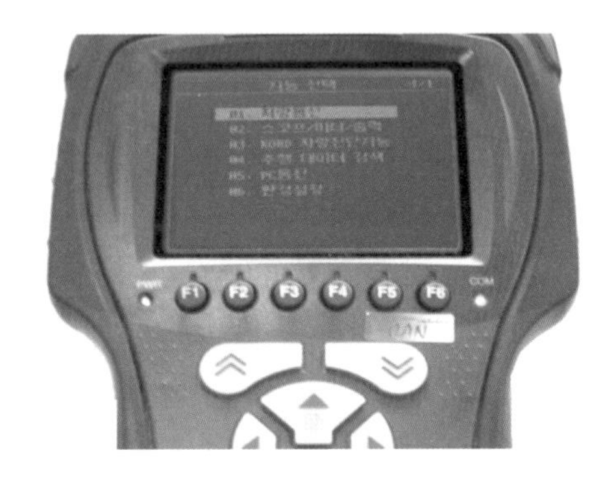
자기진단 커넥터에 접속하고 파워 버튼을 ON시키면 제품명 및 소프트웨어 버전이 표출된다.	소프트웨어 버전 화면 상태에서 ENTER 버튼을 눌러 기능 선택 화면으로 활성화 한다.
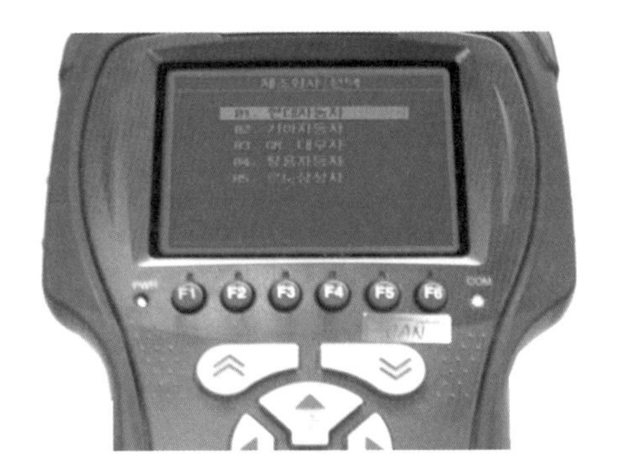	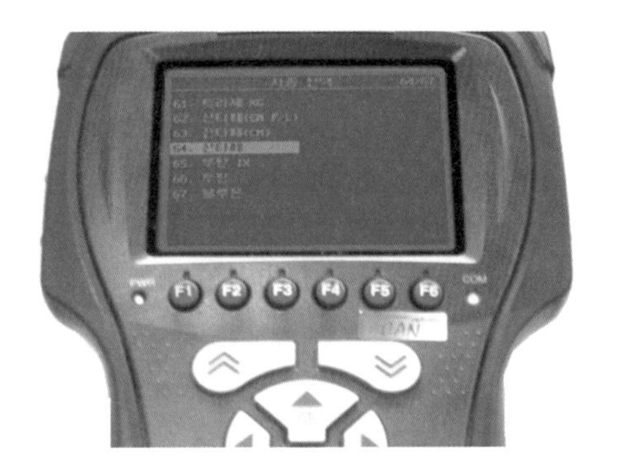
점검 대상 차량을 확인하고 차종이 현대 차량이면 현대자동차를 선택하고 ENTER를 누른다.	점검 대상 차종이 싼타페일 경우 CM, DM, 산타페가 있으니 해당 차량을 선택한 후 ENTER를 누른다.

<table>
<tr><td>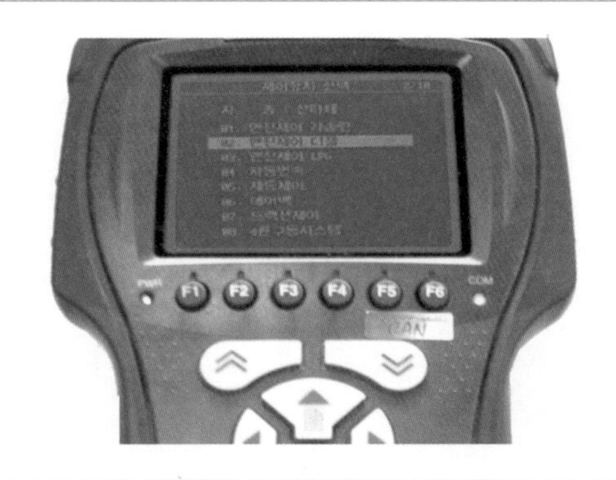
점검할 대상 차량이 디젤 기관이므로 엔진제어 디젤을 선택한 후 ENTER를 누른다.</td><td>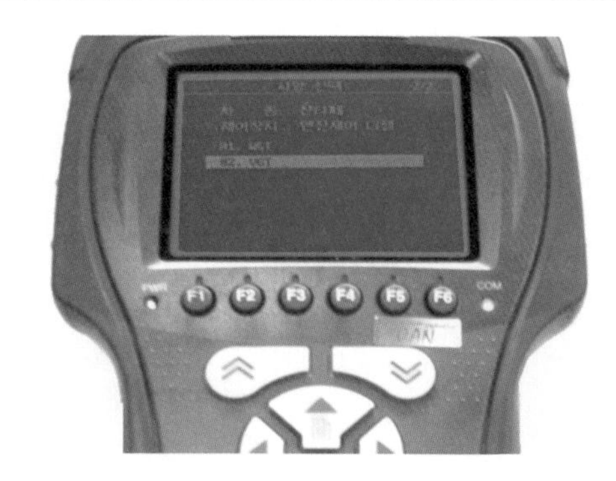
점검할 대상인 엔진의 사양인 VGT(Variable Geometry Turbocharger)를 선택한 후ENTER를 누른다.</td></tr>
<tr><td>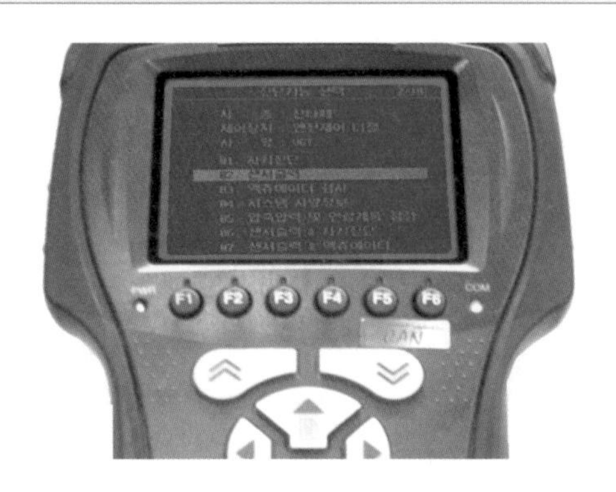
점검할 대상인 싼타페 디젤 VGT를 선택 후 엔진의 센서 출력을 선택한 후 ENTER를 누른다.</td><td>
스캐너에 표출되는 엔진의 회전수를 판독하고 스캐너가 지급되지 않는 경우에는 계기판에서 판독한다.</td></tr>
</table>

저자(Author)

김 광 수 전)신한대학교 겸임교수

전 석 환 서정대학교 자동차과

신 현 초 한국폴리텍대학 서울정수캠퍼스

장 종 관 영남이공대학교 스마트 e-자동차과

뉴그린 자동차실기 엔진편

초판인쇄 | 2023년 10월 5일
초판발행 | 2023년 10월 12일

지 은 이 | 김광수 · 전석환 · 신현초 · 장종관
발 행 인 | 김 길 현
발 행 처 | (주) 골든벨
등 록 | 제 1987-000018호
I S B N | 979-11-5806-661-1
가 격 | 25,000원

이 책을 만든 사람들

교 정 · 교 열 | 이상호
편 집 및 디 자 인 | 조경미, 박은경, 권정숙
웹 매 니 지 먼 트 | 안재명, 서수진, 김경희
공 급 관 리 | 오민석, 정복순, 김봉식
동 영 상 제 공 | 카닷TV[자동차정비]
제 작 진 행 | 최병석
오 프 마 케 팅 | 우병춘, 이대권, 이강연
회 계 관 리 | 김경아

㊝04316 서울특별시 용산구 원효로 245(원효로1가 53-1) 골든벨 빌딩 5~6F
• TEL : 도서 주문 및 발송 02-713-4135 / 회계 경리 02-713-4137
편집 및 디자인 02-713-7452 / 해외 오퍼 및 광고 02-713-7453
• FAX : 02-718-5510 • http : // www.gbbook.co.kr • E-mail : 7134135@ naver.com